대한민국
고객만족지수
1위

10년 연속
베스트셀러

＊ 산출근거 후면 표기

2024 개정판

건축기사
실기

26개년 기출문제(1998~2023)

한규대 · 김형중
안광호 · 이병억
공저

3

한솔아카데미

전용홈페이지를 통한
2024/365일 학습질의응답 관리

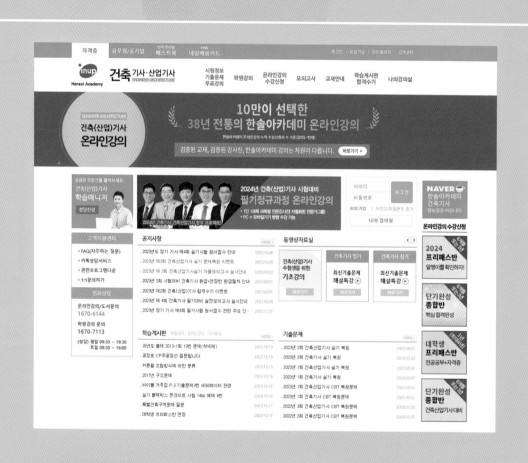

홈페이지 주요메뉴

http://www.inup.co.kr

❶ 시험정보
- 시험개요
- 기출문제
- 무료강의
- FINAL 특강

❷ 학원강의
- 개강안내
- 학원강의 특징
- 교수진

❸ 온라인강의
- 수강신청
- 온라인강의 특징
- 교수진

❹ 모의고사
- 자가진단 모의고사
- 데일리모의고사
- 실전모의고사

❺ 교재안내

❻ 학습게시판
- 학습 Q&A
- 공지사항
- 합격수기

❼ 나의 강의실

Architecture

꿈·은·이·루·어·진·다

목 차

제6편 26개년 과년도 기출문제

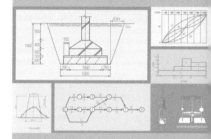

26개년 기출문제

1998년 ~ 2023년

1998년 1회 출제문제

1 VE의 사고방식 4가지를 쓰시오. (4점)

① _____

② _____

③ _____

④ _____

2 철골 운반시 조사 및 검토 사항을 4가지를 쓰시오. (4점)

① _____ ② _____

③ _____ ④ _____

3 다음 그림의 꺽쇠 명칭을 쓰시오. (3점)

① _____ ② _____ ③ _____

4 다음은 창호공사에 관한 용어 설명이다. 설명이 의미하는 용어명을 쓰시오. (4점)

① 창문을 창문틀에 다는 일 : (　　　　　　)

② 미닫이 또는 여닫이 문짝이 서로 맞닿는 선대 : (　　　　　)

③ 미서기 또는 오르내리창이 서로 여며지는 선대 : (　　　　　)

④ 창호가 닫아졌을 때 각종 선대 등 접하는 부분에 틈새가 나지 않도록 대어
　주는 것 : (　　　　　)

5 일반적으로 넓은 의미의 안전유리(Safety Glass)로 분류할 수 있는 성질을 가진 유리
의 명칭 3가지만 쓰시오. (3점)

① _____ ② _____ ③ _____

정 답

정답 1

① 고정관념의 제거

② 발주자, 사용자 중심의 사고방식
　(고객본위)

③ 기능중심의 접근

④ Team Design의 조직적 노력

정답 2

① 운반차의 용량

② 길이제한

③ 수송중 장애물

④ 교량, 도로의 강약

정답 3

① 보통꺽쇠

② 엇꺽쇠

③ 주걱꺽쇠

정답 4

① 박배　　　　② 마중대

③ 여밈대　　　④ 풍소란

정답 5

① 접합유리

② 강화유리

③ 망입유리

6 시멘트의 재료 시험 방법에 대해 4가지 쓰시오. (4점)

① _____ ② _____ ③ _____ ④ _____

7 주열식 지하 연속벽 공법의 특징 4가지를 쓰시오. (4점)

① _____ ② _____
③ _____ ④ _____

8 다음 철골 트러스 1개분의 철골량을 산출하시오. (단, L−65×65×6=5.91kg/m, L−50×50×6=4.43kg/m, PL−6=47.1kg/m²) (9점)

(가) L−65×65×6 : _____

(나) L−50×50×6 : _____

(다) PL−6 : _____

9 철골 내화피복공법 종류와 방법을 설명하시오. (4점)

_____
_____
_____
_____
_____

정답 6
① 분말도 시험 ② 안정성 시험
③ 비중시험 ④ 압축강도시험

정답 7
① 저소음 저진동공법이다.
② 강성과 차수성 우수
③ 임의형상, 칫수가 가능
④ 인접건물의 경계선까지 시공 가능하다.

정답 8
P. 2-81 문제 2번 참조

정답 9
(1) 건식공법: 내화단열이 우수한 경량의 성형판을 접착제나 연결철물을 이용하여 부착하는 공법
(2) 습식공법: Concrete나 모르타르 등과 같이 물을 혼합한 재료를 타설 또는 미장 등의 방법으로 부착하여 내화성능을 발휘하는 공법
(3) 합성공법: 이종재료를 적층하거나 이질재료의 접합으로 일체화하여 내화 성능을 발휘하는 공법

※ 정답 작성시
콘크리트 타설, 조적, 미장, 뿜칠공법 등 습식공법의 종류도 가능함

10 조강포틀랜드 시멘트의 압축강도를 표준사를 이용하여 10회 시험한 결과는 다음과 같다. 이 데이터를 이용하여 시멘트 강도의 변동계수(CV)를 구하시오. (4점)

[데이터 : 41.7, 48.0, 44.7, 42.8, 39.7, 40.0, 38.9, 42.2, 42.7, 41.9]

변동계수(CV) = _____

11 다음 용어를 간단히 설명하시오. (4점)

① 성능발주 : _____

② 콘스트럭션 매니지먼트(Construction Management) : _____

12 주어진 도면을 보고 다음에 요구하는 각 재료량을 산출하시오. (9점)

① 벽돌 수량은 소수점 1위에서 모르타르량은 소수점 3위에서 반올림하시오.
② 벽두께 : 외벽 1.0B, 내벽 0.5B
③ 벽돌벽 높이 : 3m
④ 벽돌 크기 : 표준형
⑤ 줄눈 나비 : 1cm
⑥ 창호크기 :

　$\dfrac{1}{D}$: 1.0×2.3m　　　$\dfrac{1}{W}$: 1.2×1.2m

　$\dfrac{2}{D}$: 0.9×2.1m　　　$\dfrac{2}{W}$: 2.1×3.0m

⑦ 벽돌 할증률 : 5%
(시멘트 벽돌수량 산출시 길이 산정은 모두 중심선으로 한다.)

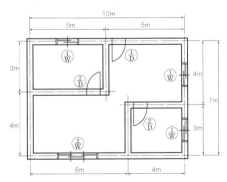

(1) 시멘트벽돌 소요량 :

(2) 모르타르량 :

정답 **10**

(1) 표본산술평균　$\bar{x} = 42.26$
(2) ① 변동
$$S = (41.7 - 42.26)^2 + (48.0 - 42.26)^2$$
$$+ (44.7 - 42.26)^2 + (42.8 - 42.26)^2$$
$$+ (39.7 - 42.26)^2 + (40.0 - 42.26)^2$$
$$+ (38.9 - 42.26)^2 + (42.2 - 42.26)^2$$
$$+ (42.7 - 42.26)^2 + (41.9 - 42.26)^2$$
$$= 62.78$$

② 표본표준편차
$$s = \sqrt{\dfrac{S}{n-1}} = \sqrt{\dfrac{62.78}{10-1}} = 2.64$$

(3) 변동계수
$$CV = \dfrac{s}{\bar{x}} \times 100(\%) = \dfrac{2.64}{42.26} \times 100$$
$$= 6.25\%$$

정답 **11**

① 발주자는 설계에서 시공에 이르기까지 건물의 요구성능만을 제시하고 시공자가 재료나 시공방법을 선택하여 요구성능을 실현하는 방식
② 건설사업을 보다 효율적이고 경제적으로 수행하기 위하여 전문가집단에 의한 통합관리 기술을 건축주에게 서비스하는 건설사업관리를 말한다.

정답 **12**

P. 2-87 예제 참조

13 흙의 전단강도에 관한 설명 중 ( )안의 내용을 보기 중 골라 기재하시오. (4점)

┌─〈보기〉─────────────────────────────────┐
│ ① 지지   ② 안전   ③ 침하   ④ 붕괴   ⑤ 안정   ⑥ 융기 │
└───┘

전단강도란 흙에 관한 역학적 성질로서 기초의 극한 지지력을 알 수 있다. 따라서 기초의 하중이 흙의 전단강도 이상이 되면 흙은 ((1))되고, 기초는 ((2))되며, 이하이면 흙은 ((3))되고, 기초는 ((4))된다.

(1) (   )   (2) (   )   (3) (   )   (4) (   )

정답 13
(1) 붕괴   (2) 침하
(3) 안정   (4) 지지

14 철골공사에서 철골에 녹막이칠을 하지 않아도 되는 부분을 3가지만 쓰시오. (4점)

① _____ ② _____

③ _____

정답 14
① 콘크리트에 매립되는 부분
② 조립에 의하여 밀착되는 부분
③ 고력 볼트 접합부의 마찰면
④ 용접부 양쪽 100mm이내의 부분

15 다음 도면과 같은 기둥주근의 철근량을 산출하시오. (4점) (단, 층고는 3.6m, 주근의 이음길이는 25d로 하고, 철근의 중량은 D22는 3.04kg/m, D19는 2.25kg/m, D10은 0.56kg/m로 한다.)

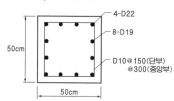

50cm   4-D22
    8-D19
    D10@150(단부)
    @300(중앙부)
50cm

정답 15
P. 2-62 예제 참조

16 APT현장의 독립 기초보강에 사용되는 콘크리트 말뚝의 이음시 이용되는 방법을 3가지만 쓰시오. (3점)

① _____ ② _____ ③ _____

정답 16
① 충전식 이음법
② Bolt식 이음법
③ 용접식 이음법

17 다음 데이터를 네트워크 공정표로 작성하고, 여유시간을 구하라. (단, 주공정선은 굵은 선으로 표시하고 소요일정 계산은 다음과 같이 표시한다.) (10점)

공정관계	공기	선행작업	비 고
A	3	없음	단, 주공정선을 굵은 선으로 표시하고, 소요일정은 다음과 같이 표시하시오.
B	5	없음	
C	2	없음	
D	3	B	
E	4	A, B, C	
F	2	C	

① 공정표 작성   ② 여유시간

정답 17
① 공정표 작성

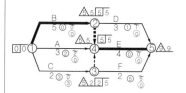

18 도급계약 방식 가운데 실비청산 보수가산 도급방식의 종류 4가지를 쓰시오. (4점)

① _____ ② _____

③ _____ ④ _____

[정답] **18**

① 실비청산 비율보수 가산도급

② 실비청산 정액보수 가산도급

③ 실비청산 한정비율보수 가산도급

④ 실비청산 준동율보수 가산도급

19 공사계획의 일반적인 순서를 보기에서 골라 쓰시오. (4점)

〈보기〉
① 공정표 작성   ② 하도급자의 선정   ③ 재료선정
④ 현장원 편성   ⑤ 실행예산 편성   ⑥ 가설준비물 결정
⑦ 재해방지

• 순서 : _____

[정답] **19**

④-①-⑤-②-⑥-③-⑦

20 건물의 벽돌벽에 균열이 발생하지 않도록 하기 위하여 설계 및 시공상 주의할 점을 기술하시오. (5점)

가. 설계상 : _____

_____

나. 시공상 : _____

_____

[정답] **20**

가. 설계상
① 불균형 하중
② 벽돌벽체의 강도부족
③ 기초의 부동침하
④ 평면, 입면의 불균형
⑤ 문꼴 크기의 불합리 및 불균형 배치

나. 시공상
① 재료의 신축성
② 모르타르사춤 부족
③ 벽돌 및 모르타르의 강도부족
④ 이질재와의 접합부 불량 시공

21 콘크리트 배합설계 종류 3가지를 쓰시오. (3점)

① _____ ② _____ ③ _____

[정답] **21**

① 절대용적배합
② 중량배합
③ 표준계량 용적배합

22 세로 규준틀에 기입해야 할 사항을 4가지 쓰시오. (4점)

① _____ ② _____

③ _____ ④ _____

[정답] **22**

① 개구부 치수
② 나무벽돌 위치
③ 벽돌켜수
④ 인방 위치

1998년 2회 출제문제

1 다음의 용접기호로서 알 수 있는 사항을 4가지 쓰시오. (4점)

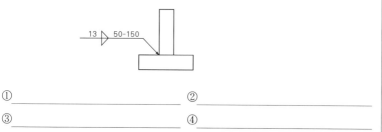

① _____ ② _____
③ _____ ④ _____

2 건설업의 품질관리에 이용되는 관리 싸이클의 단계 명칭을 4가지로 나누어 쓰시오. (2점)

(　　　) → (　　　) → (　　　) → (　　　)

3 A항과 관계있는 것을 B항에서 골라 쓰시오. (4점)

[A 항]
　가. 게이지 라인 (gauge line) (　　)
　나. 드리프트 핀 (drift pin) (　　)
　다. 리이머 (reamer) (　　)
　라. 뉴우매틱 해머 (pneumatic hammer) (　　)

[B 항] ① 현장 리벳치기용 공구
　　　　② 리벳구멍 중심을 맞추는 공구
　　　　③ 구멍 주위 가심질 공구
　　　　④ 한열의 리벳중심을 통하는 선

4 Q.C 수법으로 알려진 도구에 대한 설명이다. 해당되는 도구명을 쓰시오. (6점)

① 집단을 구성하고 있는 많은 데이터를 어떤 특징에 따라 몇 개의 부분 집단으로 나누는 것 : (　　　　)
② 결과에 원인이 어떻게 관계하고 있는가를 한눈으로 알 수 있도록 작성한 그림 : (　　　　)
③ 데이터가 어떤 분포를 하는지 알아보기 위하여 작성하는 그림
　: (　　　　)
④ 계수치가 분류항목의 어디에 집중되어 있는가를 알아보기 쉽게 나타낸 그림이나 표 : (　　　　)

정	답

정답 1
① 병렬단속 모살용접이다.
② 다리길이(S)=13mm
③ 용접길이(L)=50mm
④ 피치(P)=150mm

정답 2
(Plan) → (Do) →
(Check) → (Action)

정답 3
가. ④　　　　나. ②
다. ③　　　　라. ①

정답 4
① 층별　　　② 특성요인도
③ 히스토그램　④ 체크시이트
⑤ 파레토도　⑥ 산점도

⑤ 불량 등 발생건수를 분류항목별로 나누어 크기순서대로 나열해 놓은 그림
　　: (　　　　　)
⑥ 대응되는 두 개의 짝으로 된 데이터를 그래프에 점으로 나타낸 그림
　　: (　　　　　)

5 콘크리트의 성능을 파악하기 위한 (재료)시험의 종류를 4가지 쓰시오. (4점)

①＿＿＿＿＿＿＿＿＿＿　②＿＿＿＿＿＿＿＿＿＿

③＿＿＿＿＿＿＿＿＿＿　④＿＿＿＿＿＿＿＿＿＿

정답 5
① 슬럼프 시험
② 공기량 시험
③ 염화물 함유량시험
④ 압축강도 시험

6 설계와 시공의 의사소통의 개선방법을 계약이나 제도 또는 기법측면에서 5가지 기술하시오. (5점)

①＿＿＿＿＿＿＿＿＿＿＿＿＿＿＿＿＿＿＿＿

②＿＿＿＿＿＿＿＿＿＿＿＿＿＿＿＿＿＿＿＿

③＿＿＿＿＿＿＿＿＿＿＿＿＿＿＿＿＿＿＿＿

④＿＿＿＿＿＿＿＿＿＿＿＿＿＿＿＿＿＿＿＿

⑤＿＿＿＿＿＿＿＿＿＿＿＿＿＿＿＿＿＿＿＿

정답 6
① 사업관리(CM) 계약제도
② 턴키 계약제도
③ 성능발주 방식의 도입
④ Partnering 계약제도
⑤ 시공성향상 프로그램
　(Constructability)

7 페데스탈(pedestal) 말뚝의 시공을 (4단계로 나누어) 순서대로 설명하시오. (4점)

①＿＿＿＿＿＿＿＿＿＿＿＿＿＿＿＿＿＿＿＿

②＿＿＿＿＿＿＿＿＿＿＿＿＿＿＿＿＿＿＿＿

③＿＿＿＿＿＿＿＿＿＿＿＿＿＿＿＿＿＿＿＿

④＿＿＿＿＿＿＿＿＿＿＿＿＿＿＿＿＿＿＿＿

정답 7
① 내·외관을 동시에 소정위치까지 박음
② 내관을 제거(빼낸다)
③ 외관내 Concrete투입
④ 내관을 넣어 구근형으로 다지면서 외관을 동시에 빼내어 Concrete를 채운다.

8 다음 아스팔트 방수공사의 재료에 관한 명칭을 쓰시오. (4점)

① 블로운 아스팔트에 동.식물성 기름과 광물성 분말을 혼합하여 성질을 개량한 최우량품의 아스팔트이다.
② 아스팔트를 휘발성용제로 녹인 것으로 방수시공시 밑바탕에 도포하여 모재와 방수층의 부착을 좋게 한다.
③ 비교적 연화점이 높고 온도에 예민하지 않으므로 지붕방수에 주로 사용한다.
④ 신축이 좋고 접착력도 우수하지만 연화점이 낮아 주로 지하실 등에 사용한다.

①＿＿＿＿＿＿＿＿＿＿　②＿＿＿＿＿＿＿＿＿＿

③＿＿＿＿＿＿＿＿＿＿　④＿＿＿＿＿＿＿＿＿＿

정답 8
① 아스팔트 컴파운드
② 아스팔트 프라이머
③ 블로운 아스팔트
④ 스트레이트 아스팔트

9 지반개량공법 중 탈수법에서 다음 토질에 적당한 대표적 공법을 각각 1가지씩 쓰시오.
(2점)

① 사질토 : _____

② 점성토 : _____

정답 9

① 웰 포인트(Well Point)공법
② 샌드 드레인(Sand Drain)공법

10 다음 용어에 대해 기술하시오. (3점)

① 가새 : _____

② 버팀대 : _____

③ 귀잡이 : _____

정답 10

① 4변형으로 짜여진 뼈대의 변형 방지를 위한 대각방향 보강재로 수평력에 의한 변형방지가 목적이다.
② 가로재와 세로재가 만나는 안귀에 대는 보강재로 목구조에서 보와 기둥의 접합부분과의 변형을 적게 한다.
③ 수평직교재의 각도변형을 막기 위하여 대어주는 짧은 수평사재

11 다음 철골구조에서 용접모양에 따른 명칭을 쓰시오. (4점)

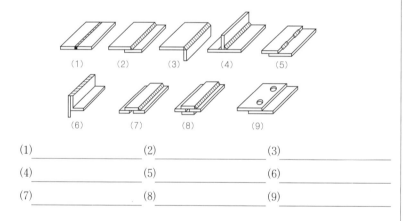

(1)　　　　(2)　　　　(3)　　　　(4)　　　　(5)

(6)　　　　(7)　　　　(8)　　　　(9)

(1) _____ (2) _____ (3) _____

(4) _____ (5) _____ (6) _____

(7) _____ (8) _____ (9) _____

정답 11

(1) 맞댄용접
(2) 겹친 모살용접
(3) 모서리 모살용접
(4) T형양면 모살용접
(5) 단속 모살용접
(6) 갓용접
(7) 덧판용접
(8) 양편 덧판용접
(9) 산지용접

12 아래 그림에서와 같이 터파기를 했을 경우, 인접 건물의 주위 지반이 침하할 수 있는 원인을 5가지만 쓰시오. (5점) (단, 일반적으로 인접하는 건물보다 깊게 파는 경우)

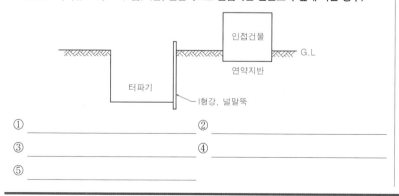

① _____ ② _____

③ _____ ④ _____

⑤ _____

정답 12

① Heaving 파괴에 의한 경우
② Boiling 파괴에 의한 경우
③ 버팀대를 시공치 않았을 경우
④ Piping에 의한 침하
⑤ 널말뚝의 저면타입 깊이를 작게 했을 경우
⑥ 널말뚝 이동에 따른 침하
⑦ 뒷채움 불량에 의한 침하
⑧ 연약지반의 보강공사를 하지않은 경우의 부동침하

13 알루미늄 창호 공사시 주의할 사항에 대하여 3가지만 쓰시오. (3점)

① _____

② _____

③ _____

14 건축 생산관리 중 목표가 되는 3대 관리명을 쓰시오. (3점)

① _____ ② _____ ③ _____

15 블록 벽체의 결함 중 습기, 빗물 침투현상의 원인을 4가지만 쓰시오. (4점)

① _____

② _____

③ _____

④ _____

16 아래 평면 및 A–A′ 단면도를 보고 벽돌조 건물에 대해 요구하는 재료량을 산출하시오. (9점) (단, 벽돌수량 산출은 벽체 중심선으로 하고, 할증은 무시, 콘크리트량, 거푸집량은 정미량)

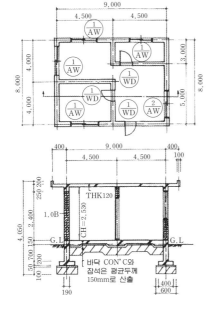

<table>
<tr><td>$\dfrac{1}{AW}$: 2,400×1,200</td></tr>
<tr><td>$\dfrac{2}{AW}$: 2,400×1,500</td></tr>
<tr><td>$\dfrac{1}{WD}$: 1,000×2,100</td></tr>
</table>

평면도

A–A′단면도

정답 13

① 알카리에 약하므로 내 알카리성 도장필요

② 동일 재료의 창호철물 사용

③ 비교적 강도가 약하므로 취급시 주의

정답 14

① 원가관리

② 품질관리

③ 공정관리

정답 15

① 재료자체의 방수성결여 및 보양불량

② 물흘림, 물끊기, 빗물막이의 불완전시공

③ 치장줄눈의 불완전시공 및 균열

④ 개구부, 창호재 접합부의 시공불량

정답 16 〈해설〉

가. 벽돌량

(1.0B) : {34×2.4-(2.4×1.2×4+2.4×1.5+1×2.1)}×149=9,592.6장

(0.5B) : {16×2.53-(1×2.1×2개)}×75=2,721장

소계 : 9,592.6+2,721 =12,313.6 → 12,314장

나. 콘크리트량

기초판 : 0.2×0.4×34=2.72

기초벽 : 0.19×0.85×34=5.491

바 닥 : 8.81×7.81×0.15=10.32

보 : 0.19×0.13×34=0.839

슬라브 : 9.9×8.9×0.12=10.573

난 간 : 0.1×0.2×(9.8+8.8)×2=0.744

소계 : 30.687 → 30.69m³

다. 거푸집량

기초판 : 0.2×34×2=13.6

기초벽 : 0.85×34×2=57.8

보 : 0.13×34×2=8.84

슬라브 : 9.9×8.9-0.19×34+0.12×(9.9+8.9)×2=86.162m²

알루미늄창 상단 : (2.4×4+2.4)×0.19=2.28

난 간 : 0.2×2×(9.8+8.8)×2=14.88m²

소계 : 183.562 → 183.56m²

① 벽돌량(외벽 1.0B 붉은벽돌, 내벽 0.5B 시멘트 벽돌, 벽돌크기(190×90×57mm), 줄눈나비(10mm)
② 콘크리트량 (단, 버팀콘크리트 제외)
③ 거푸집량

17 목재 접착제 중 내수성이 큰 것부터 순서대로 보기에서 골라 기호로 쓰시오. (3점)

┌〈보기〉───┐
│ (가) 아교　　　　　　　(나) 페놀수지　　　　　　　(다) 요소수지 │
└───┘

●

정답 **17**
(나) → (다) → (가)

18 기성콘크리트 말뚝 지정공사의 시험말뚝 박기에 대한 다음 설명 중 (　　)안에 적합한 숫자를 쓰시오. (4점)

(1) 타격회수 (　①　)회에 총관입량이 (　②　)mm 이하인 경우의 말뚝은 박히는데 거부현상을 일으킨 것으로 본다.
(2) 기초면적이 (　③　)m² 까지는 2개의 단일시험말뚝을 설치하고, (　④　)m² 까지는 3개의 단일시험말뚝을 설치한다.

(1) _____　　　(2) _____

정답 **18**
(1) ① 5　② 6
(2) ③ 1,500　④ 3,000

19 강관틀비계의 설치에 관한 다음 설명 중 (　　)안에 적합한 숫자를 적으시오. (3점)

세로틀은 수직방향 (　(가)　)m, 수평방향 (　(나)　)m 내외의 간격으로 건축물의 구조체에 견고하게 긴결해야 하며 높이는 원칙적으로 (　(다)　)m를 초과할 수 없다.

(가) _____　　(나) _____　　(다) _____

정답 **19**
(가) 6
(나) 8
(다) 40 (표준시방서)

20 다음 보기의 토질 중에서 굴착에 의한 토량이 가장 크게 증가하는 것부터 순서대로 그 번호를 쓰시오. (4점)

┌〈보기〉───┐
│ ① 점토　　　　　　　　　② 점토, 모래, 자갈의 혼합토 │
│ ③ 모래 또는 자갈　　　　④ 암석 │
└───┘

● _____

정답 **20**
④ → ② → ① → ③

21 다음 (　　)안에 알맞는 용어를 보기에서 골라 기호를 쓰시오. (3점)

┌〈보기〉───┐
│ ① 압축력　　　　　② 마찰력　　　　　③ 중력 │
│ ④ 응집력　　　　　⑤ 지내력 │
└───┘

정답 **21**
(가) ④
(나) ②
(다) ③

"흙의 휴식각이란 흙입자간의 부착력, ((가))을 무시한 때, 즉 ((나))만
으로서 ((다))에 대하여 정지하는 흙의 사면각도이다."

(가) _____ (나) _____ (다) _____

22 시공된 콘크리트 구조물에서 경화콘크리트의 강도추정을 위해 이용되고 있는 비
파괴시험방법의 명칭을 4가지 쓰시오. (4점)

① _____ ② _____

③ _____ ④ _____

정답 **22**

① 슈미트 해머법(반발경도법)
② 음속법(초음파속도법)
③ 공진법
④ 철근탐사법

23 다음 데이터를 네트워크 공정표로 작성하고 요구작업에 대하여는 여유시간을 계
산하시오. (10점) (단, 주공정선은 굵은 선으로 표시할 것)

작업명	작업일수	공정관계	선행작업	비 교
A	5	0→1	없음	
B	4	0→2	없음	결합점에서는 다음과 같이 시간
C	6	0→3	없음	을 표시한다.
D	7	1→4	A, B, C	
E	8	2→5	B, C	
F	4	3→6	C	
G	6	4→7	D, E, F	
H	4	5→7	E, F	
I	5	6→7	F	
J	2	7→8	G, H, I	

EST LST   LFT EFT

작업명
① ─공사일수→ ①

① 공정표 작성

② B, D, F, G, I 여유시간계산

정답 **23**

① 공정표

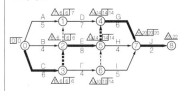

② 여유시간 계산

작업명	TF	FF	DF
B	2	2	0
D	1	1	0
F	4	0	4
G	0	0	0
I	5	5	0

24 다음 용어에 대해 기술하시오. (3점)

가. 골재의 흡수량 : _____

나. 골재의 함수량 : _____

다. 골재의 표면수량 : _____

정답 **24**

(가) 표면건조 내부포수상태의 골재에 포함
된 수량
(나) 습윤상태의 골재에 포함된 수량(골재의
표면 및 내부에 있는 물의 전수량)
(다) 습윤상태의 골재표면의 수량

1998년 3회 출제문제

1 다음 보기의 암석 종류를 성인별로 찾아 기호로 쓰시오. (3점)

〈보기〉
① 점판암　② 화강암　③ 대리석　④ 석면
⑤ 현무암　⑥ 석회암　⑦ 안산암

가. 화성암 : (　　　) 나. 수성암 : (　　　) 다. 변성암 : (　　　)

2 조적조 쌓기 시공시 기준이 되는 세로 규준틀의 설치위치에 대하여 2가지만 쓰시오. (2점)

①　_____

②　_____

3 콘크리트의 크리프(creep)현상에 대하여 쓰시오. (3점)

　_____

4 다음 데이터는 일정한 산지에서 계속 반입되고 있는 잔골재의 단위체적 질량을 매차량마다 1회씩 10대를 측정한 자료이다. 이 데이터를 이용하여 다음 물음에 답하시오. (6점)

[데이터 : 1760, 1740, 1750, 1730, 1760, 1770, 1740, 1760, 1740, 1750]
(표본산술평균 $\bar{x}$ =1750kg/m³)

① 변동(S)　_____

② 표본분산(s^2)　_____

③ 표본표준편차(s)　_____

④ 변동계수(CV)　_____

정답 1
가. 화성암 : ②, ⑤, ⑦
나. 수성암 : ①, ⑥
다. 변성암 : ③, ④

정답 2
① 건물의 모서리(구석)등 기준이 되는 곳에 설치
② 벽이 긴 경우는 중앙부

정답 3
콘크리트에 일정한 하중이 계속 작용하면 하중의 증가없이도 시간과 더불어 변형이 증가하는 콘크리트의 소성변형 현상

정답 4
① 변동
$S = \Sigma(x_i - \bar{x})^2$
여기서 문제의 DATA가 모두 1700 단위이므로 계산을 간단히 하기 위하여 10단위만 계산한다.
$= (60-50)^2 + (40-50)^2 + (50-50)^2 +$
$(30-50)^2 + (60-50)^2 + (70-50)^2 +$
$(40-50)^2 + (60-50)^2 + (40-50)^2 +$
$(50-50)^2 = 1400$
② 표본분산
$s^2 = \dfrac{S}{n-1} = \dfrac{1400}{10-1} = 155.56$
③ 표본표준편차
$s = \sqrt{s^2} = \sqrt{155.56} = 12.47$
④ 변동계수
$CV = \dfrac{s}{\bar{x}} \times 100 = \dfrac{12.47}{1750} \times 100 = 0.71\%$

5 비중이 2.6이고 단위용적중량이 1,750kg/m³인 굵은 골재가 있다. 공극률을 구하시오.
                                                           (3점)

정답 5

• 공극률

$$= \frac{(G \times 0.999) - M}{G \times 0.999} \times 100$$

$$= \frac{(2.6 \times 0.999) - 1.75}{2.6 \times 0.999} \times 100$$

$$= 32.62\%$$

6 무근 콘크리트의 붓기 이음새에 전단력을 보강하기 위한 방법을 3가지만 쓰시오. (3점)

① _____

② _____

③ _____

정답 6

① 이어붓기 이음새에 촉 또는 홈 (keyed Joint)를 둔다.
② 석재를 삽입하여 보강한다.
③ 철근을 삽입 보강한다.

7 아래 그림에서 한 층분의 물량을 산출하시오. (16점)

  ① 부재치수(단위 : mm)

  ② 전기둥(C₁) : 500×500, 슬랩두께(t):120

    G₁, G₂: 400×600(b×D), G₃: 400×700

    B₁: 300×600

    층고 : 3,600

정답 7

P. 2-72 문제 5번 참조

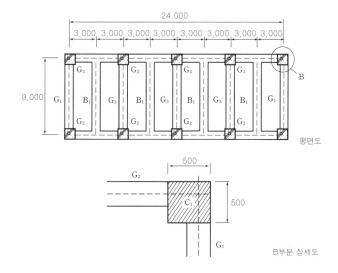

평면도

B부분 상세도

가. 전체 콘크리트 물량(m³) :

나. 전체 거푸집 면적(m²) :

다. 시멘트(포대수), 모래(m³), 자갈량(m³)을 계산하시오. (가항에 의거 산출된 물량을 이용. 배합비 : 1 : 3 : 6 약산식 이용)

8 콘크리트 다짐에 이용되는 진동기의 종류를 쓰시오. (3점)

① _____ ② _____ ③ _____

9 점토소성 제품인 타일의 선정에서 외장타일에 발생할 수 있는 결점(흠집)의 종류를 3가지만 쓰시오. (3점)

① _____ ② _____ ③ _____

10 다음 ( ) 안에 도급공사에 관계하는 용어를 쓰시오. (5점)

　건설공사를 완성하고 그 대가를 받는 영업을 (①) 라(이라) 하고, 건축주와 직접 도급계약을 한 시공업자를(②)라(이라) 하며, 이 도급공사의 전부를 건축주와는 관계없이 다른 공사자에게 도급주어 시행하는 것을(③)라(이라) 하고, 부분적으로 분할하여 제3자인 전문건설업자에게 도급주어 시행하는 것을 (④)라(이라) 하는데, 현 건설업법에서는 위의 설명 중(⑤)는(은) 금지되어 있다.

① (　　　) 　　② (　　　) 　　③ (　　　)

④ (　　　) 　　⑤ (　　　)

11 다음 데이터를 이용하여 3일 공기단축한 네트워크 공정표를 작성하고 공기단축된 상태의 총 공사비용을 산출하시오. (8점)

작업명	작업일수	선행작업	비용구배(원)	비　고
A	3	없음	5,000	① 공기단축된 각 작업의 일정은 다음과 같이 표기하고 결합점 번호는 원칙에 따라 구하시오.
B	2	없음	1,000	
C	1	없음	1,000	
D	4	A, B, C	4,000	② 공기단축은 작업일수의 1/2을 초과할 수 없다.
E	6	B, C	3,000	
F	5	C	5,000	③ 표준공기시 총공사비는 2,500,000원이다.

① 네트워크 공정표 　　　　② 총공사비

12 콘크리트 시공에 적용될 수 있는 보양방법의 종류를 4가지만 쓰시오. (4점)

① _____ ② _____

③ _____ ④ _____

정답 8
① 거푸집 진동기
② 표면 진동기
③ 막대식 봉상 진동기

정답 9
① 칫수의 오차
② 색조(빛깔)의 차이
③ 공기구멍(기포)의 혼입

정답 10
① 건설업
② 원도급자
③ 재도급
④ 하도급
⑤ 재도급

정답 11
① 네트워크 공정표

〈총공사비〉

단축작업	단축일수	추가공사비
B	1일	1,000원
D, E	1일	7,000원
D, E, F	1일	12,000원

총공사비 = 표준공사비 + 추가공사비
= 2,500,000원 + 20,000원
= 2,520,000원

정답 12
① 습윤양생 　　② 전기양생
③ 증기양생 　　④ 피막양생

13 pre-stressed concrete중 post tension 공법의 시공순서를 보기에서 골라 기호로 쓰시오. (4점)

─〈보기〉─────────────────────────
(가) 강현재 삽입   (나) 그라우팅   (다) 콘크리트 타설
(라) 강현재 긴장   (마) 시이드(sheath)설치   (바) 강현재고정
(사) 콘크리트 경화
──────────────────────────────

• 시공순서 : _____

[정답] **13**
(마) - (다) - (사) - (가)
(라) - (바) - (나)

14 학교, 사무소 건물 등의 목재 문틀이 큰 충격력 등에 의하여 조적조 벽체로 부터 빠져 나오지 않게 하기 위한 보강방법의 종류를 3가지 쓰시오. (3점)

① _____

② _____

③ _____

[정답] **14**
① 창문 상하, 가로틀은 뿔을 내어 옆 벽에 물려 쌓는다.
② 중간에 60cm 간격으로 꺽쇠 Bolt, 대못으로 고정한다.
③ 긴결철물을 이용하여 옆벽에 물려 쌓기하고 사춤을 철저히 한다.

15 다음 벽돌쌓기면에서 보이는 모양에 따라 붙여지는 쌓기명을 쓰시오. (4점)

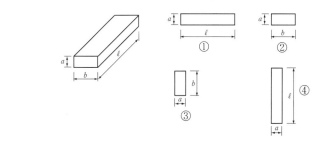

① _____ ② _____ ③ _____ ④ _____

[정답] **15**
① 길이쌓기
② 마구리쌓기
③ 옆세워쌓기
④ 길이세워쌓기

16 다음 설명이 의미하는 시방서명을 쓰시오. (4점)

가. 공사기일 등 공사전반에 걸친 비기술적인 사항을 규정한 시방서
  : (   )
나. 모든 공사의 공통적인 사항을 건설교통부가 재정한 시방서
  : (   )
다. 특정공사별로 건설공사 시공에 필요한 사항을 규정한 시방서
  : (   )
라. 공사시방서를 작성하는데 안내 및 지침이 되는 시방서
  : (   )

[정답] **16**
가. 일반시방서
나. 건축공사표준시방서
다. 공사시방서
   (project specification)
라. Guide Specification
   (안내시방서)

17 건설공사 현장의 보고(報告)중 주기가 짧은 것부터 긴 것을 보기에서 골라 번호를 쓰시오. (3점)

〈보기〉
① 순보　　② 분기보　　③ 일보　　④ 월보　　⑤ 주보

• _____

[정답] 17

③ → ⑤ → ① → ④ → ②

18 베노토 공법(benoto method)에 대하여 쓰시오. (2점)

_____

[정답] 18

특수장치에 의해 케이싱 튜브를 지중에 요동압입하면서 해머글래브로 굴착 후 철근망을 삽입하고 케이싱을 뽑아 올리면서 콘크리트를 타설하여 현장 말뚝을 조성하는 All Casing공법이다.

19 염분을 포함한 바다모래를 골재로 사용하는 경우 철근부식에 대한 방청상 유효한 조치를 3가지 쓰시오. (3점)

① _____
② _____
③ _____

[정답] 19

① 철근 표면에 아연도금처리
② 방청제를 Concrete에 혼입한다.
③ 에폭시 코팅한 철근사용

20 다음 블록의 명칭을 쓰시오. (4점)

①　　　　②　　　　③　　　　④

⑤　　　　⑥　　　　⑦　　　　⑧

① _____　② _____　③ _____
④ _____　⑤ _____　⑥ _____
⑦ _____　⑧ _____

[정답] 20

① 기본블록
② 반블록
③ 한마구리 평블록
④ 양마구리 블록
⑤ 창대블록
⑥ 인방블록
⑦ 창쌤블록
⑧ 가로배근용 블록

21 품질관리시험의 종류를 3가지 쓰시오. (3점)

① _____　② _____　③ _____

[정답] 21

① 선정시험 ② 관리시험 ③ 검사시험

※ 건설기술관리법 개정으로 내용삭제됨.

22 역타설공법(Top-Down Method)의 장점을 4가지 쓰시오. (4점)

① _____　② _____

③ _____　④ _____

① 주변지반과 인접건물에 악영향이 없는 안정적공법
② 전천후 작업이 가능하다.
③ 상.하부 동시작업으로 공기단축가능
④ 1층 바닥을 작업장으로 활용 가능

23 콘크리트의 각종 JOINT에 대하여 설명하시오. (4점)

가. cold joint : _____

나. construstion joint : _____
_____

다. control joint : _____
_____

라. expansion joint : _____
_____

가. 콘크리트 시공과정 중 휴식시간 등으로 응결하기 시작한 콘크리트에 새로운 콘크리트를 이어칠때 일체화가 저해되어 생기게 되는 줄눈
나. 콘크리트를 한번에 계속하여 부어 나가지 못할 곳에 생기게 되는 계획된 줄눈
다. 지반 등 안정된 위치에 있는 바닥판이 수축에 의하여 표면에 균열이 생길 수 있는데 이것을 막기 위하여 설치하는 줄눈
라. 건축물의 온도에 의한 신축팽창, 부동침하 등에 의하여 발생하는 건물의 전체적인 불규칙 균열을 한곳에 집중시키도록 설계 및 시공시 고려되는 줄눈

24 유성페인트 구성요소를 3가지 쓰시오. (3점)

① _____　② _____　③ _____

① 건성유
② 건조제
③ 희석제

1998년 4회 출제문제

1 철골의 내화피복 공법의 종류를 6가지 쓰고 각각에 사용되는 재료를 하나씩 쓰시오.
(6점)

	공 법	재 료
(1)		
(2)		
(3)		
(4)		
(5)		
(6)		

2 다음 벽돌구조에서 벽돌의 마름질 토막의 명칭을 쓰시오. (6점)

 ①
 ②
 ③
 ④
 ⑤
 ⑥

① _____ ② _____ ③ _____
④ _____ ⑤ _____ ⑥ _____

3 철골공사의 절단가공에서 절단방법의 종류를 3가지 쓰시오. (3점)

① _____ ② _____ ③ _____

4 철골공정 가공이 완료되는 단계에서 강재면에 녹막이칠을 1회하고 현장으로 운반하는
데 이때 녹막이칠을 하지 않는 부분에 대하여 2가지만 쓰시오. (2점)

① _____ ② _____

5 건설장비 중 크레인에 부착할 수 있는 장비에 대하여 3가지만 쓰시오. (3점)

①_____   ②_____

③_____   ④_____

정답 5
① 기중기
② 파일 드라이버
③ 클램 쉘
④ 드래그 라인

6 390×190×190인 시멘트 블록의 압축강도 시험에서 하중속도를 매초 0.2N/mm²로 한다면 압축강도 8MPa인 블록은 몇 초에서 붕괴되겠는지 붕괴시간을 구하시오. (3점)

• 붕괴시간 : _____

정답 6

붕괴시간 $= \dfrac{8}{0.2} = 40(초)$

7 무리말뚝에 있어서 말뚝박기는 지지력이 증가하도록 (   )을 먼저 박고 점차 (   ) 을 박는 순서로 진행된다.

①_____   ②_____

정답 7
① 주변
② 중앙

8 강재를 이용한 구조물로 가정하여 경량형 강재의 장·단점에 대하여 각 2가지씩 쓰시 오. (4점)

가. 장점 : _____

나. 단점 : _____

정답 8
가. 장점
① 휨강도, 좌굴강도가 크다.
② 단면의 효율이 좋다.
③ 성형가공이 용이하다.
나. 단점
① 국부좌굴, 국부변형, 비틀림이 생기기 쉽다.
② 허용하중이 작다.
③ 방청(녹방지)에 주의해야 한다.

9 프리패브 콘크리트 공사 작업 순서를 보기에서 골라 선택하시오. (4점)

─〈보기〉─
① 양생후 탈형   ② 개구부 FRAME설치   ③ 표면마감
④ 철근, 철물류 삽입   ⑤ 중간검사   ⑥ 거푸집 조립

베드 거푸집 청소-(가)-(나)-(다)-설비, 전기배관-(라)-콘크리트타설-(마)-(바)-보수와 검사-야적

가._____ 나._____ 다._____

라._____ 마._____ 바._____

정답 9

가 : ⑥   나 : ②
다 : ④   라 : ⑤
마 : ③   바 : ①

10 철골공사시 용접결함의 원인을 4가지 쓰시오. (4점)

①_____   ②_____

③_____   ④_____

정답 10
① 전류, 전압의 과대
② 운봉속도의 과대
③ 용접봉의 습기
④ 트임새 각도 불량

11 A.L.C(Autoclaved Lightweight Concrete)의 건축 재료로서의 특징을 4가지 쓰시오. (4점)

① _____ ② _____

③ _____ ④ _____

12 다음과 같은 세차장 도면을 참고하여 잡석다짐량, 거푸집면적, 콘크리트량을 산출하시오. (15점)

    (단, ① 할증율은 고려하지 않고 정미량으로 한다.

       ② 소수 2째자리까지 산출한다.)

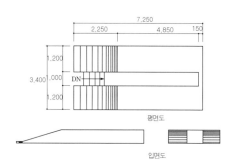

평면도

입면도

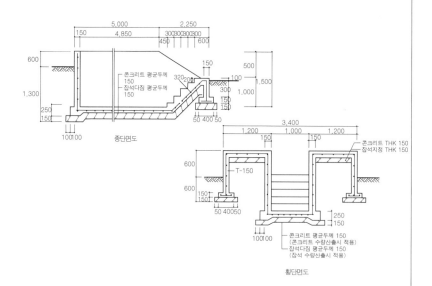

종단면도

횡단면도

정답 **11**

① 중량이 가볍다.
② 내화성능이 우수하다.
③ 단열, 차음성능이 우수하다.
④ 흡수성이 크다.

정답 **12**

P. 2-131 종합문제 9번 참조

13 건축주와 도급자의 당사자간 계약 체결시 포함되어야 할 계약내용에 대하여 4가지만 쓰시오. (4점)

① _____ ② _____ ③ _____ ④ _____

[정답] **13**
① 공사도급금액
② 공사기간
③ 공사금액 지불 방법
④ 건물의 인도 검사 방법

14 석재의 가공이 완료되었을 때 가공 검사의 요점에 대하여 4가지만 쓰시오. (4점)

① _____ ② _____

③ _____ ④ _____

[정답] **14**
① 마무리 치수의 정확도
② 모서리의 직선, 직각바르기
③ 면의 평활성
④ 다듬기 솜씨가 일정할 것

15 스트레이트 아스팔트와 블로운 아스팔트의 항목별 대소를 표시하시오. (4점)

가. 침입도 : 스트레이트 아스팔트 (　　) 블로운 아스팔트

나. 상온신장도 : 스트레이트 아스팔트 (　　) 블로운 아스팔트

다. 부착력 : 스트레이트 아스팔트 (　　) 블로운 아스팔트

라. 탄력성 : 스트레이트 아스팔트 (　　) 블로운 아스팔트

[정답] **15**
가. 침입도 : (〉)
나. 상온신장도 : (〉)
다. 부착력 : (〉)
라. 탄력성 : (〈)

16 굵은 골재의 비중 및 흡수량 시험에서 A : 대기 중 시료의 로건조 무게, B : 대기 중 시료의 표면건조 포화상태의 무게, C:물속에서 시료의 무게를 각각 나타내고 있을 때 A, B, C의 관계를 이용하여 다음의 용어를 도식화하시오. (3점)

가. 표면건조 포화상태의 비중 : _____

다. 겉보기 비중 : _____

나. 흡수율 : _____

[정답] **16**

가. $\dfrac{B}{B-C}$

나. $\dfrac{A}{B-C}$

다. $\dfrac{B-A}{A} \times 100(\%)$

17 다음 데이터를 네트워크 공정표로 작성하고, 4일의 공기를 단축한 최종 상태의 총공사비를 산출하시오. (단, 최초 작성 네트워크 공정표에서 크리티칼 패스는 굵은 선으로 표시하고 결합점 시간은 다음과 같이 표시한다.) (10점)

작업명	선행작업	표준(Normal)		급속(Crash)	
		소요일수	공사비	소요일수	공사비
A	없음	3일	70,000	2일	130,000
B	없음	4일	60,000	2일	80,000
C	A	4일	50,000	3일	90,000
D	A	6일	90,000	3일	120,000
E	A	5일	70,000	3일	140,000
F	B, C, D	3일	80,000	2일	120,000

[정답] **17**

가. 네트워크 공정표

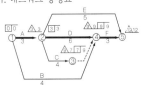

나. 단축한 최종상태의 공사비

단계	단축대상 작업	단축 일수	추가공사비
1	D	2	10,000×2일 = 20,000원
2	F	1	40,000×1일 = 40,000원
3	D+C	1	50,000×1일 = 50000원

총공사비 :
= 표준상태공사비 + 공기단축시 추가비용
= 420,000원 + 110,000원
= 530,000원

18 콘크리트 압축강도를 조사하기 위해 슈미트 해머를 사용할 때 반발경도를 조사한 후 추정강도를 계산할 때 실시하는 보정 방안 3가지를 쓰시오. (3점)

① _____ ② _____ ③ _____

정답 18
① 타격각도 보정
② 콘크리트 재령 보정
③ 압축응력에 따른 보정

19 콘크리트의 시공연도에 영향을 미치는 요인 5가지를 쓰시오. (5점)

① _____ ② _____ ③ _____

④ _____ ⑤ _____

정답 19
① 단위수량   ② 단위시멘트량
③ 공기량   ④ 온도
⑤ 골재의 입도

20 건축공사 표준시방서에서 정한 거푸집의 존치기간에 대한 내용이다. ( )를 채우시오. (3점)

「기초, 보옆, 기둥 및 벽의 거푸집널 존치기간은 콘크리트의 압축강도가 (①)MPa 이상에 도달한 것이 확인될 때 까지이며, 다층구조인 경우 받침기둥의 존치기간은 슬래브밑 및 보밑 모두 설계기준 강도의 (②)% 이상의 콘크리트 압축강도가 얻어진 것이 확인 될 때 까지이며, 계산결과에 관계없이 받침기둥 해체시의 콘크리트의 압축강도는 (③) MPa 이상이어야 한다.」

① _____ ② _____ ③ _____

정답 20
① 5
② 100
③ 14

21 Value Engineering 개념에서 $V = \dfrac{F}{C}$ 식의 각 기호를 설명하시오. (3점)

가. _____ 나. _____ 다. _____

정답 21
가. V : Value(가치)
나. C : Cost(비용)
※ Cost＝수명주기비용
 (Life Cycle Cost)
다. F : Function(기능)

22 지하실 외벽의 경우에 안방수와 바깥방수를 다음의 관점에서 각각 비교하여 쓰시오. (5점)

구 분	안 방 수	바 깥 방 수
(1) 사용환경		
(2) 공사시기		
(3) 내수압성		
(4) 경 제 성		
(5) 보호누름		

정답 22
(1) 사용환경
 안방수 : 수압이 적고 얕은지하실
 바깥방수 : 수압이 크고 깊은 지하실
(2) 공사시기
 안방수 : 자유롭다
 바깥방수 : 본 공사에 선행한다.
(3) 내수압성
 안방수 : 작다
 바깥방수 : 크다
(4) 경제성
 안방수 : 비교적 싸다
 바깥방수 : 비교적 고가이다
(5) 보호누름
 안방수 : 필요하다
 바깥방수 : 없어도 무방하다

1998년 5회 출제문제

1 건설공사 현장에 레미콘을 납품하고 발생된 불량사항을 조사한 결과 다음 표와 같다. 이 데이터를 이용하여 파레토도를 작성하시오. (5점)

불 량 항 목	불 량 갯 수
슬럼프 불량	17
공기량 불량	4
재료량부족 불량	8
압축강도 불량	9
균열발생 불량	10
기 타	2

2 히스토그램(histogrm)의 작성순서를 보기에서 골라 순서를 기호로 쓰시오. (3점)

┌〈보기〉─────────────────────────────────
│ 가. 히스토그램을 규격값과 대조하여 안정상태인지 검토한다.
│ 나. 히스토그램을 작성한다.
│ 다. 데이터에서 최소값과 최대값을 구하여 전범위를 구한다.
│ 라. 데이터를 수집한다.
│ 마. 구간폭을 정한다.
└─────────────────────────────────────

• 작성순서 :

3 다음 도면을 보고 아래의 요구하는 물량을 산출하시오.
  ① 철근량(kg)
  ② 거푸집량(m²) (버림 콘크리트부분은 제외)
  ③ 콘크리트량(m³) (버림 콘크리트 제외)
  ④ 흙파기시 흙의 되메우기량(m³)
  [조건]
  ㉮ 계산은 소수세째자리에서 반올림하시오.
  ㉯ 철근의 Hook 길이는 10.3d로 하고, 이음 및 정착길이는 40d로 하고, 철근의 피복 두께는 고려하지 않는다.
  ㉰ 철근 단위중량 D10 = 0.56 kg/m, D13 = 0.995 kg/m, D16 = 1.56 kg/m
  ㉱ 할증은 고려하지 않고 정미량으로 산출한다.
  ㉲ 흙의 휴식각은 φ = 45°로 한다.

정   답

정답 **1**

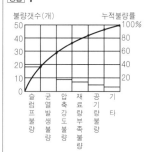

정답 **2**

(라) – (다) – (마) – (나) – (가)

정답 **3**

P. 2-136 종합문제 11번 참조

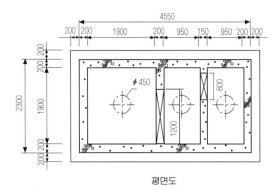

평면도

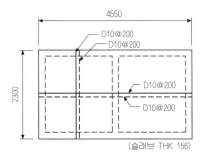

(슬래브 THK 156)

상부슬래브 배근도

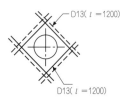

슬래브 개구부 보강근

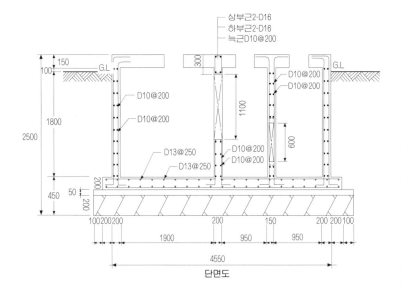

단면도

4 다음 데이터를 네트워크 공정표로 작성하시오. (단, 이벤트(Event)에는 번호를 기입하고, 주공정선은 굵은선으로 표기한다.)

| EST | LST | LFT | EFT |

$$① \xrightarrow[\text{소요일수}]{\text{작업명}} ①$$

작업 명	선행 작업	소요일수	작업 명	선행 작업	소요일수
A	없음	4	F	B, C	7
B	없음	8	G	B, C	5
C	A	6	H	D	2
D	A	11	I	D, F	8
E	A	14	J	E, H, G, I	9

5 프로젝트의 전개과정에서 다음의 빈칸을 채우시오. (4점)

1) 프로젝트 착상 및 타당성 분석   2)   (1)

3)   (2)   4)   (3)

5) 시운전 및 완공   6)   (4)

6 시멘트 벽돌의 압축강도 시험결과 142kN, 140kN, 138kN에서 파괴되었다. 이 경우 시멘트 벽돌의 평균 압축강도를 구하고, KS규격에 따른 합격 및 불합격 여부를 판정하시오. (단, KS규격의 압축강도는 8MPa 이상이고, 시멘트 벽돌의 치수는 190×90×57 이다.) (4점)

가. 평균압축강도 : _____

나. 합격 및 불합격 판정 : _____

7 콘크리트 타설시 거푸집에 미치는 콘크리트 측압에 영향을 주는 요소를 4가지 쓰시오. (4점)

① _____   ② _____

③ _____   ④ _____

8 지반개량공법에서 진동다짐 압입공법의 종류를 나열하시오. (3점)

1) _____   2) _____

3) _____

9 목재 연결철물의 큰 분류상 종류를 3가지만 쓰시오. (3점)

① _____   ② _____   ③ _____

정답 4

네트워크 공정표

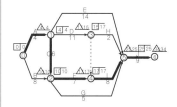

정답 5

(1) 설계(Design)
(2) 구매 · 조달
(3) 시공(Construction)
(4) 인도(Turn over)

정답 6

가) 평균압축강도

$$F_1 = \frac{P_1}{A} = \frac{142 \times 10^3}{190 \times 90} = 8.30 N/mm^2$$

$$F_2 = \frac{P_2}{A} = \frac{140 \times 10^3}{190 \times 90} = 8.19 N/mm^2$$

$$F_3 = \frac{P_3}{A} = \frac{138 \times 10^3}{190 \times 90} = 8.07 N/mm^2$$

$$\therefore F = \frac{24.56}{3} = 8.19 N/mm^2$$

나) 판정 : 합격

정답 7

① concrete의 타설속도
② 거푸집의 강성
③ 콘크리트의 비중
④ 부재의 수평단면, 높이

정답 8

1) vibro flotation 공법
2) vibro compozer 공법
3) 폭파다짐공법

정답 9

① 못(나사못)   ② bolt(듀벨)
③ 띠쇠(꺾쇠)

10 공동도급(Joint Venture)의 장점과 단점을 각각 2개씩 서술하시오. (4점)

가. 장점 : _____

_____

나. 단점 : _____

_____

정답 10

가. 장점
① 신용도, 자본금의 증가
② 위험의 분산(도급경쟁의 완화수단
  으로 활용가능)
나. 단점
① 공통경비(공사비)의 증가
② 이해관계 충돌로 인한 책임회피

11 목부 유성페인트 시공을 하고자 한다. 공정의 순서를 아래 보기에서 골라 기호로 쓰시오. (4점)

┌〈보기〉─────────────────────────────┐
│ ㉮ 정벌칠   ㉯ 초벌칠   ㉰ 재벌칠 1회   ㉱ 연마 │
│ ㉲ 바탕만들기 ㉳ 퍼티먹임   ㉴ 재벌칠 2회   │
└─────────────────────────────────┘

• 공정순서 : _____

정답 11

㉲ → ㉳ → ㉯ → ㉱ → ㉰ →
㉱ → ㉴ → ㉱ → ㉱ → ㉮

12 다음에 알맞은 토질시험법을 보기에서 골라 번호로 쓰시오. (4점)

〈보기〉
① Darcy′s law   ② Vane test
③ Composite sampling   ④ Standard penetration test

가. 굳은 진흙에 있어서 시료 채취 – (   )
나. 사질토의 밀도측정 – (   )
다. 점토의 점착력 파악 – (   )
라. 투수계수 파악 – (   )

정답 12

가. ③   나. ④
다. ②   다. ①

13 어스 앵커(Earth Anchor) 공법에 대하여 설명하시오. (3점)

_____

_____

_____

정답 13

흙막이 벽 설치시 토류판 배면을 어스
드릴로 천공후 인장재와 Mortar를 주
입 경화 시킨후 버팀대 대신 강재의 인
장력을 이용하여 흙막이 배면의 토압을
지지하게 하는 흙막이 방식.

14 일반적인 벽돌 및 블록 쌓기 순서를 보기에서 골라 기호를 쓰시오. (4점)

┌〈보기〉─────────────────────────────┐
│ (1) 접착면청소   (2) 중간부쌓기   (3) 보양 │
│ (4) 줄눈누르기   (5) 물축이기   (6) 줄눈파기 │
│ (7) 규준쌓기   (8) 치장줄눈   │
└─────────────────────────────────┘

• 블록쌓기순서: _____

정답 14

(1) – (5) – (7) – (2) – (4) – (6)
(8) – (3)

15 철골세우기 공사의 시공순서를 보기에서 골라 쓰시오. (4점)

┌─〈보기〉─────────────────────────┐
가. 세우기   나. 현장리벳치기   다. 리벳검사
라. 앵커볼트매입   마. 볼트 가조임   바. 볼트 본조임
사. 변형바로잡기
└─────────────────────────────┘

• 시공순서: _____

16 다음 용어에 대해 기술하시오. (6점)

가. 인트랩트 에어(Entrapped Air) : _____

_____

나. 인트레인드 에어(Entrained Air) : _____

_____

다. 모세관 공극(Capillary Cavity) : _____

_____

17 다음 물음에 답하시오. (4점)

철골공사에 있어서 내화피복공법을 분류하면 습식공법, (①), (②)
이 있으며, 습식내화피복공법이 종류로서는 (③), (④), 미장공법 등
이 있다.

18 다음은 시이트 방수(sheet water proof)공법에 대한 설명이다. (   )안에 알맞는
말을 쓰시오. (4점)

가. 일반적으로 시이트재의 상호간의 이음은 (   ) 또는 (   )으로 하고,
각기 겹친나비는 5cm 이상, 10cm 이상이 필요하고, 충분히 압착해야 한다.
나. 시공순서는 바탕처리 –(   )–접착제칠–(   )–마무리

19 다음의 각종 모르타르에 해당하는 주요 용도를 보기에서 골라 쓰시오. (4점)

〈보기〉
① 경량·단열용   ② 내산바닥용   ③ 보온·불연용   ④ 방사선차단용

가. 아스팔트 모르타르 : (   )
나. 질석 모르타르 : (   )
다. 바라이트 모르타르 : (   )
라. 활석면 모르타르 : (   )

정답 15

라 – 가 – 마 – 사 – 바 – 나 – 다

정답 16

가. 일반 콘크리트에 자연적으로 형성
되는 부정형의 상호연속된 기포로
1~2%정도 함유하게 된다.
나. AE제에 의하여 발생하는 독립된
균질한 미세 기포로 볼베어링 역
할을 하여 시공연도를 증진시킨
다. (적당한 공기량은 3~5%)
다. 수화된 시멘트풀(Cement Paste)
가운데 시멘트나 수화생성물(고체
성분)으로 채워지지 않은 빈부분
을 말한다.

참고
• 모세관 공극에 물이 차있을 때 수화작용
이 발생되며 물시멘트 비가 큰 Concrete
에서는 이 모세관 공극이 Bleeding수의
통로가 된다.
• Concrete는 ① 미수화 시멘트 ② 모
래 ③ 자갈 ④ 시멘트 Gel ⑤ Gel
Pore 혹은 Gel Cavity ⑥ Capillary
Pore 혹은 Capillary Cavity ⑦ 공기
등으로 구성된다.

정답 17
① 건식공법
② 합성공법(복합공법)
③ concrete 피복타설공법
④ 뿜칠공법(조적공법)

정답 18
가. 겹친이음, 맞댄이음
나. Primer 도포, Sheet 붙임

정답 19
가. ②   나. ①
다. ④   라. ③

20 일반적인 건축물의 철근 조립순서를 보기에서 골라 쓰시오. (4점)

┌〈보기〉────────────────────────────┐
│ (가) 기둥철근   (나) 기초철근   (다) 보철근 │
│ (라) 바닥철근   (마) 계단철근   (바) 벽철근 │
└────────────────────────────────┘

• 조립순서: _____

정답 20
(나) - (가) - (바) - (다) - (라) - (마)

21 철골시공에서 용접(鎔接) 결함을 6가지 쓰시오. (3점)

① _____   ② _____   ③ _____

④ _____   ⑤ _____   ⑥ _____

정답 21
① 언더컷(under cut)
② over lap(오버랩)
③ 용입불량, 혼입불량
④ blow hole(공기구멍, 선상조직)
⑤ crater(크레이터)
⑥ crack(균열)

1999년 1회 출제문제

1 계약을 체결한 후 다시 재계약을 할 수 있는 요건 3가지를 쓰시오. (3점)

① _____ ② _____ ③ _____

2 도급공사의 설명을 읽고 해당되는 도급명을 쓰시오. (5점)

① 대규모 공사의 시공에 있어서 시공자의 기술·자본 및 위험 등의 부담을 분산, 감소시킬 수 있다.
② 양심적인 공사를 기대할 수 있으나 공사비 절감 노력이 없어지고 공사기일이 연체되는 경향이 있다.
③ 모든 요소를 포괄한 도급 계약으로 주문자가 필요로 하는 모든 것을 조달 및 완수한다.
④ 도급업자에게 균등한 기회를 주며, 공기단축·시공기술 향상 및 공사의 높은 성과를 기대할 수 있다.
⑤ 공사비 총액을 확정하여 계약하는 방식으로, 공사발주와 동시에 공사비가 확정되고 관리업무를 간편하게 한다.

① _____ ② _____ ③ _____

④ _____ ⑤ _____

3 철재 널말뚝(steel sheet pile)의 종류 3가지를 쓰시오. (3점)

① _____ ② _____ ③ _____

4 연약지반의 수분을 탈수시켜 지반을 강화 개량하는 공법을 3가지 쓰시오. (3점)

① _____ ② _____ ③ _____

5 콘크리트용 혼화제의 종류중 3가지만 쓰시오. (3점)

① _____ ② _____ ③ _____

6 다음 물음에 대한 콘크리트 다짐에 이용되는 진동기의 종류를 쓰시오. (3점)

① 보통공사에 많이 쓰이는 것으로 콘크리트에 삽입시켜 사용한 것 (   )
② P.C공장에서 거푸집의 외부에 진동을 가한 것 (   )
③ 도로공사 등에서 콘크리트 상면에 진동을 가한 것 (   )

정 답

정답 1
① 계약사항의 변경이 있는 경우
② 도면과 시방서의 결함, 오류
③ 현장조건이 상이한 경우

정답 2
① 공동 도급
② 실비정산 보수가산 도급
③ 턴키도급
④ 공구별 분할 도급
⑤ 정액도급

정답 3
① 랜섬(Ransom)식
② 테르루즈(Terres rouges)식
③ 라르센(Larssen)식

정답 4
① 웰포인트 공법
② 페이퍼드레인 공법
③ 샌드드레인 공법

정답 5
① AE제
② 고성능 감수제
③ 급결제

정답 6
① 봉상 진동기
② 거푸집 진동기
③ 표면 진동기

7 슬럼프시험에 사용되는 기구를 4가지 쓰시오. (4점)

① _____ ② _____ ③ _____ ④ _____

8 유동화 콘크리트의 유동화 방법에 대해 3가지를 기술하시오. (5점)

① _____

② _____

③ _____

9 철골공사시 고장력볼트 조임의 장점에 대하여 5가지를 쓰시오. (5점)

① _____ ② _____

③ _____ ④ _____

⑤ _____

10 현장 철골 세우기용 기계의 종류를 3가지만 쓰시오. (3점)

① _____ ② _____ ③ _____

11 철골공사에서 앵커볼트 매립공법의 종류 3가지를 쓰시오. (3점)

① _____ ② _____ ② _____

12 콘크리트 균열의 원인을 재료상, 시공상의 결함을 3가지씩 기술하시오. (6점)

재료상의 원인: ① _____

② _____ ③ _____

시공상의 원인: ① _____

② _____ ③ _____

13 구조용 목재의 요구조건을 4가지만 쓰시오. (4점)

① _____

② _____

③ _____

④ _____

정답 **7**

① 슬럼프콘   ② 수밀평판

③ 다짐막대   ④ 측정계기

정답 **8**

① 공장첨가 유동화 : 공장에서 첨가, 고속교반 후운반, 타설

② 현장첨가 유동화 : 유동화제를 현장에서 첨가 후 고속교반하여 타설. 주로 이 방법을 사용

③ 공장첨가 후 현장에서 유동화 하는 방법

정답 **9**

① 소음이 없다.

② 공기가 단축된다.

③ 접합부의 강성이 높다.

④ 불량개소의 수정이 용이하다.

⑤ 현장 시공설비가 간단하다.

정답 **10**

① 가이데릭(guy derrick)

② 스티프 레그 데릭
(stiff leg derrick)

③ Truck crane

정답 **11**

① 고정 매립 공법

② 가동 매립 공법

② 나중 매립 공법

정답 **12**

• 재료상의 원인

① 시멘트 과다사용(시멘트 수화열에 의한 균열)

② 강재부식에 의한 팽창균열

③ 알카리 골재반응성 골재사용

• 시공상의 원인

① 비빔불량, 급속타설

② 경화전 진동·충격

③ 양생불량(급격한 건조수축균열)

정답 **13**

① 강도가 크고 직대재를 얻을 수 있을 것

② 건조변형 수축성이 적을 것

② 산출량이 많고 입수가 용이할 것

④ 잘 썩지 않고 충해에 저항이 클 것

14 목공사의 마무리 중 모접기의 종류를 다음 보기에서 골라 쓰시오. (3점)

┌〈보기〉────────────────────────┐
실모, 둥근모, 쌍사모, 게눈모, 큰모
└────────────────────────────┘

① 　　　② 　　　③

① _____　　　② _____　　　③ _____

정답 **14**
① 쌍사모
② 게눈모
③ 실모

15 멤브레인 방수 공법의 종류를 3가지 쓰시오. (3점)
① _____　　　② _____　　　③ _____

정답 **15**
① 아스팔트 방수
② 시이트 방수
③ 도막 방수

16 다음 분류에 해당하는 미장 재료명을 보기에서 골라 번호를 쓰시오. (3점)

〈보기〉
① 진흙　　　　　② 회반죽　　　　　③ 시멘트 모르타르
④ 킨즈시멘트　　⑤ 돌로마이트 플라스터　⑥ 무수석고

가. 기경성: _____

나. 수경성: _____

정답 **16**
가. 기경성: ①, ②, ⑤
나. 수경성: ③, ④, ⑥

17 다음과 같은 철근콘크리트 보에서 철근 중량을 산출하시오. (7점) (단, D22=3.04 kg/m, D10=0.56kg/m이고, 주근의 hook 길이는 10.3d로 한다.)

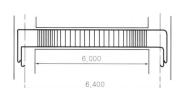

① 상부주근 : _____

② 하 부 근 : _____

③ 벤 트 근 : _____

④ 늑　　근 : _____

정답 **17**
P. 2-65 예제 참조

18 그림과 같은 플레이트 보의 각 부재 수량을 산출하시오. (6점) (다만, 보의 길이는 10m로 하고, 리벳은 제외한다.)

〈보기〉

L : 90×90×10 : 13.3kg/m   PL10 : 78.5kg/m²   PL12 : 94.2kg/m²

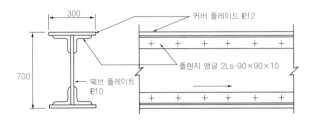

① 앵글(Flange) _____

② 플레이트(cover) _____

③ 플레이트(web) _____

정답 18

① 앵글(Flange)
$10 \times 4 \times 13.3\text{kg} = 532\text{kg}$

② 플레이트(cover)
$10 \times 0.3 \times 2 \times 94.2\text{kg} = 565.2\text{kg}$

③ 플레이트(web)
$10 \times (0.7 - 0.024) \times 78.5\text{kg} = 530.66\text{kg}$

---

19 다음 작업 리스트에서 네트워크 공정표를 작성하고 각 작업의 여유시간을 구하시오. (10점)

작업명	작업일수	선행작업	비 고
A	4	없음	
B	6	A	1. CP는 굵은 선으로 표시한다.
C	5	A	2. 각 결합점에서는 다음과 같이 표시한다.
D	4	A	
E	3	B	
F	7	B, C, D	
G	8	D	
H	6	E	
I	5	E, F	
J	8	E, F, G	
K	6	H, I, J	

2. 각 결합점에서는 다음과 같이 표시한다.

┌───┬───┐
│ EST │ LST │
└───┴───┘   △LFT△EFT

3. 각 작업은 다음과 같이 표시한다.

①—작업명/공사일수—(J)로

① 공정표 작성   ② 여유시간

정답 19

① 공정표 작성

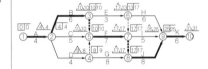

② 여유계산

작업명	TF	FF	DF
A	0	0	0
B	0	0	0
C	1	1	0
D	1	0	1
E	4	0	4
F	0	0	0
G	1	1	0
H	6	6	0
I	3	3	0
J	0	0	0
K	0	0	0

---

20 철에서 녹제거시에 필요한 공구 2가지와 용제 2가지를 쓰시오. (4점)

① 공구 : _____

② 용제 : _____

정답 20

① 공구: 와이어 브러시, 사포

② 용제: 휘발유, 벤졸, 솔벤트, 나프타

21 철근콘크리트 구조물의 균열이 발생하고 철근이 녹스는 원인을 5가지만 쓰시오. (5점)

① _____   ② _____

③ _____   ④ _____

⑤ _____

정답 21
① 급격한 건조수축
② Joint 처리미숙
③ 과대하중, 소요단면부족
④ 부동침하
⑤ 염분과다 사용으로 철근부식

22 철골 공사에서 녹막이 칠을 하지 않는 부분을 3가지만 쓰시오. (3점)

① _____

② _____

③ _____

정답 22
① 기계깎기 마무리면
② 고력볼트 접합부의 마찰면
③ 콘크리트에 매립되는 부분

23 다음 혼합물이 콘크리트에 미치는 영향은? (3점)

① 콘크리트에 유기물 혼합시: _____

② 콘크리트에 염화물 혼합시: _____

③ 콘크리트에 점토덩어리, 당분혼합시: _____

정답 23
① 콘크리트 침식, 균열발생 증가
② 철근부식, 이상응결(응결촉진)
③ 강도저하, 응결지연

24 콘크리트 압축강도 시험에서 파괴양상에 대해 쓰시오. (3점)

① 고강도 콘크리트: _____

② 저강도 콘크리트: _____

③ 일반 콘크리트: _____

정답 24
① 취성파괴
② 연성파괴
③ 탄성파괴

1999년 2회 출제문제

1 다음 데이터를 네트워크 공정표로 작성하고, 각 작업의 여유시간을 구하시오. (10점)

작업명	공기	선행작업	비　　고
A	5	없음	네트워크 작성은 다음과 같이 표기한다.
B	3	없음	
C	2	없음	EST LST　／LFT＼EFT
D	2	A, B	① ―작업명／공사일수→ ⓙ
E	5	A, B, C	
F	4	A, C	주공정선은 굵은선으로 표기하시오.

가. 공정표 작성　　　　　　　나. 여유시간

2 콘크리트 내의 Cl⁻에 대한 규정에 대하여 기술하시오. (4점)

1) _____

2) _____

3 아래 평면및 A-A´ 단면도를 보고 벽돌조 건물에 대해 요구하는 재료량을 산출하시오. (단, 벽돌수량은 소숫점 아래 1자리에서, 그외는 소숫점 3자리에서 반올림함. 할증은 고려하지 않음) (15점)

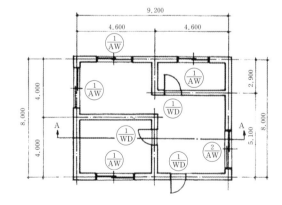

평면도

$\frac{1}{AW}$: 2,400 × 1,200

$\frac{2}{AW}$: 2,400 × 1,500

$\frac{1}{WD}$: 1,500 × 2,000

제6편 부 록 ────── **6-36**

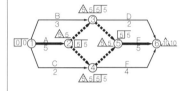

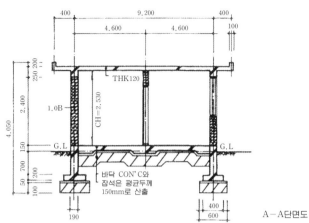

A−A단면도

가. 벽돌량{외벽(1.0B 붉은벽돌), 내벽(0.5B 시멘트 벽돌), 벽돌크기(190×90×57mm), 줄눈나비(10mm)}

나. 모르타르량

다. 콘크리트량(단, 버림 콘크리트는 제외)

라. 거푸집량(단, 버림 콘크리트 부분은 제외)

마. 잡석량

정답 **3**

구 분	산 출 근 거
가. 벽돌량	① 외벽(1.0B) : {(9.2+8)×2×2.4-(2.4×1.2×4+2.4×1.5+1.5×2)}×149=9,601.5 → 9,602매 ② 내벽(0.5B) : {15.72×2.53-(1.5×2×2)}×75=2,532.5 → 2,533매
나. 모르타르량	① 외벽(1.0B) : (9,601.5÷1000)×0.33=3.168m³ ② 내벽(0.5B) : (2,532.5÷1000)×0.25=0.633m³ 계 : 3.168+0.633=3.801 → 3.8m³
다. 콘크리트량	① 기초판 : 0.4×0.2×34.4=2.752m³ ② 기초벽 : 0.19×0.85×34.4=5.556m³ ③ 바닥 : (9.2-0.19)×(8-0.19)×0.15=10.555m³ ④ 보 : 0.19×0.13×34.4=0.849m³ ⑤ 슬라브 : 10.1×8.9×0.12=10.786m³ ⑥ 난간 : 0.1×0.2×(10+8.8)×2=0.752m³ 계 : 31.249 → 31.25m³
라. 거푸집량	① 기초판 : 0.2×2×34.4=13.76m² ② 기초벽 : 0.85×2×34.4=58.48m² ③ 보 : 0.13×2×34.4=8.944m² ④ 알미늄창 상단 : 2.4×0.19×5=2.28m² ⑤ 슬라브 : 10.1×8.9-0.19×34.4+0.12×(10.1+8.9)×2=87.914m² ⑥ 난간 : 0.2×2×(10+8.8)×2 =15.04m² 계 : 186.418 → 186.42m²
마. 잡석량	① 기초 : 0.6×0.1×34.4 =2.064m³ ② 바닥 : (9.2-0.19)×(8-0.19)×0.15=10.555m³ 계 : 12.619 → 12.62m³

4 철재널말뚝의 종류를 4가지 쓰시오. (4점)

① ＿＿＿＿＿＿＿＿＿＿＿＿ ② ＿＿＿＿＿＿＿＿＿＿＿＿

③ ＿＿＿＿＿＿＿＿＿＿＿＿ ④ ＿＿＿＿＿＿＿＿＿＿＿＿

정답 **4**

① 테르루즈(Terres Rouges) 식 말뚝
② 심플렉스(Simplex)식 말뚝
③ 라르센(Larssen)식 말뚝
④ 랜섬(Ransom)식 말뚝

5 콘크리트 펌프공법의 장·단점을 각각 3가지씩 기록하시오. (4점)

가. 장점

① ＿＿＿＿＿＿ ② ＿＿＿＿＿＿ ③ ＿＿＿＿＿＿

나. 단점

① ＿＿＿＿＿＿ ② ＿＿＿＿＿＿ ③ ＿＿＿＿＿＿

정답 **5**

가. 장점
① 기계화시공, 에너지절약
② 공정의 간략화로 공기단축 가능
③ 노무비, 가설설비의 절약

나. 단점
① 압송거리, 높이의 제한
② 품질의 열화, 변화 발생우려
③ 압송관의 폐색(막힘현상) 우려

6 철골공사에서 기초 상부 고름질의 방법 4가지를 쓰시오. (4점)

① ＿＿＿＿＿＿＿＿＿＿＿＿＿＿＿＿＿＿＿＿＿＿＿＿

② ＿＿＿＿＿＿＿＿＿＿＿＿＿＿＿＿＿＿＿＿＿＿＿＿

③ ＿＿＿＿＿＿＿＿＿＿＿＿＿＿＿＿＿＿＿＿＿＿＿＿

④ ＿＿＿＿＿＿＿＿＿＿＿＿＿＿＿＿＿＿＿＿＿＿＿＿

정답 **6**

① 전면바름 마무리법
② 나중채워넣기 중심바름법
③ 전면 나중채워넣기법
④ 나중채워 넣기 +자 바름법

7 다음 용어를 설명하시오. (4점)

가. 모크업 실험(Mock-up Test) 또는 실물대 모형 실험(Full Size Model Test) :

＿＿＿＿＿＿＿＿＿＿＿＿＿＿＿＿＿＿＿＿＿＿＿＿

＿＿＿＿＿＿＿＿＿＿＿＿＿＿＿＿＿＿＿＿＿＿＿＿

나. 침입도(Penetration) :

＿＿＿＿＿＿＿＿＿＿＿＿＿＿＿＿＿＿＿＿＿＿＿＿

＿＿＿＿＿＿＿＿＿＿＿＿＿＿＿＿＿＿＿＿＿＿＿＿

정답 **7**

가. 건물주변의 환경적 요인이 건물에 미치는 영향을 현장조건과 동일하게 시험하여 설계상 문제점과 구조계산치를 수정할 목적으로 하며 풍동시험을 근거로 3개의 실물모형을 제작하여 건축 예정지의 최악조건으로 행하는 시험이다.
나. 아스팔트 양부를 판정하는데 가장 중요한 아스팔트의 경도를 나타내는 기준이다.
※ 표준침입도 : 25℃에서 100g의 추를 5초동안 누를때 0.1mm 관입량을 침입도 1이라고 표시한다.

8 다음 〈보기〉에서 목조반자 시공순서를 바르게 나열하시오. (4점)

┌─ 〈보 기〉 ─────────────────────────
│ ① 반자틀   ② 반자돌림대   ③ 달대   ④ 달대받이   ⑤반자틀받이

(   ) → (   ) → (   ) → (   ) → (   )

정답 **8**

④ → ② → ⑤ → ① → ③

9 흙의 전단강도 식을 쓰고 각 기호가 나타내는 것을 쓰시오. (4점)

$\tau =$ ＿＿＿＿＿＿＿＿＿＿＿＿＿＿＿＿＿＿＿＿＿＿＿

정답 **9**

$\tau = C + \tan\phi \cdot \sigma$
C : 점착력, σ : 파괴면에 수직한 힘,
$\tan\phi$: 마찰계수

10 철골 철근콘크리트의 철근 조립순서를 다음 보기에 의해 순서대로 작성하시오. (3점)

〈보 기〉
가. 계단철근	나. 기초철근	다. 벽철근
라. 슬래브 철근	마. 기둥철근	바. 보철근

(   ) → (   ) → (   ) → (   ) → (   ) → (   )

정답 10
나 → 마 → 바 → 다 → 라 → 가
※ 철골철근콘크리트(SRC) 구조의 순서이다.

11 철근공사시 이음을 겹침이음으로 하지 않고 용접이음으로 한 경우 장점을 3가지 쓰시오.

① _____ ② _____ ③ _____

정답 11
① 콘크리트 타설시 유동성 증가
② 겹친이음생략으로 강재량 절약
③ 충분한 강도 확보가능

12 토류벽을 이용한 수직터파기 공법의 순서를 보기에서 골라 번호를 쓰시오. (4점)

〈보 기〉
① 앵커용보링	② 엄지말뚝박기	③ 인장시험
④ 띠장설치	⑤ 앵커그라우팅	⑥ 흙막이 벽판설치

(   ) → (   ) → (   ) → (   ) → (   ) → (   )

정답 12
② → ⑥ → ① → ⑤ → ④ → ③

13 목재의 방부처리 방법 3가지를 기입하시오. (3점)

① _____ ② _____ ③ _____

정답 13
① 도포법(방부제칠)
② 침지법
③ 주입법(가압주입법)

14 다음 골재 수량에 관한 설명에서 관련되는 것을 연결하시오. (6점)

(1) 기건상태   (가) 골재내부에 약간의 수분이 있는 대기중의 건조상태
(2) 흡수량   (나) 습윤 상태의 골재표면에 물의 양
(3) 절건상태   (다) 골재의 표면 및 내부에 있는 물의 전중량
(4) 함수량   (라) 표면건조 내부 포화상태의 골재중에 포함되는 물의 양
(5) 표면수량   (마) 건조기내에서 온도 110℃이내로 정중량이 될때까지 건조한 것
(6) 유효흡수량   (바) 흡수량과 기건상태의 골재내에 함유된 수량과의 차

(1) (   )   (2) (   )   (3) (   )   (4) (   )   (5) (   )   (6) (   )

정답 14
(1) 가	(2) 라
(3) 마	(4) 다
(5) 나	(6) 바

15 벽타일 붙이기 공법의 종류를 4가지 쓰시오. (4점)

① _____ ② _____
③ _____ ④ _____

정답 15
① 떠붙임 공법
② 접착재 붙임공법
③ 압착 공법
④ 개량압착 공법
※ 밀착공법(동시줄눈공법)

16 합성고분자 방수공법을 3가지 쓰시오. (3점)

① _____ ② _____ ③ _____

정답 16
① 도막방수
② 시트방수
③ 시일재방수

17 공사목적물을 계약된 공기내에 완성하기 위하여 공사손익을 사전에 예시하고 이익계획을 명확히 하여, 합리적이고 경제적인 현장운영 및 공사수행을 도모하도록 사전에 작성되는 예산을 무엇이라 하는가?

_____

정답 17
• 실행예산

18 입찰과정에서 현장설명시 필요한 사항을 4가지 쓰시오. (4점)

① _____
② _____
③ _____
④ _____

정답 18
① 인접부지 현장주변상황 대지의 고저차
② 지하매설물(기초, 전기, 가스, 상·하수도 등)
③ 공사기간, 공사비 지불조건 설명
④ 도급자 결정방식 설명

19 다음 용어를 간단히 설명하시오. (4점)

가. 다시비빔(Remixing) :

_____

_____

나. 되비빔(Retempering) :

_____

정답 19
가. 상당한 시간이 경과되거나 재료분리가 일어난 경우 아직 엉기지 아니한 콘크리트를 다시 비벼 쓰는 것. (거듭비비기)
나. 콘크리트의 응결이 시작된 것을 다시 비벼쓰는 것. (되비비기)

20 철근 콘크리트조 보의 최상층보와 중간층 보 단부의 철근(상.하부근) 정착길이와 위치를 ① ~ ④으로 표시하여 도해하시오. (단, 철근지름 : D) (4점)

가) 최상층부

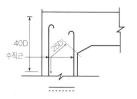

나) 중간층부

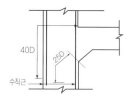

① 상부근 : ———————
② 하부근 : - - - - - - - -
③ 상부근 : ———————
④ 하부근 : - - - - - - - -

정답 20

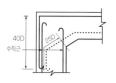

① 상부근 : ——— ② 하부근 : - - - - -

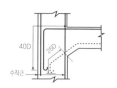

③ 상부근 : ——— ④ 하부근 : - - - - -

21 콘크리트 타설시 시공 Joint 처리방법이다. 공란에 알맞은 말을 쓰시오. (4점)

가. 이음면은 _____

나. 수평부재에서는 _____

다. 수직부재에서는 _____

라. 이음부처리는 _____

정답 **21**

가. 구조물의 강도에 영향이 없는 곳에 두고, 응력방향에 직각으로 한다.

나. 골재 불량부분을 제거하고 부배합 Mortar를 바른다.

다. 재진동 다짐하여 모인 물을 제거, 수평이음과 동일 시공.
  ※ 수밀을 요하는 부분은 지수판 설치, 물막이 한다.

라. 거칠게 마감하고 콘크리트 치기 전 청소, 물축임, 촉이나 홈, 철근 등을 배근하며 수밀, 밀실하게 처리해야 한다.

22 다음은 혼화제 종류에 대한 설명들이다. 아래 설명이 뜻하는 혼화재 명칭을 쓰시오. (3점)

가. 공기 연행제로서 미세한 기포를 고르게 분포시킨다. (　　　　　　　)

나. 시멘트와 물과의 화학반응을 촉진시킨다. (　　　　　　　)

다. 화학반응이 늦어지게 한다. (　　　　　　　)

정답 **22**

가. AE 제

나. 응결 촉진제

다. 응결 지연제

1 철골공사의 용접작업에서 아크용접의 경우 용접봉의 피복재는 금속산화물, 탄산염, 셀룰로오스, 탈산제 등을 심선에 도포한 것이다. 피복재의 역할 4가지만 쓰시오. (4점)

① _____

② _____

③ _____

④ _____

2 철근공사에 있어 이음위치의 선정시 주의할 사항을 3가지만 쓰시오. (3점)

① _____

② _____

③ _____

3 목재면 바니쉬칠 공정의 작업순서를 보기에서 골라 기호로 쓰시오. (4점)

┌─〈보 기〉──────────────────────────┐
㉮ 색올림   ㉯ 왁스문지름   ㉰ 바탕처리   ㉱ 눈먹임
└──────────────────────────────────┘

(   ) → (   ) → (   ) → (   )

4 다음 데이터를 이용하여 정상공기를 산출한 결과 지정공기보다 3일이 지연되는 결과이었다. 공기를 조정하여 3일의 공기를 단축한 네트워크 공정표를 작성하고 아울러 총공사금액을 산출하시오. (10점)

작업 기호	선행 작업	정상(Normal)		특급(Crash)		비용구배 (Cost Slope) (원/일)	비　고
		공기(일)	공비(원)	공기(일)	공비(원)		
A	없음	3	7,000	3	7,000	–	단축된 공정표에서 CP는 굵은선으로 표기하고 각 결합점에서는
B	A	5	5,000	3	7,000	1,000	
C	A	6	9,000	4	12,000	1,500	
D	A	7	6,000	4	15,000	3,000	EST LST △ LFT EFT
E	B	4	8,000	3	8,500	500	① 작업명／공사일수 ① 로
F	B	10	15,000	6	19,000	1,000	표기한다.(단, 정상공기는 답지에 표기하지 않고 시험지 여백을 이용할 것.)
G	C, E	8	6,000	5	12,000	2,000	
H	D	9	10,000	7	18,000	4,000	
I	F, G, H	2	3,000	2	3,000	–	

① 단축한 네트워크 공정표　　　　② 총공사 금액

정　답

정답 1

① 용접시 Gas가 용접아크 주위를 보호하며 산화, 질화 등 변질을 방지한다.
② 함유원소를 이온화해 아크를 안정시킨다.
③ 용착금속에 합금원소를 가한다.
④ 용융금속의 탈산, 정련을 한다.
⑤ 표면의 냉각, 응고 속도를 낮춘다.

정답 2

① 큰 응력을 받는 곳은 피한다.
② 동일장소에 이음이 1/2이상 집중되지 않도록 한다.
③ 보철근 이음시 중앙하부근, 단부상부근은 인장력이 적은 곳에서 이음한다.

정답 3

㉰ → ㉱ → ㉮ → ㉯

정답 4

① 단축한 네트워크 공정표

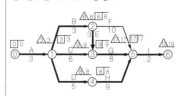

② 총공사 금액

단계	단축작업	단축일	추가공사비
1	E	1	500×1일 = 500원
2	B+D	2	4,000일×2일 = 8,000원

∴ 총공사 금액
= 표준공사비 + 추가공사비
= 69,000 + 8,500원
= 77,500원

5 건축시공의 현대화방안에 있어서 건축생산의 3S System을 쓰시오. (3점)

① ＿＿＿＿＿＿＿＿＿ ② ＿＿＿＿＿＿＿＿＿ ③ ＿＿＿＿＿＿＿＿＿

정답 **5**

① 단순화(Simplification)
② 규격화(Standardization)
③ 전문화(Specialization)

6 다음 아래의 도면을 보고 요구하는 각 재료량을 산출하시오. (단, 기둥은 고려하지 않고, 평행 트러스보만 계산할 것) (10점)

　가) Angle량(kg)은? (단, L-50×50×4 = 3.06kg/m, L-65×65×6 = 5.9kg/m, L-100×100× 7 = 10.7kg/m, L-100×100×13 = 19.1kg/m)
　나) PL9의 량(kg)은? (단, PL9 = 70.65kg/m²)

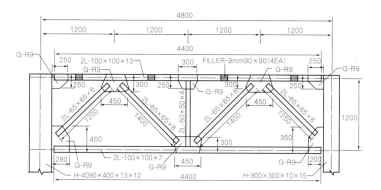

정답 **6**

① Angle량

구 분	산 출 근 거	합 계
L - 50×50×4	1.1×2×3.06 = 6.732kg	
L - 65×65×6	(1.2+1.4+1.4+1.25)×2×5.9 = 61.95kg	330.92kg
L - 100×100×7	4.4×2×10.7 = 94.16kg	
L - 100×100×13	4.4×2×19.1 = 168.08kg	

② 플레이트량

구 분	산 출 근 거	합 계
Gueest Plate	{(0.28×0.45) + (0.25×0.25) × 2 + (0.3×0.45) × 3 + (0.25 ×0.3) + (0.2×0.35)} × 70.65 = 56.59kg	58.88kg
Filler	0.09×0.09×4×70.56 = 2.289kg	

7 ※ KS 규정 개정으로 문제 삭제함.

정답 7
〈삭제〉

8 다음 보기 중 철골구조에 이용되는 일반적인 형강명을 모두 골라 기호로 쓰시오. (4점)

〈보기〉
(1) B형강   (2) C형강   (3) E형강   (4) H형강   (5) I형강
(6) K형강   (7) L형강   (8) N형강   (9) T형강   (10) Z형강

정답 8
(2) (4) (5) (7) (9) (10)

9 다음 설명에 적합한 여닫이 창호의 철물명칭을 쓰시오. (3점)

① 공중전화출입문, 화장실, 경량칸막이문 등에 사용되며 저절로 닫혀지나 15cm
정도 열려지는 문에 사용됨
② 정첩으로 지탱할 수 없는 중량이 큰 자재여닫이 문에 사용됨
③ 문 윗틀과 문짝에 설치하여 자동으로 문을 닫는 장치

①_____   ②_____   ③_____

정답 9
① Lavatory Hinge
② Floor Hinge
③ Door Closer

10 다음 목재에 관계되는 용어를 설명하시오. (4점)

가. 섬유포화점 :_____

_____

나. 집성재 :_____

_____

정답 10
가. 생나무가 건조되어 함수율이 30%
가 된 상태로써 이 점을 경계로 수
축, 팽창, 강도의 변화가 현저하다.
※ 섬유포화점 이상의 함수율에서는
목재의 수축, 팽창과 강도는 변함
이 없고 그 이하에서는 함수율이
감소함에 따라 목재의 강도는 증
가되며, 수축도 증가된다.
나. 두께 1.5~5cm 정도의 나무를 섬
유평행 방향으로 몇장, 몇겹 접착
하여 한 개로 한 것이다. 합성수
지 접착제를 이용하여 큰 목재가
필요시 만든다. (기둥, 보에 사용)
곡면재도 가능하다.

11 가설공사 등에 쓰이는 일반볼트의 경우, 너트의 풀림을 방지할 수 있는 방법에 대하여
3가지만 쓰시오. (3점)

①_____

②_____

③_____

정답 11
① 이중너트를 사용한다.
② Spring Washer를 사용한다.
③ 너트를 용접한다.

12 철골재 아크용접에 대한 설명 중 직류와 교류를 사용할 경우의 특징을 보기에서 골라 기호로 쓰시오. (4점)

〈보기〉

(1) 고장이 적다.   (2) 일하기 쉽다.

(3) 가격이 싸다.   (4) 공장용접에 많이 쓰인다.

(5) 현장용접에 많이 쓰인다.

가. 직류아크 용접 : _____

나. 교류아크 용접 : _____

정답 12
가 : (2) (4)
나 : (1) (3) (5)

13 철골공사에서 앵커볼트 매립공법의 종류 3가지를 쓰시오. (3점)

① _____ ② _____ ③ _____

정답 13
① 고정 매립법
② 가동 매립법
③ 나중 매립법

14 다음 분류에 해당하는 미장재료명을 보기에서 골라 번호로 쓰시오. (4점)

〈보기〉

(1) 진흙질   (2) 순석고 플라스터   (3) 회반죽

(4) 돌로마이트   (5) 킨즈시멘트   (6) 아스팔트 모르타르

(7) 시멘트 모르타르

가. 기경성 미장재료 : _____

나. 수경성 미장재료 : _____

정답 14
가. (1) (3) (4) (6)
나. (2) (5) (7)

15 CIP공법을 이용한 제자리 콘크리트 말뚝지정의 시공순서를 보기에서 골라 기호로 쓰시오. (3점)

〈보기〉

① 철근조립   ② 모르타르 주입용 PIPE 설치

③ 모르타르 주입   ④ 자갈 다져넣기

정답 15
① → ② → ④ → ③

16 콘크리트 배합시 잔골재를 세척해사로 사용했을 때 콘크리트의 염화물 함량을 측정한 결과 염소이온량이 $0.3kg/m^3 \sim 0.6kg/m^3$이었다. 이때 철근콘크리트의 철근부식방지에 따른 유효한 대책을 4가지 쓰시오. (4점)

① _____ ② _____

③ _____ ④ _____

17 건축공사의 단열공법에서 단열부위 위치에 따른 벽 단열공법의 종류를 쓰시오. (3점)

① _____ ② _____ ③ _____

18 고성능 콘크리트(High-Performance Concrete)는 물리적 특성으로 구분하여 3가지 종류로서 고성능 콘크리트를 대별할 수 있다. 고성능 콘크리트의 특성에 따른 3가지로 구분된 콘크리트 명칭을 쓰시오. (3점)

① _____ ② _____ ③ _____

19 KS규격의 콘크리트용 잔골재는 다음과 같은 입도규격을 규정하고 있다. 다음 자료를 이용하여 잔골재의 최대 및 최소조립률(FM) 범위를 구하시오. (4점)

체의규격	10mm	5mm	2.5mm	1.2mm	0.6mm	0.3mm	0.15mm	접시
체통과량(%)	100	95~100	80~100	50~85	25~60	10~30	2~10	0

가. 최대 조립률 : _____

나. 최소 조립률 : _____

20 다음 보기에서 열거한 항목을 이용하여 시트방수의 시공순서를 기호로 쓰시오. (4점)

─〈보기〉─
① 접착제칠   ② 마무리   ③ 바탕처리   ④ 시트붙이기   ⑤ 프라이머칠

(   ) → (   ) → (   ) → (   ) → (   )

정답 **16**
① 철근에 아연도금하거나 에폭시 코팅철근 사용
② 콘크리트에 방청제 혼입
③ 골재에 제염제 혼합사용
④ W/C비 적게, 철근 피복두께 확보

정답 **17**
① 외벽 단열법
② 내벽 단열법
③ 중공벽 단열법

정답 **18**
① 고강도 콘크리트
② 고내구성 콘크리트
③ 고유동성 콘크리트

정답 **19**
① 최대 조립률=
$$\frac{5+20+50+75+90+98}{100}=3.38$$
② 최소 조립률=
$$\frac{15+40+70+90}{100}=2.15$$

정답 **20**
③ → ⑤ → ① → ④ → ②

21 다음과 같이 5단으로 된 벽돌벽이 있다. 비어 있는 란에 주어진 벽돌쌓기 방식에 따라 벽돌표시를 직접 그리고 사용된 벽돌기호를 보기에서 골라 벽돌안에 직접 표시하시오. (3점)

⎯ 〈보기〉 ⎯
길이 [A]   칠오토막 [B]   마구리 [C]   이오토막 [D]

① 영식쌓기

A	A	A	

② 화란식쌓기

C	C	C	C	C

③ 불식쌓기

A	C	A	C

22 네트워크 공정표에서 자원배당의 대상이 되는 자원을 쓰시오. (4점)

가) (ⓐ   )
나) 장비   , 설비
다) (ⓑ   )
라) 자금
마) (ⓒ   )
바) (ⓓ   )

23 아스팔트 방수와 시멘트 액체방수를 다음의 관점에서 각각 비교하시오. (5점)

구 분	아스팔트 방수	시멘트 액체방수
1) 바탕처리		
2) 방수층의 신축성		
3) 시공용이도		
4) 방수성능		
5) 보수범위		

24 타일공사에서 벽붙이기 공법의 종류를 3가지 쓰시오. (3점)

① _____   ② _____   ③ _____

정답 21

① 영식쌓기

C	D	C	C	C	C	C
A		A		A		
C	D	C	C	C	C	C
A		A		A		

② 화란식쌓기

B		A		A		
C	C	C	C	C	C	
B		A		A		
C	C	C	C	C	C	

③ 불식쌓기

C	D	A		C		A
A		C		A		C
C	D	A		C		A
A		C		A		C

정답 22

가) ⓐ 인력, 노무
다) ⓑ 재료, 자원
마) ⓒ 공법, 관리
바) ⓓ 경험, 기억(기술축적)

정답 23

1) 모르타르바름, 불필요
2) 크다, 작다
3) 번잡하다, 용이하다.
4) 신뢰할 수 있다, 신뢰성이 약하다.
5) 광범위, 국부적

정답 24

① 떠붙임 공법
② 압착 공법
③ 밀착공법(동시줄눈공법)

1999년 4회 출제문제

1 다음 측정기별 용도를 ( )에 쓰시오. (4점)

가. WASHINGTON METER : _____

나. PIEZO METER : _____

다. EARTH PRESSURE METER : _____

라. DISPENSER : _____

가. 콘크리트내의 공기량 측정기구
나. 간극수압 측정기구
다. 토압 측정기구
라. AE제의 계량장치

2 콘크리트의 균열발생요인 중에서 콘크리트 타설후 재료에 의한 균열발생원인을 3가지 쓰시오. (3점)

① _____ ② _____ ③ _____

① 알카리골재 반응에 의한 균열
② 물의 과다 사용으로 블리딩현상에 의한 침강균열
③ 시멘트 과다사용에 의한 수화열 균열
※ 강재부식에 의한 팽창균열 등

3 철근콘크리트 공사시 시공연도에 영향을 주는 요소에 대하여 4가지만 쓰시오. (4점)

① _____
② _____
③ _____
④ _____

① 골재의 입도 및 입형
② 물시멘트비
③ 혼화재의 종류
④ 비빔시간

4 지하실 바깥 방수법의 시공공정순서를 쓰시오. (3점)

밑창콘크리트 - (㉮) - 바닥콘크리트타설 - 벽콘크리트 - (㉯) - (㉰) - 되메우기

㉮ _____ ㉯ _____ ㉰ _____

㉮ 바닥방수층시공
㉯ 외벽방수층시공
㉰ 보호누름벽돌쌓기

5 미장공사에서 여물과 해초풀의 역할에 대하여 기술하시오. (4점)

가. 여물 : _____
_____

나. 해초풀 : _____
_____
_____

가 : 미장재료에 혼입하여 건조수축 균열방지에 사용되는 것으로 짚여물(진흙질용), 삼여물, 종이여물, 털여물 등이 있다.
나 : 말린해초를 끓여 체에 걸른 것으로 부착이 잘 되게 하고 점성을 유지하며 보수성 유지, 바탕흡수를 방지한다.

6 철근 콘크리트의 알칼리 골재 반응에 대해 기술하시오. (2점)

_____

_____

정답 6

시멘트의 알칼리 금속이온(Na^+, K^+)
과 수산화이온(OH^-)이 실리카 사이
에서 Silica Gel이 형성되어 수분을
계속 흡수 팽창하는 현상

7 철골용접과정에 따른 검사순서를 쓰고, 각 검사단계의 검사항목을 보기에서 골라 번호로 쓰시오. (3점)

㈎ _____ : _____

㈏ _____ : _____

㈐ _____ : _____

〈보 기〉
① 절단검사	② 운봉검사	③ 트임새 모양
④ X선 및 γ선 투과검사	⑤ 모아대기검사	⑥ 구속법검사
⑦ 초음파검사	⑧ 전류검사	⑨ 침투수압검사
⑩ 자세의 적부검사	⑪ 용접봉검사	

정답 7

㈎ 용접전 : ③, ⑤, ⑥, ⑩
㈏ 용접중 : ②, ⑧, ⑪
㈐ 용접후 : ①, ④, ⑦, ⑨
※ 단 절단검사는 되도록 피한다.

8 다음 아치의 형태에 따른 아치 명을 쓰시오. (4점)

① _____

② _____

③ _____

④ _____

정답 8

① 결원아치
② 평아치
③ 반원아치
④ 드롭아치

9 품질관리의 도구와 목적의 상관관계가 있는 것끼리 연결하시오. (5점)

가. 파레토도   ① 결과에 미치는 불량의 원인 항목의 체계적 정리, 원인발견
나. 특성요인도   ② 작업의 상태가 설정된 기준내에 들어가는지 판정
다. 히스토그램   ③ 불량·항목 발생 상황파악 데이터의 사실파악
라. 관리도   ④ 데이터의 분포 상태 등의 살핌
마. 체크시트   ⑤ 불량항목과 원인의 중요성 발견

가._____ 나._____ 다._____

라._____ 마._____

정답 9

가 : ⑤
나 : ①
다 : ④
라 : ②
마 : ③

10 철골의 내화 피복공법을 3가지 나열하시오. (3점)

① _____ ② _____ ③ _____

정답 10
① 습식공법
② 건식공법
③ 합성공법

11 다음 용어를 간단히 설명하시오. (4점)

가. 콜드조인트(Cold Joint) :

_____

_____

나. 블리딩(Bleeding) :

_____

_____

정답 11
가 : 콘크리트 시공 과정 중 휴식시간 등으로 응결하기 시작한 콘크리트에 새로운 콘크리트를 이어칠 때 일체화가 저해되어 생기는 줄눈(불연속면의 줄눈)
나 : 아직 굳지 않은 콘크리트 모르타르에서 물이 윗면으로 스며오르는 현상

12 다음 중 서로 연관이 있는 것끼리 연결하시오. (6점)

㉠ 워어커빌리티	ⓐ 다짐성
㉡ 컨시스턴시	ⓑ 안정성
㉢ 스태빌리티	ⓒ 성형성
㉣ 컴팩터빌리티	ⓓ 시공성
㉤ 모빌리티	ⓔ 가동성
㉥ 플라스티시티	ⓕ 유동성

㉠ (　　) ㉡ (　　) ㉢ (　　) ㉣ (　　) ㉤ (　　) ㉥ (　　)

정답 12
㉠ : ⓓ
㉡ : ⓕ
㉢ : ⓑ
㉣ : ⓐ
㉤ : ⓔ
㉥ : ⓒ

13 벽돌공사에서 사용용도와 서로 연관있는 모르타르 용적배합비를 고르시오. (3점)

용 도	모르타르 용적 배합비
㉠ 조적용	ⓐ 1 : 3~1 : 5
㉡ 아치용	ⓑ 1 : 1
㉢ 치장용	ⓒ 1 : 2

㉠ _____ ㉡ _____ ㉢ _____

정답 13
㉠ : ⓐ
㉡ : ⓒ
㉢ : ⓑ

14 다음 보기 중 꽂이식 진동기의 효과가 가장 잘 발휘될 수 있는 것부터 순서대로 번호를 쓰시오. (3점)

┌─ 〈보 기〉 ─────────────────────────
1. 빈배합 묽은비빔　　2. 부배합 묽은 비빔　　3. 빈배합 된비빔

(　　) → (　　) → (　　)

정답 14
3 → 1 → 2

15 수중에 있는 골재를 채취하였을 때의 무게가 2,000g이고 표면건조 내부포화 상태의 무게는 1,920g이며 공기중에서의 건조무게는 1,880g이었다. 또한 이 시료를 완전히 건조시켰을 때의 무게는 1,860g일 때 다음을 구하시오. (4점)

가. 함수량(g) : _____

나. 표면수율(%) : _____

다. 흡수율(%) : _____

라. 유효흡수량(g) : _____

정답 15

가 : $2000 - 1860 = 140$ ∴ 140g

나 : $\dfrac{2000 - 1920}{1920} \times 100 = 4.17\%$

다 : $\dfrac{1920 - 1860}{1860} \times 100 = 3.23\%$

라 : $1920 - 1880 = 40g$

16 미장공사에 관한 설명이다. (　)을 채우시오. (4점)

> 미장공사시 1회의 바름두께는 바닥을 제외하고 (　①　)를 표준으로 한다.
> 바닥층 두께는 보통 (　②　)로 하고 안벽은 (　③　), 천장·채양을 (　④　)로 한다.

①_____ ②_____ ③_____ ④_____

정답 16

① 6mm
② 24mm
③ 18mm
④ 15mm

17 철근의 이음방법을 4가지 쓰시오. (4점)

①_____ ②_____ ③_____ ④_____

정답 17

① 겹침이음법
② 용접이음법(가스압접이음법)
③ 기계적이음(Sleeve 압착이음)
④ Coupler에 의한 나사체결방식 이음법

18 철골용접부위의 품질상태를 검사하는 방법을 2가지 쓰시오. (2점)

①_____　　　②_____

정답 18

① 방사선 투과검사
② 초음파 탐상법

19 다음 데이터는 일정한 산지에서 계속 반입되고 있는 잔골재의 단위체적 질량을 매차량 마다 1회씩 10대를 측정한 자료이다. 이 데이터를 이용하여 다음 물음에 답하시오. (6점)

[데이터 : 1760, 1740, 1750, 1730, 1760, 1770, 1740, 1760, 1740, 1750]
(표본산술평균 $\bar{x} = 1750$kg/m³)

① 변동(S) _____

② 표본분산(s^2) _____

③ 표본표준편차(s) _____

④ 변동계수(CV) _____

정답 19

① 변동 $S = \Sigma(x_i - \bar{x})^2$
여기서 문제의 DATA가 모두 1700 단위이므로 계산을 간단히 하기 위하여 10단위만 계산한다.
$= (60-50)^2 + (40-50)^2 + (50-50)^2 +$
$(30-50)^2 + (60-50)^2 + (70-50)^2 +$
$(40-50)^2 + (60-50)^2 + (40-50)^2 +$
$(50-50)^2 = 1400$

② 표본분산
$s^2 = \dfrac{S}{n-1} = \dfrac{1400}{10-1} = 155.56$

③ 표본표준편차
$s = \sqrt{s^2} = \sqrt{155.56} = 12.47$

④ 변동계수
$CV = \dfrac{s}{\bar{x}} \times 100 = \dfrac{12.47}{1750} \times 100 = 0.71\%$

20 다음 데이터를 네트워크 공정표로 작성하고, 4일의 공기를 단축한 최종상태의 공사비를 산출하시오. (단 공정표는 CPM기법으로 계산하여 표기하고, 주공정선은 굵은선으로 표시한다.) (10점)

작업명	선행작업	정 상		특 급	
		공기(일)	공사비(원)	공기(일)	공사비(원)
A	없음	3	70,000	2	130,000
B	없음	4	60,000	2	80,000
C	A	4	50,000	3	90,000
D	A	6	90,000	3	120,000
E	A	5	70,000	3	140,000
F	B, C, D	3	80,000	2	120,000

가. 공정표 작성　　　　　　　　나. 총공사비

21 다음과 같은 조적조 줄기초 시공에 필요한 터파기량, 되메우기량, 잔토처리량, 잡석다짐량, 콘크리트량 및 거푸집량을 건축적산 기준을 준수하여 정미량으로 산출하시오. (단, 토질의 C=0.90이고, L=1.2로 하며, 설계지반선은 원지반선과 동일하다.) (12점)

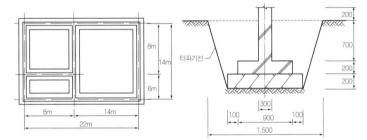

가. 터파기량 :

나. 잡석다짐량 :

다. 콘크리트량

　　(1) 기초판 :

　　(2) 기초벽 :

라. 잔토처리량 :

마. 되메우기량 :

바. 거푸집량

　　(1) 기초판 :

　　(2) 기초벽 :

정답 20

가. 공정표

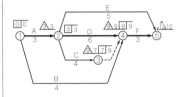

나. 총공사비

단계	단축대상 작업	단축일수	추가공사비
1	D	2	10,000×2일=20,000원
2	F	1	40,000×1일=40,000원
3	D+C	1	50,000×1일=50,000원

=표준상태공사비 + 공기단축시 추가비용
=420,000원＋110,000원
=530,000원

정답 21

가. 터파기량 :

$$\left(\frac{1.1+1.5}{2}\right)\times1.1\times(94-0.65\times4)=130.70m^3$$

나. 잡석다짐량

=1.1×0.2×(94−0.55×4)

=20,196 → 20,20m³

다. 콘크리트량

• 기초판 : 0.9×0.2×(94−0.45×4)

　　=16.596m³

• 기초벽 : 0.3×0.9×(94−0.15×4)

　　=25.218m³

∴ 소계 : 41.814 → 41.81m³

라. 잔토처리량=구조체체적(G.L이하)×
토량환산계수

={20.196+16.596+0.3×0.7×(94−0.15×
4)}×1.2=67.687 → 67.69m³

마. 되메우기량=터파기량−기초구조부체적
(G.L 이하)

=130.70−{20.196+16.596+0.3×0.7×
(94−0.15×4)}=74.294 → 74.29m³

바. 거푸집량

• 기초판 : 0.2×2×(94−0.45×4)
　　=36.88m²

• 기초벽 : 0.9×2×(94−0.15×4)
　　=168.12m²

∴ 소계 : 36.88+168.12=205m²

22 다음에 설명된 공법의 명칭을 기록하시오. (4점)

가. 사용할 때마다 작은 부재의 조립, 분해를 반복하지 않고 대형화, 단순화하여 한번에 설치하고 해체하는 거푸집 시스템

나. 벽체용 거푸집으로서 거푸집과 벽체 마감공사를 위한 비계틀을 일체로 조립하여 한꺼번에 인양시켜 설치하는 공법

다. 바닥에 콘크리트를 타설하기 위한 거푸집으로서 장선, 멍에, 서포트 등을 일체로 제작하여 부재화한 거푸집 공법

라. 수평적 또는 수직적으로 반복된 구조물을 시공이음 없이 균일한 형상으로 시공하기 위하여 거푸집을 연속적으로 이동시키면서 콘크리트를 타설하여 구조물을 시공하는 거푸집 공법

가. _____ 나. _____

다. _____ 라. _____

정답 **22**

가 : Gang Form

나 : Climbing Form

※갱폼에 거푸집 설치를 위한 비계틀과 마감용비계를 일체화한 것이다.

다 : Flying Form(Table Form)

라 : Sliding Form(Slip Form)

23 건축구조물의 신축공사를 하기 전에 실시하는 각종 시험 중에서 Mock – up Test에 관한 정의를 쓰시오. (3점)

_____

_____

정답 **23**

건물주변의 환경적 요인이 건물에 미치는 영향을 현장조건과 동일하게 시험하여 설계상 문제점과 구조계산치를 수정할 목적으로 하며 풍동시험을 근거로 3개의 실물모형을 제작하여 건축예정지의 최악조건으로 행하는 시험이다.

1999년 5회 출제문제

1 아래 그림을 보고 철근의 정착 길이에 해당되는 부분을 굵은 선으로 표시하시오. (6점)

가.

기동철근
(최상층 보외단부)

나.

기동철근
(일반층 보외단부)

다.

←Stirrup

(슬랩의 단부)

2 지반개량공법에서 진동다짐 압입공법의 종류를 나열하시오. (3점)

① _____ ② _____ ③ _____

3 콘크리트의 혼합재료는 혼화제와 혼화재로 구분할 수 있다. 다음 혼화제 및 혼화재의 종류를 3가지 쓰시오. (4점)

가. 혼화제 : ① _____ ② _____ ③ _____

나. 혼화재 : ① _____ ② _____ ③ _____

4 다음 데이터를 네트워크 공정표로 작성하시오. (8점)

(단, 이벤트(EVENT)에는 번호를 기입하고, 와 같이 작업 및 일정을 표기하며 주공정선을 굵은선으로 표기한다.)

작 업	선행작업	소요일수	작 업	선행작업	소요일수
A	없음	4	F	B,C	7
B	없음	8	G	B,C	5
C	A	6	H	D	2
D	A	11	I	D,F	8
E	A	14	J	E,H,G,I	9

5 시멘트 벽돌의 압축강도 시험결과 142kN, 140kN, 138kN에서 파괴되었다. 이 경우 시멘트 벽돌의 평균 압축강도를 구하고, KS규격에 따른 합격 및 불합격 여부를 판정하시오. (단, KS규격의 압축강도는 8MPa 이상이고, 시멘트 벽돌의 치수는 190×90×57 이다.) (4점)

가) 평균압축강도 : _____

나) 판정 : _____

[해설] 평균압축강도

$$f_1 = \frac{P_1}{A} = \frac{142 \times 10^3}{190 \times 90} = 8.30 MPa \qquad f_2 = \frac{P_2}{A} = \frac{140 \times 10^3}{190 \times 90} = 8.19 MPa$$

$$f_3 = \frac{P_3}{A} = \frac{138 \times 10^3}{190 \times 90} = 8.07 MPa \qquad \therefore f_c = \frac{f_1 + f_2 + f_3}{3} = \frac{24.56}{3} = 8.19 MPa$$

정 답

[정답] 1

그림참조

[정답] 2

① 바이브로 플로테이션 공법
② 바이브로 콤포저 공법
③ 다짐말뚝 공법
④ 동다짐 공법
⑤ 폭파다짐 공법

[정답] 3

가. ① AE제 ② 경화촉진제
　　③ 유동화제 ※ 발포제 등
나. ① 플라이애쉬 ② 고로슬래그분말
　　③ 포졸란 ※ 실리카흄 등

[정답] 4

네트워크 공정표

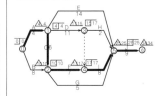

[정답] 5

가) 평균압축강도

$$f_c = \frac{f_1 + f_2 + f_3}{3} = \frac{24.56}{3}$$
$$= 8.19 MPa$$

나) 판정 : 합격

6 철골구조공사에 있어서 철골 습식 내화피복공법의 종류를 3가지 쓰시오. (3점)

① _____ ② _____ ③ _____

7 아래 평면 및 A-A′ 단면도를 보고 벽돌조건물에 대해 요구하는 재료량을 산출하시오.
（단, 벽돌수량 산출은 벽체 중심선으로 하고, 할증은 무시. 콘크리트량, 거푸집량은 정미량）(9점)

　가. 벽돌량 (외벽 1.0B 붉은벽돌, 내벽 0.5B 시멘트벽돌, 벽돌크기(190×90×57mm),
　　　줄눈나비 (10mm)
　나. 콘크리트량 (단, 버림콘크리트 제외)
　다. 거푸집량

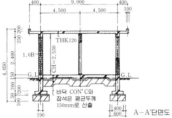

가. 벽돌량 (붉은벽돌+시멘트벽돌) _____

나. 콘크리트량 _____

다. 거푸집량 _____

8 다음 지반탈수공법의 명칭을 쓰시오. (4점)

(1) 점토질지반의 대표적인 탈수공법으로서 지반에 지름 40~60cm의 구멍을 뚫고 모
　래를 넣은 후, 성토 및 기타 하중을 가하여 점토질 지반을 압밀하므로써 탈수하는
　공법을 무슨 공법이라고 하는가?

_____

(2) 사질지반의 대표적인 탈수공법으로서 직경 약20cm 특수파이프를 상호 2m내외 간
　격으로 관입하여 모래를 투입한 후 진동다짐하여 탈수통로를 형성시켜서 탈수하는
　공법을 무슨 공법이라고 하는가?

_____

정답 6

① 뿜칠공법
② 미장공법
③ 타설공법
④ 조적공법

정답 7

가. 벽돌량
(1.0B) : {34×2.4-(2.4×1.2×4+2.4×
　　　　1.5+1×2.1)}×149=9,592.6장
(0.5B) : {16×2.53-(1×2.1×2개)}×
　　　　75=2,721장
소계 : 9,592.6+2,721
　　　=12,313.6 → 12,314장

나. 콘크리트량
기초판 : 0.2×0.4×34=2.72
기초벽 : 0.19×0.85×34=5.491
바　닥 : 8.81×7.81×0.15=10.32
보　　 : 0.19×0.13×34=0.839
슬라브 : 9.9×8.9×0.12=10.573
난　간 : 0.1×0.2×(9.8+8.8)×2=0.744
소계 : 30.687 → 30.69m³

다. 거푸집량
기초판 : 0.2×34×2=13.6
기초벽 : 0.85×34×2=57.8
보　　 : 0.13×34×2=8.84
슬라브 : 9.9×8.9-0.19×34+0.12×
　　　　(9.9+8.9)×2=86.162m²
알루미늄창 상단 : (2.4×4+2.4)×0.19
　　　　　　　　=2.28
난　간 : 0.2×2×(9.8+8.8)×2=14.88m²
소계 : 183.562 → 183.56m²

정답 8

(1) Sand drain 공법
(2) 웰 포인트 공법

9 최근 건축공사에서 사용되고 있는 합성수지 재료의 물성에 관한 장·단점을 각각 2가지 쓰시오. (4점)

가. 장점 : ①　_____

② _____

나. 단점 : ① _____

② _____

정답 9
가 : ① 우수한 가공성 (성형, 가공 용이)
　② 경량이다.(가볍다)
나 : ① 내마모성, 내화성이 약하다.
　② 경도, 강도가 작다.

10 지정 및 기초공사에서 지정말뚝의 종류를 3개 쓰시오. (3점)
① _____　② _____　③ _____

정답 10
① 나무말뚝
② 기성 콘크리트 말뚝
③ H형강 말뚝

11 건축 신축현장에 콘크리트를 타설할 때 진동다짐기 사용에 있어서 주의할 점을 4가지 쓰시오. (4점)
① _____
② _____
③ _____
④ _____

정답 11
① 수직으로 사용해야 한다.
② 삽입간격은 500mm 이하
③ 1개소당 진동시간은 5～15초 정도 한다.
④ 공극이 남지 않도록 서서히 뺀다.

12 콘크리트용 굵은골재(조골재)로서의 요구품질 4가지를 쓰시오. (4점)
① _____
② _____
③ _____
④ _____

정답 12
① 입형은 구형으로 표면이 거칠 것
② 유기 불순물이 없을 것
③ 입도가 적당할 것
④ 강도가 클 것

13 철골공사에 사용되는 고장력 볼트의 장점을 4가지 쓰시오. (4점)
① _____
② _____
③ _____
④ _____

정답 13
① 접합부 강성이 크다
② 조임설비가 간단하다.
③ 신속한 작업가능(공기단축)
④ 소음, 진동, 화재위험성이 적다.

14 다음이 설명하는 말뚝의 용어명을 쓰시오. (2점)

가. 연약층이 깊어 굳은 층에 지지할 수 없을 때 말뚝과 지반의 마찰력에 의하는 말뚝은?

나. 연약지반을 관통하여 굳은지반에 도달시켜 말뚝선단의 지지력에 의하는 말뚝은?

정답 14
가. 마찰말뚝
나. 지지말뚝

15 슬러리 월(Slurry wall) 공사에서 사용되는 벤토나이트 용액의 사용목적에 대하여 2가지를 쓰시오. (4점)

① _____ ② _____

16 다음은 목공사에 관한 설명이다. 아래의 빈칸에 알맞은 말을 쓰시오. (5점)

가. 창문틀이나 창문의 모서리 등에서 맞춤재의 마구리를 감추면서 튼튼하게 맞춤을 하는 것을 (①)이라 한다.

나. 널재를 나란히 옆으로 붙여대어 판재를 넓게 하는 것을 (②)라 한다.

다. 기둥 맨 상단의 처마 부분에 수평으로 걸어 기둥 상단을 고정하면서 지붕틀을 받아 지붕의 하중을 기둥에 전달하는 부재를 (③)라 한다.

라. 1층 납작마루의 시공순서는 동바리돌→멍에→(④)→마루널의 순서로 한다.

마. 목구조에서 접합부 보강용 철물로 사용되며 전단력에 저항하는 보강철물을 (⑤)이라 한다.

① _____ ② _____ ③ _____ ④ _____ ⑤ _____

17 강재를 이용한 구조물로 가정하여, 경량형강재의 장·단점에 대하여 각각 2가지를 쓰시오. (4점)

가. 장 점 : ① _____
          ② _____

나. 단 점 : ① _____
          ② _____

18 콘크리트 압축강도를 조사하기 위해 슈미트 해머를 사용할 때 반발경도를 조사한 후 추정강도를 계산할 때 실시하는 보정 방법 3가지를 쓰시오. (3점)

① _____ ② _____ ③ _____

19 조강포틀랜드 시멘트의 압축강도를 표준사를 이용하여 10회 시험한 결과는 다음과 같다. 이 데이터를 이용하여 시멘트 강도의 변동계수(CV)를 구하시오. (4점)

[데이터 : 41.7, 48.0, 44.7, 42.8, 39.7, 40.0, 38.9, 42.2, 42.7, 41.9]

변동계수(CV) = _____

정답 **15**

① 굴착공내의 붕괴 방지
② 지하수 유입방지(지수역할)
③ 굴착부의 마찰저항 감소

정답 **16**

① 연귀맞춤
② 쪽매
③ 깔도리
④ 장선
⑤ 듀벨

정답 **17**

가. 장점
① 강재량에 비해 휨강도, 좌굴강도가 크다.
② 단면 효율이 좋다.
③ 성형 가공이 용이

나. 단점
① 국부좌굴, 비틀림이 생기기 쉽다.
② 국부변형 우려(처짐에 약함)
③ 부식에 약하여 방청도료 사용해야 함

정답 **18**

① 타격각도 보정
② 응력상태에 따른 보정 (압축응력보정)
③ Concrete재령에 따른 보정

정답 **19**

(1) 표본산술평균 $\bar{x} = 42.26$

(2) ① 변동

$S = (41.7 - 42.26)^2 + (48.0 - 42.26)^2$
$\quad + (44.7 - 42.26)^2 + (42.8 - 42.26)^2$
$\quad + (39.7 - 42.26)^2 + (40.0 - 42.26)^2$
$\quad + (38.9 - 42.26)^2 + (42.2 - 42.26)^2$
$\quad + (42.7 - 42.26)^2 + (41.9 - 42.26)^2$
$\quad = 62.78$

② 표본표준편차

$s = \sqrt{\dfrac{S}{n-1}} = \sqrt{\dfrac{62.78}{10-1}} = 2.64$

(3) 변동계수

$CV = \dfrac{s}{\bar{x}} \times 100(\%) = \dfrac{2.64}{42.26} \times 100$
$\quad = 6.25\%$

20 철골공사의 절단가공에서 절단방법의 종류를 3가지 쓰시오. (3점)

① _____ ② _____ ③ _____

21 콘크리트의 배합표시법 종류를 3가지 쓰시오. (3점)

① _____ ② _____ ③ _____

22 다음 도면과 같은 기둥 주근의 철근량을 산출하시오. (단, 층고는 3.6m, 주근의
이음길이는 25d로 하고, 철근의 중량은 D22는 3.04kg/m, D19는 2.25kg/m,
D10은 0.56kg/m로 한다.) (4점)

60cm

60cm

4-D22

8-D19

D10@150 (단부)
@300 (중앙부)

kg

23 다음 보기의 토질중에서 굴착에 의한 토량이 가장 크게 증가하는 것부터 순서대
로 그 번호를 쓰시오. (4점)

〈 보기 〉
① 점 토   ② 점토, 모래, 자갈의 혼합토
③ 모래 또는 자갈   ④ 암 석

(   ) → (   ) → (   ) → (   )

24 공사계획의 일반적인 순서를 보기에서 골라 쓰시오. (4점)

〈 보기 〉
가. 공정표 작성   나. 하도급자의 선정
다. 재료 선정   라. 현장원 편성
마. 실행 예산편성   바. 가설준비물 결정
사. 재해방지

(   ) → (   ) → (   ) → (   ) → (   ) → (   ) → (   )

2000년 1회 출제문제

1 사업관리(CM)란 건설의 전 과정에 걸쳐 프로젝트를 보다 효율적이고 경제적으로 수행하기 위하여 각 부문의 전문가들로 구성된 통합된 관리기술을 건축주에게 서비스하는 것을 말하는데, 그 주요업무를 5가지 쓰시오. (5점)

① _____

② _____

③ _____

④ _____

⑤ _____

2 콘크리트의 알칼리 골재반응을 방지하기 위한 대책을 3가지만 쓰시오. (3점)

① _____

② _____

③ _____

3 철근 콘크리트 공사에서 철근의 간격재(spacer)를 3가지 쓰시오. (3점)

① _____ ② _____ ③ _____

4 아래의 조적조 건물의 평면 및 A-A′ 단면도를 보고, 요구하는 재료량을 산출하시오. (10점) (단, 벽돌수량 산출은 벽체 중심선으로 하고, 할증은 무시한다. 콘크리트량 및 거푸집량은 정미량으로 계산한다.)

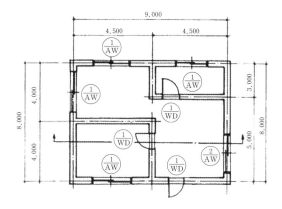

$\dfrac{1}{AW}$: 2,400×1,200

$\dfrac{2}{AW}$: 2,400×1,500

$\dfrac{1}{WD}$: 1,500×2,000

평면도

정 답

정답 1

① 설계관리
② 계약관리
③ 공정관리
④ 비용(원가)관리
⑤ 품질관리

정답 2

① 저알칼리 시멘트 사용(알카리 함량 0.6% 이하)
② 비 반응성 골재의 사용과 알카리 공급원인 염분사용금지
③ 양질의 포졸란이나 Fly ash 사용

정답 3

① 모르타르 재료의 간격재
② 철근을 조립한 간격재
③ 강화플라스틱 간격재

정답 4

가. 벽돌량

① 외벽(1.0B) : (34×2.4-(2.4×1.2×4+2.4×1.5+1.5×2)×149=9458.5매
② 내벽(0.5B) : (16×2.53-(1.5×2×2개)×75=2,586장
계 : 9458.5+2586=12,044.5매 <u>12,045매</u>

나. 콘크리트량

① 기초판 : 0.2×0.4×34=2.72
② 기초벽 : 0.19×0.85×34=5.491
③ 바닥 : 8.81×7.81×0.15=10.32
④ 보 : 0.19×0.13×34=0.839
⑤ 슬라브 : 9.9×8.9×0.12=10.573
⑥ 난간 : 0.1×0.2×(9.8+9.8)×2=0.744
계 : 2.72+5.491+10.32+0.839+10.573+0.744
 =30.687 <u>30.69m³</u>

다. 거푸집량
① 기초판 : $0.2 \times 34 \times 2 = 13.6$
② 기초벽 : $0.85 \times 34 \times 2 = 57.8$
③ 보 : $0.13 \times 34 \times 2 = 8.84$
④ 슬라브 : $9.9 \times 8.9 - 0.19 \times 34 + 0.12 \times$
$(9.9 + 8.9) \times 2 = 86.162 \text{m}^2$
⑤ 알루미늄창 상단 : $(2.4 \times 4 + 2.4) \times 0.19$
$= 2.28$
⑥ 난간 : $0.2 \times 2 \times (9.8 + 8.8) \times 2$
$= 14.88 \text{m}^2$
계 : 183.562m^2 $\underline{183.56 \text{m}^2}$

A - A′단면도

① 벽돌량(외벽 1.0B, 내벽 0.5B, 벽돌크기 : $190 \times 90 \times 57$mm)

_____ 매

② 콘크리트량(단, 버림콘크리트는 제외)

_____ m³

③ 거푸집량

_____ m²

5 PS 콘크리트에서 프리텐션 공법과 포스트텐션 공법을 간략히 쓰시오. (4점)

가. 프리텐션 공법 : _____

나. 포스트텐션 공법 : _____

정답 5
가. 프리텐션 공법 : 강재에 미리 인장력을 가한 후 지주에 정착시키고 concrete를 타설, 경화시킨 후 강재의 인장력을 제거하여 Pre-stress를 가하는 방법이다.
나. 포스트텐션공법 : 콘크리트 타설 시 관을 매립하고 타설경화 후 관을 제거하고 그 내부공간에 강재를 삽입, 인장, 정착 후 내부를 Grouting하여 경화 후 강재를 절단하여 Pre-stress를 가하는 방법으로 현장에서 대규모 부재에 적용한다.

6 지반조사 방법 중 사운딩을 간략히 설명하고 탐사방법을 3가지 쓰시오. (6점)

① 사운딩 : _____

② 탐사방법 : _____

정답 6

① 사운딩 : 저항체를 땅속(지중)에 삽입하여 관입, 회전, 인발저항으로 지층을 탐사하는 원위치 시험을 말한다.

② 탐사방법
- 표준관입시험(Standard Penetration Test)
- Vane Test
- 스웨덴식 사운딩, 화란식 사운딩

7 제자리 콘크리트말뚝의 기계굴삭 공법 중에서 베노토공법(Benoto method)의 시공순서이다. 다음 보기를 보고 ( ) 안에 적합한 공정명을 고르시오. (4점)

┌─〈보기〉──────────────────────────┐
│ ① Tremie(트레미)관 삽입   ② 철근망 조립 │
│ ③ 레미콘주문   ④ Casing tube(케이싱튜브)인발 │
│ ⑤ 철근망넣기   ⑥ Casing tube(케이싱튜브)세우기 │
└─────────────────────────────────┘

(____) → (굴착) → (____) → (____) → (콘크리트타설) → (____)

정답 7

⑥ → 굴착 → ⑤ → ① → 콘크리트타설 → ④

8 철근콘크리트의 알카리 골재반응과 중성화에 대해 간략히 서술하시오. (4점)

① 알카리 골재반응 : _____

② 중성화 : _____

정답 8

① 알카리 골재반응 : 시멘트 중의 알카리 금속이온과 수산화이온이 실리카 사이에서 반응하여 Silica Gel이 형성되며 팽창하여 균열발생, 조직붕괴현상을 일으키는 반응

② 중성화 : 콘크리트내의 수산화석회가 공기중 탄산가스 영향을 받아 탄산석회로 변하여 알카리성을 상실하는 현상

9 특기시방서상 화강암의 표건비중을 2.62 이상, 흡수율(%)을 0.3% 이하로 규정하고 있다. 화강암의 비중과 흡수율을 아래의 시험결과로부터 구하고, 합격여부를 판정하시오. (4점) (단, 공시체의 건조중량 : 5000g, 공시체의 표면건조 포화상태의 중량 5020g, 공시체의 수중중량 3150g이었다.)

① 비중 :

② 흡수율(%) :

③ 판정

정답 9

① 비중 : $\dfrac{5020}{5020-3150} = 2.68$

② 흡수율(%) : $\dfrac{5020-5000}{5000} \times 100 = 0.4\%$

③ 판정 : 불합격(흡수율 초과)

10 다음 데이터를 이용하여 네트워크 공정표를 작성하고 각 작업의 여유시간을 계산하시오. (8점)

작업명	선행작업	작업일수	비 고
A	없음	5	
B	없음	2	
C	없음	4	
D	A, B, C	4	
E	A, B, C	3	

비 고란:

$\boxed{EST \mid LST}$ $\triangle LFT \mid EFT$

① ①$\dfrac{\text{작업명}}{\text{공사일수}}$→① 로 일정 및 작업표기

② 더미의 여유시간은 고려하지 않을 것

① 공정표

② 여유시간 계산

작업명	EST	EFT	LST	LFT	TF	FF	DF	CP
A								
B								
C								
D								
E								

11 삭제〔현행 규정과 상이〕

12 고분자계 방수 중 도막방수와 시트방수를 요약 설명하시오. (4점)

① 도막방수 : _____

② 시트방수 : _____

① 공정표

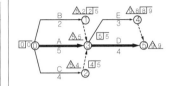

② 여유시간계산

작업명	EST	EFT	LST	LFT	TF	FF	DF	CP
A	0	5	0	5	0	0	0	*
B	0	2	3	5	3	3	0	
C	0	4	1	5	1	1	0	
D	5	9	5	9	0	0	0	*
E	5	8	6	9	1	1	0	

정답 12

① 도막방수 : 도료상의 방수제를 바탕에 여러번 도포하여 방수막을 형성하는 공법으로 유제형, 용제형, 에폭시 계통이 있다.
② 시트방수 : 합성고무계와 열가소성 수지인 염화비닐 등을 1개 Sheet로 하여 방수효과를 기대하는 공법으로 합성고분자 루핑방수라고도 한다.

13 다음 설명이 뜻하는 용어를 쓰시오. (3점)

① 창문틀의 밑에 쌓는 블록은?　　　　＿＿＿＿＿＿＿

② 문꼴위에 쌓아 철근과 콘크리트를 다져 넣어 보강하는 U자형 블록은?

　　　　　　　　　　　　　　　　　　　＿＿＿＿＿＿＿

③ 창문틀의 옆에 쌓는 블록은?　　　　＿＿＿＿＿＿＿

[정답] 13
① 창대 블록(Window Sill Block)
② 인방 블록(Lintel Block)
③ 쌤 블록(Window Jamb Block)

14 파워 쇼벨(Power shovel)의 1시간당 추정 굴착작업량을 다음 조건일 때 산출하시오. (3점) (단, 단위를 명기하시오.)

〈조건〉
Q = 0.8m³,　　f = 1.28,　　E = 0.83,　　K = 0.8,　　Cm = 40sec

[정답] 14
$$V = \frac{3,600 \times 0.8 \times 1.28 \times 0.83 \times 0.8}{40}$$
$$= 61.19 m^3/hr$$

15 다음 토질과 관계하는 자료를 참조하여 간극비와 함수율을 구하시오. (4점)

〈보기〉
• 순토립자만의 용적 = 2m³　　　• 순토립자만의 중량 = 4ton
• 물만의 용적 = 0.5m³　　　　　• 물만의 중량 = 0.5ton
• 공기만의 용적 = 0.5m³　　　　• 전체흙의 용적 = 3m³
• 전체흙의 중량 = 4.5ton

① 간극비

　　　　　　　　　　　　　　　　　　　＿＿＿＿＿＿＿

② 함수율

　　　　　　　　　　　　　　　　　　　＿＿＿＿＿＿＿

[정답] 15
① 간극비 : $\frac{0.5m^3 + 0.5m^3}{2m^3} = 0.5$

② 함수율 : $\frac{0.5t}{4.5t} \times 100 = 11.1\%$

16 다음 목재의 수축변형에 대한 설명 중 (　) 안에 알맞은 말을 써 넣으시오. (3점)

목재는 건조수축하여 변형하고 연륜방향의 수축은 연륜의 (　①　)에 약 2배가 된다. 또 수피부는 수심부보다 수축이 (　②　)다. (　③　)는 조직이 경화되고, (　④　)는 조직이 여리고 함수율도 (　⑤　)고 재질도 무르기 때문이다.

①(＿＿＿)　②(＿＿＿)　③(＿＿＿)　④(＿＿＿)　⑤(＿＿＿)

[정답] 16
① 직각방향(90°방향)
② 크(많)
③ 심재부(중심부)
④ 변재부(수피부)
⑤ 크(많)

17 다음 아치에 관계하는 용어명을 쓰시오. (3점)

① 아치 벽돌을 주문제작한 것을 이용한 아치 _____

② 보통벽돌을 쐐기모양으로 다듬어 만든 아치 _____

③ 보통벽돌을 쓰고, 줄눈을 쐐기모양으로 하여 만든 아치 _____

정답 **17**
① 본 아치
② 막 만든 아치
③ 거친아치

18 다음 설명에 해당되는 용어를 쓰시오. (2점)

① 목구조에서 밑층에서 윗층까지 1개의 부재로 된 기둥으로 5~7m 정도의 길이로 타 부재의 설치기준이 되는 기둥 _____

② 기초의 종류 중 2개 이상의 기둥을 하나의 기초에 연결지지시키는 기초방식

_____

정답 **18**
① 통재기둥
② 복합기초

19 다음은 콘크리트의 슬럼프 테스트 순서이다. 빈 칸을 완성하시오. (4점)

1) 수밀평판을 수평으로 설치한다.

2) ① _____

3) ② _____

4) ③ _____

5) 위의 3)항과 4)항의 작업을 2회 되풀이하고 윗면을 고른다.

6) 슬럼프 콘을 조용히 들어 올린다.

7) ④ _____

정답 **19**
① 슬럼프 콘을 평판 중앙에 놓는다.
② 슬럼프콘 체적의 1/3만큼 콘크리트를 채운다.
③ 다짐막대로 25회 다진다.
④ 시료의 높이를 측정하여 30cm에서 뺀값이 슬럼프 값이다.

20 지반개량의 목적과 지반개량의 공법을 각각 3가지만 쓰시오. (4점)

① 지반개량의 목적 : _____

_____

_____

② 지반개량의 공법 : • _____

• _____

• _____

정답 **20**
① 지반개량의 목적
 • 기초의 부동침하 방지
 • 터파기시 안정성 확보
 • 인접건물의 기초보강(침하방지)
② 지반개량의 공법
 • 다짐법
 • 탈수법
 • 치환법

21 용접자세 표현기호가 의미하는 방향은? (4점)

F : _____　　H : _____

V : _____　　O : _____

22 계약서에 기재되어야 할 항목을 3가지만 쓰시오. (3점)

① _____

② _____

③ _____

23 다음 보기 중에서 수경성 미장재료를 모두 고르시오. (3점)

┌─〈보기〉
가. 석고플라스터　　　나. 토벽　　　다. 회반죽
라. 돌로마이트플라스터　　마. 시멘트모르타르
└─

24 고용형태로 분류한 건설노무자에 대한 설명이다. ( )안에 알맞은 용어를 쓰시오. (3점)

가. 원도급업자에게 직접 고용되어 임금을 받는 노무자로써 잡역 등 미숙련자가 많다. (_____)

나. 직종별 전문업자 혹은 하도급업자에 상시 종속되어 있는 기능 노무자로써 출역일수에 따라 임금을 받는다. (_____)

다. 날품노무자로써 보조노무자이고, 임금도 싸다. (_____)

25 어떤 골재의 비중이 2.65이고, 단위용적 중량이 1,800kg/m³이라면 이 골재의 실적률을 구하시오. (2점)

2000년 2회 출제문제

1 역타설공법(Top-Down Method)의 장점을 3가지 쓰시오. (3점)

① _____

② _____

③ _____

2 ※ KS 규정 개정으로 문제 삭제함.

3 건축생산을 비롯한 공업생산의 원가관리 수법의 하나인 VE(Value Engineering)수법에서 물건 또는 서비스의 가치를 정의하는 식을 쓰시오. (2점)

_____

4 흙막이벽 공법 중 지중(지하)연속벽공법의 장점을 4가지 쓰시오. (4점)

① _____

② _____

③ _____

④ _____

5 특기시방서 상에 레미콘 설계기준 압축강도가 24MPa 이상으로 규정되어 있다고 할 때, 납품된 레미콘으로부터 임의로 3개월 공시체(원지름 100mm, 높이 200mm인 원주체)를 제작하여 압축강도를 시험한 결과 최대하중 180kN, 170kN 및 200kN에서 파괴되었다. 평균압축강도를 구하고, 실제기준 강도를 상회하고 있는지 여부에 따라 합격, 불합격으로 판정하시오. (4점)

가) 평균압축강도 : _____

나) 판정 : _____

정　답

정답 1
① 지하구조물과 지상구조물의 동시 시공으로 공기가 단축된다.
② 지하연속벽의 선시공으로 주변침하, 수평변위에 대해 안정적이다.
③ 1층 바닥판을 작업장으로 활용할 수 있다. (1층 바닥판 선시공으로 작업장 확보가능)

정답 2
〈삭제〉

정답 3
$$Value(가치) = \frac{Function(기능)}{Cost(비용)}$$
※ Cost = 전생애비용(Life Cycle Cost)

정답 4
① 저소음, 저진동 공법이다.
② 벽체의 강성이 높아서 본 구조체로 사용이 가능하다.
③ 임의의 형상, 칫수가 가능하다.
④ 차수성능이 우수하다.

정답 5
$$f_1 = \frac{P_1}{A} = \frac{180 \times 10^3}{\frac{\pi \times 100^2}{4}} = 22.92 MPa$$

$$f_2 = \frac{P_2}{A} = \frac{170 \times 10^3}{\frac{\pi \times 100^2}{4}} = 21.65 MPa$$

$$f_3 = \frac{P_3}{A} = \frac{200 \times 10^3}{\frac{\pi \times 100^2}{4}} = 25.46 MPa$$

$$\therefore f_c = \frac{f_1 + f_2 + f_3}{3} = \frac{70.03}{3}$$
$$= 23.34 MPa$$

∴ 판정 : 불합격

6 히빙파괴에 대해 쓰시오. (2점)

_____

_____

7 다음은 기초철근 조립에 대한 항목들이다. 조립순서에 맞게 기호로 쓰시오. (3점)

> ⑦ 기둥주근 설치　　　　　　 ⑭ 철근간격 표시　　　　 ⑮ 대각선 철근 배근
> ⑭ 띠근(Hoop) 끼우기　　　　 ⑩ 스페이서 설치　　　　 ⑪ 직교철근 배근
> ⑭ 거푸집위치 먹줄치기

_____

8 직접가설공사 항목 중 낙하물에 대한 위험방지물이나 방지시설을 3가지 쓰시오. (3점)

① _____　② _____　③ _____

9 아래와 같은 네트워크 공정표로부터 [표]와 같은 조건에 의하여 최소비용으로 공기를 22일
이 되도록 조정하여 네트워크 공정표를 다시 작성하고 비용증가액을 계산하시오. (10점)

(단, 주공정선 굵은선 표시, $\dfrac{\boxed{\text{TE}\ |\ \text{TL}}}{\text{작업일수}}\to ①\xrightarrow{\text{작업일수}}$)

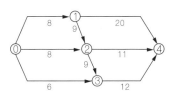

【표】　　　　　　　　　　　　　　　　　　　　　　　　　　　(단위 : 원)

EVENT	정상계획		급속계획		비 고
	소요일수	비 용	최대단축할 수 있는 소요일수	비 용	
0-1	8	100,000	3	550,000	
0-2	8	200,000	4	280,000	
0-3	6	150,000	3	270,000	
1-2	9	250,000	2	670,000	
1-4	20	130,000	13	340,000	
2-3	9	120,000	4	470,000	
2-4	11	170,000	6	220,000	
3-4	12	190,000	5	750,000	
계		1,310,000			

1. 네트워크 공정표　　　　　　　　　　2. 비용증가액

정답 **6**

흙막이벽 좌측과 우측의 토압차로써 흙막이 일부의 흙이 재하하중 등의 영향으로 기초파기하는 공사장 안으로 흙막이벽 밑을 돌아서 미끄러져 올라오는 현상

정답 **7**

⑭ → ⑭ → ⑩ → ⑮ → ⑪ → ⑦ → ⑭

정답 **8**

① 추락방호망
② 낙하물방지망
③ 방호선반

정답 **9**

〈표준상태의 공정표〉

1. 공기조정된 네트워크 공정표

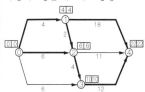

2. 비용증가액

단축대상경로	단축일	추가비용
1-2	7일	420,000원
2-3	3일	210,000원
0-1	2일	180,000원
$\binom{1-4}{2-3}$	2일	200,000원
$\binom{0-1}{0-2}$	2일	220,000원
계	16일	1,230,000원

∴ 공기 22일로 조정시 비용증가액
　= 1,230,000원

10 아래의 기초도면을 보고 다음에 요구하는 재료량을 산출하시오. (16점)
(단, D10=0.56kg/m, D13=0.995kg/m이고, 이음길이와 피복은 고려하지 않는
다. 또한 모든 수량은 정미량으로 하고, 토량환산계수 L=1.20이다)

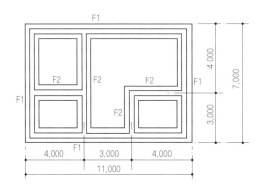

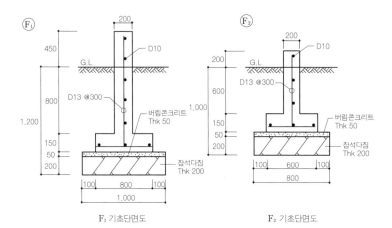

F₁ 기초단면도   F₂ 기초단면도

가. 터파기 :

      m^3

나. 잡석다짐 :

      m^3

다. 버림콘크리트 :

      m^3

라. 거푸집(버림콘크리트는 제외) :

      m^2

정답 **10**

p. 2-146 문제 16번 참조

마. 콘크리트 :

_____ m³

바. 철근 D10. D13 합계 :

_____ kg

사. 잔토처리 :

_____ m³

아. 되메우기 :

_____ m³

11 다음은 옥상에 아스팔트 방수공사를 한 그림이다. 콘크리트 바탕으로부터 최상부 마무리 까지의 시공순서를 번호에 맞추어 쓰시오. (단, 아스팔트 방수층 시공순서는 세분하지 않는다.) (4점)

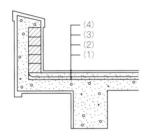

(1) _____ (2) _____

(3) _____ (4) _____

정답 **11**

(1) 바탕 Mortar 바름시공

(2) Asphalt 방수층 시공

(3) 보호누름시공

(4) 보호 Mortar 시공

12 다음 벽돌 마름질 명칭을 쓰시오. (6점)

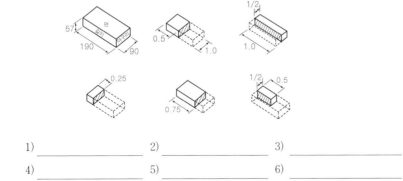

1) _____ 2) _____ 3) _____

4) _____ 5) _____ 6) _____

정답 **12**

1) 온장   2) 반토막

3) 반절   4) 이오토막

5) 칠오토막   6) 반반절

13 점토의 흐트러뜨리지 않은 공시체의 밀도시험과 함수비시험을 행한 결과 아래표와 같은 시험결과를 얻었다. 이 결과를 근거로 함수비, 간극비, 포화도를 쓰시오. (6점)

시험의 종류	시 험 결 과
토립자 밀도	토립자의 체적 : 11.06cm³
함수비	흙과 용기의 질량 : 92.58g 건조한 흙과 용기의 질량 : 78.95g 용기의 질량 : 49.32g
습윤밀도	흙의 체적 : 26.22cm³

가. 함수비 : _____

나. 간극비 : _____

다. 포화도 : _____

정답 **13**
- 토립자만의 질량
 $=78.95-49.32=29.63(g)$
- 물만의 질량
 $=92.58-78.95=13.63(g)$

가. 함수비
 $=\dfrac{13.63}{29.63}\times100=46.0(\%)$

나. 간극비
 $=\dfrac{26.22-11.06}{11.06}=1.37$

다. 포화도
 $=\dfrac{13.63\times100}{26.22-11.06}=89.91(\%)$

14 다음 보기의 합성수지를 열경화성 및 열가소성수지로 분류하시오. (4점)

〈보기〉
1) 페놀 수지　　　　2) 아크릴 수지　　　　3) 폴리에틸렌 수지
4) 폴리에스테르 수지　5) 멜라민 수지　　　　6) 염화비닐 수지
7) 프란 수지

가. 열경화성수지 : _____

나. 열가소성수지 : _____

정답 **14**
가. 열경화성 수지 : 1), 4), 5), 7)
나. 열가소성 수지 : 2), 3), 6)

15 아래의 단면도와 같은 줄기초 공사에 있어서 되메우기 흙의 다짐에 적합한 기계장비를 【보기】에서 모두 골라 기호로 쓰시오. (3점)

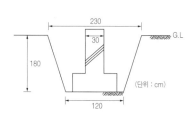

〈보기〉
㉮ Drag Shovel
㉯ Rammer
㉰ 소형 진동 Roller
㉱ Loader
㉲ Plate Compactor
㉳ Scraper

정답 **15**
㉯, ㉰, ㉲

16 (　　)에 알맞는 말을 쓰시오. (3점)

제자리 콘크리트 말뚝공법 중 굴착구멍의 붕괴를 방지하기 위하여 물을 채우는 대표적인 공법은 (　①　)공법이며, 이 공법은 지하수위보다 (　②　)m 이상 높게 물을 채워서 (　③　)KN/m² 이상의 정수압을 유지해야 한다.

①　_____　②　_____

③　_____

① 리버스 써큘레이션공법(Reverse Circulation Drill공법)
② 2
③ 20

---

17 콘크리트의 중성화에 대한 저감대책 4가지를 쓰시오. (4점)

①　_____

②　_____

③　_____

④　_____

① 물시멘트비를 낮춘다.
② AE제, AE감수제, 유동화제 등 중성화 억제 혼화제를 사용한다.
③ 경량골재 사용을 금하고, 피복두께를 증가시킨다.
④ 중용열 시멘트와 혼합시멘트 사용을 금지한다.

---

18 기성콘크리트 말뚝을 사용한 기초공사에 사용 가능한 무소음 · 무진동공법 4가지를 쓰시오. (4점)

①　_____

②　_____

③　_____

④　_____

① Pre - Boring방식
② 중굴식 굴착방식
③ 회전식과 유압식 방식 혼용
④ 수사식과 진동압입식 방식 혼용

---

19 가설공사 항목 중 공통가설과 직접가설항목을 보기에서 골라 기호로 쓰시오. (4점)

〈보기〉
① 가설건물　　　　② 규준틀　　　　③ 용수설비
④ 공사용동력　　　⑤ 방호선반　　　⑥ 먹매김
⑦ 운반　　　　　　⑧ 콘크리트 양생

가. 공통가설 : _____

나. 직접가설 : _____

공통가설 : ①, ③, ④, ⑦
직접가설 : ②, ⑤, ⑥, ⑧

20 수평버팀대식 흙막이에 작용하는 응력이 아래의 그림과 같을 때 (　　)에 알맞은 말을 보기에서 골라 기호로 쓰시오. (3점)

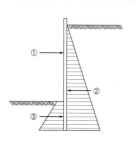

〈보기〉
㉮ 수동토압
㉯ 정지토압
㉰ 주동토압
㉱ 버팀대의 하중
㉲ 버팀대의 반력
㉳ 지하수압

① _____ ② _____ ③ _____

정답 20
① ㉲　　　　　　② ㉳
③ ㉮

21 기성 말뚝재에 표시되는 다음의 표기가 의미하는 바를 쓰시오. (3점)

PHC－A · 450－12
　　　　① 　　② 　　③

① _____
② _____
③ _____

정답 21
① 프리텐션방식의 고강도 콘크리트 말뚝(※ PHC : Pretensioned High Strength Concrete Pile)
② 말뚝지름이 450mm이다.
③ 말뚝길이는 12m이다.

22 콜드 조인트(Cold Joint)가 구조물(건물)에 미치는 영향을 간단히 쓰고 방지대책을 쓰시오. (5점)

가. 영향 : _____

나. 방지대책 : ① _____
　　　　　　② _____
　　　　　　③ _____

정답 22

가. 영향
일체화 저하로 강도저하, Crack 발생 증가, 누수발생, 부착력 저하, 전단력 저하의 우려가 있다.

나. 방지대책
① 야간을 이용한 타설, 연속타설을 계획한다.
② 시방서에 표시된 타설시간과 이어 붓기시간 간격을 준수한다.
③ 타설이음면의 레이턴스제거, 철근 보강, 지수판시공 등 일체화에 유의한다.

2000년 3회 출제문제

1 다음 데이터를 네트워크 공정표로 답하시오. (10점)

작업명	작업일수	선행작업	비 고
A	5	없음	주공정선은 굵은 선으로 표시한다.
B	7	없음	각 결합점 일정계산은 PERT기법에 의거
C	3	없음	다음과 같이 계산한다.
D	4	A,B	
E	8	A,B	
F	6	B,C	(단, 결합점 번호는 규정에 따라 반드시 기
G	5	B,C	입한다.)

$$\overset{\text{작업명}}{\underset{\text{공사일수}}{\longrightarrow}} \boxed{ET\,|\,LT}\ \textcircled{1}\ \overset{\text{작업명}}{\underset{\text{공사일수}}{\longrightarrow}}$$

공정표 작성

정답 1

공정표 작성

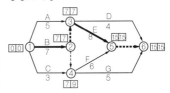

또는 D와 G에 더미를 두고 E,F를 종료 Event로 연결한 것도 답이 될 수 있다.

2 강관비계를 수직, 수평, 경사방향으로 연결 또는 이음 고정시킬 때 사용하는 부속철물의 명칭을 3가지 쓰시오. (3점)

①_____ ②_____ ③_____

정답 2

① 이음관(강관 죠인트)
② 고정형 클램프
③ 회전형 클램프

3 다음에 설명된 공법의 명칭을 기록하시오. (4점)

가. 콘크리트 타설직후에 매트, 진공펌프 등을 이용해 콘크리트 내부의 수분 중 수화작용에 필요한 최소량을 제외한 수분을 제거하여 밀실한 콘크리트를 시공하는 방법

나. P.C제품이나 내진보강벽 등 폐쇄공간의 콘크리트를 타설하기 위해 콘크리트 펌프 등의 압송기계에 연결된 배관을 구조체 하부의 거푸집에 설치된 압입부에 직접 연결해서 유동성 있는 콘크리트를 타설하는 공법

가._____ 나._____

정답 3

가. 진공콘크리트(Vaccum concrete)
나. 압입공법(압입 채움공법)

4 다음이 설명하는 콘크리트 종류를 쓰시오. (4점)

가. 콘크리트 면을 노출시켜 마무리한 콘크리트

나. 콘크리트를 타설한 직후 매트를 씌운 다음 진공장치로 잉여수를 제거 하면서 다짐하여 초기강도를 크게 한 콘크리트

다. 부재 단면치수가 80cm 이상이고 콘크리트 내외부 온도차이가 25℃ 이상인 콘크리트

가._____ 나._____ 다._____

정답 4

가. 제물치장 콘크리트(Exposed Concrete)
나. 진공콘크리트(Vaccum Concrete)
다. 매스콘크리트(Mass Concrete)

5 A 항과 관계있는 것을 B 항에서 골라 쓰시오. (4점)

-A항-

1) 게이지 라인(gauge line) ············· (   )
2) 드리프트 핀(drift pin) ·············· (   )
3) 리이머(reamer) ··················· (   )
4) 뉴우매틱 해머(pneumatic hammer) ···· (   )

-B항-

가. 현장 리벳치기용 공구	나. 리벳구멍 중심을 맞추는 공구
다. 구멍 주위 가심질 공구	라. 한렬의 리벳중심을 통하는 선

6 ALC(Autoclaved Lightweight Concrete)의 건축재료로서의 특징을 4가지 쓰시오 (4점)

① _____   ② _____

③ _____   ④ _____

7 다음 철골트러스 1개분의 철골량을 산출하시오. (9점)

(단, L-65×65×6=5.91Kg/m ,L-50×50×6=4.43Kg/m, PL-6=47.1Kg/m²)

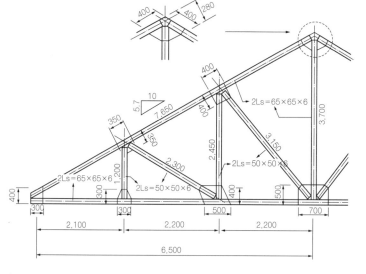

가. L-65×65×6 : _____

나. L-50×50×6 : _____

다. PL-6 : _____

정답 7

가. L-65×65×6

구 분	산출근거	합 계
평 보 ㅅ자보 왕대공	(6.5+0.15)×2×2(좌.우)=26.6m 7.65×2×2(좌.우)=30.6m 3.7×2=7.4m	64.6×5.91kg=381.79kg

나. L-50×50×6

구 분	산출근거	합 계
대 공	(1.2+2.3+2.45+3.15)×2×2(좌.우) =36.4m	36.4×4.43kg=161.25kg

다. PL-6

구 분	산출근거	합 계
PL-6	{(0.3×0.4+0.35×0.35+0.3×0.3+0.4×0.4 +0.5×0.4)×2(좌우)+0.4×0.4+0.7×0.5}× 47.1kg=89.25kg	89.25kg

8 혼합시멘트 중 플라이애쉬 시멘트의 특징을 3가지 쓰시오. (6점)

① _____

② _____

③ _____

정답 8
① 시공연도가 개선된다.
② 수화발열량이 적어서 초기강도는 작아지며 장기강도가 증대된다.
③ 내황산염에 대한 저항성, 화학적 저항성을 증진시킨다.
※ 기타사항 : 수밀성이 향상된다. 알 카리골재반응을 억제하는 효과가 있다.

9 흐트러진 상태의 흙 30m³를 이용하여 30m²의 면적에 다짐 상태로 60cm 두께로 터 돋우기 할 때 시공 완료된 다음의 흐트러진 상태의 토량을 산출하시오. (3점)
(단, 이 흙의 L=1.20이고, C=0.90이다.)

_____ m³

정답 9
자연상태 : 30 ÷ 1.2 = 25m³
다짐상태 : 25 × 0.9 = 22.5m³
돋우기체적 : 30 × 0.6 = 18m³
남은량 : 22.5 - 18 = 4.5m³
자연상태 : 4.5 ÷ 0.9 = 5m³
∴ 흐트러진상태로 남는 토량 :
  5 × 1.2 = 6m³

10 인텔리젼트 빌딩의 access 바닥에 관하여 서술하시오. (4점)

_____

_____

_____

정답 10
정방형의 Floor panel을 Pedestal(받침대)로 지지시켜 만든 2중바닥구조로써 공조설비, 배관설비, 전기, 전자 computer설비 등의 설치와 유지관리, 보수의 편리성과 용량 조정 등을 위하여 사용한다.

11 CM(Construction Management)의 주요 업무를 4가지 쓰시오. (4점)

① _____

② _____

③ _____

④ _____

12 바닥재료 중 리놀륨 시공순서를 빈칸에 쓰시오. (2점)

(1)_____ → (2) 깔기계획 → (3)_____ → (4)_____ → (5) 마무리

13 건축창호에 쓰이는 유리 중에서 안전이 강화된 안전유리의 종류 3가지 쓰시오. (3점)

① _____ ② _____ ③ _____

14 다음 맞댄 용접의 각부 모양에 대한 명칭을 쓰시오. (4점)

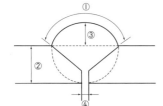

① _____

② _____

③ _____

④ _____

15 다음은 공정계획시 기후요소에 대한 작업 불가능일수의 일반적인 산정기준이다. 빈칸을 채우시오. (4점)

가. 온도가 1일 평균( )℃ 이하이면 콘크리트 공사 등은 작업불가능
일수로 산정한다.

나. 강우가 1일 강우량 ( )mm 이상이면 옥외 도장작업 등은 작업 불
가능 일수로 산정한다.

다. 눈이 1일 적설량 ( )mm 이상이면 옥상방수 작업 등은 작업 불가
능일수로 산정한다.

라. 바람이 1일 최대 풍속( )m/sec 이상이면 철골부재 조립작업 등은
작업 불가능일수로 산정한다.

정답 11
① 설계관리
② 계약관리
③ 공정관리
④ 비용·(원가)관리
⑤ 품질관리

정답 12
(1)바탕처리(바탕고름)
(3)임시깔기
(4)정깔기

정답 13
① 접합 유리
② 망입유리
③ 강화유리(강철유리)

정답 14
① 개선각(Groove Angle)
② 목두께
③ 보강살두께(살올림두께)
④ Root(간격)

정답 15
가. 0
나. 10
다. 10
라. 10

16 우리나라에 유입되고 있는 중국에서 발생한 다량의 탄산가스 (CO_2)가 철근콘크리트 구조물에 미치는 영향을 3가지 쓰시오. (3점)

① _____ ② _____ ③ _____

정답 16
① 강도저하
② 내구성저하
③ 철근부식
　 (균열발생 후 철근부식 촉진)

17 파트너링 (partnering agreement)방식 계약제도에 관하여 설명하시오. (4점)

_____

_____

정답 17
파트너링 방식 계약제도는 발주자가 직접 설계와 시공에 참여하여 발주자,설계,시공자와 프로젝트 관련자들이 하나의 팀으로 조직하여 공사를 완성하는 방식이다.

18 치장벽돌 쌓기 후에 시행하는 치장면의 청소방법을 3가지 쓰시오. (3점)

① _____ ② _____ ③ _____

정답 18
① 물 씻기 청소(물세척)
② 세제세척
③ 염산 등 희석액을 사용하여 청소 후 물 씻기(산세척 후 물씻기)

19 건설업에 있어서 일반적인 품질관리 절차를 〔보기〕에서 맞게 기호로 쓰시오. (4점)

─〈보 기〉──────────
　㉮ 품질관리 항목선정　　　　㉯ 교육 및 작업실시
　㉰ 품질시험 및 검사　　　　　㉲ 관리한계선의 재결정
　㉳ 공정의 안정성 검토　　　　㉴ 품질 및 작업기준 결정
　㉵ 이상원인 조사 및 수정조치
────────────────

정답 19
㉮ - ㉴ - ㉯ - ㉰ - ㉳ - ㉲ - ㉵

20 타일공사에서 벽타일 붙임공법의 종류를 3가지 쓰시오. (3점)

① _____ ② _____ ③ _____

정답 20
① 떠붙임공법
② 압착 공법
③ 밀착공법(동시줄눈공법)

21 다음 흙막이벽 공사에서 발생되는 현상을 쓰시오. (3점)

가. 시이트 파일 등의 흙막이벽 좌측과 우측의 토압차로써 즉, 흙막이 밑부분의 흙이 재하하중 등의 영향으로 기초파기 하는 공사장 안으로 흙막이 벽 밑을 돌아서 미끄러져 올라오는 현상 (　　　　　)

나. 모래질 지반에서 흙막이벽을 설치하고 기초파기 할 때의 흙막이벽 뒷면수위가 높아서 지하수가 흙막이벽을 돌아서 지하수가 모래와 같이 솟아오르는 현상 (　　　　　)

다. 흙막이벽의 부실공사로서 흙막이벽의 뚫린 구멍 또는 이음새를 통하여 물이 공사장 내부바닥으로 스며드는 현상 (　　　　　)

가. _____ 나. _____ 다. _____

정답 21
가. 히이빙 현상
나. 보일링 현상
다. 파이핑 현상

22 다음 (　　)안에 적당한 공법을 쓰시오. (3점)

> 철골공사에서 앵커볼트를 매립하는 공법은 (　①　) 매립공법과 (　②　) 매립공법이
> 있으며, 기초상부의 고름방법은 (　③　), (　④　), (　⑤　), (　⑥　)이 있다.

① _____　　② _____　　③ _____

④ _____　　⑤ _____　　⑥ _____

정답 22
① 고정
② 가동
③ 전면바름방법
④ 나중채워넣기 중심바름방법
⑤ 나중채워넣기 십자바름법
⑥ 전면(완전)나중채워넣기방법

23 흡수율이 3% 이하로 규정하고 있는 재료에 관한 시방서의 등급이 1급인 잔골재에서
다음 조건으로 흡수율을 구하고 합격여부를 판정하시오. (4점)
(단, 시험결과 표면건조 포화상태의 중량 500.0g, 기건중량 491.2g, 절건중량 484.4g)

가. 흡수율 : _____

나. 판　정 : _____

정답 23
가. 흡수율

$$\frac{표건포화중량 - 절건중량}{절건중량} \times 100$$

$$= \frac{500 - 484.4}{484.4} \times 100 = 3.22(\%)$$

나. 판정 : 규정 3% 이하
∴ 불합격

24 다음 용접 모양에 따른 용접의 명칭을 쓰시오. (5점)

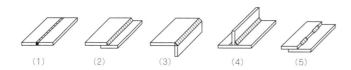

(1)　　　　(2)　　　　(3)　　　　(4)　　　　(5)

(1) _____　　(2) _____　　(3) _____

(4) _____　　(5) _____

정답 24
(1) 맞댄용접
(2) 겹친모살용접
(3) 모서리모살용접
(4) T형양면모살용접
(5) 단속모살용접

2000년 4회 출제문제

1 다음 데이터를 이용하여 네트워크 공정표를 작성하고 각 작업의 여유시간을 계산하시오. (10점)

작업명	작업일수	선행작업	비 고
A	없음	5	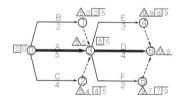
B	없음	2	EST·LST △LFT△ EFT
C	없음	4	①—작업명→① 공사일수
D	A, B, C	4	로 일정 및 작업을 표기하고 주공정선은 굵은선
E	A, B, C	3	으로 표기한다. 또한 여유시간 계산시는 각 작업
F	A, B, C	2	의 실제적인 의미의 여유시간으로 계산한다. (더미의 여유시간은 고려하지 않을 것)

가. 공정표

나. 여유시간

작업	EST	EFT	LST	LFT	TF	FF	DF	CP
A								
B								
C								
D								
E								
F								

정답 **1**

가. 공정표

나. 여유시간

작업	EST	EFT	LST	LFT	TF	FF	DF	CP
A	0	5	0	5	0	0	0	*
B	0	2	3	5	3	3	0	
C	0	4	1	5	1	1	0	
D	5	9	5	9	0	0	0	*
E	5	8	6	9	1	1	0	
F	5	7	7	9	2	2	0	

2 히스토그램 (histogram)의 작성순서를 보기에서 골라 순서를 기호로 쓰시오. (3점)

— 〈보 기〉 —————————————————————
가. 히스토그램을 규격값과 대조하여 안정상태인지 검토한다.
나. 히스토그램을 작성한다.
다. 도수분포도를 만든다.
라. 데이터에서 최소값과 최대값을 구하여 전범위를 구한다
마. 구간 폭을 정한다.
바. 데이터를 수집한다.

3 대형 시스템거푸집 중에서 테이블 폼(table form)의 장점을 3가지 쓰시오. (3점)

① _____

② _____

③ _____

4 공사관리를 실시하는 데에는 자원에 대한 배당이 매우 중요하다 할 수 있다. 이때 소요되는 자원을 아래와 같은 특성상으로 분류하면 그 대상은 어떤 것일까? (　　　)안을 기입하시오. (4점)

가. 내구성 자원(Carried-forward resource) : _____

나. 소모성 자원(Used-by-job resource) : _____

5 다음은 시트 방수공사의 항목들이다. 시공순서대로 기호를 나열하시오. (4점)

가. 단열재 깔기   나. 접착제 도포   다. 조인트 실(Seal)   라. 물채우기시험
마. 보강붙이기   바. 바탕처리   사. 시트붙이기

6 아래의 간이 사무실 도면에서 사무실 바닥은 테라죠 현장갈기, 현관 및 화장실은 시멘트 모르타르 마감으로 하고, 벽은 벽돌바탕에 시멘트 모르타르로 마감할 때의 각 수량을 산출하시오. (10점)

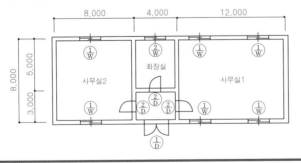

정답 **2**
바 - 라 - 마 - 다 - 나 - 가

정답 **3**
① 조립과 해체작업이 생략되어 설치 시간이 단축된다.
② 거푸집의 처짐량이 작고 외력에 대한 안정성이 높다.
③ 인력이 절감되며, 기능공의 기능도에 크게 좌우되지 않는다.
※ 합판을 제외한 주요부재의 재사용이 가능하며, 전용성이 우수하다

정답 **4**
가 – • 인력   • 장비(기계)
나 – • 자재   • 자금

정답 **5**
바 - 가 - 나 - 사 - 다 - 마 - 라

정답 **6**
P. 2-112 문제 1번 정답 참조

─〈조 건〉─

  ㉮ 벽두께 : 외벽 1.0B, 내벽 0.5B

  ㉯ 벽돌의 크기 : 190×90×57

  ㉰ 벽돌벽 높이 : 2.7m

  ㉱ 외벽 미장 바름 높이 : 3m

  ㉲ 걸레받이 높이 : 15cm (테라죠 현장갈기 마감)

  ㉳ 창호의 크기

    1/D : 2,200×2,400   2/D : 1,000×2,100

    1/W : 1,800×1,200   2/W : 1,200×900

  ㉴ 벽돌의 할증율 : 5%

  ㉵ 벽돌 수량 산출시 외벽 및 칸막이벽의 길이 산정은 모두 중심거리로 한다.

가. 벽돌의 소요량 : ＿＿＿＿＿＿＿＿＿＿

나. 테라죠 현장갈기의 면적(단, 사무실 1,2의 경우임) : ＿＿＿＿＿＿＿＿＿＿

다. 외벽미장 면적 : ＿＿＿＿＿＿＿＿＿＿

7 철골조 내화피복의 시공공법을 4가지 들고 설명하시오. (4점)

① ＿＿＿＿＿＿＿＿＿＿

② ＿＿＿＿＿＿＿＿＿＿

③ ＿＿＿＿＿＿＿＿＿＿

④ ＿＿＿＿＿＿＿＿＿＿

8 다음 콘크리트에 대한 용어에 대해 기술하시오. (4점)

가. 염해 : ＿＿＿＿＿＿＿＿＿＿

나. 중성화 : ＿＿＿＿＿＿＿＿＿＿

9 굵은 골재의 최대치수 25mm, 4kg을 물속에서 채취하여 표면건조 내부포수 상태의 중량이 3.95kg, 절대건조 중량이 3.60kg, 수중에서의 중량이 2.45kg이다. 다음을 구하시오. (4점)

가. 흡 수 율 : ＿＿＿＿＿＿＿＿＿＿

나. 표건비중 : ＿＿＿＿＿＿＿＿＿＿

다. 겉보기 비중 : ＿＿＿＿＿＿＿＿＿＿

라. 진 비 중 : ＿＿＿＿＿＿＿＿＿＿

정답 **7**

① 현장타설공법 : 강재주위에 concrete나 경량 concrete를 5cm이상 현장에서 타설하는 공법으로 강재와 일체화시공이 가능하다.

② 조적공법 : 돌, 벽돌, concrete블록, 경량 concrete블록 등을 강재 주변에 쌓는다.

③ 미장공법 : 철골부재에 철망을 부착한 후 Mortar나 퍼얼라이트 Mortar등을 바르는 공법이다.

④ 뿜칠공법 : 암면, 석면, 버미큘라이트 등의 내화 피복재를 뿜칠로 시공하는 공법으로 단면형상에 관계없이 시공이 가능하다.

(※ 기타 : 성형판 붙임법, 건식공법, 습식공법, 합성공법 등)

정답 **8**

가. 염해 : concrete속의 염분이나 대기중 염화물이온(염소이온)의 침입으로 철근이 부식되어 콘크리트 구조체에 손상을 주는 현상으로, 내구성이 저하된다.

나. 콘크리트내의 수산화석회가 공기중 탄산가스의 영향을 받아 탄산석회로 변하여 알카리성을 상실하는 현상

정답 **9**

가. 흡수율 :

$$\frac{표면건조내부포수상태 - 절대건조중량}{절대건조중량} \times 100\%$$

$$= \frac{3.95 - 3.60}{3.60} \times 100 = 9.72\%$$

나. 표건비중 :

$$\frac{표면건조내부포수상태}{표면건조내부포수상태 - 수중중량}$$

$$= \frac{3.95}{3.95 - 2.45} = 2.63$$

다. 겉보기 비중 :

$$\frac{절대건조중량}{표면건조내부포수상태 - 수중중량}$$

$$= \frac{3.60}{3.95 - 2.45} = 2.4$$

라. 진비중 :

$$\frac{절대건조중량}{절대건조중량 - 수중중량}$$

$$= \frac{3.60}{3.60 - 2.45} = 3.13$$

10 조립식 구조의 공법을 나열한 것이다. 다음 각 공법의 명칭을 기입하시오. (5점)

가. 창호가 붙어있는 대형 콘크리트 벽면을 조립하여 아파트 등을 건축하는 공법

나. 1실 내지 2실로 된 벽과 슬래브가 붙어있는 박스형의 건물을 쌓아올려 건축하는 공법

다. 수평으로 지상에서 제작한 큰 벽체나 뼈대를 수직으로 일으켜 세워서 건축하는 공법

라. 각종 슬래브를 여러겹으로 지상에 제작해 놓고, 각종 바닥을 끌어올려 건축하는 공법

마. 창이 붙은 외벽 기성벽판을 구조체에 붙여서 건축하는 공법

가._____ 나._____ 다._____

라._____ 마._____

11 다음에 설명된 타일 붙임 공법의 명칭을 쓰시오. (3점)

가. 가장 오래된 타일 붙이기 방법으로 타일 뒷면에 붙임 모르타르를 얹어 바탕 모르타르에 누르듯이 하여 1매씩 붙이는 방법

나. 평평하게 만든 바탕 모르타르 위에 붙임 모르타르를 바르고 그위에 타일을 두드려 누르거나 비벼넣으면서 붙이는 방법

다. 평평하게 만든 바탕 모르타르 위에 붙임 모르타르를 바르고 타일 뒷면에 붙임 모르타르를 얇게 발라 두드려 누르거나 비벼 넣으면서 붙이는 방법

가._____ 나._____ 다._____

12 연관있는 것끼리 줄을 그으시오. (5점)

가. 드래그 셔블(백호우) •
나. 클램쉘 •
다. 파워셔블 •
라. 드래그 라인 •

마. 트랜쳐 •

• ① 기계보다 높은 곳을 판다.
• ② 기계보다 낮은 곳을 판다.
• ③ 일정한 폭의 구덩이를 연속으로 판다.
• ④ 낮은 곳의 흙을 좁고, 깊게 판다. 지하연속벽 공사에 사용
• ⑤ 지반보다 낮은 연질의 흙을 긁어 모으거나 판다.

13 잡석지정량이 62m³일 경우 잡석량과 틈막이 자갈량은 얼마인가? (4점)

가. 잡석량 : _____

나. 틈막이 자갈량 : _____

14 아래 보기에서 가치공학(Value Engineering)의 기본추진절차를 순서대로 나열하시오. (4점)

> ┌─〈보기〉─
> │　가. 정보수집　　　　나. 기능정리　　　　다. 아이디어 발상
> │　라. 기능정의　　　　마. 대상선정　　　　바. 제안
> │　사. 기능평가　　　　아. 평가　　　　　　자. 실시

정답 **14**
마 - 가 - 라 - 나 - 사 - 다 - 아 - 바 - 자

15 컨소시엄(Consortium)공사에 있어서 페이퍼조인트(paper joint)에 관하여 기술하시오. (3점)

_____

_____

정답 **15**
명목상(서류상)으로는 여러 회사의 공동도급 형태이지만 실제로는 한 회사가 공사를 진행하고 하도급형태로 이루어지거나, 혹은 단순한 이익배당에만 관여하는 것을 말한다.

16 다음 벽돌 구조에서 벽돌의 마름질 토막의 명칭을 쓰시오. (3점)

①
②
③
④
⑤
⑥

정답 **16**
① 칠오토막　　② 이오토막
③ 반격지　　　④ 반토막
⑤ 반절　　　　⑥ 반반절

17 AE제의 사용목적을 3가지 쓰시오. (3점)

1. _____

2. _____

3. _____

정답 **17**
1. 시공연도 증진(개선)
2. 재료분리, 건조수축감소, 수밀성개선
3. 내동해성 개선(동결융해 저항성 증대)

18 철골 세우기용 기계 3가지를 쓰시오. (3점)

1. _____

2. _____

3. _____

정답 **18**
1. Guy derrick
2. Stiffleg derrick
3. Truck crane
※ 기타 : 1. Tower crane 2. Gin pole

19 다음 철골구조에서 용접모양에 따른 명칭을 쓰시오. (3점)

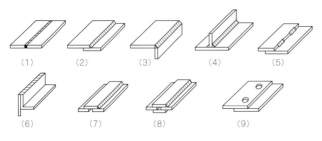

(1)＿＿＿＿＿＿＿＿　　(2)＿＿＿＿＿＿＿＿　　(3)＿＿＿＿＿＿＿＿

(4)＿＿＿＿＿＿＿＿　　(5)＿＿＿＿＿＿＿＿　　(6)＿＿＿＿＿＿＿＿

(7)＿＿＿＿＿＿＿＿　　(8)＿＿＿＿＿＿＿＿　　(9)＿＿＿＿＿＿＿＿

[정답] 19
(1) 맞댄용접
(2) 겹친모살용접
(3) 모서리 모살용접
(4) T형양면 모살용접
(5) 단속 모살용접
(6) 갓용접
(7) 덧판용접
(8) 양편 덧판 용접
(9) 산지용접

20 다음 시멘트의 비중시험에 이용되는 실험기구 및 재료를 【보기】에서 찾아 기호로 쓰시오. (3점)

　　┌─〈보기〉──────────────────────────────┐
　　│　㉮ 르사틀리에 플라스크　　㉯ 천평　　　　㉰ 칼로리 미터　│
　　│　㉱ 표준체　　　　　　　　㉲ 광유　　　　㉳ 마노미터액　│
　　│　㉴ 마른걸레　　　　　　　㉵ 교반기　　　　　　　　　　│
　　└──────────────────────────────────┘

[정답] 20
㉮, ㉯, ㉲, ㉴

21 대형 시스템거푸집 중에서 갱폼(gang form)의 장·단점을 각각 2가지씩 쓰시오. (4점)

(가) 장점＿＿＿＿＿＿＿＿＿＿＿＿＿＿＿＿＿＿＿＿＿＿＿＿＿＿＿＿＿

＿＿＿＿＿＿＿＿＿＿＿＿＿＿＿＿＿＿＿＿＿＿＿＿＿＿＿＿＿＿＿＿＿

(나) 단점＿＿＿＿＿＿＿＿＿＿＿＿＿＿＿＿＿＿＿＿＿＿＿＿＿＿＿＿＿

＿＿＿＿＿＿＿＿＿＿＿＿＿＿＿＿＿＿＿＿＿＿＿＿＿＿＿＿＿＿＿＿＿

[정답] 21
(가) ① 조립과 해체작업이 생략되어 설치시간이 단축된다.
　　② 거푸집의 처짐량이 작고 외력에 대한 안전성이 높다.
(나) ① 중량물이므로 운반시 대형양중장비가 소요된다.
　　② 거푸집 제작비용이 크므로 초기투자비용이 증가된다.

※ 기타 - 장점 :
① 전용횟수가 크다.
② 강성이 크다
③ 기능공의 기능도에 크게 좌우되지 않음

22 바닥 강화재 바름공사에 사용하는 강화재의 형태에 따른 분류를 쓰고, 콘크리트와 시멘트계 바닥의 어떤 성능을 증진시키기 위해 사용하는가를 쓰시오. (4점)

(가) 분류＿＿＿＿＿＿＿＿＿＿＿＿＿＿＿＿＿＿＿＿＿＿＿＿＿＿＿＿＿

(나) 증진성능＿＿＿＿＿＿＿＿＿＿＿＿＿＿＿＿＿＿＿＿＿＿＿＿＿＿＿

[정답] 22
(가) 분말형, 액상형 바닥강화재
(나) 내마모성 증진, 내화학성 증진, 분진방지성 증진

23 다음【보기】에서 직접가설비와 간접가설비를 구분하여 기호로 쓰시오. (4점)

> ── 〈보기〉 ──
>
> ㉮ 양중 · 하역설비　　　　㉯ 숙소　　　　　　㉰ 급배수 설비
>
> ㉱ 운반설비　　　　　　　㉲ 현장사무소　　　㉳ 공사용 전기설비
>
> ㉴ 안전설비　　　　　　　㉵ 기자재 창고

가. 직접가설비 : _____

나. 간접가설비 : _____

24 BOT(Build-Operate-Transfer contract) 방식을 설명하시오. (3점)

_____

_____

_____

정답 **23**

가. ㉮, ㉱

나. ㉯, ㉰, ㉲, ㉳, ㉴, ㉵

정답 **24**

민간부분 수주측이 설계, 시공 후 일 정기간 시설물을 운영하여 투자금을 회수하고 시설물과 운영권을 무상으 로 발주측에 이전하는 방식

2000년 5회 출제문제

1 다음 데이터를 네트워크로 작성하고, PERT 기법으로 각 결합점 일정시간을 계산하며, CPM 기법으로 각 작업 여유시간을 계산하시오. (10점)

작업명	작업일수	선행작업	비 고
A	4	없음	단, 공정표의 표현은 다음과 같이한다.
B	2	없음	
C	4	없음	
D	2	없음	
E	7	C, D	
F	8	A, B, C, D	주공정선은 굵은 선으로 표시하며, 결합점
G	10	A, B, C, D	번호는 작성원칙에 따라 부여한다. 더미의
H	5	E, F	여유시간은 계산하지 않는다.

네트워크 작성

정답

정답 1

2 보통포틀랜드 시멘트의 오토클레이브 팽창도는 KS 규격상 0.8% 이하로 규정되어 있다. 반입된 시멘트의 안정성시험 결과가 다음과 같을 경우 합격여부를 판정하시오. (4점) (단, 시험전 시험체의 유효 표점 길이는 254mm, 오토클레이브시험 후 시험체의 길이는 255.78mm 이었다.)

가. 팽 창 도 : _____

나. 합격여부 : _____

정답 2

가. 팽창도 : $\dfrac{255.78-254}{254} \times 100 = 0.7\%$

나. 합격여부 : 0.7% < 0.8%이므로 합격

3 타일의 종류를 소지 및 용도에 따라 분류하시오. (2점)

가. 소 지 : _____

나. 용 도 : _____

정답 3

가. 소지 : 자기질 타일, 도기질 타일, 석기질 타일

나. 용도 : 외장용, 내장용, 바닥용(클링커 타일)

4 다음 용어에 대한 설명을 쓰시오. (4점)

가. 쇼트크리트(shotcrete) : _____

나. 바라이트(barite) 모르타르 : _____

정답 **4**

가. 쇼트크리트(shotcrete) : 모르타르를 압축공기로 분사하여 바른 것

나. 바라이트(barite) 모르타르 : 방사선 차단용으로 바라이트 분말에 시멘트, 모래를 혼합하여 만든 것

---

5 다음은 지하실 바깥벽 방수공사 공정이다. 시공순서대로 나열하시오. (4점)

〈보 기〉

가. 바닥 방수층 시공   나. 잡석다짐   다. 벽콘크리트타설
라. 밑창콘크리트타설   마. 보호누름시공   바. 외벽방수층시공
사. 바닥콘크리트타설   아. 되메우기

정답 **5**

나. – 라. – 가. – 사. – 다. – 바. – 마. – 아.

---

6 블록쌓기 시공도에 기입하여야 할 사항에 대하여 4가지만 쓰시오. (4점)

① _____   ② _____

③ _____   ④ _____

정답 **6**

① 블록나누기 및 블록의 종류 표시
② Mortar 및 Grout 충전위치 및 개소 표시
③ 창문틀, 출입문 고정방법, 접합부 상세
④ 철근 삽입 및 이음위치, 철근 지름 및 개수

---

7 PC에 있어서, 프리스트레스를 주는 방법에는 프리텐션공법과 포스트텐션공법이 있다. 부재의 제작과정을 각 공법에 따라 순서대로 기호로 쓰시오. (4점)

〈보 기〉

A : 프리스트레싱 포스를 콘크리트에 전달   B : 콘크리트 타설
C : P.S 강재의 긴장   D : 부재내의 강재의 도관설치
E : P.S 강재와 콘크리트의 부착

가. 프리텐션공법 : _____

나. 포스트텐션공법 : _____

정답 **7**

가. 프리텐션공법 : C-B-E-A
나. 포스트텐션공법 : D-B-C-E-A

---

8 ※ KS 규정 개정으로 문제 삭제함.

정답 **8**

〈삭제〉

9 프리스트레스트 콘크리트의 정착구(定着具 : anchorage)의 대표적인 정착공법에 대하여 3가지만 쓰시오. (3점)

① _____

② _____

③ _____

10 다음 공정계획 순서를 보기에서 골라 기호로 쓰시오. (4점)

┌─〈보기〉─────────────────────────────────
│ (1) 각 작업의 작업시간 산정   (2) 전체 프로젝트를 단위작업으로 분해
│ (3) 네트워크의 작성   (4) 일정계산
│ (5) 공정도 작성   (6) 공사기일의 조정
│ (7) 네트워크 작성준비
└───

11 주어진 도면에 대하여 다음 각 항의 물량을 산출하시오. (14점) (단, 소수 3째자리에서 반올림한다.)

가. 콘크리트량(m^3)

  (단, 배합비에 관계없이 전 콘크리트량을 산출하되, G.L level의 바닥 콘크리트는 평균 150mm두께로 산출할 것)

나. 거푸집 면적(m^2)

다. 시멘트 벽돌 소요량(매)

  (단, 표준형을 사용하며, 물량산출시는 할증량도 포함시킬 것)

라. 내벽 미장면적(m^2)

정답 11

가. 콘크리트량(m^3)

① 밑창 콘크리트 : $0.8 \times 0.05 \times (3.6+5.8) \times 2 = 0.752 m^3$

② 기초판.벽 : $(0.6 \times 0.2 + 0.8 \times 0.19) \times (3.6+5.8) \times 2 = 5.113 m^3$

③ 바닥 : $\{(5.8-0.19) \times (3.6-0.19)\} \times 0.15 = 2.869 m^3$

④ 현관바닥 : $\{(1.2-0.095) \times 2.2\} \times 0.15 + \{(1.2-0.095-0.05) \times 2 + 2.1\} \times 0.1 \times 0.15 = 0.427 m^3$

⑤ 보 : $0.2 \times 0.19 \times (3.6+5.8) \times 2 = 0.714 m^3$

⑥ 지붕 슬라브 : $5.2 \times 7.4 \times 0.12 = 4.617 m^3$

⑦ 합계 : $0.752 + 5.113 + 2.869 + 0.427 + 0.714 + 4.617 = 14.492 m^3$ ∴ $14.49 m^3$

나. 거푸집량(m^2)

① 기초판.벽 : $(0.2+0.8) \times 2 \times (3.6+5.8) \times 2 = 37.6 m^2$

② 테두리보 : $0.2 \times 2 \times (3.6+5.8) \times 2 = 7.52 m^2$

③ 지붕 슬라브 : $5.2 \times 7.4 - \{0.19 \times (3.6+5.8) \times 2\} + 0.12 \times (5.2+7.4) \times 2 = 37.932 m^2$

④ 현관 바닥 : $0.3 \times (2.2 + 1.105 \times 2) + 0.15 \times (2 + 1.005 \times 2) = 1.924 m^2$

⑤ 합계 : $37.6 + 7.52 + 37.932 + 1.924 = 84.976 m^2$ ∴ $84.98 m^2$

다. 시멘트 벽돌 소요량(매)

① 외벽(1.0B) : $\{18.8 \times 2.4 - (1.2 \times 0.8 \times 2 + 1.8 \times 2.4)\} \times 149 = 5,793.1$ 매

정답 9

① 프레시네방식(Freyssinet method) : 쐐기식 정착구이용하여 콘크리트에 정착(쐐기식 정착방식)

② 디비닥방식(Dywidag system) : 나사식 정착방식

③ 레오바방식(Leoba system) : 루프식(환상형)정착방식

정답 10

(7) → (2) → (3) → (1) → (4) → (6) → (5)

② 난간(0.5B) : (7.3 + 5.1) × 2 × 0.2 × 75 = 372매

③ 합계 : (5,793.1 + 372) × 1.05 = 6,473.3 → 6,473매

라. 내벽미장(㎡)

(3.41 + 5.61) × 2 × 2.6 − (1.2 × 0.8 × 2 + 1.8 × 2.4) = 40.664 → 40.66㎡

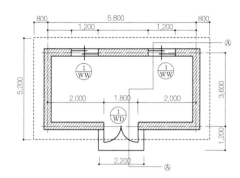

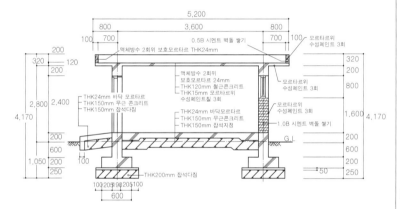

12 다음은 나중매입공법 철골공사의 리벳접합의 경우 현장작업 순서이다. (   )에 알맞은 말을 넣으시오. (4점)

기초주각부 기타 심먹매김 → (①   ) → (②   ) → 철골세우기 →
(③   ) → 변형바로잡기 → (④   ) → 접합부 검사 → 도장

13 건설업의 TQC에 이용되는 도구 중 다음을 간단히 설명하시오. (4점)

가. 파 레 토 도 _____

나. 특 성 요 인 도 _____

다. 층   별 _____

라. 산   점   도 _____

정답 **12**

① 앵커볼트 설치

② 기초상부고름질

③ 가조립

④ 본조립(정조립)

정답 **13**

가. 불량, 결점, 고장 등의 발생건수를 분류항목별로 나누어 크기 순서대로 나열해 놓은 것

나. 결과에 원인이 어떻게 관계하고 있는가를 한눈에 알아보기 위하여 작성한 그림

다. 집단을 구성하고 있는 많은 데이터를 어떤 특징에 따라 몇 개의 부분집단으로 나눈 것

라. 서로 대응되는 두 개의 짝으로된 데이터를 그래프용지에 점으로 나타낸 것

14 콘크리트 치어붓기 속도가 10~20m/h, 높이=3.6m 인 무근콘크리트 기둥의 측압을 구하시오. (4점) (단, 무근콘크리트의 비중=2.3, 측압에 영향을 미치는 다른 요소는 고려하지 않는다.)

> ※ 보충설명
> 측압으로서 작용하는 콘크리트의 중량 치어붓기속도 10m/h이하(괄호 내는 10~20m/h)시

정답 **14**

측압 = $2.3(\text{t/m}^3) \times 2(\text{m}) + \{2.3(\text{t/m}^3) \times 0.8 \times 1.6(\text{m})\} = 7.54(\text{t/m}^2)$

※ 콘크리트 타설속도가 10~20m/h이므로 상부 2m까지는 100%, 나머지1.6m는 80%를 고려하여 산정하며 타설속도가 20m/h를 초과하거나 높이 4m를 초과하면 측압은 콘크리트 비중×타설높이로 산정된다.

AB간 : 100%(100%)	
BC간 기둥	60%(80%)
높이 3m 이하의 벽	20%(40%)
높이 3m를 넘는 벽	0%(0%)

15 다음 각부의 명칭을 보기에서 골라 번호를 쓰시오. (4점)

① Anchor bolt　　② Base plate　　③ Wing plate　　④ Clip angle
⑤ Web plate　　⑥ Lattice plate　　⑦ Tie plate　　⑧ Gusset plate
⑨ Band plate　　⑩ Cover plate　　⑪ Splice plate　　⑫ Filler plate
⑬ Flange plate　　⑭ Flange angle　　⑮ Side angle

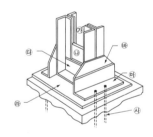

정답 **15**

㉮ - ⑥, ㉯ - ⑤, ㉰ - ④, ㉱ - ②,
㉲ - ⑮, ㉳ - ③, ㉴ - ①

16 다음 용어를 설명하시오. (4점)

가. 기술시방서(Descriptive specification) :

나. 성능시방서(Performance specification) :

정답 **16**

가. 제품명이나, 상품명을 사용하지 않고 공사자재, 공법의 특성이나 설치방법을 정확히 규정하여 성능 실현을 위한 방법을 자세히 서술한 시방서.
나. 목적하는 결과, 성능의 판정기준과 이를 검사하는 방법 등을 기술한 시방서.

17 시이트(sheet) 방수공법의 시공순서를 쓰시오. (3점)

바탕처리 → (　①　) → 접착제칠 → (　②　) → (　③　)

정답 **17**

① 프라이머칠
② 시이트 붙이기
③ 마무리(보호층설치)

18 파이프 구조를 이용한 건축물의 장점에 대하여 4가지만 쓰시오. (4점)

① _____

② _____

③ _____

④ _____

19 보강 블록벽 쌓기시 와이어 매시(wire mesh)의 역할을 3가지 쓰시오. (3점)

① _____ ② _____ ③ _____

20 공사비 지불방식에 따른 도급방식중 실비청산 보수가산도급에서 공사비 산정방식의 종류를 4가지 쓰시오. (4점)

① _____ ② _____

③ _____ ④ _____

21 다음 설명이 의미하는 문의 명칭을 쓰시오. (4점)

가. 문을 닫았을 때 창살처럼 되는 문으로 방범용으로 쓰임
나. 울거미를 짜고 중간 살간격 25cm 정도 배치하여 양면에 합판을 교착한 문
다. 상부에 유리, 높이 1m 정도 하부에만 양판을 댄 문
라. 울거미 중심에 넓은 널을 댄 문

가. _____ 나. _____

다. _____ 라. _____

22 기성 콘크리트 말뚝의 이음 방법 3가지를 쓰시오. (3점)

① _____ ② _____ ③ _____

23 철골기둥 밑창판 밑 모르타르 바르기 방법을 3가지만 쓰시오. (3점)

① _____ ② _____ ③ _____

정답 18
① 폐쇄 단면으로써 강도의 방향성이 없다.
② 휨강성, 비틀림 강성이 우수하다.
③ 국부좌굴, 가로좌굴에 유리하다.
④ 살두께가 적고 경량이다.

정답 19
① 벽체의 균열방지
② 횡력, 편심하중의 균등분산
③ 벽체의 보강(모서리, 교차부의 보강)

정답 20
① 실비청산 비율 보수가산 도급방식
② 실비청산한정비율 보수가산 도급방식
③ 실비청산 정액 보수가산 도급방식
④ 실비청산 준동률 보수가산 도급방식

정답 21
가. 주름문
나. 플러쉬문 (Flush door)
다. 징두리 양판문
라. 양판문 (Panel door)

정답 22
① 충전식 이음법
② 볼트식 이음법
③ 용접식 이음법
※ 장부식 이음법

정답 23
① 전면바름법
② 나중 채워넣기중심바름법
③ 나중 채워넣기십자바름법
※ 전면 나중 채워넣기

2001년 1회 출제문제

1 다음 데이터를 네트워크 공정표로 작성하고, 각 작업의 여유시간을 구하시오. (8점)

작업명	작업일수	선행작업	비　　고
A	2	없음	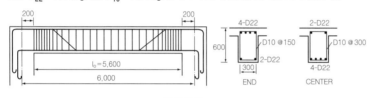
B	3	없음	
C	5	없음	EST LST ／＼ LFT＼EFT
D	4	없음	작업명
E	7	A, B, C	① → ① 작업일수
F	4	B, C, D	표기하고, 주공정선은 굵은선으로 표기하시오.

2 다음 그림과 같은 철근 콘크리트 최상층보에서 철근 중량을 산출하시오. (5점)
（단, $D_{22}=3.04$kg/m, $D_{10}=0.56$kg/m이고 주근의 hook 길이는 고려 안한다.)

보 배 근 도

정답 2

① 상부철근(D_{22}) : $\{6.4+40\times0.022\times2\}\times2EA=16.32$m
② 하부철근(D_{22}) : $\{5.6+25\times0.022\times2\}\times2EA=13.4$m
③ 벤트철근(D_{22}) : $\{6.4+40\times0.022\times2\}\times2EA+\{(\sqrt{2}\times0.5-0.5)\times2\}\times2=17.15$m
④ 스터럽(D_{10}) : $\{0.3+0.6\}\times2\times(\dfrac{2.8}{0.15}+\dfrac{2.8}{0.3}+1)=52.2$m
⑤ 합계(D_{22}) : $\{16.32+13.4+17.15\}\times3.04=142.484$kg
　　　(D_{10}) : $52.2\times0.56=29.232$kg
⑥ 총중량 : $142.484+29.232=171.716 \rightarrow 171.72$kg

〈참고〉
hook 길이를 고려하면 틀립니다.
늑근갯수는 29개나 30개의 의미보다 채점시 계산식 자체를 인정할 것으로 사료됨에 따라 정답의 허용범위로 처리됨.

3 다음은 목공사의 마루에 대한 내용이다. (　　) 안에 알맞은 말을 써 넣으시오. (4점)

나무마루에는 바닥마루(1층마루)로서 (①)마루와 (②)마루가 있고 층마루(2층마루)로서 (③)마루, (④)마루, 짠마루틀이 있다.

정답 1

가. 공정표

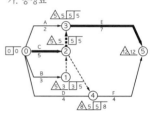

나. 여유시간

작업명	TF	FF	DF	CP
A	3	3	0	
B	2	2	0	
C	0	0	0	＊
D	4	1	3	
E	0	0	0	＊
F	3	3	0	

정답 3
① 동바리　　② 납작
③ 홀(장선)　④ 보

4 다음 아래의 도면을 보구 요구하는 각 재료량을 산출하시오. (10점)
　(단, 기둥은 고려하지 않고, 평행 현트러스보만 계산할 것.)

　가) Angle량 (kg)은?
　　(단, L−50×50×4＝3.06kg/m,　　L−65×65×6＝5.9kg/m
　　　　L−100×100×7＝10.7kg/m,　　L−100×100×13＝19.1kg/m)

　나) PL 9의 량 (kg)은?
　　(단, PL 9＝70.65kg/m²)

정답 **4**

〈참고〉
　부분 점수로 5점씩 예상
　Filler가 누락되면 오답임.

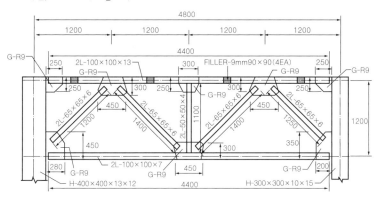

정답 **4**

가. Angle 량

구 분	산출근거	합 계
L−50×50×4	1.1×2×3.06＝6.732kg	
L−65×65×6	(1.2+1.4+1.4+1.25)×2×5.9＝61.95kg	330.92kg
L−100×100×7	4.4×2×10.7＝94.16kg	
L−100×100×13	4.4×2×19.1＝168.08kg	

나. PL 9량

구 분	산출근거	합 계
Gueest plate	{(0.25×0.25)+(0.45×0.3)+(0.3×0.25)+ (0.45×0.3)+(0.25×0.25)+(0.28×0.45)+ (0.45×0.3)+(0.2×0.35)}×70.65＝56.59kg	58.88kg
Filler	0.09×0.09×4×70.65＝2.289kg	

5 철골부재의 접합방법 3가지를 쓰시오. (3점)

①　_____

②　_____

③　_____

정답 **5**
① 리벳접합
② 볼트접합(고장력볼트접합)
③ 용접접합

6 철(鐵)재면의 도장공사 시에 금속표면에 붙어 있는 유지(油脂)나 녹, 흑피, 기계유 등 여러 종류의 오염물을 닦아내는 도구 및 용제의 이름을 각각 2가지씩 기입하시오. (4점)

① 도 구 : _____

② 용 제 : _____

7 시공관리 3대 목표를 쓰시오. (3점)

①_____ ②_____ ③_____

8 쇼트크리트(Shotcrete)에 대하여 간단히 기술하고, 종류 3가지를 쓰시오. (4점)

가. 쇼트크리트 : _____

나. 종 류 :

①_____ ②_____ ③_____

9 프리패브 콘크리트 공사 작업 순서를 보기에서 골라 선택하시오. (4점)

〈보 기〉
① 양생 후 탈형　　　　　② 개구부 FRAME 설치
③ 표면마감　　　　　　　④ 철근, 철물류 삽입
⑤ 중간검사　　　　　　　⑥ 거푸집 조립

10 시공된 콘크리트 구조물에서 경화콘크리트의 강도 추정을 위해 이용되고 있는 비파괴 시험 방법의 명칭을 4가지 쓰시오. (4점)

①_____ ②_____
③_____ ④_____

11 다음 ( )안에 알맞은 용어를 보기에서 골라 기호를 쓰시오. (3점)

〈보 기〉
① 압축력　　　　② 마찰력　　　　③ 중력
④ 응집력　　　　⑤ 지내력

"흙의 휴식각이란 흙입자간의 부착력, (가)을 무시한 때, 즉 (나)만으로서 (다)에 대하여 정지하는 흙의 사면각도이다."

12 상세견적의 개략적인 견적절차 3단계를 쓰시오. (3점)

① _____

② _____

③ _____

[정답] 12
① 물량산출(수량산출)
② 일위대가 산정(단가조사, 단가책정)
③ 공사비 계산(공사비 산출, 총공사비 산출)

13 콘크리트의 제조과정에서 다음의 성분이 과량 함유된 경우 우려되는 대표적 피해현상을 쓰시오. (4점)

가. 유기불순물 _____

나. 염화물 _____

다. 점토덩어리 _____

라. 당분 _____

[정답] 13
가. 유기불순물 : 콘크리트 침식, 시공연도 저하, 강도 저하
나. 염화물 : 철근의 부식 및 이상응결 (응결 촉진), 균열 증가
다. 점토덩어리 : 강도 저하, 수밀성 저하, 흡수율 증가, 부착력 저하
라. 당분 : 응결지연

14 철재 널말뚝(Steel sheet pile)의 종류에 대해 4가지 쓰시오. (4점)

① _____ ② _____

③ _____ ④ _____

[정답] 14
① 테르루즈식
② 라르센식
③ 라크완나식
④ 유니버설 조인트식
⑤ U. S Steel식
⑥ Simplex식
⑦ Ransom식

15 공사 현장에서 절단이 불가능하여 사용치수로 주문 제작해야 하는 유리의 명칭 3가지를 쓰시오. (3점)

① _____ ② _____ ③ _____

[정답] 15
① 강화유리
② 복층유리(Pair glass)
③ 스테인드 글라스
④ 유리블록 (Glass Block)
〈참고〉
망입유리, 접합유리는 오답임.

16 TQC를 위한 7가지 통계수법을 쓰시오. (4점)

① _____ ② _____ ③ _____

④ _____ ⑤ _____ ⑥ _____

⑦ _____

[정답] 16
① 히스토그램   ② 파레토도
③ 특성요인도   ④ 체크씨이트
⑤ 각종그래프   ⑥ 산점도(산포도)
⑦ 층별

17 기성콘크리트 말뚝을 기초로 사용하고자 할 때, 도심지에서 사용할 수 있는 무소음, 무진동 공법을 보기에서 모두 골라 쓰시오. (4점)

┌─ 〈보기〉 ─────────────────────────
│ ㉮ Steam hammer 공법   ㉯ 압입(회전압입)공법   ㉰ Vibro floatation 공법
│ ㉱ 중공굴삭(중굴)공법   ㉲ Preboring 공법   ㉳ Diesel hammer 공법
│ ㉴ 수사법(Water jet)

[정답] 17
㉯, ㉱, ㉲, ㉴

18 다음 각종 모르타르에 해당하는 주요 용도를 보기에서 골라 쓰시오. (4점)

┌─〈보기〉─────────────────────┐
│　① 경량 · 단열용　　　　　　② 내산 바닥용
│　③ 보온 · 불연용　　　　　　④ 방사선 차단용
└────────────────────────┘

가. 아스팔트 모르타르 : (　　) 　　나. 질석 모르타르 : (　　)
다. 바라이트 모르타르 : (　　) 　　라. 활석면 모르타르 : (　　)

19 다음은 타일붙임 공법에 대한 설명이다. (　)에 알맞은 보기에서 골라 기호로 쓰시오. (3점)

┌─〈보기〉─────────────────────┐
│　① 개량압착공법　　　　　　② 압착공법
│　③ 떠붙임공법　　　　　　　④ 개량떠붙임공법
│　⑤ 밀착(동시줄눈)공법
└────────────────────────┘

가. 타일 뒷면에 붙임용 모르타르를 바르고 벽면의 아래에서 위로 붙여 가는 종래의 일반적인 공법은 (　)이다.
나. 바탕면에 먼저 붙임 모르타르를 고르게 바르고 그곳에 타일을 눌러 붙이는 공법은 (　)이다.
다. 바탕면에 붙임 모르타르를 발라 타일을 눌러 붙인 다음 충격공구(손진동기)로 타일면에 충격을 가하는 공법은 (　)이다.

20 강관말뚝 지정의 특징을 3가지만 쓰시오. (3점)
① _____
② _____
③ _____

21 콘크리트의 시공연도(Workability)에 영향을 미치는 요인을 4가지 쓰시오. (4점)
① _____　② _____
③ _____　④ _____

22 지내력 시험 방법 2가지를 쓰시오. (2점)
① _____　② _____

정답 **18**
가. ②　나. ①　다. ④　라. ③

정답 **19**
가. ③　나. ②　다. ⑤

정답 **20**
① 지지층에 깊이 관입할 수 있으며 지지력이 크다.
② 중량이 가볍고 타입이 용이하다.
③ 휨저항이 크고 수평, 충격력 등에 대한 저항성이 크다.
※ • 이음이 자유롭고 길이 조절이 용이하다.
　• 관입과 제거가 용이하다.

정답 **21**
① 단위 수량
② 단위 시멘트량
③ 골재의 입도 및 입형
④ 공기량
⑤ 시멘트의 성질
⑥ 혼화재료의 성질
⑦ 비빔시간
⑧ 온도

정답 **22**
① 평판재하시험
② 말뚝 재하시험(말뚝박기 시험)
〈참고〉
채점시 광범위한 정답을 인정할 경우에는 표준관입시험을 비롯한 모든 관입시험이 정답으로 인정될 수 있음.

23 콘크리트의 중성화에 대하여 설명하시오. (3점)

_____

_____

24 가설 공사시 추락, 낙하, 비래 방지를 위한 안전 설비의 종류를 3가지 쓰시오. (3점)

① _____ ② _____ ③ _____

25 무지주공법의 수평지지보에 대하여 간단히 기술하고, 수평지지보의 종류를 2가지 쓰시오. (4점)

가. 수평지지보 : _____

나. 종 류 :

① _____ ② _____

정답 **23**

콘크리트 중의 알칼리 성분과 대기 중의 탄산가스가 반응하여 알카리성을 소실하고 수분이 증발되며 균열이 발생하여 콘크리트가 노화되어 가는 현상으로 탄산화라고도 한다.

정답 **24**

① 추락방호망
② 낙하물 방지망
③ 방호선반
④ 안전난간

정답 **25**

가. 받침기둥없이 보를 걸어서 거푸집 (널)을 지지하는 방식
나. ① 보우 빔(Bow Beam)
   ② 페코 빔(Pecco Beam)

2001년 2회 출제문제

1 경량 콘크리트를 제조하기 위한 재료에 대하여 쓰시오. (2점)

가. 주재료 : _____

나. 혼화재료 : _____

2 운반공사에 사용되는 자주식 장비를 3종류 기재하시오. (3점)

① _____ ② _____ ③ _____

3 중량콘크리트의 용도를 쓰고, 대표적으로 사용되는 골재 2가지를 쓰시오. (3점)

가. 용도 : _____

나. 사용골재 : _____

4 굴착지반의 안정성에 대해 검토했을 때, 보일링 파괴(Boiling Failure)가 예상되는 경우, 이에 대한 대책 2가지를 쓰시오. (4점)

① _____

② _____

5 다음에서 설명하는 공구 및 기구를 쓰시오. (5점)

가. 펀치 또는 드릴로 뚫은 구멍의 지름을 정확하고 보기 좋게 가다듬는 공구

나. 리벳치기 공구의 일종으로 불에 달군 리벳을 판금의 구멍에 넣고 그 머리를 누르면서 받쳐주는 공구

다. AE제의 계량 장치

라. 거푸집 긴장철선을 콘크리트 경화후 절단하는 절단기

마. 종방향의 미세한 변형량을 시계형으로 확대시켜 정확한 침하량을 측정하는 기구로서 지내력 시험에 이용되는 기구

정 답

정답 1

가. 화산자갈, 응회암, 부석등의 천연 경량골재와 팽창점토, 고로광재(slag), 질석 등의 인공경량골재

나. 알미늄 분말 등의 기포제 혹은 발포제

정답 2

① 트랙터(tractor)

② 덤프트럭(dump truck)

③ 자주식 스크레이퍼(scraper)

※ 기타 : 트레일러, 화물트럭

정답 3

가. 용도 : 방사선 차단

나. 사용골재 : 중정석(Barite), 철광석(자철광 : Magnetite)

정답 4

① 강성이 큰 흙막이 벽을 양질지반(경질지반)까지 깊숙히 박는다. (※ 흙막이 벽의 큰입장을 증가시킨다.)

② Well Point 공법 등의 배수공법을 이용하여 지하수위를 저하시킨다.

※ 기타 : 지반내 말뚝타입

정답 5

가. - 리이머

나. - 리벳 홀더

다. - 디스펜서

라. - 와이어 클리퍼

마. - 다이얼 게이지

6 파이프 구조에서 파이프 절단면 단부는 녹막이를 고려하여 밀폐하여야 하는데, 이 때 실시하는 밀폐 방법에 대하여 3가지만 쓰시오. (3점)

① _____

② _____

③ _____

정답 **6**

① 스피닝(Spinning)에 의하는 방법
② 가열하여 구형으로 하는 방법
③ 원판 반구형판을 용접하는 방법
※ 관 끝을 압착하여 용접 밀폐시키는 방법 등

7 공기단축기법 중에서 MCX(Minimum Cost expediting) 기법의 순서에 [보기]에서 찾아 쓰시오. (4점)

― 〈보 기〉 ―

㉑ 우선 비용구배가 최소인 작업을 단축한다.
㉯ 보조주공정선(sub-critical path)의 발생을 확인한다.
㉰ 단축한계까지 단축한다.
㉲ 단축가능한 작업이어야 한다.
㉳ 주공정선(critical path)상의 작업을 선택한다.
㉴ 보조주공정선의 동시 단축 경로를 고려한다.
㉵ 앞의 순서를 반복한다.

정답 **7**

㉲ - ㉳ - ㉑ - ㉰ - ㉯ - ㉴ - ㉵

8 다음 콘크리트 공사에 관한 용어에 대하여 기술하시오. (4점)

가. 알칼리 골재 반응 : _____

_____

나. 콘크리트의 중성화 : _____

_____

정답 **8**

가. 알칼리 골재 반응 : 시멘트 중의 알칼리금속이온과 수산화이온이 실리카 사이에서 실리카겔이 형성되어 수분을 계속 흡수팽창하여 구조물의 균열발생 및 조직붕괴를 일으키는 현상
나. 콘크리트의 중성화 : 콘크리트 중의 알칼리 성분이 대기 중의 탄산가스와 접촉반응하여 중성으로 변화되는 현상으로 철근의 부식을 촉진하여 내구성을 저하시킨다.

9 다음 아스팔트 방수공사의 재료에 관한 명칭을 쓰시오. (4점)

① 블로운 아스팔트에 동식물성 기름과 광물성 분말을 혼합하여 성질을 개량한 최우량품의 아스팔트이다.
② 아스팔트를 휘발성용제로 녹인 것으로 방수시공시 밑바탕에 도포하여 모재와 방수층의 부착을 좋게 한다.
③ 비교적 연화점이 높고 온도에 예민하지 않으므로 지붕방수에 주로 사용한다.
④ 신축이 좋고 접착력도 우수하지만 연화점이 낮아 주로 지하실 등에 사용한다.

정답 **9**

① 아스팔트 컴파운드
② 아스팔트 프라이머
③ 블로운 아스팔트
④ 스트레이트 아스팔트

10 역타설 공법(Top-Down Method)의 장점을 4가지 쓰시오. (4점)

① _____

② _____

③ _____

④ _____

11 공사계획의 일반적인 순서를 보기에서 골라 기호로 쓰시오. (4점)

┌─〈보 기〉─────────────────────────────
│ ㉮ 공정표 작성　　　　　　　　　㉯ 하도급자의 선정
│ ㉰ 재료의 선정 및 노력의 결정　　㉱ 현장원 편성
│ ㉲ 실행예산의 편성과 조정　　　　㉳ 가설준비물의 결정
│ ㉴ 재해 예방
└────────────────────────────────────

12 다음이 설명하는 것을 〔보기〕에서 골라 쓰시오. (4점)

┌─〈보 기〉─────────────────────────────
│ ① 본아치　　　　　　　　　② 막만든아치
│ ③ 거친아치　　　　　　　　④ 층두리아치
└────────────────────────────────────

가. 보통 벽돌을 써서 줄눈을 쐐기 모양으로 하는 아치

나. 아치나비가 클 때에 아치를 겹으로 둘러 튼 아치

다. 아치벽돌을 주문 제작하여 쓰는 아치

라. 보통벽돌을 쐐기 모양으로 다듬어 쓰는 아치

13 다음 예와 같이 설계도면과 시방서상에 상이점이 발생한 경우 어느 것이 우선하는가를 쓰시오. (3점)

가. 설계도면과 공사시방서에 상이점이 있을 때

나. 표준시방서와 전문시방서에 상이점이 있을 때

다. 도면 중에서 기본도면(1/100, 1/200 축척)과 상세도면(1/30, 1/50 축척)에 상이점이 있을 때

14 굳지 않는 콘크리트의 다지기방법 3가지를 쓰시오. (3점)

① _____ ② _____ ③ _____

정답 **10**

① 지상, 지하의 동시작업으로 공기단축이 가능하다.

② 1층 바닥판 선시공으로 작업공간 활용(확보)이 가능하다.

③ 주변지반과 건물에 악영향이 없는 안정적 공법이다.

④ 천후와 무관한 전천후 작업이 가능하다.

정답 **11**

㉰ - ㉮ - ㉲ - ㉯ - ㉱ - ㉳ - ㉴

정답 **12**

가. ③ 　　　　　나. ④
다. ① 　　　　　라. ②

정답 **13**

가. 공사 시방서
나. 전문 시방서
다. 상세 도면

정답 **14**

① 손다짐 방법(Rodding)

② 진동다짐 방법 (Vibrating compaction)

③ 거푸집 두드림 방법

※ 기타 : 가압법(加壓法), 원심력법, 진공처리법 등

15 지하 토공사 중 계측관리와 관련된 항목을 골라 번호를 쓰시오. (4점)

〈보 기〉
① STRAIN GUAGE   ② 경사계(Inclino Meter)
③ WATER LEVEL METER   ④ LEVEL AND STAFF

가. 지표면 침하측정

나. 지중 흙막이벽 수평변위 측정

다. 지하수위 측정

라. 응력측정(엄지말뚝, 띠장에 작용하는 응력측정)

[정답] 15
가. ④   나. ②
다. ③   라. ①

16 공사 관리를 실시하는 데에는 자원에 대한 배당이 매우 중요하다 할 수 있다. 이 때 소요되는 자원을 아래와 같이 특성상으로 분류하면 그 대상은 어떤 것인지 기입하시오. (4점)

가. 내구성 자원(Carried-forward resource)

나. 소모성 자원(Used-by-job resource)

[정답] 16
가. 인력, 장비
나. 자재, 자금

17 기성 콘크리트 말뚝의 이음 방법 3가지를 쓰시오. (3점)

①   ②   ③

[정답] 17
① 장부식 이음법
② 충전식 이음법
③ 용접식 이음법
※ Bolt식 이음법

18 다음 설명에 해당하는 용어를 쓰시오. (3점)

가. RC조 구조방식에서 보를 사용치 않고 바닥슬래브를 직접 기둥에 지지시키는 구조방식을 무엇이라고 하는가?

나. 대형 형틀로서 슬래브와 벽체의 콘크리트 타설을 일체화하기 위한 것으로 twin shell form과 mono shell form으로 구성되는 형틀은?

다. 콘크리트 표면에서 제일 외측에 가까운 철근의 표면까지의 칫수를 말하며 RC조의 내화성, 내구성을 정하는 중요한 요소는?

[정답] 18
가. 플랫 플레이트(Flat Plate)
나. 터널 폼(Tunnel form)
다. 피복 두께

19 ALC(Autoclaved Lightweight Concrete) 패널의 설치공법을 3가지 쓰시오. (3점)

①

②

③

[정답] 19
① 수직철근 보강 공법
② 슬라이드(Slide) 공법
③ 볼트 조임 공법
※ 기타 : 타이플레이트공법, 커버프레이트공법, 부설근공법

20 다음 지반조사의 방법 중 지하 탐사법에 의한 것을 모두 골라 쓰시오. (3점)

┌─〈보기〉
│ ㉮ 터파보기   ㉯ 철관 박아넣기   ㉰ 베인테스트
│ ㉱ 탐사간   ㉲ 시료채취   ㉳ 시료채취
│ ㉴ 관입시험   ㉵ 하중시험   ㉶ 물리적탐사법

정답 20
㉮, ㉱, ㉶

21 표준관입시험 순서를 3단계로 나누어 간략하게 쓰시오. (3점)

가. _____

나. _____

다. _____

정답 21
가. 스플릿 스푼 샘플러를 보링로드의
   선단에 부착한다.
※ 로드 선단에 샘플러 부착
나. 로드 상단에 63.5kg의 추를 설치
   하고 75cm(76cm) 높이에서 자유
   낙하시킨다.
다. 샘플러를 30cm 관입할 때 소요되
   는 타격 회수 N치를 구하여 지반
   밀도 판별

22 아래 평면 및 A-A′ 단면도를 보고 벽돌조 건물에 대해 요구하는 재료량을 산출하시오.
(15점) (단, 벽돌수량은 소숫점 아래 1자리에서, 그 외는 소숫점 3자리에서 반올림
함. 할증은 고려하지 않음)

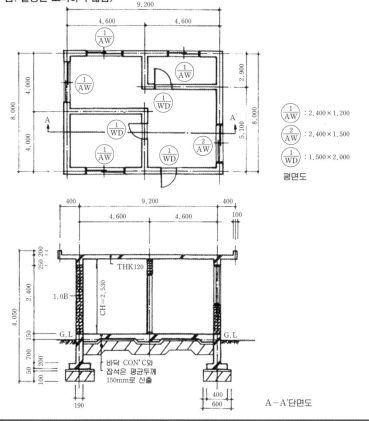

$\dfrac{1}{AW}$: 2,400 × 1,200

$\dfrac{2}{AW}$: 2,400 × 1,500

$\dfrac{1}{WD}$: 1,500 × 2,000

평면도

A－A′단면도

가. 벽돌량[외벽(1.0B 붉은 벽돌), 내벽(0.5B 시멘트 벽돌),
벽돌크기(190×90×57mm), 줄눈나비(10mm)]

나. 모르타르량

다. 콘크리트량 (단, 버림 콘크리트는 제외)

라. 거푸집량 (단, 버림 콘크리트 부분은 제외)

마. 잡석량

정답 **22**

가. 벽돌량
　① 외벽 {(9.2+8)×2×2.4-(2.4×1.2×4+2.4×1.5+1.5×2)}×149=9601.5 　　　　∴ 9,602매
　② 내벽 (8.6-0.19+7.5-0.19)×2.53-(1.5×2×2))×75=2532.8 　　　　∴ 2,533매

나. 모르타르량 : (9,601.5÷1,000)×0.33+(2,532.8÷1,000)×0.25=3.801 　　　　∴ 3.80m³

다. 콘크리트량 (단, 버림 콘크리트는 제외)
　① 기초판 : 0.4×0.2×(9.2+8)×2=2.752
　② 기초벽 : 0.19×0.85×(9.2+8)×2=5.555
　③ 바닥 : (9.2-0.19)×(8-0.19)×0.15=10.555
　④ 보 : 0.19×0.13×(9.2+8)×2=0.849
　⑤ 슬래브 : 10.1×8.9×0.12=10.786
　⑥ 난간 : 0.2×0.1×(10+8.8)×2=0.752 　　　　∴ 31.25m³

라. 거푸집량 (단, 버림 콘크리트는 제외)
　① 기초 : (0.2+0.85)×2×(9.2+8)×2=72.24
　② 보 : 0.13×2×(9.2+8)×2=8.944
　③ 슬래브 : (10.1×8.9)-(0.19×34.4)+0.12×(10.1+8.9)×2=87.914
　④ 난간 : 0.2×2×(10+8.8)×2=15.04
　⑤ 알루미늄창 상단 : 2.4×5×0.19=2.28 　　　　∴ 186.42m²

마. 잡석량 : (9.2-0.19)×(8-0.19)×0.15+0.6×0.1×(9.2+8)×2=12.62 　　　　∴ 12.62m³

---

23 다음 데이터를 네트워크 공정표로 작성하고, 요구작업에 대하여는 여유시간을 계산하
시오. (10점) (단, 주공정선은 굵은 선으로 표시할 것)

작업명	공정관계	작업일수	선행작업	비　　고
A	0 → 1	5	없음	
B	0 → 2	4	없음	
C	0 → 3	6	없음	결합점 위에는 다음과 같이 표시한다.
D	1 → 4	7	A, B, C	
E	2 → 5	8	B, C	EST|LST △LFT|EFT
F	3 → 6	4	C	
G	4 → 7	6	D, E, F	① 작업명 → ①
H	5 → 7	4	E, F	작업일수
I	6 → 7	5	F	
J	7 → 8	2	G, H, I	

정답 **23**
- 공정표

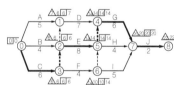

- 여유시간

작업기호	TF	FF	DF
B	2	2	0
D	1	1	0
F	4	0	4
G	0	0	0
I	5	5	0

- 공정표

- 여유시간

작업명	T.F	F.F	D.F
B			
D			
F			
G			
I			

24 다음 설명에 해당되는 용어를 쓰시오. (2점)

가. 물, 이수 중의 콘크리트 치기를 할 때 보통 안지름 25cm 이상으로 하고 관 선단이 항상 채워진 콘크리트 중에 묻히도록 하여 콘크리트 타설을 용이하게 하기 위한 관을 무엇이라 하는가?

나. 붙임 모르타르를 바탕면에 바른 후 타일붙임을 시작하면 시간경과에 따라 붙임 모르타르의 응결이 진행되는데 타일의 기준 접착강도를 얻을 수 있는 최대한계시간을 무엇이라 하는가?

정답 24
가. 트레미관
나. 오픈 타임(open time)

2001년 3회 출제문제

1 강말뚝(Steel pile)의 부식방지 대책을 2가지만 쓰시오. (2점)

① _____

② _____

2 CALS(Continuous Acquisition and Life cycle Support)에 대해 설명하시오. (4점)

_____

_____

_____

3 철골공사에서 철골에 녹막이칠을 하지 않는 부분을 4가지만 쓰시오. (4점)

① _____

② _____

③ _____

④ _____

4 지반개량공법에서 진동다짐 압입공법의 종류를 2가지 쓰시오. (2점)

① _____

② _____

5 다음 용어를 설명하시오. (4점)

가) 압밀침하 : _____

_____

나) 피압수 : _____

_____

정 답

정답 1
① 판 두께를 증가시키는 방법
② Mortar를 피복하는 방법
③ 방청도료를 도포하는 방법
④ 전기도금법

정답 2
건설생산의 전과정에서 관련주체가 초고속 정보통신망을 활용하여 관련 정보를 실시간으로 교환, 공유하여 건설사업을 지원하는 건설분야의 통합 정보통신 시스템을 말한다.

정답 3
① 고장력볼트 접합부의 마찰면
② 콘크리트에 매립되는 부분
③ 조립에 의하여 맞닿는 면
④ 현장 용접하는 부분(용접하는 인접부위)
⑤ 기계 절삭 마무리 부분
⑥ 폐쇄형 단면의 밀폐되는 면

정답 4
① 콤포우저 공법
② 바이브로 플로테이션 공법
③ 동다짐 공법
④ 폭파 다짐공법

정답 5
가) 압밀침하 : 압력에 의해 흙(점토) 내부의 물과 공기가 배출되는 압밀에 의해 침하되는 현상(체적이 감소하는 현상)
나) 피압수 : 정수압보다 높은 압력의 지하수로 펌프사용 없이 물이 솟아오르는 자분샘물을 말한다.

6 석재의 가공이 완료되었을 때 가공 검사의 내용에 대하여 4가지를 쓰시오. (4점)

① _____

② _____

③ _____

④ _____

정답 **6**
① 마무리 치수의 정확성 확인
② 모서리각의 바르기 여부
③ 면의 평활도
④ 다듬기 솜씨의 정도 확인

7 염분을 포함한 바다모래를 골재로 사용하는 경우 철근부식에 대한 방청상 유효한 조치를 3가지 쓰시오. (3점)

① _____

② _____

③ _____

정답 **7**
① 철근을 아연도금 처리하거나, 에폭시 코팅 철근을 사용.
② 방청제를 콘크리트 속에 혼입하여 사용
③ 세척하여 염분함유량을 낮추거나, 제염제를 투입한다.

8 다음 데이터를 네트워크 공정표로 작성하고 각 작업의 여유시간을 구하시오.
또한 이를 횡선식 공정표(Bar Chart)로 전환하시오. (12점)

작업명	선행작업	공기	비　　고
A	없음	5	
B	없음	6	
C	A	5	
D	A, B	2	
E	A	3	
F	C, E	4	
G	D	2	
H	G, F	3	

비고 내용:
EST | LST　　　LFT | EFT

① ──작업명 / 공사일수──→ ⓙ 로 표기하고

주공정선은 굵은 선으로 표시오.
단, Bar Chart로 전환하는 경우

■■■ 작업일수　　▭ F.F　　⫶⫶⫶⫶ D.F로 표기

① 공정표 작성　　　　② 여유시간　　　　③ 횡선식 공정표

정답 ① 공정표

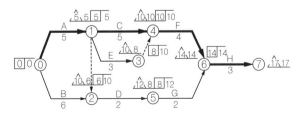

② 여유시간

작업명	TF	FF	DF	CP
A	0	0	0	＊
B	4	0	4	
C	0	0	0	＊
D	4	0	4	
E	2	2	0	
F	0	0	0	＊
G	4	4	0	
H	0	0	0	＊

③ 횡선식 공정표(Bar chart)

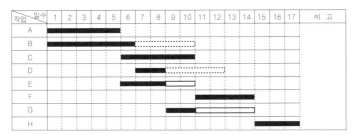

9 아래의 간이 사무실 도면에서 사무실 바닥은 테라죠 현장갈기, 현관 및 화장실은 시멘트 모르타르 마감으로 하고, 벽은 벽돌바탕에 시멘트 모르타르로 마감할 때의 각 수량을 산출하시오. (10점)

[정답] 9

① 시멘트 벽돌량

P. 2-112 문제 1번 참조

〈조 건〉
⑦ 벽두께 : 외벽 1.0B, 내벽 0.5B
⑭ 벽돌의 크기 : 190×90×57
⑮ 벽돌벽 높이 : 2.7m
⑯ 외벽미장 바름높이 : 3m
⑰ 걸레받이 높이 : 15cm(테라죠 현장갈기 마감)
⑱ 창호의 크기
    1/D : 2,200×2,400   2/D : 1,000×2,100
    1/W : 1,800×1,200   2/W : 1,200×900
⑲ 벽돌의 할증율 : 5%
⑳ 벽돌 수량 산출시 외벽 및 칸막이벽의 길이 산정은 모두 중심거리로 한다.

가. 벽돌의 소요량 : _____

나. 테라죠 현장갈기의 면적(단, 사무실 1,2의 경우임) : _____

다. 외벽미장 면적 : _____

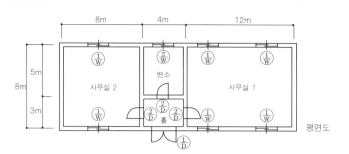

평면도

10 바닥강화재 바름공사에 사용하는 강화재의 형태에 따른 분류를 쓰고, 콘크리트와 시멘트계 바닥의 어떤 성능을 증진시키기 위해 사용하는가를 쓰시오. (4점)

(가) 분류 : _____

(나) 증진성능 : _____

정답 **10**

(가) 바닥강화재의 종류 : 분말형 바닥강화재, 액상 바닥강화재, 합성고분자 바닥강화재
(나) 증진성능 : 내마모성, 내화학성, 분진방지성 개선

11 다음 용어를 설명하시오. (3점)

(가) 인트랩티드 에어 : _____

(나) 인트레인드 에어 : _____

(다) 모세관 공극 : _____

정답 **11**

(가) 콘크리트 비빔시 자연적으로 혼입되는 부정형 공기로서 콘크리트량의 1~2% 정도가 된다.
(나) AE제에 의해 발생되는 인위적 균질한 공기로써 비빔 콘크리트량의 3~5%정도 차지하며 시공연도를 증진시키는 역할을 한다.
(다) 수화된 시멘트풀(cement paste) 중 시멘트나 수화생성물 등의 고체부분으로 채워지지 않고 남은 빈부분을 말한다.

12 철골재 아크용접에 대한 설명 중 직류와 교류를 사용할 경우의 특징을 보기에서 골라 기호로 쓰시오. (4점)

　〈보 기〉
　(1) 고장이 작다.　　　(2) 일하기 쉽다.
　(3) 가격이 싸다.　　　(4) 공장용접에 많이 쓰인다.
　(5) 현장용접에 많이 쓰인다.

① 직류 : _____

② 교류 : _____

정답 **12**

① 직류아크용접 : (2), (4)
② 교류아크용접 : (1), (3), (5)

13 콘크리트의 혼화재료는 혼화제와 혼화재로 구분할 수 있다. 혼화제와 혼화재의 종류를 3가지씩 쓰시오. (4점)

(가) 혼화제 : ① _____ ② _____ ③ _____

(나) 혼화재 : ① _____ ② _____ ③ _____

14 갱폼의 장단점을 2가지씩 기술하시오. (4점)

(가) 장점 : _____

(나) 단점 : _____

15 레디믹스트콘크리트가 현장에 도착했을 때 검사사항을 3가지만 쓰시오. (3점)

(가) _____

(나) _____

(다) _____

16 아래 보기에서 가치공학(Value Engineerng)의 기본추진절차를 순서대로 나열하시오. (4점)

┌─ 〈보 기〉
│ (가) 정보수집   (나) 기능정리   (다) 아이디어 발상
│ (라) 기능정의   (마) 대상선정   (바) 제안
│ (사) 기능평가   (아) 평가   (자) 실시

17 건축시공의 현대화 방안 중 건축부품의 품질향상과 대량생산을 위한 3S System이란 무엇을 말하는지 쓰시오. (3점)

① _____

② _____

③ _____

정답 13

(가) 혼화제 : ① AE제 ② 경화촉진제 ③ 유동화제
(나) 혼화재 : ① 플라이 애쉬 ② 고로슬래그 분말 ③ 포졸란

정답 14

(가) 장점 :
① 조립과 해체작업이 생략되어 설치시간이 단축된다.
② 거푸집의 처짐량이 작고 외력에 대한 안정성이 높다.
(나) 단점 :
① 중량물이므로 운반시 대형양중장비가 소요.
② 거푸집 제작비용이 크므로 초기 투자비용이 증가.

정답 15

레미콘의 시험항목
(가) 슬럼프 시험
(나) 공기량 시험
(다) 강도시험
(라) 염분함유량 시험
(마) 용적중량시험
(바) 용적시험
※ 기타 : 각종 시험은 KS 기준에 따라 행하며 책임감리원의 승인에 따라 생략 될 수 있고 시험 검사표로 대치될 수 있다. 한중기, 서중기, 매스콘크리트 등은 규정온도 관리항목이 추가 될 수 있다.

정답 16

(마) - (가) - (라) - (나) - (사) - (다) - (아) - (바) - (자)

정답 17

① 단순화(Simplification)
② 규격화(Standardization)
③ 전문화(Specialization)

18 다음 데이터는 일정한 산지에서 계속 반입되고 있는 잔골재의 단위체적 질량을 매차량마다 1회씩 10대를 측정한 자료이다. 이 데이터를 이용하여 다음 물음에 답하시오. (6점)

[데이터 : 1760, 1740, 1750, 1730, 1760, 1770, 1740, 1760, 1740, 1750]
(표본산술평균 $\bar{x}$ =1750kg/m³)

① 변동(S) _____

② 표본분산(s^2) _____

③ 표본표준편차(s) _____

④ 변동계수(CV) _____

19 합성고분자 방수법의 종류에 대해서 3가지 쓰시오. (3점)

① _____
② _____
③ _____

20 지반개량공법 중 탈수법에서 다음 토질에 적당한 대표적 공법을 각각 1가지씩 쓰시오. (2점)

(가) 사질토 : _____

(나) 점성토 : _____

21 횡선식공정표의 단점 3가지를 쓰시오. (3점)

① _____
② _____
③ _____

정답 **18**

① 변동

$$S = \Sigma(x_i - \bar{x})^2$$

여기서 문제의 DATA가 모두 1700 단위이므로 계산을 간단히 하기 위하여 10단위만 계산한다.

$$= (60-50)^2 + (40-50)^2 + (50-50)^2 + (30-50)^2 + (60-50)^2 + (70-50)^2 + (40-50)^2 + (60-50)^2 + (40-50)^2 + (50-50)^2 = 1400$$

② 표본분산

$$s^2 = \frac{S}{n-1} = \frac{1400}{10-1} = 155.56$$

③ 표본표준편차

$$s = \sqrt{s^2} = \sqrt{155.56} = 12.47$$

④ 변동계수

$$CV = \frac{s}{\bar{x}} \times 100 = \frac{12.47}{1750} \times 100 = 0.71\%$$

정답 **19**

① 도막방수
② 시트방수
③ 시일재 방수

정답 **20**

(가) 사질지반 :
　　웰포인트(Well Point) 공법
(나) 점토지반 :
　　샌드 드래인(Sand Drain) 공법

정답 **21**

① 각 작업 상호간의 상호 관계를 명확히 나타낼 수 없다.
② 횡선의 길이에 따라 진척도를 개괄적으로 판단해야 하며, 공사 기일에 맞추는 단순한 작도에 그치는 결함이 있다.
③ 과학적인 공정계획기법 및 진도 관리 기법이라 할 수 없다.

22 다음 보기 중에서 관계있는 것끼리 연결하시오. (5점)

┌─〈보 기〉────────────────────────┐
   ① 격리재   ② 박리제
   ③ 콘크리트헤드   ④ 페코빔
   ⑤ 갱폼
└────────────────────────────────┘

가. 거푸집 간격을 유지
나. 거푸집을 쉽게 떼어낼 수 있도록 거푸집면에 칠하는 약제
다. 타설된 콘크리트 윗면으로부터 최대 측압면까지의 거리
라. 신축이 가능한 무지주 공법
마. 사용할 때마다 작은 부재의 조립, 분해를 반복하지 않고 대형화, 단순화하여
    한번에 설치하고 해체하는 거푸집 시스템

정답 22

① - 가
② - 나
③ - 다
④ - 라
⑤ - 마

23 다음 벽돌쌓기면에서 보이는 모양에 따라 붙여지는 쌓기명을 쓰시오. (4점)

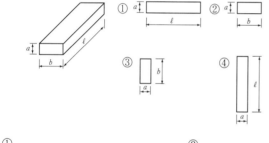

① _____   ② _____

③ _____   ④ _____

정답 23

① 길이 쌓기
② 마구리 쌓기
③ 옆세워 쌓기
④ 길이 세워 쌓기

24 굳지 않는 콘크리트의 다지기방법 3가지를 쓰시오. (3점)

① _____   ② _____   ③ _____

정답 24

① 손다짐 방법(Rodding)
② 진동다짐 방법(Vibrating compaction)
③ 거푸집 두드림 방법
※ 기타 : 가압법(加壓法), 진공처리
           법 등

2002년 1회 출제문제

1 주어진 도면을 보고 요구하는 각 재료량을 산출하시오. (단, 소수 3째자리에서 반올림한다.)
(16점)

가. 콘크리트량(m^3) - 배합비에 관계없이 전 콘크리트량을 구하시오.

나. 거푸집 면적(m^2)를 구하시오.

다. 벽돌 소요량(매)를 구하시오.
(단, 사용벽돌은 표준형으로, 소요량은 쌓기량에 할증량을 포함하며, 외벽중 시멘트벽돌과 적벽돌쌓기의 면적 산출을 각각 중심거리로 하고, 칸막이 벽은 실제거리로 한다.)
① 시멘트 벽돌(매)
② 적벽돌(매)

라. 경비실 내벽 미장에 필요한 시멘트량(kg), 모래량(m^3)을 구하시오.
(단, 모르타르의 배합비는 1 : 3이며, 정미량으로 산출한다.)
① 시멘트(kg)
② 모래(m^3)

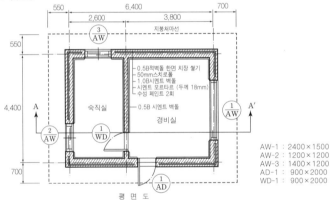

- 0.5B적벽돌 한면 치장 쌓기
- 50mm스치로폴
- 1.0B시멘트 벽돌
- 시멘트 모르타르 (두께 18mm)
- 수성 페인트 2회

0.5B 시멘트 벽돌

숙직실

경비실

AW-1 : 2400×1500
AW-2 : 1200×1200
AW-3 : 1400×1200
AD-1 : 900×2000
WD-1 : 900×2000

평 면 도

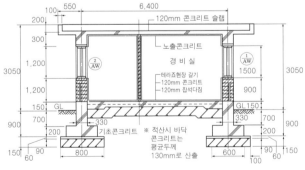

120mm 콘크리트 슬랩

노출콘크리트

경 비 실

- 테라죠현장 갈기
- 120mm 콘크리트
- 120mm 잡석다짐

기초콘크리트

※ 적산시 바닥 콘크리트는 평균두께 130mm로 산출

A-A'단 면 도

정답 **1**

구 분	수 량	수 량 산 출 근 거
콘 크 리 트	19.89㎥	① 버림콘크리트 : 0.8×0.06×(6.4+4.4)×2=1.036㎥ ② 기초판 : 0.6×0.2×21.6×=2.592㎥ ③ 기초벽 : 0.33×0.85×21.6=6.058㎥ ④ 바닥콘크리트 : 0.13×(6.4-0.33)×(4.4-0.33)=3.211㎥ ⑤ 테두리보 : 0.33×0.18×21.6=1.283㎥ ⑥ 슬라브 : 0.12×(6.4+0.55+0.7)×(4.4+0.55+0.7)=5.186㎥ ⑦ 파라펫 : 0.1×0.2×(7.55+5.55)×2=0.524㎥ ∴ 전체 콘크리트량=19.89m³
거 푸 집	104.55㎡	① 기초판 및 벽 : 1.05×21.6×2=45.36㎡ ② 테두리보 : 0.18×21.6×2=7.776㎡ ③ 슬라브 : 7.65×5.65-(0.33×21.6)+(2.4+1.4+1.2)×0.33 　　　　+0.12×(7.65+5.65)×2=40.936m² ④ 파라펫 : 0.2×2×(7.55+5.55)×2=10.48㎡ ∴ 전체 거푸집량=104.552 → 104.55㎡
벽 돌 량	시멘트 벽돌 7,252매	① 외부(1.0B 쌓기면적) : 2.4×[(6.4-0.33+0.19)+(4.4- 0.33+0.19)]×2-(2.4×1.5+1.4×1.2+1.2×1.2+0.9×2)=41.976㎡ 벽돌량=41.976×149=6,254.4장 ② 내부(0.5B 쌓기면적) : 2.58×(4.4-0.33)-0.9×2=8.701㎡ 벽돌량=8,701×75=652.5장 ③ 합계=(6,254.4+652.5)×1.05=7,252.2 → 7,252매
	적벽돌 3,524매	① 외부(0.5B쌓기면적) : 2.4×[(6.4+0.33-0.09)+(4.4+0.33- 0.09)]×2-(2.4×1.5+1.4×1.2+1.2×1.2+0.9×2)=45.624㎡ 벽돌량=45.624×75×1.03=3,524.4 → 3,524매
미 장 공 사	시멘트 287.60kg	① 경비실내부미장면적 : (3.59+4.07)×2×2.58-(2.4×1.5+0.9 ×2×2)=32.325㎡ ② 모르타르량 : 32.325×0.018=0.581㎡ ∴ 시멘트량 : 0.581×495kg/㎡=287.595kg ∴ 모래량 : 0.33㎡×3=0.99㎡×0.581=0.575㎡
	모래 0.58㎡	

〈참고〉 각각중심거리

　벽돌량은 벽중심선 길이×벽높이(2.4m)-(개구부면적)으로 구하므로 아래처럼 0.5B 쌓기 적벽돌
과 1.0B시멘트벽돌 중심선을 각각 구해야 한다.

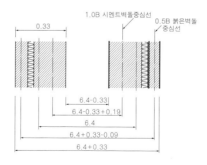

2 건물의 부동침하를 방지하기 위한 기초구조물과 상부구조물에 대한 대책을 각각 2가지씩 쓰시오. (4점)

① 기초구조물에 대한 대책 _____

_____

② 상부구조물에 대한 대책 _____

_____

3 시스템 거푸집 중에서 플라잉 폼(flying form)의 장점을 3가지 쓰시오. (3점)

① _____

② _____

③ _____

4 역타설공법(Top-Down Method)의 장점을 3가지 쓰시오. (3점)

① _____

② _____

③ _____

5 다음테이터를 이용하여 3일 공기단축한 네트워크 공정표를 작성하고 공기단축된 상태의 총공사비를 산출하시오. (8점)

작업명	작업일수	선행작업	비용구배(원)	비 고
A	3	없음	5,000	① 공기단축된 각 작업의 일정은 다음과 같이 표기하고 결합점 번호는 원칙에 따라 구하시오.
B	2	없음	1,000	
C	1	없음	-	
D	4	A, B, C	4,000	② 공기단축은 작업일수의 1/2을 초과할 수 없다.
E	6	B, C	3,000	③ 표준공기시 총공사비는 2,500,000원이다.
F	5	C	5,000	

① 네트워크 공정표 : _____

② (총공사비)산출근거 : _____

[정답] 2

① ·기초를 경질지층(경질지반)에 지지할 것(시킬 것)
·마찰말뚝을 사용하여 보강할 것 (지지말뚝과 혼용금지)
※ 기타 : 복합기초 사용, 지하실 설치

② ·건물의 경량화와 길이를 축소할 것
·중량 배분을 고려할 것
※ 기타 : 강성을 높일 것 인접건물과의 거리를 멀리할 것 (이격시킬 것)

[정답] 3

① 조립과 해체작업이 생략되어 설치 시간이 단축된다.
② 거푸집의 처짐량이 작고 외력에 대한 안정성이 높다.
③ 인력이 절감되며, 기능공의 기능도에 크게 좌우되지 않는다.
※ 합판을 제외한 주요부재의 재사용이 가능하며, 전용성이 우수하다

[정답] 4

① 주변지반과 건물에 악영향이 없는 안정적인 공법이다.
② 지상, 지하의 동시 작업으로 공기가 단축된다.
③ 천후와 무관한 전천후 작업이 가능하다.
※ 기타 1층 바닥판을 작업장으로 활용할 수 있다.

[정답] 5

① 네트워크 공정표

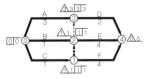

〈총공사비〉

단축작업	단축일수	추가공사비
B	1일	1,000원
D, E	1일	7,000원
D, E, F	1일	12,000원

총공사비 = 표준공사비 + 추가공사비
= 2,500,000원 + 20,000원
= 2,520,000원

6 철골공사에 사용되는 용어를 설명하였다. 알맞은 용어를 쓰시오. (3점)

가. 철골부재 용접시 이음 및 접합부위의 용접선이 교차되어 재용접된 부위가 열영향을 받아 취약해지기 때문에 모재에 부채꼴 모양의 모따기를 한 것 :

나. 철골기둥의 이음부를 가공하여 상하부 기둥 밀착을 좋게 하며 축력의 50% 까지 하부 기둥 밀착면에 직접 전달시키는 이음방법 :

다. Blow hole, crater 등의 용접결함이 생기기 쉬운 용접 bead의 시작과 끝 지점에 용접을 하기 위해 용접 접합하는 모재의 양단에 부착하는 보조강판 :

정답 6
가. 스캘럽(scallop)
나. Metal touch(메탈터취가공)
다. 엔드탭(End Tab)

7 다음 설명에 해당되는 용어를 쓰시오. (3점)

가. 보의 응력은 일반적으로 기둥과 접합부 부근에서 크게 되어 단부의 응력에 맞는 단면으로 보 전체를 설계하면 현저하게 비경제적이기 때문에 단부에만 단면적을 크게 하여 보강한 것을 무엇이라 하는가? _____

나. 조적조 건물에서 내력벽 길이의 합(cm)을 그 층의 바닥면적(m²)으로 나눈 값을 무엇이라고 하는가? _____

다. 조적조에서 벽체의 길이를 규제하기 위해 설정한 것으로 서로 마주 보는 벽을 무엇이라고 하는가? _____

정답 7
가. 헌치(Haunch)
나. 벽량

※ 벽량(cm/m²) = $\dfrac{\text{내력벽 길이의 합계}}{\text{바닥면적}}$

다. 대린벽

8 다음의 용접기호로서 알 수 있는 사항을 4가지 쓰시오. (4점)

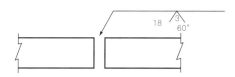

정답 8
① V형 맞댄용접이다.
② 홈각도(개선각) : 화살표쪽 60°
③ 홈깊이(개선깊이) : 18mm
④ 트임새간격(루트간격) : 3mm

〈참고〉

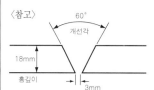

9 다음은 커튼월 공법의 외관형태별 분류방식에 대한 설명이다. 보기에서 그 명칭을 골라 번호를 쓰시오. (4점)

┌─〈보 기〉─
① 격자방식   ② 샛기둥 방식
③ 피복방식   ④ 스팬드럴 방식

가. 수평선을 강조하는 창과 스팬드럴 조합으로 이루어지는 방식 (   )

나. 수직기둥을 노출시키고, 그 사이에 유리창이나, 스팬드럴 패널을 끼우는 방식 (   )

다. 수직, 수평의 격자형 외관을 보여주는 방식 (   )

라. 구조체를 외부에 노출시키지 않고 패널로 은폐시키고 새시는 패널 안에서 끼워지는 방식 (   )

정답 9
가. ④
나. ②
다. ①
라. ③

10 콘크리트 구조물의 압축강도를 추정하고 내구성 진단, 균열의 위치, 철근의 위치 등을 파악하는데 있어서 구조체를 파괴하지 않고, 비파괴적인 방법으로 측정하는 검사방법을 4가지 쓰시오. (4점)

① ______ ② ______

③ ______ ④ ______

정답 10

① 슈미트 해머법(반발 경도법)
② 공진법
③ 음속법(초음파 속도법)
④ 철근탐사법

11 Wind tunnel test(풍동시험)과 Mock-up test(외벽성능시험)에 관하여 기술하시오. (4점)

가. Wind tunnel test(풍동시험) : ______

나. Mock-up test(외벽성능시험) : ______

정답 11

가. 건물준공 후 문제점을 사전에 파악하고 설계에 반영하기 위해 건물주변 600m 반경내 실물축적 모형을 만들어 10~50년간의 최대풍속을 가하여 실시하는 시험

※ 이 시험으로 외벽풍압, 구조하중, 고주파응력, 보행자에 대한 풍압영향, 건물풍 등을 측정할 수 있다.

나. Mock-up test(외벽성능시험) : 풍동시험을 근거로 3개의 실물모형을 만들어 건축예정지의 최악조건으로 시험하며 재료품질, 구조계산치 등을 수정할 목적으로 행하는 실물대 모형시험

12 네트워크 공정표에서 작업상호간의 연관관계만을 나타내는 명목상의 작업인 더미(dummy)의 종류를 3가지 쓰시오. (3점)

① ______

② ______

③ ______

정답 12

① 넘버링 더미(Numbening Dummy)
② 논리적 더미(Logical Dummy)
③ 커넥션 더미(Connection Dummy)

13 다음은 건설사업관리(CM)의 단계적 역할을 설명한 것이다. 해당단계를 보기에서 골라 기호로 쓰시오. (3점)

〈보 기〉

㉮ Design 단계 ㉯ Pre-construction 단계
㉰ Pre-design 단계 ㉱ Post-construction 단계
㉲ Construction 단계

① 비용의 분석 및 VE기법의 도입, 대안공법의 검토단계 : ______

② 설계도면, 시방서에 따른 공사진행 검사 및 검토단계 : ______

③ 사업의 타당성 검토 및 사업수행의 구체적 계획수립단계 : ______

정답 13

① : ㉮
② : ㉲
③ : ㉰

14 다음 보기의 암석 종류를 성인별로 찾아 번호로 쓰시오. (3점)

┌─〈보 기〉────────────────────────────┐
│   ① 점판암   ② 화강암   ③ 대리석   │
│   ④ 석면   ⑤ 현무암   ⑥ 석회암   │
│   ⑦ 안산암   │
└────────────────────────────────────┘

가. 화성암 : _____

나. 수성암 : _____

다. 변성암 : _____

[정답] **14**

가. ②,⑤,⑦

나. ①,⑥

다. ③,④

15 목재의 품질검사는 건축공사시 사용되는 목재의 변형, 균열 등의 발생으로부터 미연에 방지하기 위하여 실시한다. 목재의 품질검사 항목을 3가지 쓰시오. (3점)

① _____

② _____

③ _____

[정답] **15**

① 목재의 평균나이테 간격, 함수율 및 비중측정방법(KSF 2002)

② 목재의 수축율 시험방법 (KSF 2003)

③ 목재의 흡수량 측정방법 (KSF 2003)

④ 목재의 압축, 인장강도 시험방법 (KSF 2206, KSF 2207)

⑤ 목재의 휨, 전단시험방법 (KSF 2208, KSF 2209)

※ 기타 : 경도, 내후성, 마모, 크리프 시험, 갈라짐 시험 등

16 다음 콘크리트 줄눈의 종류를 쓰시오. (4점)

가. 콘크리트 작업관계로 경화된 콘크리트에 새로 콘크리트를 타설할 경우 발생하는 Joint : _____

나. 온도변화에 따른 팽창·수축 혹은 부동침하·진동 등에 의해 균열이 예상되는 위치에 설치하는 joint : _____

다. 균열을 전체 벽면 중의 일정한 곳에만 일어나도록 유도하는 joint : _____

라. 장 span의 구조물(100m가 넘는)에 expansion joint를 설치하지 않고, 건조수축을 감소시킬 목적으로 설치하는 joint : _____

[정답] **16**

가. 콜드 죠인트(cold joint)

나. 신축줄눈(expansion joint)

다. 조절줄눈(control joint)

라. Delay joint(수축대 설치)

17 ALC(Autoclaved Lightweight concrete) 패널의 설치공법을 4가지 기술하시오. (4점)

① _____

② _____

③ _____

④ _____

[정답] **17**

① 수직철근 보강공법

② 슬라이드 공법

③ 볼트조임 공법

④ 커버플레이트 공법

※ 타이플레이트 공법, 부설근 공법

18 다음 보기의 합성수지를 열경화성 및 열가소성으로 분류하여 기호를 쓰시오. (4점)

┌─〈보 기〉─────────────────────────┐
│　　가. 염화비닐 수지　　　　　　　　나. 폴리에틸렌 수지　　│
│　　다. 페놀수지　　　　　　　　　　라. 멜라민 수지　　　　│
│　　마. 에폭시 수지　　　　　　　　　바. 아크릴 수지　　　　│
└─────────────────────────────┘

　① 열경화성수지 : _____　② 열가소성수지 : _____

정답 18
① 다, 라, 마
② 가, 나, 바

19 다음 설명한 콘크리트의 종류를 쓰시오. (3점)

가. 콘크리트 제작시 골재는 전혀 사용하지 않고 물, 시멘트, 발포제만으로 만든 경량 콘크리트 : _____

나. 콘크리트 타설 후 mat, vaccum, pump 등을 이용하여 콘크리트 속에 잔류해 있는 잉여수 및 기포 등을 제거함을 목적으로 하는 콘크리트 : _____

다. 거푸집 안에 미리 굵은 골재를 채워 넣은 후 그 공극 속으로 특수한 모르타르를 주입하여 만든 콘크리트 : _____

정답 19
가. 서모콘(Thermo-con)
나. 진공 콘크리트 혹은 Vaccum Dewatering Concrete(진공탈수콘크리트)
다. 프리팩트 콘크리트

20 제물치장 콘크리트의 시공목적을 4가지 쓰시오. (4점)
　① _____
　② _____
　③ _____
　④ _____

정답 20
① 모양의 간소함을 탐미
② 고강도 콘크리트 추구
③ 외장재의 절약, 마감의 다양성 부여
④ 공사내용의 단일화로 경제성 추구

21 무근 콘크리트의 붓기 이음새에 전단력을 보강하기 위한 방법을 3가지 쓰시오. (3점)
　① _____
　② _____
　③ _____

정답 21
① 이음새에 촉 또는 홈을 둔다.
② 석재를 삽입하여 보강한다.
③ 철근을 보강한다.

22 콘크리트 구조물의 균열 발생시 보강방법을 3가지 쓰시오. (3점)
　① _____
　② _____
　③ _____

정답 22
① 강판접착공법
② 앵커접착공법
③ 탄소섬유판 접착공법

23 공정관리에 있어서 자원평준화 작업의 목적을 3가지 쓰시오. (3점)

① _____

② _____

③ _____

정답 **23**

① 소요자원의 급격한 변동의 최소화
② 공기내의 자원을 균등하게 배분
③ 유휴시간(허비시간)의 최소화
※ 기타 : 일일 동원자원의 최소화

24 콘크리트 타설시 현장 가수로 인한 문제점을 4가지 쓰시오. (4점)

① _____

② _____

③ _____

④ _____

정답 **24**

① 콘크리트의 강도저하
② 재료분리 및 블리딩 현상 증가
③ 건조수축 및 침강균열 증가
④ 내구성, 수밀성 저하

2002년 2회 출제문제

1 다음 설명이 가리키는 용어명을 쓰시오. (3점)

가. 설계에서부터 각종 공사 정보의 활용성 및 시공성을 고려하여 원가절감 및 공기 단축을 꾀할 수 있는 설계와 시공의 통합 시스템은? _____

나. 발주자가 요구하는 성능, 품질을 보장하면서 가장 싼값으로 공사를 수행하기 위한 수단을 찾고자 하는 체계적이고 과학적인 공사방법은? _____

다. 건설업체의 공사수행 능력을 기술적 능력, 재무능력, 조직 및 공사능력 등 비가격 요인을 검토하여 가장 효율적으로 공사를 수행할 수 있는 업체에 입찰 참가 자격을 부여하는 제도는? _____

2 다음은 아스팔트 8층 공사의 방수층을 하층에서부터 상층으로 사용하는 재료를 기입한 것이다. 빈칸에 알맞은 재료를 기입하시오. (4점)

가. 1층 : _____ , 2층 : 아스팔트

나. 3층 : _____

다. 4층 : _____

라. 5층 : _____ , 6층 : 아스팔트, 7층 : 아스팔트 루핑

마. 8층 : _____

3 다음 그림과 같은 간이 사무실 건축에서 바닥은 테라죠 현장갈기로 하고, 벽은 시멘트 벽돌 바탕에 시멘트 모르타르로 바름할 때 각 공사수량을 산출하시오. (12점)

(단, ① 벽두께-외벽 : 1.0B, 내벽 : 0.5B ② 벽돌의 크기 : 표준형을 사용한다.

③ 벽돌벽의 높이 : 2.7m ④ 외벽 시멘트 모르타르 바름높이 : 3m

⑤ 사무실 내부 걸레받이 높이는 15cm 이며 테라죠 현장갈기 마감

⑥ 창호의 크기 $\left(\dfrac{1}{D}\right)$: 2,200mm × 2,400mm $\left(\dfrac{1}{W}\right)$: 1,800mm × 1,200mm

$\left(\dfrac{2}{D}\right)$: 1,000mm × 2,100mm $\left(\dfrac{2}{W}\right)$: 1,200mm × 900mm

⑦ 벽돌의 할증율 : 5%

⑧ 시멘트 벽돌 수량산출시 외벽 및 칸막이 벽의 길이 산정은 모두 중심거리로 한다.

㉮ 시멘트 벽돌의 소요량(매)

㉯ 테라죠 현장갈기 수량(m²) (단, 사무실 1,2의 경우임)

㉰ 외벽미장(m²)

정 답

정답 1

가. CM조직(건설사업관리)

나. 가치공학(VE)

다. 입찰자격 사전심사제도(PQ제도)

정답 2

가. 아스팔트 프라이머

나. 아스팔트 펠트 혹은 루핑

다. 아스팔트

라. 아스팔트 루핑

마. 아스팔트

해설 3

1. 문제풀이시 주의사항

① 시멘트벽돌 수량 산출시 벽의 높이 : 2.7m

② 외벽미장 면적산출시 벽의 높이 : 3m

2. 시멘트 벽돌 수량 산출

① 표준형(190×90×57)

구 분	0.5B	1.0B
표준형	75매	149매

② 벽돌벽의 높이 : 2.7m

③ 벽돌벽의 길이 산정시 외벽은 중심간의 길이, 내벽은 안목간의 길이 산정이 원칙이나 조건에 모두 중심길이로 산출하도록 했음

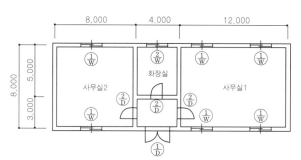

가. 시멘트 벽돌 _____ 매

나. 테라죠 _____ m²

다. 외벽미장 _____ m²

〈참고〉 테라죠현장갈기

① 사무실1 참고도면

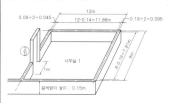

② 바닥면적 : 11.86×7.81＝92.627m²

③ 걸레받이 면적 : {(11.86＋7.81)×2-1}×0.15＝5.751m²

∴ 계 : 98.378m²

정답 **3**

① 시멘트 벽돌량
- 외벽 1.0B : (24＋8)×2×2.7-(2.2×2.4＋1.8×1.2×6＋1.2×0.9)
  ＝153.48㎡×149＝22,868.5장
- 내벽 0.5B : (8×2＋4)×2.7-(1×2.1×3)＝47.7㎡×75＝3,577.5장
  ∴ 합계 : (22,868.5＋3,577.5)×1.05＝27,768.3 → 27,768장

② 테라죠 현장갈기 면적
- 사무실1 : (12-0.14)×(8-0.19)＋{(11.86＋7.81)×2-1}×0.15＝98.377㎡
- 사무실2 : (8-0.14)×(8-0.19)＋{(7.86＋7.81)×2-1}×0.15＝65.937㎡
  ∴ 합 계 98.377＋65.937＝164.314 → 164.31㎡

③ 외벽미장 면적
- (24.19＋8.19)×2×3-(2.2×2.4＋1.8×1.2×6＋1.2×0.9)＝174.96㎡

4 다음은 유리의 종류에 관한 설명이다. 설명이 의미하는 유리의 종류를 보기에서 골라 기호로 쓰시오. (4점)

━〈보 기〉━
㉮ 접합 유리 (Laminated glass)   ㉯ 자외선투과 유리
㉰ 복층 유리 (pair glass)   ㉱ 열선반사 유리
㉲ 자외선차단 유리   ㉳ 강화 유리
㉴ 망입 유리   ㉵ 프리즘 (prism) 유리

① 건조공기층을 사이에 두고 판유리를 이중으로 접합하여 테두리를 둘러서 밀봉한 유리 : _____

정답 **4**
① ㉰
② ㉯
③ ㉮
④ ㉱

② 일광욕실, 병원, 요양소 등에 사용 : _____

③ 두 장 이상의 판 사이에 합성수지를 겹붙여 댄 것으로서 일명 합판유리라 함

_____

④ 진열창, 약품창고 등에서 노화와 퇴색방지에 사용 : _____

5 석재의 표면마감에서 혹두기, 정다듬, 도드락다듬, 잔다듬, 갈기의 기존 공법외에 특수가 공 공법의 종류를 2가지만 쓰고, 설명하시오. (4점)

① _____

② _____

6 다음 그림과 같은 독립기초의 흙파기량, 되메우기량, 잔토 처리량을 각각 산출하시오. (단, 토량 변화율 L=1.2) (6점)

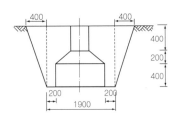
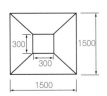

가. 흙파기량 계산

답 : _____ m³

나. 되메우기량 계산

답 : _____ m³

다. 잔토처리량 계산

답 : _____ m³

정답 **5**

① 분사법 (Sand Blasting Method) : 모래를 압축공기압력으로 고속분 사하여 면을 다듬는 방법으로 석 재마모가 심하다.

② 화염 분사법 (Burner Finish Method) : 보통 톱으로 켜낸 돌면 을 산소불로 구워 표면을 급냉시 켜 표면의 껍질을 벗겨 거친면으 로 사용하는 마무리법

해설 **6**

① 독립기초 터파기량 형태 및 크기

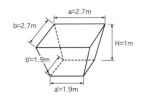

② 기초구조부체적 산정시

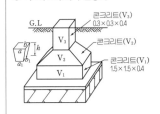

· 버림콘크리트, 잡석은 도면에 표기 가 없으므로 산출하지 않는다.

정답 6

가. 터파기량 : $V = \dfrac{h}{6}\left[(2a+a')b + (2a'+a)b'\right]$

$$= \frac{1}{6}\left[(2 \times 2.7 + 1.9) \times 2.7 + (2 \times 1.9 + 2.7) \times 1.9\right]$$

$$= 5.343 \rightarrow 5.34m^3$$

나. 되메우기량＝기초파기량-기초구조부체적

　· 기초구조부체적 $= 1.5 \times 1.5 \times 0.4$

$$+ \frac{0.2}{6}\left[(2 \times 1.5 + 0.3) \times 1.5 + (2 \times 0.3 + 1.5) \times 0.3\right]$$

$$+ 0.3 \times 0.3 \times 0.4 = 1.122m^3$$

∴ 되메우기량＝5.343-1.122＝4.221 → 4.22m³

다. 잔토처리량＝기초구조부체적×토량환산계수＝1.122×1.2＝1.346 → 1.35m³

---

7 그림과 같은 철골조 용접부위 상세에서 ①, ②, ③의 명칭을 기술하시오. (3점)

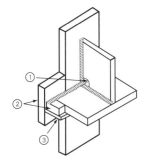

① _____

② _____

③ _____

정답 7

① 곡선 모따기 (Scallop)

② 보조강판 (End tab)

③ 뒷댐재, 뒷굄재 (Back strip)

---

8 흙막이 공법 중 그 자체가 지하구조물이면서 흙막이 및 버팀대 역할을 하는 공법을 보기에서 골라 기호로 쓰시오. (3점)

― 〈보 기〉 ―――――――――――――――――――――――

⑦ 지반정착(Earth anchor) 공법 　　⑭ 개방잠함(Open caisson) 공법

⑭ 수평버팀대 공법 　　　　　　　　 ㉞ 강재널말뚝(Sheet pile) 공법

⑩ 우물통(Well) 공법 　　　　　　　 ⑪ 용기잠함(Pneumatic caisson) 공법

정답 8

⑭, ⑩, ⑪

9 건설업의 TQC에 이용되는 도구 중 다음을 설명하시오. (4점)

가. 파레토도 : _____

나. 특성요인도 : _____

다. 층별 : _____

라. 산점도 : _____

10 세로규준틀이 설치되어 있는 벽돌조 건축물의 벽돌쌓기 순서를 보기에서 골라 번호로 쓰시오. (4점)

〈보 기〉

① 기준쌓기   ② 벽돌 물축이기   ③ 보양   ④ 벽돌 나누기

⑤ 재료건비빔   ⑥ 벽돌면 청소   ⑦ 줄눈파기   ⑧ 중간부 쌓기

⑨ 치장줄눈   ⑩ 줄눈누름

11 페데스탈 말뚝의 시공 순서를 기호로 쓰시오. (2점)

〈보 기〉

㉮ 내관을 빼낸다.

㉯ 외관내에 콘크리트를 넣는다.

㉰ 내관을 넣어 콘크리트를 다지며 외관을 서서히 빼 올리며 콘크리트를 구근형으로 다진다.

㉱ 외관과 내관의 2중관을 동시에 소정위치까지 박는다.

12 다음은 지반조사법 중 토질의 시료를 채취해서 지층의 상황을 판단하는 보링에 대한 설명이다. 알맞은 용어를 쓰시오.

가. 지층의 변화를 연속적으로 비교적 정확히 알고자 할 때 사용하는 방식

나. 경질층을 깊이 파는데 이용되는 방식

다. 비교적 연약한 토지에 수압을 이용하여 탐사하는 방식

13 콘크리트 펌프의 압송방식 종류를 2가지 쓰시오. (2점)

① _____

② _____

정답 9

가. 불량 등 발생건수를 분류 항목별로 나누어 크기순서대로 나열해 놓은 그림

나. 결과에 원인이 어떻게 관계하고 있는가를 한눈에 알수 있도록 작성한 그림

다. 집단을 구성하고 있는 많은 데이터를 어떤 특징에 따라서 몇 개의 부분집단으로 나누는 것.

라. 대응되는 두 개의 짝으로 된 데이터를 그래프 용지 위에 점으로 나타낸 그림

정답 10

⑥→②→⑤→④→①→⑧→⑩→⑦→⑨→③

정답 11

㉱→㉮→㉯→㉰

정답 12

가. 회전식 보링

나. 충격식 보링

다. 수세식 보링

정답 13

① 스퀴즈식 (짜내기식) 압송방식

② 피스톤 압송식

14 건설공사에서 계약분쟁의 해결방법 3가지를 쓰시오. (3점)

① _____

② _____

③ _____

정답 14
① 상호합의에 의한 해결 방안 : 분쟁 당사자간의 협의를 통한 일차적 해결
② 조정 및 중재에 의한 해결 : 조정자나 중재위원회를 통한 분쟁해결
③ 소송에 의한 해결 : 재판을 통한 법정의 판결로 최종적 해결방안

15 콘크리트에서 슬럼프 손실(損失, Slump Loss)에 대해 설명하시오. (2점)

_____

정답 15
시간의 경과에 따른 콘크리트 반죽질기의 감소현상이다. 콘크리트 혼합물의 수화작용이나 증발 등으로 혼합수가 감소하여 발생한다.

16 다음 데이터를 네트워크 공정표로 작성하고, 4일의 공기를 단축한 최종상태의 총공사비를 산출하시오. (단, 최종 작성 네트워크 공정표에서 크리티칼 패스는 굵은 선으로 표시하고 결합점 시간은 다음과 같이 표시한다.) (10점)

작업명	선행작업	표준(Normal)		급속(Crash)	
		소요일수	공사비	소요일수	공사비
A	없음	3일	70,000	2일	130,000
B	없음	4일	60,000	2일	80,000
C	A	4일	50,000	3일	90,000
D	A	6일	90,000	3일	120,000
E	A	5일	70,000	3일	140,000
F	B, C, D	3일	80,000	2일	120,000

해설　답안지에 제시되어 있는 표는 S.A.M(Siemens Approximation Method)이라는 공기단축법이다.
① 가로축에 각 경로를 나열하고 세로축에 각 작업을 나열한 다음 서로 만나는 칸에 비용구배와 단축가능 일수를 기입한다.
② 맨아래에는 각 경로의 공기를 표기하여 단축공기보다 초과되는 경로를 찾는다.
③ 초과되는 경로에서 최소비용 순서로 공기를 단축하되 단축된 작업이 다른 단축경로에도 포함되어 있는지를 파악하여 포함되어 있다면 그 경로의 단축도 표시해 나간다.

작업＼경로	A-E	A-D-F	A-C-F	B-F	비용구배	공기단축	추가비용
A	$\frac{60,000}{1}$	$\frac{60,000}{1}$	$\frac{60,000}{1}$		60,000/일		
B				$\frac{10,000}{2}$	10,000/일		
C			$\frac{40,000}{1}$		40,000/일	1	40,000
D		$\frac{10,000}{3}$			10,000/일	3	30,000
E	$\frac{35,000}{2}$				35,000/일		
F		$\frac{40,000}{1}$	$\frac{40,000}{1}$	$\frac{40,000}{1}$	40,000/일	1	40,000
공기	8	8	8	6			110,000

정답 16

① 공정표

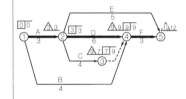

② 총공사비

　　총공사비 = 표준공비+추가공비

　　　　　　 = 420,000+110,000

　　　　　　 = 530,000원

17 인조석 바름 또는 테라죠 현장갈기 시공시 줄눈대를 설치하는 이유에 대하여 3가지 쓰시오. (3점)

① _____ ② _____ ③ _____

정답 17

① 균열방지(신축줄눈역할)
② 부분 보수용이성 확보
③ 바닥바름의 구획조정

18 유동화콘크리트의 유동화 방법에 대해 3가지를 쓰시오. (3점)

① _____
② _____
③ _____

정답 18

① 유동화제의 현장첨가 방법 : 현장 계량 첨가하여 교반후 타설
② 공장첨가 방법 : 공장 첨가 후 유동화하여 운반후 타설
③ 공장 첨가 후 운반 중 저속교반하고 현장에서 유동화하는 방법

19 철근 콘크리트 구조에서 철근피복두께의 확보목적 4가지를 쓰시오. (4점)

① _____ ② _____
③ _____ ④ _____

정답 19

① 소요의 내화성능 확보
② 소요의 내구성능 확보(철근의 방청)
③ 소요의 강도 확보
④ 콘크리트와 부착력 확보
※콘크리트의 유동성 확보

20 시멘트의 성능을 파악하기 위한 재료시험방법의 종류를 4가지 쓰시오. (4점)

① _____ ② _____

③ _____ ④ _____

정답 **20**

① 비중시험
② 분말도 시험
③ 응결시간 시험
④ 오토 클레이브 팽창도 시험

---

21 철골공사의 공장가공순서를 아래의 보기를 참고로 하여 번호로 쓰시오. (4점)

┌─〈보 기〉────────────────────────
│ ① 구멍뚫기   ② 가조립   ③ 본뜨기   ④ 본조립
│ ⑤ 녹막이칠   ⑥ 변형 바로잡기   ⑦ 원척도 작성   ⑧ 본조립 검사
│ ⑨ 절단 및 가공   ⑩ 운반(현장반입)   ⑪ 금매김
└────────────────────────────

정답 **21**

⑦ → ③ → ⑥ → ⑪ → ⑨ → ①
→ ② → ④ → ⑧ → ⑤ → ⑩

---

22 철골공사의 기초 Anchor Bolt는 구조물 전체의 집중하중을 지탱하는 중요한 부분이다. 이 anchor bolt 매립공법의 종류 3가지를 쓰시오. (3점)

① _____

② _____

③ _____

정답 **22**

① 고정 매립 공법
② 가동 매립 공법
③ 나중 매립 공법

---

23 경량철골 반자틀 시공순서를 천장판 시공까지 쓰시오. (4점)

"인서트매립 - (㉮) - (㉯) - (㉰) - (㉱) - (㉲)"

가. _____ 나. _____

다. _____ 라. _____

마. _____

정답 **23**

가. 행거볼트 및 행거설치(달대설치)
나. 반자 돌림대 설치
다. 찬넬설치(천장틀 받이설치)
라. M Bar 설치(천장틀 설치)
마. 천장판(마감재)부착

---

24 철근콘크리트 공사에서 철근이음을 하는 방법으로 가스압접이 있는데, 가스압접으로 이음을 할 수 없는 경우를 3가지 쓰시오. (3점)

① _____

② _____

③ _____

정답 **24**

① 상호 철근지름 편차가 6mm초과 시
② 철근의 재질이 서로 다른 경우
③ 철근의 항복점이나 강도가 서로 다른 경우
※ 0℃이하 기온인 경우, 편심오차가 지름의 1/5이상인 경우

2002년 3회 출제문제

1 콘크리트 양생방법의 종류를 3가지 쓰시오. (3점)

① ＿＿＿＿＿＿＿＿　　② ＿＿＿＿＿＿＿＿　　③ ＿＿＿＿＿＿＿＿

2 다음은 콘크리트의 문제점을 설명한 것이다. 해당 콘크리트를 보기에서 골라 기호로 쓰시오. (4점)

┌─〈보 기〉
│　가. 서중 콘크리트　　　　　　　　　나. 한중 콘크리트
│　다. 유동화 콘크리트　　　　　　　　라. 매스(Mass) 콘크리트
│　마. 진공 콘크리트　　　　　　　　　바. 프리팩트(Prepacked) 콘크리트
└

① 수화반응이 지연되어 콘크리트의 응결 및 강도발현이 늦어진다. : ＿＿＿＿＿

② 슬럼프로스가 증대하고, 슬럼프가 저하하고 동일 슬럼프를 얻기 위해 단위수량이 증가한다. : ＿＿＿＿＿

③ 슬럼프의 경사변화가 보통 콘크리트보다 커서 여름에는 30분, 겨울에는 1시간 정도 베이스 콘크리트의 슬럼프로 되돌아 오는 경우도 있다. : ＿＿＿＿＿

④ 수화열이 내부에 축적되어 콘크리트 온도가 상승하고 균열이 발생하기 쉽다. ＿＿＿＿＿

3 다음 (　　) 안에 알맞은 말을 쓰시오. (3점)

콘크리트의 휨강도, 전단강도, 인장강도, 균열저항성, 인성 등을 개선하기 위하여 단섬유상 재료를 균등히 분산시켜 제조한 콘크리트를 (　　　) 콘크리트라 하며, 사용되는 섬유질 재료는 합성섬유, (　　　)섬유, (　　　)섬유 등이 있다.

4 다음의 회반죽 미장의 시공순서를 기호로 쓰시오. (2점)

┌─〈보 기〉
│　가. 초벌바름　　　　나. 재료조정 및 반죽　　　다. 정벌바름
│　라. 고름질 및 덧먹임　마. 수염붙이기　　　　　바. 재벌바름
│　사. 보양　　　　　　아. 마무리　　　　　　　자. 바탕처리
└

정　답

정답 1

① 습윤양생
② 증기양생
③ 피막양생
※기타 : 전기양생, 고주파양생, 고압증기양생(Autoclave 양생)

정답 2

① 나
② 가
③ 다
④ 라

정답 3

(섬유보강), (강), (유리)
※기타 : 탄소섬유, 천연섬유

정답 4

자→나→마→가→라→바→다→아→사

5 제자리 콘크리트 말뚝을 제작하기 위하여 지반에 구멍을 판 후 벤토나이트 용액을 넣어주는 목적을 3가지 쓰시오. (4점)

① _____ ② _____ ③ _____

[정답] **5**
① 굴착공(구멍)내의 붕괴방지
② 지하수 유입방지(차수목적)
③ 굴착부분의 마찰저항감소 목적
※ 기타 : Slime 등의 부유물 배제효과(Slime의 부유방지)

6 다음에 설명된 타일 붙임 공법의 명칭을 쓰시오. (3점)

가. 가장 오래된 타일 붙이기 방법으로 타일 뒷면에 붙임 모르타르를 얹어 바탕 모르타르에 누르듯이하여 1매씩 붙이는 방법 _____

나. 평평하게 만든 바탕 모르타르 위에 붙임 모르타르를 바르고 그 위에 타일을 두드려 누르거나 비벼 넣으면서 붙이는 방법 _____

다. 평평하게 만든 바탕 모르타르 위에 모르타르를 바르고 타일 뒷면에 붙임 모르타르를 얇게 발라 두드려 누르거나 비벼 넣으면서 붙이는 방법 _____

[정답] **6**
가. 떠붙임 공법
나. 압착붙임 공법 또는 압착 공법
다. 개량압착 공법

7 다음 그림과 같은 건물 평면도에서 시멘트 벽돌 소요량과 쌓기용 모르타르량을 구하시오.

(단, 1) 벽돌수량은 소수점 아래 1자리에서 모르타르량은 소수점 아래 3자리에서 반올림 할 것
2) 벽두께 - 외벽 1.0B, 내벽 0.5B
3) 벽돌벽 높이 - 3m
4) 벽돌 크기 - 표준형
5) 줄눈나비 : 1cm
6) 창호크기 : : 1.0×2.3m   : 1.2×1.2m

              ② / D : 0.9×2.1m   ② / W : 2.1×3.0m

7) 벽돌 할증율 = 5%
시멘트 벽돌 수량 산출시 길이 산정은 모두 중심선으로 한다. (8점)

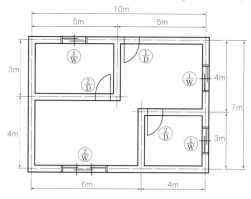

[해설] **7**

① 외벽은 중심간 길이로 계산하고 내벽은 안목길이로 계산하는 것이 원칙이나 이 문제의 조건에서 외벽 내벽 모두 중심선 길이로 산정해야 함을 주의해야 한다.

② 벽면적산정
A(m²)=H×(L+1)-개구부
· 외벽 : 중심간 길이(L)
· 내벽 : 안목간 길이 (l)
· 벽높이(H)
· 개구부면적 공제

① 시멘트 벽돌 소요량 계산식

답 :   매

② 모르타르량 계산식

답 : m^3

정답 7

P. 2-87 예제 참조

---

8 다음 블록의 명칭을 쓰시오. (4점)

① _____   ② _____   ③ _____

④ _____   ⑤ _____   ⑥ _____

⑦ _____   ⑧ _____

정답 8
① 기본블록
② 반블록
③ 한마구리 평블록
④ 양마구리 블록
⑤ 창대블록
⑥ 인방블록 (U Block)
⑦ 창쌤블록
⑧ 가로배근용 블록

---

9 건축공사의 단열공법에서 단열부위 위치에 따른 벽 단열공법의 종류를 쓰시오. (3점)

① _____   ② _____   ③ _____

정답 9
① 외벽(외부)단열공법
② 내벽(내부)단열공법
③ 중공벽(중간부)단열공법

---

10 고성능 콘크리트(High Performance Concrete)는 물리적 특성으로 구분하여 3가지 종류로서 고성능 콘크리트를 대별할 수 있다. 다음 고성능 콘크리트의 특성에 따른 3가지로 구분된 콘크리트 명칭을 쓰시오. (3점)

① _____   ② _____   ③ _____

정답 10
① 고강도콘크리트
② 고내구성콘크리트
③ 고유동성콘크리트

11 다음 콘크리트 배합설계시에 가장 관련이 있는 것을 1가지로 골라 번호로 쓰시오. (4점)

┌─〈보 기〉
│　① 단위수량 혹은 시멘트량　　　② 굵은 골재의 최대치수
│　③ 잔골재율 혹은 단위 굵은골재량　④ AE제의 량
│　⑤ 물·시멘트량

가. 콘크리트의 반죽질기 조정 : _____

나. 콘크리트의 점도 및 재료 분리조정 : _____

다. 콘크리트의 강도 고려 : _____

라. 콘크리트의 내구성 고려 : _____

[정답] 11
가. ①
나. ③
다. ⑤
라. ④

12 지하실 바깥 방수법의 시공공정순서를 쓰시오. (3점)

"밑창콘크리트 - (①) - 바닥콘크리트타설 - 벽콘크리트 - (②) - (③) - 되메우기"

① _____　　② _____

③ _____

[정답] 12
① 바닥방수층 시공
② 외벽(바깥벽)방수 시공
③ 보호누름 벽돌쌓기(시공)

13 철근의 이음방법에는 콘크리트와의 부착력에 의한 ①( )외에 ②( ) 또는 연결재를 사용한 ③( )이 있다. (3점)

[정답] 13
① 겹친이음
② 용접이음 ※ 가스압접이음
③ 기계식 이음
※ Sleeve이음, Sleeve압착이음, 커플러
이음(나사체결법)

14 콘크리트 공사시 다음 설명이 뜻하는 용어를 쓰시오. (4점)

가. 수량에 의해 변화하는 콘크리트 유동성의 정도

나. 콘시스텐시에 의한 치어붓기 난이도 정도 및 재료 분리에 저항하는 정도

다. 마감성의 난이를 표시하는 성질

라. 거푸집 등의 형상에 순응하여 채우기 쉽고 재료분리가 일어나지 않은 성질

[정답] 14
가. 반죽질기(Consistency)
나. 시공연도(Workability)
다. 마감성(Finishability)
라. 성형성(Plasticity)

15 PERT(Program Evaluation & Review Technique)에 사용되는 3가지 시간 견적치를 쓰고, 기대값(Te)을 구하는 식을 쓰시오. (3점)

① _____　② _____　③ _____

Te _____

[정답] 15
① 낙관시간(t_o)
② 정상시간(t_m)
③ 비관시간(t_p)

$$T_e = \frac{t_o + 4t_m + t_p}{6}$$

16 방수 공사에 사용되는 재질에 의한 분류 중 멤브레인 방수공사의 종류를 3가지 쓰시오. (3점)

① _____ ② _____ ③ _____

정답 **16**

① 아스팔트 방수공사
② 시이트(Sheet)방수공사
  ※ 합성고분자 시이트 방수
③ 도막 방수공사

17 PQ제도 (Pre Qualification)의 장점에 대하여 3가지만 쓰시오. (3점)

① _____

_____

② _____

_____

③ _____

_____

정답 **17**

① 부실시공을 방지할 수 있는 대책이 된다.
② 무자격자나 자격미달업체로부터 유능업체를 보호할 수 있다.
③ 입찰자가 감소되므로 입찰시간과 비용을 절감할 수 있다.
※ 기타 : 시공정밀도 확보가능(우수한 시공 기대), 기업의 경쟁력확보 (PQ에 통과한 업체는 기술력, 업무수행능력 인정)

18 다음 목재에 관계되는 용어를 설명하시오. (4점)

가. 섬유포화점 : _____

_____

나. 집성재 : _____

_____

정답 **18**

가. 섬유포화점 : 생나무가 건조하여 함수율이 30%가 된 상태로 이점을 경계로 수축 및 강도변화가 현저해진다.
※ 섬유포화점 이상의 함수율에서는 목재의 수축, 팽창과 강도는 변함이 없고 그 이하에서는 함수율이 감소함에 따라 목재의 강도는 증가되며, 수축도 증가된다.
나. 집성재 : 두께 1.5~5cm정도의 나무단판을 합성수지 접착제를 이용하여 섬유평행방향으로 몇장, 몇겹으로 접착하여 하나의 큰 부재로 한 목재
※ 기둥, 보, 아치재로 사용하며 곡면재도 가능하다.

19 보통 포틀랜드 시멘트 (압축강도 K=300kg/cm²)를 이용하여 배합강도 240kg/cm²인 보통콘크리트 제조에 필요한 물시멘트비를 구하시오. (3점)

계산 :

정답 **19**

$$\frac{61}{\frac{F}{K}+0.34}$$ K : 시멘트 강도
              F : 배합강도

※ $$\frac{61}{\frac{240}{300}+0.34}=53.61\%$$

※ 현행시방서 규정과는 상이함.

※ 이 문제는 90년 ④회에 기출문제로 당시규정에는 적합하나 현행규정은 상이함

답 : _____ (%)

20 다음과 같은 철근 콘크리트 기준층 보에서 철근 중량을 산출하시오. (7점)
(단, D22＝3.04kg/m, D16＝0.56kg/m이고, 주근의 hook길이는 10.3d로 한다.)

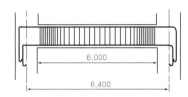
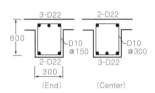

계산식:

답 : _____ kg

정답 **20**

① 상부주근 $(D22) : \{6 + (40 + 10.3) \times 0.022 \times 2\} \times 2 = 16.426m$

② 하 부 근 $(D22) : \{6 + (25 + 10.3) \times 0.022 \times 2\} \times 2 = 15.106m$

③ 벤 트 근 $(D22) : \{6 + (40 + 10.3) \times 0.022 \times 2\} + (\sqrt{2} \times 0.5 - 0.5) \times 2 = 8.627m$

④ 늑   근 $(D10) : 1.8 \times \left(\dfrac{3}{0.3} + \dfrac{3}{0.15} + 1\right) = 55.8m$

$D22 : (16.426 + 15.106 + 8.627) \times 3.04 = 122.083kg$　　　$D10 : 55.8 \times 0.56 = 31.248kg$

∴ 계 : $122.083 + 31.248 = 153.331 \rightarrow 153.33kg$

21 기성콘크리트말뚝을 사용한 기초공사에서 사용가능한 무소음·무진동공법 4가지를 쓰시오. (4점)

① _____   ② _____

③ _____   ④ _____

정답 **21**

① Pre-Boring 방법
② 중굴식(중앙부) 굴착방법
③ 수사식(Water Jet)방법
④ 회전식, 회전압입방법

22 건설재료 중에서 구조재료가 갖추어야 할 조건 3가지를 쓰시오. (3점)

① _____
② _____
③ _____

정답 **22**

① 강도가 크고 길고 곧은 재료(직대재, 直大材)를 얻을 수 있어야 한다.
② 건조수축이나 변형이 적은 재료이어야 한다.
③ 산출 또는 생산물량이 많고 손쉽게 구득 및 구입할 수 있어야 한다.
※ 기타 : 내구성, 내후성이 커야 한다. 부패나 충해에 강한 재료 등

23 철골공사시 각부재의 접합을 위해 사용되는 고장력 볼트 중 특수형의 볼트종류를 4가지 쓰시오. (4점)

① _____   ② _____

③ _____   ④ _____

정답 **23**

① Bolt축 전단형(TC Bolt식)
② Nut 전단형(PI 너트식)
③ 고장력 Grip Bolt식
④ 지압형 Bolt식

24 다음 테이터를 이용하여 네트워크 공정표로 작성하고 각 작업의 여유시간을 구하시오.
(8점)

작업명	공 기	선행작업	비　　　고
A	5	없음	
B	6	없음	
C	5	A, B	
D	7	A, B	
E	3	B	로 표기하고 주공정선은 굵은선으로 표기
F	4	B	하시오.
G	2	C, E	
H	4	C, D, E, F	

가. 공정표

나. 여유시간

작업명	TF	FF	DF	CP
A				
B				
C				
D				
E				
F				
G				
H				

[정답] **24**

가. 공정표 작성

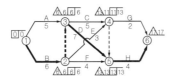

나 여유시간

작업명	TF	FF	DF	CP
A	1	1	0	
B	0	0	0	※
C	2	0	2	
D	0	0	0	※
E	4	2	2	
F	3	3	0	
G	4	4	0	
H	0	0	0	※

25 다음 시멘트의 비중시험에 이용되는 실험기구 및 재료를 〈보기〉에서 찾아 번호로 쓰시오. (3점)

┌─〈보 기〉─────────────────────────────────┐
　⑦ 르샤틀리에 플라스크　　　④ 천평　　　　　　⑤ 칼로리 미터
　⑧ 표준체　　　　　　　　　⑩ 광유　　　　　　⑪ 마노미터액
　⑥ 마른걸레　　　　　　　　⑯ 교반기
└──────────────────────────────────────┘

정답 25

⑦, ④, ⑩, ⑥

26 학교, 사무소 건물 등의 목재, 문틀이 큰 충격력 등에 의해 조적조 벽체로부터 빠져나오지 않게 하기 위한 보강방법의 종류를 3가지를 쓰시오. (3점)

① _____

② _____

③ _____

정답 26

① 창문틀 상, 하 가로틀에 뿔을 내어 옆벽에 물려서 쌓는다.
② 창문틀 중간에 60cm간격으로 꺽쇠나 볼트, 대못으로 고정한다.
③ 긴결철물을 이용하여 옆벽에 물려 쌓기하고 사춤을 철저히 한다.
※ 기타 : Jamb Block을 이용하여 쌓기한다.

2003년 1회 출제문제

1 보강 철근 콘크리트 블록조에서 반드시 세로근을 넣어야 하는 위치 3개소를 쓰시오. (3점)

① _____ ② _____ ③ _____

2 콘크리트 타설시 현장가수로 인한 문제점을 4가지 쓰시오. (4점)

① _____ ② _____

③ _____ ④ _____

3 파워쇼벨의 1시간당 추정 굴착작업량을 다음 조건일 때 산출하시오. (단, 단위를 명기하시오.) (4점)

┌─〈조 건〉─────────────────────────────────────┐
　　q = 0.8m³,　　F = 1.28,　　E = 0.83,　　K = 0.8　　Cm = 40sec
└──┘

4 다음 토질과 관계하는 자료를 참조하여 간극비와 함수율을 구하시오. (4점)

┌─〈자 료〉──────────────────────────────────────┐
　　• 순토립자만의 용적 - 2m³　　　• 순토립자만의 중량 - 4ton
　　• 물만의 용적 - 0.5m³　　　　　• 물만의 중량 - 0.5ton
　　• 공기만의 용적 - 0.5m³　　　　• 전체흙의 용적 - 3m³
　　• 전체흙의 중량 - 4.5ton
└──┘

가. 간극비 _____

나. 함수율 _____

5 기초에 사용되는 압입공법에서 채용되는 말뚝은 단부형태에 따라 구분되며, 말뚝길이가 지지지반까지 이르지 못할 경우 이어서 사용하게 되는데 이음방법도 구분된다. 이들의 종류를 각각 2가지씩 나열하시오. (4점)

　　가. 선단부 형상의 종류 ＿＿＿＿＿＿＿　＿＿＿＿＿＿＿

　　나. 말뚝이음의 종류 ＿＿＿＿＿＿＿　＿＿＿＿＿＿＿

6 철근콘크리트 공사에서 헛응결(false set)에 대하여 기술하시오. (3점)

＿＿＿＿＿＿＿＿＿＿＿＿＿＿＿＿＿＿＿＿＿

7 벽돌벽을 이중벽으로 하여 공간쌓기로 하는 목적을 3가지 쓰시오. (3점)

①＿＿＿＿＿＿　②＿＿＿＿＿＿　③＿＿＿＿＿＿

8 다음 설명이 뜻하는 콘크리트의 명칭을 써 넣으시오. (3점)

1) 콘크리트면에 미장 등을 하지 않고, 직접 노출시켜 마무리한 콘크리트 ?

＿＿＿＿＿＿＿＿＿＿＿＿＿＿＿＿＿＿＿＿＿

2) 부재 단면치수 80cm이상, 콘크리트 내외부 온도차가 25℃이상으로 예상되는 콘크리트 ?

3) 건축구조물이 20층 이상이면서 기둥크기를 적게 하도록 콘크리트 강도를 높게하는 구조물에 사용되는 콘크리트로서 설계기준 강도가 보통 400kg/cm²이상인 콘크리트 ?

＿＿＿＿＿＿＿＿＿＿＿＿＿＿＿＿＿＿＿＿＿

9 점토에 있어서 자연시료는 어느 정도의 강도가 있으나 이것의 함수율을 변화시키지 않고 이기면 약해지는 성질이 있다. 이러한 흙의 이김에 의해서 약해지는 정도를 표시하는 것을 무엇이라 하는가? (2점)

＿＿＿＿＿＿＿＿＿＿＿＿＿＿＿＿＿＿＿＿＿

10 경화한 콘크리트는 시멘트의 수화생성물로서 수산화석회를 유리하여 강알칼리성을 나타내고 수산화석회는 시간의 경과와 함께 콘크리트의 표면으로부터 공기중의 탄산가스 영향을 받아서 서서히 탄산석회로 변화하여 알칼리성을 소실하는 현상을 무엇이라 하는가? (2점)

＿＿＿＿＿＿＿＿＿＿＿＿＿＿＿＿＿＿＿＿＿

정답 **5**
가. 연필형태(Pencil Type : 폐쇄돌출형), 플랫형태(Flat Type : 폐쇄형)
나. 용접식 이음법, Bolt식 이음법
　기타 : 충전식 이음법

정답 **6**
가수한 시멘트풀이 10~20분내에 발열하지 않고 퍽 굳어졌다가 이후 순조롭게 경화가 진행되는 현상을 말한다.(위응결, 이중응결 이라고도 하며, 시멘트 성분 중 석고에 기인하여 이런 현상이 생긴다.)

정답 **7**
① 방습(방수)
② 보온(방한)
③ 방음(차음)

정답 **8**
1) 제물치장 콘크리트
　(Exposed Concrete)
2) 매스 콘크리트(Mass Concrete)
3) 고강도 콘크리트
　(High Strength Concrete)

정답 **9**
예민비(흙의 예민비)

정답 **10**
중성화(탄산화)현상

11 다음의 지반조사법 중 보링에 대한 설명이다. 알맞은 용어를 쓰시오. (3점)

　가. 비교적 연약한 토사에 수압을 이용하여 탐사하는 방식 : _____

　나. 경질층을 깊이 파는데 이용되는 방식 : _____

　다. 지층의 변화를 연속적으로 비교적 정확히 알고자 할 때 사용하는 방식 :

　_____

정답 **11**
가. 수세식 보링(Wash Boring)
나. 충격식 보링(Percussion Boring)
다. 회전식 보링(Rotary Boring)

12 CIP 공법으로 콘크리트 말뚝지정을 실시할 경우 시공순서를 기호로 쓰시오. (3점)

┌─〈보 기〉
│　　가. 자갈 다져넣기　　　　　나. 모르타르 주입
│　　다. 철근 주입　　　　　　　라. 모르타르 주입용 pipe 설치

정답 **12**
다 → 라 → 가 → 나

13 다음 보기의 각종 관리 중 목표가 되는 관리와 수단이 되는 관리로 구분하여 번호로 쓰시오. (4점)

┌─〈보 기〉
│　(1) 원가관리　　(2) 자원관리　　(3) 설비관리　　(4) 품질관리
│　(5) 자금관리　　(6) 공정관리　　(7) 인력관리

　가. 목표 : _____

　나. 수단 : _____

정답 **13**
가. 목표 : (1) (4) (6)
나. 수단 : (2) (3) (5) (7)

14 공정관리에 있어서 자원평준화 중 crew balance 방식에 관하여 기술하시오. (4점)

_____

_____

정답 **14**
건설현장에서 몇개의 작업팀을 구성하고, 각 공구의 작업을 작업팀에 균형 있게 배당하는 방식으로 연속적인 반복작업에 효과적이다.

15 철골공사에서 용접부의 비파괴 시험방법의 종류를 3가지 쓰시오. (3점)

①_____　②_____　③_____

정답 **15**
① 방사선 투과검사
② 초음파 탐상법
③ 자기분말 탐상법

16 철근콘크리트공사의 바닥(slab) 철근물량산출에서 주어진 그림과 같은 Two way slab의 철근 물량을 산출(정미량)하시오. (단, D10=0.56kg/m, D13=0.995kg/m 임) (6점)

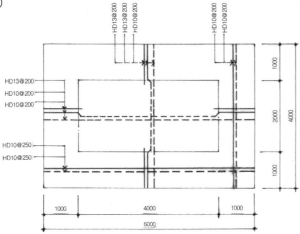

해설 16
① 톱바의 내민길이를 고려치 않는 경우
② 톱바의 내민길이를 고려한 경우 두가지 방법 모두 정답 범위로 함

정답 [1] 톱바의 내민길이를 고려치 않고 계산한 경우

(상부)

① 주근단부(D10) : $4 \times (1 \div 0.2 = 5 \rightarrow 5개 \times 2 + 1) = 44m$

② 주근톱바(D13) : $\{1 \times (4 \div 0.2)\} \times 2 = 40m$

③ 부근단부(D10) : $6 \times (1 \div 0.25 = 4 \rightarrow 4개 \times 2 + 1) = 54m$

④ 부근톱바(D13) : $\{1 \times (2 \div 0.2)\} \times 2 = 20m$

(하부)

⑤ 주근(D10) : $4 \times (6 \div 0.2 + 1) = 124m$　　⑥ 주근벤트(D13) : $4 \times (4 \div 0.2) = 80m$

⑦ 부근(D10) : $6 \times (\dfrac{2}{0.2} + \dfrac{2}{0.25} + 1) = 114m$　　⑧ 부근벤트(D10) : $6 \times (2 \div 0.2) = 60m$

　(D10) : $396 \times 0.56 = 221.76kg$　　(D13) : $140 \times 0.995 = 139.3kg$

　총계 : 361.06kg

[2] 톱바내민길이를(15d)를 고려한 경우(톱바의 내민길이 $15 \times 0.013 = 0.195m$이나, 0.2m를 보고 계산한 경우도 가능함)

(상부)

① 주근단부(D10) : $4 \times (1 \div 0.2 = 5 \rightarrow 5개 \times 2 + 1) = 44m$

② 주근톱바(D13) : $\{(1 + 0.195) \times (4 \div 0.2)\} \times 2 = 47.8m$

③ 부근단부(D10) : $6 \times (1 \div 0.25 = 4 \rightarrow 4개 \times 2 + 1) = 54m$

④ 부근톱바(D13) : $\{(1 + 0.195) \times (2 \div 0.2)\} \times 2 = 23.9m$

(하부)

① 주근(D10) : $4 \times (6 \div 0.2 + 1) = 124m$　　② 주근벤트(D13) : $4 \times (4 \div 0.2) = 80m$

③ 부근(D10) : $6 \times (\dfrac{2}{0.2} + \dfrac{2}{0.25} + 1) = 114m$

④ 부근벤트(D10) : $6 \times (2 \div 0.2) = 60m$

　(D10) : $396 \times 0.56 = 221.76kg$

　(D13) : $151.7 \times 0.995 = 150.941kg$

　총계 : $372.701 \rightarrow 372.70kg$

17 철근콘크리트공사를 하면서 철근간격을 일정하게 유지하는 이유를 3가지 쓰시오. (3점)

① _____ ② _____ ③ _____

18 콘크리트의 강도시험에서 하중속도는 압축강도에 크게 영향을 미치고 있으므로 매초 $0.2 \sim 0.3 N/mm^2$의 규정에 맞는 하중속도를 정하고자 한다. $\phi 100mm \times 200mm$ 시험체를 일정한 유압이 걸리도록 된 시험기에 걸고 1분 경과시 하중계의 값이 몇 kN과 몇 kN 범위에 들면 되는지 하중값을 산출하시오. (3점)

하중값 : _____

19 다음 콘크리트의 균열보수법에 대하여 설명하시오. (4점)

가. 표면처리법 _____

나. 주입공법 _____

20 실링 방수제의 주요 하자요인을 크게 3가지로 분류하시오. (3점)

① _____ ② _____ ③ _____

21 콘크리트 작업시 발생되는 다음의 균열에 대해 설명하시오. (6점)

가. 침강균열

_____

나. 레미콘에 의해 생길 수 있는 균열 원인

_____

22 다음의 거푸집을 계산할 때 고려하여야 할 것을 보기에서 모두 골라 번호를 쓰시오. (4점)

― 〈 보 기 〉 ―
(1) 적재하중   (2) 생콘크리트의 중량   (3) 작업하중   (4) 안전하중
(5) 충격하중   (6) 생콘크리트의 측압력   (7) 고정하중

가. 보, 슬래브밑면 _____

나. 벽, 기둥, 보옆 _____

정답 17
① 콘크리트의 유동성(시공성) 확보
② 재료분리 방지
③ 소요강도 확보

정답 18
하중값=94.25kN ~ 141.37kN

해설 • 공시체의 단면적
$$\frac{\pi \times 100^2}{4} = 7,854mm^2$$
• 초당 0.2MPa 일 때 :
  $7,854 \times 0.2 \times 60 = 94,248N$
  $= 94.25kN$
• 초당 0.3MPa 일 때 :
  $7,854 \times 0.3 \times 60 = 141,372N$
  $= 141.37kN$
∴ $94.25kN \sim 141.37kN$

정답 19
가. 표면처리법 : 보통 진행정지된 0.2mm 이하의 미세 균열에 폴리머시멘트나 Mortar로 보수하는 방법(균열진행인 경우는 테이프 부착후 시일재를 도포하는 경우도 있음)
나. 주입공법 : 주입구멍을 천공하고 주입 파이프를 5~30cm 간격으로 설치하여 깊이 20mm 정도로 저점도의 에폭시 수지를 밀봉재로 주입하는 공법이다.

정답 20
① 실링재 자신의 파단(응집파괴에 의한 실링재 파단)
② 접착면과의 박리(접착파괴)
③ 접착부나 줄눈주위의 오염

정답 21
가. 타설후 블리딩현상에 의해 콘크리트가 침하할 때 주로 철근을 따라서 콘크리트 표면에 발생하는 초기 균열
나. ① 물의 과다 사용(시공연도 증가를 위한 현장가수)
    ② 장기간 운반에 따른 재료분리
※ 혼화제의 과다 사용에 의한 균열 발생

정답 22
가. (2) (3) (5)
나. (2) (6)

23 다음 데이터를 네트워크 공정표로 작성하고, 요구작업에 대하여는 여유시간을 계산하시오. (단, 주공정선은 굵은 선으로 표시할 것) (10점)

작업명	작업일수	공정관계	선행작업	비　　　고
A	5	0→1	없음	
B	4	0→2	없음	
C	6	0→3	없음	결합점에서는 다음과 같이 시간을 표시한다.
D	7	1→4	A, B, C	
E	8	2→5	B, C	
F	4	3→6	C	EST LST　　　　LFT EFT
G	6	4→7	D, E, F	①—작업명 공사일수—ⓙ
H	4	5→7	E, F	
I	5	6→7	F	
J	2	7→8	G, H, I	

가. 공정표

나. 여유시간

정답 23

가. 공정표

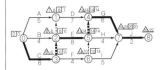

나. 여유시간

작업명	TF	FF	DF
B	2	2	0
D	1	1	0
F	4	0	4
G	0	0	0
I	5	5	0

24 다음 철골 트러스 1개분의 철골량을 산출하시오. (단, L-65×65×6＝5.94kg/m, L-50×50×6＝4.43kg/m, PL-6＝46.1kg/m² 소수 셋째자리에서 반올림하시오.) (9점)

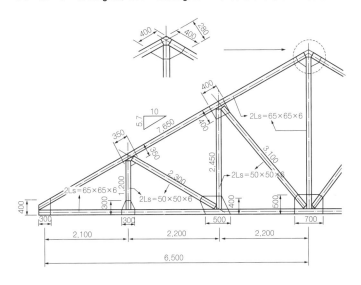

가. L-65×65×6 _____

나. L-50×50×6 _____

다. PL-6 _____

정답 24

　　가. L-65×65×6

　　　　(평보) : $6.65 \times 2 \times 2 = 26.6m$

　　　　(ㅅ자보) : $7.65 \times 2 \times 2 = 30.6m$

　　　　(왕대공) : $3.79 \times 2 = 7.58m$

　　　　∴ $26.6 + 30.6 + 7.58 = 64.78 \times 5.94 = 384.793kg$

　　　　답 : 384.79kg

　　나. L-50×50×6

　　　　(대공) $(1.2 + 2.3 + 2.45 + 3.1) \times 2 \times 2 = 36.2m$

　　　　∴ $36.2 \times 4.43 = 160.366kg$

　　　　답 : 160.37kg

　　다. PL-6

　　　　$\{(0.3 \times 0.4 + 0.35 \times 0.35 + 0.4 \times 0.4 + 0.3 \times 0.3 + 0.5 \times 0.4) \times 2 + 0.4 \times 0.4 + 0.7 \times 0.5\} = 1.895m^2$

　　　　∴ $1.895 \times 46.1 = 87.359kg$

　　　　　答 : 87.36kg

25 말구지름 16cm, 원구지름 20cm, 길이 10m인 통나무 10개가 있다. 제재시 껍질을 전혀 포함하지 않는 최대 사각형 기둥으로 만들려고 할 때 제재된 전체 목재의 재적(m^3)을 구하시오. (3점)

_____

해설 24

① 왕대공 길이산정

　물매 $10 : 5.7 = 6.65 : X$

　　$X = \dfrac{5.7 \times 6.65}{10} = 3.79m$

② 철골트러스 1개분인 것에 주의를 할 것.(좌우로 계산한다.)

③ 왕대공은 2L- 65×65×6의 2L 이므로 2개이고, 양쪽이 아니므로 좌우 2가 없다.

정답 25

길이가 6m 이상인 경우로 목재의 재적(m^3)을 산출해야 하나 최대 사각형의 조건에 의하여 주어진 말구지름이 16cm이므로 최대 사각형을 만들기 위한 한변의 크기는

$\sqrt{2} \times x = 16cm$

$x = 11.31cm$

∴ $(0.1131m \times 0.1131 \times 10m)$

　　$\times 10개 = 1.279 \rightarrow 1.28m^3$

2003년 2회 출제문제

1 흙막이는 토질, 지하출수, 기초깊이 등에 따라 그 공법을 달리하는데 흙막이의 형식을 4 가지만 쓰시오. (4점)

1) _____ 2) _____

3) _____ 4) _____

정답 **1**

1) 버팀대식 흙막이 공법
2) 어미말뚝식 흙막이 공법
3) 강재널말뚝 공법
4) 지중연속벽 공법

2 다음은 조적공사 시공시 유의하여야 할 점이다. 빈칸을 채우시오. (4점)

가. 한냉기 공사 ( )에서 모르타르 온도가 4 ~ ( )℃ 이내가 되 도록 유지함.

나. 벽돌 표면온도는 ( )℃ 이하가 되지 않도록 관리함.

다. 가로·세로의 줄눈나비는 ( )cm를 표준으로 함.

라. 모르타르용 모래는 ( )mm 체에 100% 통과하는 적당한 입도일 것.

정답 **2**

가. 4℃이하, 40
나. 영하7
다. 1
라. 5

3 블록구조의 외부벽체에 대한 직접 방수처리 방법을 3가지를 쓰시오. (3점)

1) _____ 2) _____ 3) _____

정답 **3**

1) 수밀재 붙임공법
2) 시멘트 액체방수 처리
3) 도막 방수공법 처리

4 지하구조물 축조시 인접 구조물의 피해를 막기 위해 실시하는 언더피닝(under pinning) 공법의 종류 4가지를 쓰시오. (4점)

1) _____ 2) _____

3) _____ 4) _____

정답 **4**

1) 이중 널말뚝 공법
2) 강재 말뚝 보강 공법
3) 현장타설 콘크리트말뚝 설치 보강 공법
4) 모르타르 및 약액 주입 공법

5 시멘트 모르터 미장공사에서 채용되는 부위별 미장시 합계 두께를 mm단위로 쓰시오. (4점) (콘크리트 바닥을 기준으로 함.)

가. 바닥 : _____ 나. 천장 : _____

다. 내벽 : _____ 라. 바깥벽 : _____

정답 **5**

가. 24mm
나. 15mm
다. 18mm
라. 24mm

6 철골공사의 접합에 사용되는 고장력 볼트의 장점을 4가지 쓰시오. (4점)

1)＿＿＿＿＿＿＿＿＿＿ 2)＿＿＿＿＿＿＿＿＿＿＿＿

3)＿＿＿＿＿＿＿＿＿＿ 4)＿＿＿＿＿＿＿＿＿＿＿＿

7 계약제도상의 보증금 종류 3가지를 쓰시오. (3점)

1)＿＿＿＿＿ 2)＿＿＿＿＿ 3)＿＿＿＿＿＿

8 다음 그림과 같은 창고를 시멘트 벽돌로 신축하고자 할 때 벽돌 쌓기량(매)와 내외벽 시멘트 미장할 때 미장면적을 구하시오. (8점)

(단, 1) 벽두께는 외벽 1.5B 쌓기, 칸막이벽 1.0B 쌓기로 하고 벽높이는 안팎 공히 3.6m로 가정하며, 벽돌은 표준형(190×90×57)으로 할증율은 5%임.

2) 창문틀 규격은 1/D : 2.2m×2.4m, 2/D : 0.9m×2.4m, 3/D : 0.9m×2.1m

1/W : 1.8m×1.2m, 2/W : 1.2m×1.2m

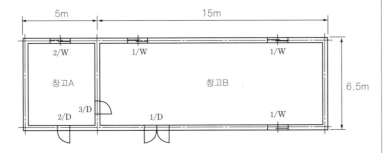

가. 벽돌량 : ＿＿＿＿＿＿ 매

나. 미장면적 : ＿＿＿＿＿＿ m²

정답 6

1) 접합부의 강성이 높다.
2) 불량개소의 수정이 용이하다.
3) 노동력 절약, 공기단축
4) 현장시공 설비가 간단하다.

정답 7

1) 입찰 보증금
2) 계약 보증금
3) 하자 보증금

정답 8

가. 벽돌량

- 1.5B : $(20-0.29+6.5-0.29)\times 2\times 3.6-$
  $(1.8\times 1.2\times 3+1.2\times 1.2+2.2\times$
  $2.4+0.9\times 2.4)=171.264\times 224$
  $=38,363.1$장

- 1.0B : $\{(6.5-0.29\times 2)\times 3.6-0.9\times 2.1)\}$
  $=19.422m^2\times 149=2,893.8$장

합계 : $(38,363.1+2,893.8)\times 1.05$
$=43,319.7$장

답 : 43,320장

나. 미장면적

- 외부 : $(20+6.5)\times 2\times 3.6-(1.8\times 1.2\times$
  $3+1.2\times 1.2+2.2\times 2.4+0.9\times$
  $2.4)=175.44m^2$

- 내부 : 창고A $=\left\{\left(5-0.29-\dfrac{0.19}{2}\right)+\right.$
  $\left.(6.5-0.29\times 2)\right\}\times 2\times 3.6$
  $-(1.2\times 1.2+0.9\times 2.4+0.9$
  $\times 2.1)=70.362m^2$

창고B $=\left\{\left(15-0.29-\dfrac{0.19}{2}\right)+5.92\right\}$
$\times 2\times 3.6-(1.8\times 1.2\times 3+2.2\times$
$2.4+0.9\times 2.1)=134.202m^2$

∴ $70.362+134.202=204.564m^2$

합계 : $175.44+204.564=380m^2$

답 : 380m²

9 다음 주어진 내용과 보기 중 상호연결성이 높은 것을 찾아 기호로 쓰시오. (5점)

　　〈보 기〉
　　　① 오토클레이브　② 길모어　③ 슈미트햄머　④ 르샤틀리에　⑤ 표준체

　가. 응결시험 (　　)　　나. 안정도 시험 (　　)　　다. 강도 시험 (　　)
　라. 비중시험 (　　)　　마. 분말도 시험 (　　)

정답 **9**
가. ②
나. ①
다. ③
라. ④
마. ⑤

10 슬러리월(Slurry wall)공법에 대하여 서술하고, Guide wall의 설치목적을 2가지 쓰시오. (4점)

　가. 슬러리월 공법 : ＿＿＿＿＿＿＿＿＿＿＿＿＿＿＿＿＿＿＿＿

　나. Guide wall 설치목적 : ＿＿＿＿＿＿＿＿＿＿＿＿＿＿＿＿＿

정답 **10**
가. 안정액을 사용하여 지반을 굴착하고 철근망을 삽입하여 콘크리트를 타설하고 지중에 철근 콘크리트 연속벽을 구축하는 공법
나. (1) 굴착공이나 인접지반의 붕괴 방지
　(2) 굴착기계 이동, 철근망 거치 등 중량물의 지지 역할

11 무리말뚝 기초공사에 관한 사항이다. 일반적인 시공순서를 보기에서 골라 기호로 쓰시오. (4점)

　　〈보 기〉
　　㉮ 수평규준틀 설치　　㉯ 중앙부말뚝박기　　㉰ 가장자리말뚝박기
　　㉱ 말뚝중심잡기　　　㉲ 표토걷어내기　　　㉳ 말뚝머리정리

정답 **11**
㉲ → ㉮ → ㉱ → ㉯ → ㉰ → ㉳

12 토공장비 선정시 고려해야 할 기본적인 요소 4가지를 기술하시오. (4점)

　가)＿＿＿＿＿＿　　나)＿＿＿＿＿＿　　다)＿＿＿＿＿＿　　라)＿＿＿＿＿＿

정답 **12**
가) 굴착깊이에 따른 장비의 규모 고려
나) 흙의 종류에 따른 능률성 고려
다) 토공사기간에 따른 장비의 유형 및 갯수
라) 굴착된 흙의 반출거리

13 BOT방식 (Build Operate Transfer Contract)을 설명하시오. (3점)

＿＿＿＿＿＿＿＿＿＿＿＿＿＿＿＿＿＿＿＿＿＿＿＿＿＿＿

정답 **13**
민간부분 수주측이 설계, 시공 후 일정기간 시설물을 운영하여 투자금을 회수하고 시설물과 운영권을 무상으로 발주측에 이전하는 방식

14 대형 시스템 거푸집 중에서 갱폼(Gang form)의 장·단점을 각각 2가지씩 쓰시오. (4점)

가. 장점 : (1) _____

　　　　　(2) _____

나. 단점 : (1) _____

　　　　　(2) _____

정답 **14**

가. (1) 조립과 해체작업이 생략되어 설치시간이 단축된다.
　　(2) 거푸집의 처짐량이 작고 외력에 대한 안정성이 높다.

나. (1) 중량이 커서 운반시 대형 양중 장비 필요
　　(2) 초기 투자비가 증대된다

15 철골조 내화피복의 시공공법을 4가지 들고 설명하시오. (4점)

(1) _____

(2) _____

(3) _____

(4) _____

정답 **15**

(1) 타설공법 : 철골조에 콘크리트 또는 경량 콘크리트를 타설
(2) 미장공법 : 철골조에 철망을 치고 모르타르 또는 퍼얼라이트로 미장하는 공법
(3) 뿜칠공법 : 철골조에 암면, 모르타르, 플라스터, 실리카, 알루미나제 모르타르를 뿜칠하는 공법
(4) 조적공법 : 철골조에 벽돌, 콘크리트, 블록, 경량 콘크리트 블록, 돌등으로 조적하는 공법

16 다음 데이터를 이용하여 공기를 계산한 결과 지정공기보다 6일이 지연되었다. 공기를 조정하여 6일의 공기를 단축한 공정표를 작성하고, 총공사 금액을 산출하시오. (8점)

정답

작업명	선행작업	정상 (Normal)		특급 (crash)		비　고
		공기(일)	공비(원)	공기(일)	공비(원)	
A	–	3	3,000	3	3000	단축된 공정표에서 주공정선은 굵은 선으로 표기하고, 각 결함점에서는
B	A	5	5,000	3	7000	
C	A	6	9000	4	12000	
D	A	7	6000	4	15000	
E	B	4	8000	3	8500	
F	B	10	15000	6	19000	
G	C, E	8	6000	5	12000	로 표기한다.
H	D	9	10000	7	18000	
I	F, G, H	2	4000	2	3000	

정답 **16**

· 총공사 금액＝표준공사비＋추가공사비
※ 표준공사비 : 66,000원
※ 6일단축시 추가공사비
· B : 2일×1,000＝2,000원
· D : 3일×3,000＝9,000원
· E : 1일×500＝500원
· F : 2일×1,000＝2,000원
· G : 3일×2,000＝6,000원
· H : 2일×4,000＝8,000원
∴ 총공사비＝66,000＋27,500
＝93,500(원)

-단축한 네트워크 공정표

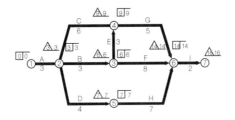

17 바닥 미장면적이 1,000m² 일 때, 1일 10인 작업시 작업 소요일을 구하시오. (3점)
(단, 아래와 같은 품셈을 기준으로 하며 계산과정을 쓰시오.)

바닥미장 품셈 (m²당)

구 분	단 위	수 량
미장공	인	0.05

작업소요일 :

정답 17

미장공 1인당 1일 품셈 : 0.05m²
작업소요일 : 1,000 × 0.05 ÷ 10 = 5일
답 : 5일

---

18 품질관리의 순서를 보기에서 골라 번호를 순서대로 나열하시오. (4점)

〈보 기〉
㉮ 작업표준   ㉯ 품질표준   ㉰ 품질조사   ㉱ 수정조치의 조사   ㉲ 수정조치

      →   →   →   →

정답 18

㉯ → ㉮ → ㉰ → ㉲ → ㉱

---

19 철근콘크리트 부재의 이어치기는 수직, 수평, 직각의 형태로 구분된다. 주어진 부재의 이어치기를 이들 3형태에 맞게 번호로 답하시오. (3점)

〈보 기〉
① 보   ② 기둥   ③ 슬래브   ④ 벽   ⑤ 아치

가. 수직(   )   나. 수평(   )   다. 축에 직각(   )

정답 19

가. ①, ③, ④
나. ②, ④
다. ⑤

---

20 철골공사의 공장제작이 완료된 후에 현장세우기를 하여야 하는데 현장 시공을 위한 철골 시공도에 삽입해야 할 중요한 사항을 2가지 기록하시오. (4점)

(1) _____

(2) _____

정답 20

(1) 주심, 벽심과 철골의 주심과의 관계 표시
(2) 철골과 앵커볼트와의 관계
(3) 기초와 앵커 볼트와의 관계 표시

21 다음 물음에 답하시오.

가. 차량하중을 받는 콘크리트 바닥판의 시공줄눈을 보강하기 위하여 아래의 단면도와 같이 Slip Bar를 60cm 간격으로 설치하려 한다. 이때 Slip bar의 한 부분은 콘크리트속에 고정시키고 나머지 부분은 고정되지 않게 처리한다. 그 처리방법을 쓰시오. (4점)

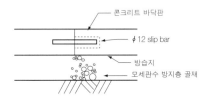

1) Slip bar의 처리방법 : _____

나. 아래의 단면도와 같이 콘크리트 바닥판의 수평단면이 변하는 Ⓐ의 위치에 설치되는 명칭을 쓰시오. 또한, 이 콘크리트 줄눈에서 용접철망을 처리하는 방법을 보기에서 골라 기호로 쓰시오.

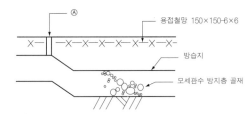

┌─〈보 기〉─────────────────────────
① 줄눈을 관통시켜 용접철망을 연속해서 설치한다.
② 줄눈의 좌우 양측으로 5cm 정도 떨어진 지점까지만 용접철망을 설치하여 줄눈을 관통시키지 않는다.

1) 줄눈명칭 : _____

2) 용접철망 처리방법 : _____

정답 21

가. 1) slip bar의 한 부분을 콘크리트에 매립 고정시키고 slip bar의 나머지 부분은 아스팔트나 유제(Grease) 칠을 한 후 cap을 씌워 이동이 되도록 처리한 후 콘크리트를 타설한다.

나. 1) 줄눈명칭 : expansion joint
    2) 용접철망 처리방법 : ②

22 콘크리트 내부의 철근이 부식되기 위해 필요한 3요소는 무엇이며, 이에 대한 대책은 이들 3요소를 억제하거나 콘크리트 중으로의 침투를 막으면 된다. 이를 위한 방법 3가지는 무엇인가? (6점)

가. 강재피해의 요소 : ① _____ ② _____ ③ _____

나. 피해방지 대책

    ① _____

    ② _____

    ③ _____

정답 **22**

가. ① 물   ② 공기   ③ 염분
나.
① 물시멘트비를 작게 하여 수밀한 콘크리트를 타설한다.
② 피복두께를 크게 하여 투기성을 감소시켜 탄산가스의 접촉을 방지한다.
③ 바다모래 사용시 잘 세척하여 염분을 제거하고, 방청제, 제염제를 투입하여 염분 영향을 방지한다.

23 철골구조물에서 보 및 기둥에는 H형강이 많이 사용되는데 Long Span에서는 기성품인 Rolled형강을 사용 할 수 없을 정도의 큰 단면의 부재가 필요하게 된다. 이 경우 공장에서 두꺼운 철강판을 절단하여 소요크기로 용접제작하여 현장제작(Built up)형강을 사용하게 되는데 H-1200×500×25×100부재(L=20m) 20개의 철강판 중량은 얼마(ton)인가? (단, 철강의 비중은 7.85로 한다.) (4점)

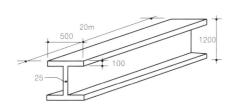

정답 **23**

1개의 중량
$(1.2-0.1\times2)\times20\times0.025+0.5\times20\times0.1$
$\times2 = 2.5$
총합계 : $2.5\times7.85\times20 = 392.5$
답 : 392.5 ton

24 콘크리트 블록벽 쌓기에서 수평줄눈에 묻어쌓는 Wire mesh 사용목적을 2가지 쓰시오. (2점)

  (1) _____

  (2) _____

정답 **24**

(1) 벽체의 균열방지
(2) 횡력과 편심하중의 영향방지(균등분산)
※ 모서리, 교차부 등의 벽체보강

2003년 3회 출제문제

1 창호를 분류하면 기능에 의한 분류, 재질에 의한 분류, 개폐방식에 의한 분류, 성능에 의한 분류로 구분 할 수 있다. 이중에서 성능에 따라 분류 할 때의 종류를 3가지 쓰시오. (3점)

가. _____ 나. _____ 다. _____

2 지하실 방수공법으로 바깥방수와 안방수의 장단점을 쓰시오. (4점)

(가) 바깥방수 : _____

_____

(나) 안 방 수 : _____

_____

3 다음 데이터를 이용하여 정상공기를 산출한 결과 지정공기보다 3일이 지연되는 결과이었다. 공기를 조정하여 3일의 공기를 단축한 네트워크 공정표를 작성하고 아울러 총공사금액을 산출하시오. (10점)

작업 기호	선행 작업	정상 (Normal)		특급 (crash)		비용구배 (Cost Slope) (원/일)	비 고
		공기(일)	공비(원)	공기(일)	공비(원)		
A	-	3	7,000	3	7,000	-	단축된 공정표에서 CP는 굵은 선으로 표기하고, 각 결함점에서는
B	A	5	5,000	3	7,000	1,000	
C	A	6	9,000	4	12,000	1,500	EST LST ⎯⎯ LFT EFT
D	A	7	6,000	4	15,000	3,000	
E	B	4	8,000	3	8,500	500	ⓘ 작업명→ⓙ
F	B	10	15,000	6	19,000	1,000	공사일수
G	C, E	8	6,000	5	12,000	2,000	로 표기한다.(단, 정상공기는 답
H	D	9	10,000	7	18,000	4,000	지에 표기하지 않고 시험지 여
I	F,G,H	2	3,000	2	3,000	-	백을 이용할 것.)

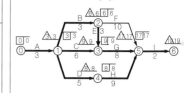

4 다음에서 설명하는 건축관련용어를 (   )안에 쓰시오. (4점)

가. 지하연속벽 (slurry wall)시공시 굴착작업에 앞서 굴착구 양측에 설치하는 것으로 굴착구 인접지반의 붕락을 방지하고 굴착기계의 진입을 유도하는 가설벽은?   (   )

나. 수중콘크리트 타설에 이용되는 상단부의 머리부분에 구멍을 가진 수밀성이 있는 관은?   (   )

다. 철근의 단면을 산소-아세틸렌 불꽃 등을 사용하여 가열하고, 기계적 압력을 가하여 맞댄이음 하는 것은?   (   )

라. 불투수성 피막을 형성하여 방수하는 공사를 총칭하며, 아스팔트방수층, 시트방수 및 도막방수가 여기에 해당된다. 이를 나타내는 용어는?
                           (   )

정답 **4**
가. 가이드 월 (Guide Wall)
나. 트레미관 (Tremie pipe)
다. 가스압접
라. 멤브레인 (Membrane)방수 공법

5 타일의 종류를 소지질 및 용도에 따라 분류하시오. (2점)

가. 소지질 : _____

나. 용 도 : _____

정답 **5**
가. 자기질 타일, 도기질 타일, 석기질 타일
나. 외부용 타일, 내부용 타일, 바닥용 타일

6 다음 용어를 정의 하시오. (4점)

가. 압밀침하 : _____

나. 피 압 수 : _____

정답 **6**
가. 외력에 의해 간극내 물이 빠지면서 흙입자 간격이 좁아지면서 체적이 감소되어 침하되는 현상
나. 지하수가 정수압보다 높은 압력을 가질 때 펌프없이 솟아나는 자분 샘물을 말한다.

7 목조 반자틀의 시공순서를 보기에서 골라 번호로 쓰시오. (4점)

   ┌─〈보 기〉─────────────────────────┐
   │ ① 반자틀받이   ② 반자틀   ③ 반자돌림대 │
   │ ④ 달대받이   ⑤ 천장재 붙이기   ⑥ 달대 │
   └──────────────────────────────┘

정답 **7**
④ → ③ → ① → ② → ⑥ → ⑤

8 토류벽을 이용한 수직터파기 공법의 순서를 보기에서 골라 번호로 쓰시오. (4점)

〈보 기〉
| ① 앵커용 보링 | ② 엄지말뚝박기 | ③ 인장시험 |
| ④ 띠장설치 | ⑤ 앵커 그라우팅 | ⑥ 흙막이벽판 설치 |

정답 **8**
② → ⑥ → ① → ⑤ → ④ → ③

9 가설설비계획의 입안시 유의해야 할 사항을 3가지 쓰시오. (3점)

① _____

② _____

③ _____

정답 **9**
① 가설설비의 현장설치 최소화를 추구
② 철저한 사전 검토에 의한 안전확보 및 공해방지
③ 가설설비의 효율적 운용으로 경제성 추구(높은 전용성과 조립·해체의 간편성 추구)
※ 기타 : 현장조립작업의 축소 등

10 다음은 콘크리트의 조립식 공법을 설명한 것으로 보기에서 골라 설명에 해당하는 번호를 쓰시오. (5점)

〈보 기〉
| ① 커튼월 공법 | ② 틸트업(tilt-up) 공법 | ③ BOX 식 |
| ④ 리프트 슬래브식 (lift slab) | | ⑤ 내력벽식 |

가. 창호 등이 설치된 건축물의 벽체를 아파트 등의 구조체로 이용하는 방법 ( )

나. 건축물의 1실 혹은 2실 등의 구조체를 박스형으로 지상에서 제작한 후 이를 인양 조립하는 방법 ( )

다. 지상의 평면에서 벽판 및 구조체를 제작한 후 이를 일으켜서 건축물을 구축하는 방법 ( )

라. 지상에서 여러 층의 슬래브를 제작한 후 이를 순차적으로 들어 올려 구조체를 축조하는 방법 ( )

마. 창문틀 등을 건축물의 벽판에 설치한 후 구조체에 붙여대어 사용하는 공법 ( )

정답 **10**
가. ⑤
나. ③
다. ②
라. ④
마. ①

11 일반적인 벽돌 및 블록쌓기 순서를 보기에서 골라 번호로 쓰시오. (4점)

〈보 기〉
| ① 중간부 쌓기 | ② 접착면 청소 | ③ 보양 | ④ 줄눈파기 |
| ⑤ 물축이기 | ⑥ 규준쌓기 | ⑦ 치장줄눈 | |

정답 **11**
② → ⑤ → ⑥ → ① → ④ → ⑦ → ③

12 콘크리트 공사에서 Remixing과 Retempering에 관하여 기술하시오. (4점)

(가) Remixing : _____

(나) Retempering : _____

[정답] **12**

(가) 아직 엉기지 아니한 콘크리트를 상당한 시간 경과 또는 재료분리 등으로 다시 비벼 쓰는 것.

(나) 콘크리트가 응결하기 시작한 것을 다시 비비는 것.

13 제자리 콘크리트 말뚝에 관한 공법의 명칭을 기록하시오. (3점)

가. 회전식 Drilling Bucket에 의해 지중에 필요 깊이까지 굴착하고, 그 굴착공에 철근을 삽입하여 콘크리트를 타설하여 말뚝을 조정하는 공법

(   )

나. 특수비트의 회전으로 굴착된 토사를 Drill rod 내의 물과 함께 공외로 배출하여 침전지에 토사를 침전시킨 후 물을 다시 공내에 환류 시키면서 굴착한 후 철근망을 삽입하고 트레미관에 의해 콘크리트를 타설 하면서 말뚝을 조성하는 공법

(   )

다. 특수 고안된 Cassing tube를 좌회전과 우회전 운동의 반복에 의해 요동시키면서 지반의 마찰저항을 감소시켜 유압잭으로 압입하면서 공벽 파괴를 방지하고 Hammer Grab로 굴착 후 철근을 삽입하고 콘크리트를 충전하면서 Cassing tube를 빼내면서 말뚝을 조성하는 공법

(   )

[정답] **13**

가. 어스드릴 공법
나. 리버스 서큘레이션 공법
다. 베노토 공법

14 사업관리(CM)이란 건설의 전 과정에 걸쳐 프로젝트를 보다 효율적이고 경제적으로 수행하기 위하여 각 부문의 전문가들로 구성된 통합된 관리기술을 건축주에게 서비스하는 것을 말하는데 그 주요 업무를 5가지 쓰시오. (5점)

① _____   ② _____

③ _____   ④ _____

⑤ _____

[정답] **14**

① 설계관리
② 계약 관리 업무
③ 공정관리 업무
④ 원가(비용)관리 업무
⑤ 품질관리 업무

15 공사비 지불방식에 따른 도급방식 중 실비청산보수가산 도급에서 공사비 산정방식의 종류를 4가지 쓰시오. (4점)

① _____   ② _____

③ _____   ④ _____

[정답] **15**

① 실비청산 정액보수 가산도급
② 실비청산 비율보수 가산도급
③ 실비청산 한정 비율보수 가산도급
④ 실비청산 준동율보수 가산도급

16 아래 평면 및 A-A′ 단면도를 보고 벽돌조건물에 대해 요구하는 재료량을 산출하시오. (단, 벽돌수량 산출은 벽체 중심선으로 하고, 할증은 무시. 콘크리트량, 거푸집량은 정미량) (10점)

     가. 벽돌량 (외벽 1.0B 붉은벽돌, 내벽 0.5B 시멘트벽돌, 벽돌크기(190×90×57mm), 줄눈나비 (10mm)

     나. 콘크리트량 (단, 버림콘크리트 제외)

     다. 거푸집량

해설 16
P. 2-119 문제 4번 참조

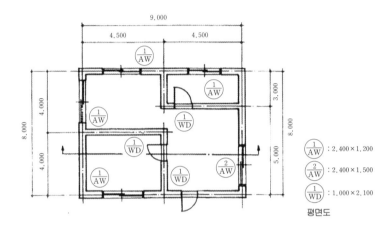

평면도

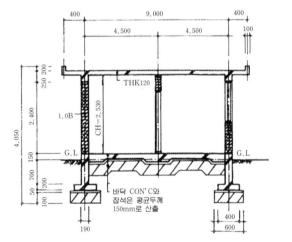

A−A′단면도

가. 벽돌량 (붉은벽돌+시멘트벽돌) _____

나. 콘크리트량 _____

다. 거푸집량 _____

17 철골공사에서 기초 상부 고름질의 방법 4가지를 쓰시오. (4점)

　가. _____　　　나. _____

　다. _____　　　라. _____

정답 **17**

가. 전면 바름 마무리법
나. 나중 채워넣기 중심 바름법
다. 나중 채워넣기 + 자 바름법
라. 완전 나중 채워 넣기법

18 철골공장 가공이 완료되는 단계에서 강재면에 녹막이칠을 1회하고 현장으로 운반하는데, 이 때 녹막이칠을 하지 않은 부분에 대하여 2가지만 쓰시오. (2점)

　(1) _____　　　(2) _____

정답 **18**

(1) 콘크리트에 매립되는 부분
(2) 고력볼트 접합부의 마찰면 부위

19 콘크리트 배합시 잔골재를 세척해사로 사용했을 때 콘크리트의 염화물 함량을 측정한 결과 염소이온량이 $0.3kg/m^3$ ~ $0.6kg/m^3$이었다. 이 때 철근콘크리트의 철근 부식방지에 따른 유효한 대책을 4가지 쓰시오. (4점)

　(1) _____

　(2) _____

　(3) _____

　(4) _____

정답 **19**

(1) 물·시멘트비를 작게하여 수밀한 콘크리트를 만든다.
(2) 피복두께를 두껍게 하거나 수밀성이 높은 표면 마감을 한다.
(3) 콘크리트에 방청제를 혼입한다.
(4) 철근에 아연도금 또는 에폭시 코팅을 한다.

20 섬유보강 콘크리트에 사용되는 섬유의 종류를 3가지 쓰시오. (3점)

　(1) _____　(2) _____　(3) _____

정답 **20**

(1) 강섬유
(2) 유리섬유
(3) 탄소섬유

21 바닥마감공사에서 규격 180mm×180mm인 클링커타일을 줄눈나비 10mm로 바닥면적 200m²에 붙일 때 붙임 매수는 몇 장인가? (할증률 및 파손은 없는 것으로 가정한다.) (3점)

정답 **21**

계산 : $(1×1)/\{(0.18+0.01) × (0.18+0.01)\} × 200 = 5,540.166$
답 : 5,540매

22 공사의 수행 중에 발생 할 수 있는 "계약변경의 요인" 3가지를 쓰시오. (3점)

(1) _____

(2) _____

(3) _____

정답 **22**

(1) 계약사항의 변경이 있는 경우
(2) 설계도면이나 시방서의 결함, 오류(하자)
(3) 현장 조건이 상이한 경우

23 S.C.W (Soil Cement Wall) 공법의 특징을 5가지만 기술하시오. (5점)

(1) _____

(2) _____

(3) _____

(4) _____

(5) _____

정답 **23**

(1) 진동, 소음이 작다.(저소음, 저진동 공법이다.)
(2) 인접건물의 근접시공이 가능하다.(인접건물 경계선까지 시공 가능)
(3) 지반보강 및 차수효과가 확실하다.
(4) 길이, 깊이 등 칫수조정이 자유롭다.
(5) 이동이 빠르고 작업능률이 우수하다.

24 혼합시멘트의 종류에 대한 명칭 3가지를 쓰시오. (3점)

(가) _____

(나) _____

(다) _____

정답 **24**

(가) 포졸란(실리카) 시멘트
(나) 고로(고로 슬래그) 시멘트
(다) 플라이 애쉬 시멘트

2004년 1회 출제문제

1 다음 벽돌쌓기면에서 보이는 모양에 따라 붙여지는 쌓기명을 쓰시오. (4점)

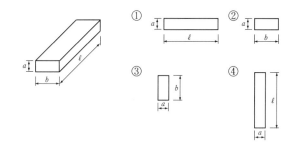

① _____ ② _____ ③ _____ ④ _____

2 다음 보기의 지반 중에서 지내력이 큰 것부터 순서를 기호로 쓰시오. (3점)

┌─〈보 기〉─────────────────────────────────┐
│ 가. 자갈   나. 자갈, 모래의 반섞임   다. 경암반   │
│ 라. 모래 섞인 진흙   마. 연암반   바. 진흙   │
└──┘

_____

3 보기에 열거한 공법들을 아래 분류에 따라 골라 번호를 쓰시오. (4점)

┌─〈보 기〉─────────────────────────────────┐
│ ① 리버스 서큘레이션 공법   ② 동결 공법   │
│ ③ 베노토 공법   ④ 샌드 드레인 공법   │
│ ⑤ 이코스 공법   ⑥ 그라우팅 공법   │
└──┘

가. 제자리 콘크리트 말뚝 공법 : _____

나. 지반개량 공법 : _____

정   답

정답 **1**
① 길이 쌓기
② 마구리 쌓기
③ 옆 세워 쌓기
④ 길이 세워 쌓기

정답 **2**
다 → 마 → 가 → 나 → 라 → 바

정답 **3**
가. ①, ③, ⑤
나. ②, ④, ⑥

4 시험에 관계되는 것을 보기에서 골라 번호를 쓰시오. (4점)

〈보 기〉
① 신 월 샘플링 ② 베인 시험
③ 표준 관입시험 ④ 정량 분석시험

가. 진흙의 점착력 ______ 나. 지내력 ______

다. 연한 점토 ______ 라. 염분 ______

정답 4
가. ②
나. ③
다. ①
라. ④

5 다음 아치에 관계하는 용어명을 쓰시오. (3점)

가. 아치 벽돌을 주문제작한 것을 이용한 아치:

______

나. 보통 벽돌을 쐐기모양으로 다듬어 만든 아치:

______

다. 보통 벽돌을 쓰고, 줄눈을 쐐기 모양으로 하여 만든 아치:

______

정답 5
가. 본 아치
나. 막 만든 아치
다. 거친아치

6 아래 그림에서 한 층 분의 콘크리트량과 거푸집량을 산출하시오. (16점)

① 부재치수 (단위 :mm)
② 전기둥(C_1) : 500×500, 슬래브두께(t) : 120
③ G_1 , G_2 : 400×600(b×D), G_3 : 400×700, B_1 : 300×600
④ 층고 : 4,000

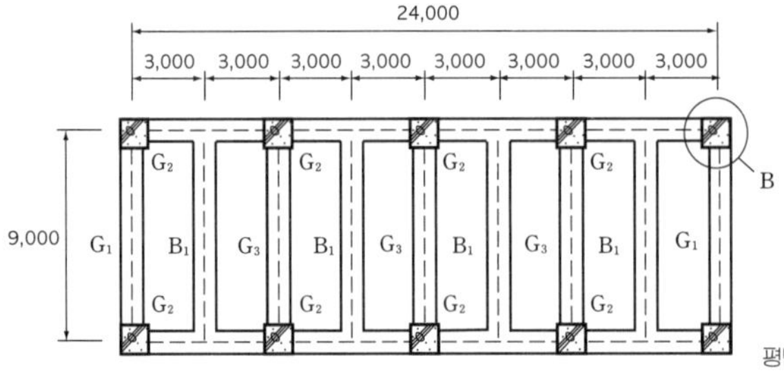

평면도

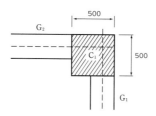

B부분 상세도

정답 **6** ① 콘크리트량

    1. 기둥 (C_1) : $\{(0.5 \times 0.5 \times (4 - 0.12)\} \times 10$개 $= 9.7\text{m}^3$

    2. 보 (G_1) : $\{0.4 \times 0.48 \times (9 - 0.6)\} \times 2$개 $= 3.226\text{m}^3$

    3. 보 (G_2) : $(0.4 \times 0.48 \times 5.5 \times 4) + (0.4 \times 0.48 \times 5.45 \times 4) = 8.409\text{m}^3$

    4. 보 (G_3) : $(0.4 \times 0.58 \times 8.4) \times 3$개 $= 5.846\text{m}^3$

    5. 보 (B_1) : $(0.3 \times 0.48 \times 8.6) \times 4$개 $= 4.953\text{m}^3$

    6. 슬라브 : $9.4 \times 24.4 \times 0.12 = 27.523\text{m}^3$

    ∴ 계 : $59.657 \rightarrow 59.66\text{m}^3$

② 거푸집량

    1. 기둥 (C_1) : $\{(0.5 + 0.5) \times 2 \times 3.88\} \times 10$개 $= 77.6\text{m}^2$

    2. 보 (G_1) : $(0.48 \times 2 \times 8.4) \times 2$개 $= 16.128\text{m}^2$

    3. 보 (G_2) : $(0.48 \times 5.5 \times 2 \times 4) + (0.48 \times 5.45 \times 2 \times 4) = 42.048\text{m}^2$

    4. 보 (G_3) : $0.58 \times 8.4 \times 2 \times 3 = 29.232\text{m}^2$

    5. 보 (B_1) : $0.48 \times 8.6 \times 2 \times 4 = 33.024\text{m}^2$

    6. 슬라브 : $9.4 \times 24.4 + (9.4 + 24.4) \times 2 \times 0.12 = 237.47\text{m}^2$

    ∴ 계 : $435.502 \rightarrow 435.50\text{m}^2$

7 BOT(Build-Operate-Transfer)방식을 설명하시오. (3점)

정답 **7**

민간부분 수주측이 설계, 시공 후 일정기간 시설물을 운영하여 투자금을 회수하고 시설물과 운영권을 무상으로 발주측에 이전하는 방식

8 설계도서에서 정미량으로 산출한 D10 철근량이 2,574kg이었다. 건설공사의 할증률을 고려하여 소요량으로서 8m짜리 철근을 구입하고자 하는데 이때, D10 철근 (0.56kg/m) 몇 개를 운반하면 좋을지 필요한 갯수를 산출하시오. (4점) (단, 계근소의 휴업으로 갯수로 구입할 수 밖에 없는 조건이다.)

정답 8

① (D10)8m짜리 철근중량 :
　0.56kg/m×8m=4.48kg
② 소요철근량 :
　2,574kg×1.03=2,651kg
∴필요한 철근갯수:
　2,651÷4.48=591.7 → 592개

9 콘크리트 구조물의 압축강도를 추정하고 내구성 진단, 균열의 위치, 철근의 위치 등을 파악하는데 있어서 구조체를 파괴하지 않고, 비파괴적인 방법으로 측정하는 검사방법을 4가지 쓰시오. (4점)

①＿＿＿＿＿＿＿＿＿＿＿＿＿＿＿＿＿＿＿＿＿＿＿＿＿＿＿＿＿＿＿＿

②＿＿＿＿＿＿＿＿＿＿＿＿＿＿＿＿＿＿＿＿＿＿＿＿＿＿＿＿＿＿＿＿

③＿＿＿＿＿＿＿＿＿＿＿＿＿＿＿＿＿＿＿＿＿＿＿＿＿＿＿＿＿＿＿＿

④＿＿＿＿＿＿＿＿＿＿＿＿＿＿＿＿＿＿＿＿＿＿＿＿＿＿＿＿＿＿＿＿

정답 9

① 슈미트 해머법(반발경도법)
② 공진법
③ 음속법(초음파속도법)
④ 철근탐사법
※ 복합법(반발경도법+음속법),
　방사선투과법 등

10 히스토그램(Histogram)의 작성순서를 보기에서 골라 기호 순서대로 쓰시오. (3점)

┌─〈자 료〉─────────────────────────────
　가. 히스토그램을 규격값과 대조하여 안정상태인지 검토한다.
　나. 히스토그램을 작성한다.
　다. 도수분포도를 작성한다.
　라. 데이터에서 최소값과 최대값을 구하여 전범위를 구한다.
　마. 구간폭을 정한다.
　바. 데이터를 수집한다.
└────────────────────────────────────

＿＿＿＿＿＿＿＿＿＿＿＿＿＿＿＿＿＿＿＿＿＿＿＿＿＿＿＿＿＿＿＿＿＿

정답 10
바 - 라 - 마 - 다 - 나 - 가

11 커튼월의 성능시험 항목을 3가지만 쓰시오. (3점)

① _____

② _____

③ _____

12 다음 데이터를 이용하여 네트워크 공정표를 작성하고 각 작업의 여유시간을 계산하시오. (10점)

작업명	공 기	선행작업	비 고
A	5	없음	결합점에서 아래와 같이 표시하고, 주공정선은 굵은선으로 표기하시오.
B	2	없음	
C	4	없음	
D	4	A, B, C	
E	3	A, B, C	
F	2	A, B, C	

정답 **12**

① 공정표 작성

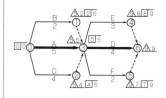

② 여유시간 산정

작업명	TF	FF	DF	CP
A	0	0	0	＊
B	3	3	0	
C	1	1	0	
D	0	0	0	＊
E	1	1	0	
F	2	2	0	

13 철골재 아크용접에 대한 설명 중 직류와 교류를 사용할 경우의 특성을 보기에서 골라 번호를 쓰시오. (4점)

　　─〈보 기〉─
　　　(1) 고장이 적다.　　　　　　(2) 일하기 쉽다.
　　　(3) 가격이 싸다.　　　　　　(4) 공장용접에 많이 쓰인다.
　　　(5) 현장용접에 많이 쓰인다.

가. 직류 아크 용접 : _____

나. 교류 아크 용접 : _____

정답 **13**
가. (2), (4)
나. (1), (3), (5)

14 쇼트크리트에 대해서 간단히 기술하고, 종류 세가지를 쓰시오. (4점)

가. 쇼트크리트:

    _____

나. 종류 :

   ① _____

   ② _____

   ③ _____

15 파이프 구조에서 파이프 절단면 단부는 녹막이를 고려하여 밀폐하여야 하는데, 이 때 실시하는 밀폐방법에 대하여 3가지만 쓰시오. (3점)

   ① _____

   ② _____

   ③ _____

16 거푸집 존치기간에 영향을 미치는 것을 4가지 쓰시오. (4점)

   ① _____

   ② _____

   ③ _____

   ④ _____

17 커튼월 공사에서 구조체의 층간변위, 커튼월의 열팽창, 변위 등을 해결하는 긴결방법 3 가지를 기술하시오.

   ① _____

   ② _____

   ③ _____

정답 **14**
가. 모르터를 압축공기로 분사하여 바르는 것
나. ① 시멘트 건
   ② 본 닥터
   ③ 제트 크리트
※ 기타 : 건 나이트(Gunite)

정답 **15**
① 가열하여 구형으로 가공하여 밀폐
② 원형판이나 반구형 판을 용접하여 밀폐
③ 스피닝에 의하여 가공 밀폐

정답 **16**
① 부재의 종류, 위치
② 콘크리트의 강도
③ 시멘트의 종류
④ 평균온도(기온)

정답 **17**
① 회전방식(Locking Type)
② 슬라이드 방식(Slide Type)
③ 고정방식(Fixed Type)

18 가설공사 등에 쓰이는 일반볼트의 경우, 너트의 풀림을 방지할 수 있는 방법에 대하여 3가지 쓰시오. (3점)

① _____

② _____

③ _____

19 철골공사에 있어서 공장제작 작업과정을 순서대로 쓰시오. (4점)

공작도 작성 - (①) - 형판뜨기 - (②) - 마크 표시 - (③) - (④) -

가조립 - (⑤) - 도장

① _____　　② _____　　③ _____

④ _____　　⑤ _____

20 시공관리 3대 목표가 되는 관리명을 쓰시오. (3점)

① _____　　② _____　　③ _____

21 공정관리 중 진도관리에 사용되는 S-Curve(바나나 곡선) 는 주로 무엇을 표시하는데 활용되는지를 설명하시오. (4점)

_____

_____

22 철골공사 중 접합에 이용되는 머리모양에 따른 리벳종류를 3가지 쓰시오. (3점)

① _____　　② _____　　③ _____

23 콘크리트의 표준 배합설계 순서를 보기에서 골라 기호로 쓰시오. (4점)

〈보 기〉
(1) 슬럼프값의 결정	(2) 시방배합의 산출 및 조정
(3) 배합강도의 결정	(4) 물·시멘트비의 산정
(5) 잔골재율의 결정	(6) 소요강도의 결정
(7) 굵은골재 최대치수의 결정	(8) 현장배합의 조정
(9) 시멘트 강도의 결정	(10) 단위수량의 결정

정답 **23**

(6)-(3)-(9)-(4)-(1)-(7)-(5)
-(10)-(2)-(8)

24 굳지 않은 콘크리트 다지기 방법 3가지 쓰시오. (3점)

① _____

② _____

③ _____

정답 **24**

① 손다짐 방법
② 진동 다짐 방법
③ 거푸집 두드림 방법

25 다음 설명이 가르키는 용어명을 쓰시오. (3점)

가. 신축이 가능한 무지주공법의 수평지지보

나. 무량판 구조에서 2방향 장선 바닥판 구조가 가능하도록 된 기성재 거푸집

다. 한 구획 전체의 벽판과 바닥판을 ㄱ자형 또는 ㄷ자형으로 짜는 거푸집

정답 **25**

가. 페코빔
나. 와플 폼
다. 터널 폼

2004년 2회 출제문제

1 다음 공사관리 계약방식에 대해 설명하시오. (4점)

가. CM for Fee 방식 : _____

_____

나. CM at Risk 방식 : _____

_____

2 지반개량공법 중 탈수공법의 종류를 4가지 쓰시오. (4점)

① _____   ② _____

③ _____   ④ _____

3 다음 테이터를 공정표로 작성하고 각 작업의 전체여유(TF)와 자유여유(FF)를 구하시오. (8점)

작업명	작업일수	선행작업	비 고
A	5	–	네트워크 작성은 다음과 같이
B	6	–	
C	5	A, B	$\boxed{\text{EST} \mid \text{LST}}$ $\overset{\triangle}{\text{LFT} \mid \text{EFT}}$
D	7	A, B	ⓘ 작업명／공사일수 ⓙ
E	3	B	
F	4	B	표기하고 주공정선은 굵은 선으로 표기하
G	2	C, E	시오.
H	4	C, D, E, F	

가. 공정표

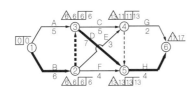

나. 전체여유(TF)와 자유여유(FF)

작업명	TF	FF
A	1	1
B	0	0
C	2	0
D	0	0
E	4	2
F	3	3
G	4	4
H	0	0

4 블록구조에서 인방보를 설치하는 방법 3가지를 기술하시오. (3점)

① _____

_____

② _____

_____

③ _____

_____

정답 **4**

① 인방용 블록을 좌우 벽면에 20cm 이상 걸치고 철근을 40d이상 정착시키고, 사춤한다.

② 테두리보와 함께 현장에서 거푸집을 조립한 후 철근을 배근하고 콘크리트를 타설하여 벽체와 일체로 하는 방법

③ 기성재 콘크리트 인방보인 경우는 양끝을 블록벽체에 20cm이상 걸치고 철근으로 보강한 후 사춤하는 방법

5 Fastener는 curtain wall 을 구조체에 긴결시키는 부품을 말하며, 외력에 대응할 수 있는 강도를 가져야 하며 설치가 용이하고 내구성, 내화성 및 층간변위에 대한 추종성이 있어야 한다. Fastener의 설치방식 3가지를 쓰시오. (3점)

① _____ ② _____ ③ _____

정답 **5**

① 슬라이드 방식

② 회전방식

③ 고정방식

6 대구경 제자리 말뚝을 시공하는 공법 중 베노토공법의 시공순서 5단계를 순서대로 기술하시오. (3점)

① _____ ② _____ ③ _____

④ _____ ⑤ _____

정답 **6**

① Casing tube세우기 및 굴착

② 철근망 조립 및 삽입

③ 트레미관 삽입

④ 콘크리트 타설

⑤ 케이싱 튜브 인발 및 양생

7 시트방수 공사에서 시트방수재를 붙이는 방법 3가지를 쓰고, 시트이음방법을 설명하시오. (4점)

① 붙이는 방법

_____

② 시트이음방법

_____

_____

① 온통접착, 줄접착, 점접착, 갓접착
② 시트 상호간 이음의 겹침길이는 겹친이음은 5cm이상, 맞댄이음은 10cm이상으로 하고 접착 후 테이프로 보강 하거나 seal재 등으로 충전하여 수밀하게 시공한다.

8 콘크리트 제조시에 최근에는 수화열 저감, 워커빌리티 증대, 장기강도 발현, 수밀성 증대 등 다양한 장점을 얻고자 혼화재를 사용한다. 대표적인 혼화재를 3가지 쓰시오. (3점)

①　_____　②　_____　③　_____

정답 8

① 포졸란
② 플라이 애쉬
③ 고로 슬래그

9 세로규준틀이 설치되어 있는 벽돌조 건축물의 벽돌쌓기 순서를 보기에서 골라 번호로 쓰시오. (4점)

〈보 기〉
가. 기준쌓기　　나. 벽돌 물축이기　　다. 보양
라. 벽돌 나누기　마. 벽돌면 청소　　바. 줄눈파기
사. 중간부 쌓기　아. 치장줄눈　　　자. 줄눈누름

정답 9

마 - 나 - 라 - 가 - 사 - 자 - 바 - 아 - 다

10 실시설계도서가 완성되고 공사물량산출 등 견적업무가 끝나면 공사예정가격 작성을 위한 원가계산을 하게 된다. 원가계산기준 중 아래 내용에 대한 답안 쓰시오. (3점)

(1) 공사시공과정에서 발생하는 재료비, 노무비, 경비의 합계액 : _____

(2) 기업의 유지를 위한 관리활동 부분에서 발생하는 제비용: _____

(3) 공사계약 목적물을 완성하기 위하여 직접 작업에 종사하는 종업원 및 기능공에 제공되는 노동력의 대가: _____

정답 10

① 공사원가
② 일반관리비
③ 직접노무비

11 다음 용어를 설명하시오. (6점)

   (가) 리그노이드 스톤(lignoid stone) : _____

   _____

   (나) 캐스트 스톤(cast stone) : _____

   _____

   (다) 온도조절 철근(temperature bar) : _____

   _____

정답 **11**
(가) 마그네시아 시멘트에 콜크분말, 안료 등을 혼합한 미장재료로 바닥 포장재에 주로 쓰인다.
(나) 인조석 잔다듬이라고 하며, 인조석 바름 후 경화시켜 석공구로 잔다듬하여 마무리한 것
(다) 온도변화에 따른 콘크리트 수축으로 생긴 균열을 방지하기 위하여 배근하는 철근

12 폴리머시멘트콘크리트의 특성을 보통시멘트콘크리트와 비교하여 4가지 기술하시오.
                                                           (4점)

   ① _____

   ② _____

   ③ _____

   ④ _____

정답 **12**
① 워커빌리티가 우수하다.
② 다른 재료와의 접착력이 우수하다.
③ 휨강도, 인장강도 및 신장성능이 증대된다.(우수하다)
④ 내충격성이 우수하고 동결융해에 대한 저항성이 크다.
※ 기타 - ① 내식성, 내수성, 내마모성이 우수하다.
② 내화성능이 저하된다.

13 아래의 도면을 보고 다음에 요구하는 재료량을 산출하시오. (11점)
   (단, D10＝0.56kg/m, D13＝0.995kg/m 이고, 이음길이와 피복은 고려하지 않는다.
   또한 모든 수량은 정미량으로 하고, 토량환산계수 L＝1.2 이다.)

기초 보 복도

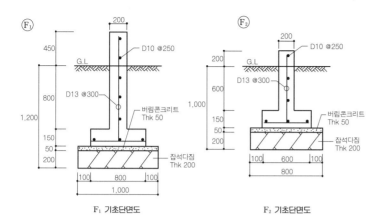

F_1 기초단면도 F_2 기초단면도

정답 ① 터 파 기(m^3) = F_1 : $(\dfrac{2.12+1.4}{2}) \times 1.2 \times 30 = 63.36 m^3$

$\qquad\qquad\qquad\qquad F_2$: $(\dfrac{1.6+1}{2}) \times 1 \times \{20-(0.88 \times 6 + 0.65 \times 4)\} = 15.756 m^3$

$\qquad\qquad\qquad\qquad \therefore$ 합 계 $63.36 + 15.756 = 79.116 \rightarrow 79.12 m^3$

② 잡석다짐(m^3) = F_1 : $1 \times 0.2 \times 30 = 6 m^3$

$\qquad\qquad\qquad\qquad F_2$: $0.8 \times 0.15 \times \{20-(0.4 \times 6 + 0.4 \times 4)\} = 1.92 m^3$

$\qquad\qquad\qquad\qquad\quad 0.8 \times 0.05 \times \{20-(0.5 \times 6 + 0.4 \times 4)\} = 0.616 m^3$

$\qquad\qquad\qquad\qquad \therefore$ 합 계 $6 + 1.92 + 0.616 = 8.536 \rightarrow 8.54 m^3$

③ 버림콘크리트(m^3) = F_1 : $1 \times 0.05 \times 30 = 1.5 m^3$

$\qquad\qquad\qquad\qquad\quad F_2$: $0.8 \times 0.05 \times \{20-(0.1 \times 6 + 0.4 \times 4)\} = 0.712 m^3$

$\qquad\qquad\qquad\qquad\quad \therefore$ 합 계 $1.5 + 0.712 = 2.212 \rightarrow 2.21 m^3$

④ 거푸집(m^2) = 버림콘크리트는 제외

$\qquad\qquad\qquad F_1$: 기초판 $0.15 \times 30 \times 2 = 9 m^2$

$\qquad\qquad\qquad\qquad$ 기초벽 $1.25 \times 30 \times 2 = 75 m^2$

$\qquad\qquad\qquad F_2$: 기초판 $0.15 \times 2 \times \{20-(0.1 \times 6 + 0.3 \times 4)\} = 5.46 m^2$

$\qquad\qquad\qquad\qquad$ 기초벽 $0.8 \times 2 \times \{20-(0.1 \times 6 + 0.1 \times 4)\} = 30.4 m^2$

$\qquad\qquad\qquad\quad \therefore$ 합 계 $9 + 75 + 5.46 + 30.4 = 119.86 m^2$

⑤ 콘크리트(m^3) = F_1 : 기초판 $0.15 \times 0.8 \times 30 = 3.6 m^3$

$\qquad\qquad\qquad\qquad$ 기초벽 $1.25 \times 0.2 \times 30 = 7.5 m^3$

$\qquad\qquad\qquad F_2$: 기초판 $0.15 \times 0.6 \times \{20-(0.1 \times 6 + 0.3 \times 4)\} = 1.638 m^3$

$\qquad\qquad\qquad\qquad$ 기초벽 $0.8 \times 0.2 \times \{20-(0.1 \times 6 + 0.1 \times 4)\} = 3.04 m^3$

$\qquad\qquad\qquad\quad \therefore$ 합 계 $3.6 + 7.5 + 1.638 + 3.04 = 15.778 \rightarrow 15.78 m^3$

⑥ 철근(kg) = F₁ : (D10) : 8개×30=240m
　　　　　　　　　(D13) : (0.8+1.4+0.4)×(30÷0.3)=260m
　　　　　　F₂ : (D10) : 6개×20 =120m
　　　　　　　　　(D13) : (0.6+0.95+0.3)×(20÷0.3=66.6→67 개)=123.95m
　　　　　　　　　(D10) : (240+120)×0.56=201.6kg
　　　　　　　　　(D13) : (260+123.95)×0.995=382.03kg
　　　　　　　　∴ 합　계　201.6+382.03=583.63kg

⑦ 잔토처리(m³) = 기초구조부체적×L
　　　{(8.536+2.212+15.778)-(0.45×0.2×30+0.2×0.2×19)}×1.2
　　　=27.679 → 27.68m³

⑧ 되메우기(m³) = 터파기량 - 구조체 체적
　　　79.116 - 23.066 = 56.05m³

14 현장에서 콘크리트 타설 중 가능한 콘크리트 재료시험 3가지 쓰시오. (3점)

① _____ ② _____ ③ _____

정답 14
① 슬럼프 시험
② 공기량 시험
③ 염분함유량 시험

15 건축시공 기술을 분류할 때 해당되는 관리 항목을 3가지씩 쓰시오. (4점)

가. 하드웨어 기술 : _____

나. 소프트웨어 기술 : _____

정답 15
가. 공법, 재료, 기계
나. 계획, 관리, 운영

16 콘크리트의 압축시험에서 대표적인 파괴 양상을 쓰시오. (3점)

가. 저강도 : _____

나. 일반강도 : _____

다. 고강도 : _____

정답 16
가. 연성파괴
　※ 최대강도 이후에 완만한 변형
나. 탄성파괴
　※ 연성과 취성파괴의 중간형태
다. 취성파괴
　※ 최대강도 이후에 급격한 변형

17 강제창호 현장설치 공법의 시공순서를 쓰시오. (4점)

현장반입 - (①) - (②) - (③) - 구멍파기, 따내기 - (④) - (⑤)

- 창문틀 주위 사춤 - (⑥)

① _____　　② _____　　③ _____

④ _____　　⑤ _____　　⑥ _____

18 내장타일 15cm 각, 줄눈 5mm로 타일 10m²를 붙일 때 타일 장수를 정미량으로 산출하시오. (2점)

19 철골공사에서 그림과 같은 주각부의 부재별 명칭을 기입하시오. (5점)

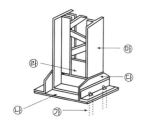

㉮ _____

㉯ _____

㉰ _____

㉱ _____

㉲ _____

20 다음 경화 콘크리트 내부의 공극의 종류를 나타낸 것이다. 크기가 작은 것부터 큰 것의 순서를 번호로 나열하시오. (4점)

　┌─〈보 기〉─────────────────────────────
　│　가. 인트랩트 에어　　　　　　　　나. 모세관 공극
　│　다. 겔 공극　　　　　　　　　　　라. 인트레인드 에어
　└──────────────────────────────────

_____

정답 17

① 변형 바로잡기
② 녹막이칠
③ 먹매김
④ 가설치 및 검사
⑤ 묻음발 고정
⑥ 보양

정답 18

타일의 정미수량

$$\frac{1m \times 1m}{(0.15+0.005) \times (0.15+0.005)} \times 10m^2$$

　　= 416장

정답 19

㉮ anchor bolt
㉯ base plate
㉰ wing plate
㉱ web plate
㉲ flange

정답 20

다 - 나 - 라 - 가

참고 공극의 크기

① 겔공극(C-S-H라고 약칭하는 칼슘 실리케이트 수화물 : 규산칼슘 수화물의 고체와의 간격으로써 최근에는 층간 공극이라 부른다.)
　: 1nm(0.001μm)
② 모세관공극 : 100nm(0.1μm)
③ 인트레인드 에어(AE제 함유시 발생공기) : 50~200μm(0.05~0.25mm)
④ 인트랩트 에어(비빔시 함유되는 공기) : 3mm까지 발생가능

21 특기시방서에 철근의 인장강도는 240MPa 이상으로 규정되어 있다. 건설공사 현장에 반입된 철근을 KS규격에 의거 중앙부 지름 14mm, 표점거리 50mm로 가공하여 인장강도를 시험하였더니 37.20kN, 40.57kN, 38.15kN에서 파괴되었다. 평균인장강도를 구하고, 특기시방서의 규정과 비교하여 합격여부를 판정하시오. (4점)

가) 평균인장강도 : _____

나) 판정 : _____

해설 평균 인장강도

$$f_1 = \frac{P_1}{A} = \frac{37.20 \times 10^3}{\frac{\pi \times 14^2}{4}} = 241.66MPa$$

$$f_2 = \frac{P_2}{A} = \frac{40.57 \times 10^3}{\frac{\pi \times 14^2}{4}} = 263.55MPa$$

$$f_3 = \frac{P_3}{A} = \frac{38.15 \times 10^3}{\frac{\pi \times 14^2}{4}} = 247.83MPa$$

$$\therefore f_t = \frac{f_1 + f_2 + f_3}{3} = \frac{753.04}{3} = 251.01MPa$$

22 각종 모르타르의 용도에 대한 설명이다. ( )안에 알맞은 용어를 쓰시오. (4점)

경량구조용은 (①) 모르타르, 방사선 차단용은 (②) 모르타르, 보온불연용은 (③) 모르타르, 내산바닥용은 (④) 모르타르 등이 사용된다.

① _____ ② _____ ③ _____ ④ _____

23 다음 측정기별 용도를 ( )에 쓰시오. (4점)

가. WASHINGTON METER : (_____)

나. PIEZO METER : (_____)

다. EARTH PRESSURE METER : (_____)

라. DISPENSER : (_____)

24 한중 콘크리트의 문제점에 대한 대책을 보기에서 골라 기호 쓰시오. (3점)

┌─ 〈보 기〉
│ 가. AE제 사용   나. 응결지연제 사용
│ 다. 보온양생   라. 물시멘트비를 60% 이하로 유지
│ 마. 중용열 시멘트 사용   바. Pre-cooling방법 사용

2004년 3회 출제문제

1 조적공사에서 테두리보의 역할에 대하여 3가지 기술하시오. (3점)

① _____

② _____

③ _____

2 히스토그램(histogram)의 작성순서를 보기에서 골라 순서를 기호로 쓰시오. (3점)

┌─〈보 기〉──────────────────────────
│
│ 가. 히스토그램을 규격값과 대조하여 안정상태인지 검토한다.
│ 나. 히스토그램을 작성한다.
│ 다. 도수분포도를 만든다.
│ 라. 데이터에서 최소값과 최대값을 구하여 전범위를 구한다.
│ 마. 구간폭을 정한다.
│ 바. 데이터를 수집한다.
│
└────────────────────────────────────

_____

3 창호철물에 대한 설명이다. 알맞은 철물을 ( ) 안에 쓰시오. (3점)

정첩으로 지탱할 수 없는 무거운 자재 여닫이 문(현관문)에는 (①)힌지, 용수철을 쓰지 않고 문장부식으로 된 힌지로 중량문(방화문)에 사용하는 (②)힌지, 스프링 힌지의 일종으로 공중화장실, 공중전화 출입문에는 저절로 닫혀지지만 15cm정도 열려 있게 하는 (③)힌지 등이 사용된다.

① _____   ② _____   ③ _____

정 답

정답 1

① 분산된 벽체를 일체화 한다.(수축균열의 최소화, 강도증진)
② 집중하중을 균등분산 한다.
③ 세로철근을 정착시킨다.(제자리 Concrete보 타설시)
④ 지붕슬래브의 하중을 보강한다.

정답 2

바 - 라 - 마 - 다 - 나 - 가

정답 3

① 플로어(Floor)
② 피봇(Pivot)
③ 래버토리(Lavatory)

4 현장에 도착한 굳지 않은 콘크리트의 품질을 확인하는 시험의 종류 3가지를 나열하시오. (3점)

① _____　　② _____　　③ _____

5 프리스트레스트 콘크리트의 정착구(定着具:anchorage)의 대표적인 정착공법에 대하여 3가지만 쓰시오. (3점)

① _____　　② _____　　③ _____

6 다음 그림과 같은 철근 콘크리트 T형 보에서 하부의 주근 철근이 1단으로 배근될 때 배근 가능한 개수를 구하시오. (단, 보의 피복두께는 3cm 이고, 늑근은 D10-ⓐ200이며, 주근은 D16을 이용하고, 사용 콘크리트의 굵은 골재 최대치수는 18mm이며, 이음정착은 고려하지 않는 것으로 한다.) (3점)

_____

_____

_____

7 다음 데이터를 네트워크로 작성하고, PERT 기법으로 각 결합점 여유시간을 계산하며, CPM 기법으로 각 작업 여유시간을 계산하시오. (8점)

작업명	작업일수	선행작업	비　　　　고
A	4	없음	단, 공정표의 표현은 다음과 같이 한다.
B	2	없음	
C	4	없음	
D	2	없음	
E	7	C, D	
F	8	A, B, C, D	
G	10	A, B, C, D	주공정선은 굵은 선으로 표시하며, 결합점
H	5	E, F	번호는 작성원칙에 따라 부여한다. 더미의 여유시간은 계산하지 않는다.

참고설명 결합점 시각표현은 여러가지로 나타낼 수 있으나 전진계산한 ET값(또는 EST, EFT) 역진계산한 LT값(또는 LST, LFT)은 같으므로 문제의 요구대로 표현해주면 된다.

〈예〉

①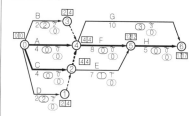

②

③

④

⑤

8 파이프 구조에서 파이프 절단면 단부는 녹막이를 고려하여 밀폐하여야 하는데, 이때 실시하는 밀폐방법에 대하여 3가지를 기술하시오. (3점)

① _____   ② _____   ③ _____

9 아래 평면 및 A-A′ 단면도를 보고 벽돌조 건물에 대해 요구하는 재료량을 산출하시오. (단, 벽돌수량은 소수점 아래 1자리에서, 그 외는 소숫점 3자리에서 반올림 함. 할증은 고려하지 않음) (10점)

㉮ 벽돌량{외벽(1.0B 붉은벽돌), 내벽(0.5B 시멘트 벽돌), 벽돌크기(190×90×57mm), 줄눈나비(10mm)}

㉯ 모르타르량

㉰ 콘크리트량(단, 버림 콘크리트는 제외)

㉱ 거푸집량 (단, 버림 콘크리트 부분은 제외)

㉲ 잡석량

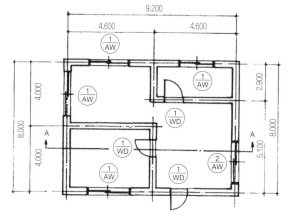

① AW : 2.400 × 1.200
② AW : 2.400 × 1.500
① WD : 1.500 × 2.000

평면도

정답 7

네트워크 공정표

정답 8

① 스피닝(Spinning)에 의한 방법
② 가열하여 구형으로 가공
③ 원판, 반구형판을 용접
④ 관끝을 압착하여 용접밀폐 시키는 방법

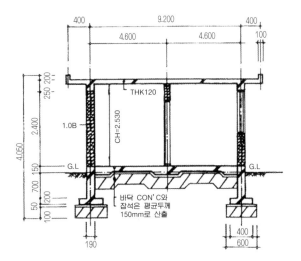

A−A′단면도

정답

구 분	산 출 근 거
가. 벽돌량	① 외벽(1.0B) : {(9.2+8)×2×2.4-(2.4×1.2×4+2.4×1.5+1.5×2)}×149=9,601.5 → 9,602매 ② 내벽(0.5B) : {15.72×2.53-(1.5×2×2)}×75= 2,532.8 → 2,533매
나. 모르타르량	① 외벽(1.0B) : (9,601.5÷1000)×0.33 = 3,168m³ ② 내벽(0.5B) : (2,532.8÷1000)×0.25 = 0.633m³ 계 : 3,168+0.633 = 3.801 → 3.80m³
다. 콘크리트량	① 기초판 : 0.4×0.2×34.4 = 2.752m³ ② 기초벽 : 0.19×0.85×34.4 = 5.555m³ ③ 바닥 : (9.2-0.19)×(8-0.19)×0.15 = 10.555m³ ④ 보 : 0.19×0.13×34.4 = 0.849m³ ⑤ 슬라브 : 10.1×8.9×0.12 = 10.786m³ ⑥ 난간 : 0.1×0.2×(10+8.8)×2 = 0.752m³ 계 : 31.249 → 31.25m³
라. 거푸집량	① 기초판 : 0.2×2×34.4 = 13.76m² ② 기초벽 : 0.85×2×34.4 = 58.48m² ③ 보 : 0.13×2×34.4 = 8.944m² ④ 알미늄창 상단 : 2.4×0.19×5 = 2.28m² ⑤ 슬라브 : 10.1×8.9-0.19×34.4+0.12×(10.1+8.9)×2 = 87.914m² ⑥ 난간 : 0.2×2×(10+8.8)×2 = 15.04m² 계 : 186.418 → 186.42m²
마. 잡석량	① 기초 : 0.6×0.1×34.4 = 2.064m³ ② 바닥 : (9.2-0.19)×(8-0.19)×0.15 = 10.555m³ 계 : 12.619 → 12.62m³

10 기준점(Bench Mark)의 정의 및 설치시 주의사항을 3가지 쓰시오. (5점)

　가. 정의 : _____

　나. 주의사항

　① _____

　② _____

　③ _____

정답 **10**

　가. 건축물 시공시 기준위치를 정하는 원점으로 공사중 높이의 기준을 정하고자 설치한다.

　나. ① 이동의 염려가 없는 곳에 설치한다.
　　　② 2개소 이상 설치한다.
　　　③ 지면에서 0.5m~1.0m정도 바라보기 좋고, 공사에 지장이 없는 곳에 설치한다.

11 다음 용어를 설명하시오. (4점)

　가. 기술시방서(Descriptive specification)

　　_____

　나. 성능시방서(Performance specification)

　　_____

정답 **11**

　가. 제품명이나, 상품명을 사용하지 않고 공사자재, 공법의 특성이나 설치방법을 정확히 규정하여 성능실현을 위한 방법을 자세히 서술한 시방서.

　나. 목적하는 결과, 성능의 판정기준과 이를 검사하는 방법 등을 기술한 시방서.

12 한중콘크리트의 보온양생방법을 3가지 쓰시오. (3점)

　① _____　② _____　③ _____

정답 **12**

　① 단열보온양생
　② 가열(급열)보온양생
　③ 피복(피막)보온양생

13 하절기콘크리트 시공시 발생하는 문제점으로써 콘크리트 품질 및 시공면에 미치는 영향에 대해 5가지를 쓰시오. (5점)

　① _____

　② _____

　③ _____

　④ _____

　⑤ _____

정답 **13**

　① 단위수량의 증가로 인한 내수성, 수밀성 저하
　② 슬럼프 저하 발생으로 충전성 불량, 표면마감 불량발생
　③ 초기발열증대에 따른 온도균열 발생
　④ 초기에 급격한 수화반응으로 콜드죠인트가 쉽게 발생될 수 있다.
　⑤ 초기의 급격한 수분증발로 플라스틱균열(초기건조수축균열) 발생, 장기강도저하

14 다음은 방수공사에 대한 설명으로 ( ) 안에 알맞은 용어를 쓰시오. (4점)

가. 멤브레인 방수층이란 불투수성 피막을 형성하여 방수하는 공사를 총칭하며,
(①), (②), (③)이 여기에 해당된다.

나. 방수를 도막재와 병용하여 방수층을 보강하는 재료로써 일반적으로 유리 섬
유제품이나 합성섬유 제품을 사용한다. 이것을 (④)(이)라 한다.

① _____ ② _____

③ _____ ④ _____

15 다음의 용접기호로써 알 수 있는 사항을 4가지 쓰시오. (4점)

① _____

② _____

③ _____

④ _____

13 ▷ 50-150

16 콘크리트의 압축강도를 조사하기 위해 슈미트해머를 사용할 때 반발경도를 조사한 후
추정강도를 계산할 때 실시하는 보정 방안 3가지를 쓰시오. (3점)

① _____ ② _____ ③ _____

17 Pre-stressed concrete에서 pre-tension 공법과 post-tension공법의 차이점을 시
공순서를 바탕으로 쓰시오. (4점)

가. pre-tension 공법

_____

나. post-tension공법

_____

18 철근 콘크리트의 알칼리 골재 반응에 대해 기술하시오. (2점)

____

____

19 철골공사에서 고력볼트 접합의 종류에 대한 설명이다. ( )안에 알맞은 용어를 쓰시오. (4점)

가. torque control 볼트로서 일정한 조임 토크치에서 볼트축이 절단

____

나. 2겹의 특수너트를 이용한 것으로 일정한 조임 토크치에서 너트(nut)가 절단

____

다. 일반 고장력볼트를 개량한 것으로 조임이 확실한 방식

____

라. 직경보다 약간 작은 볼트구멍에 끼워 너트를 강하게 조이는 방식

____

20 기성콘크리트 말뚝을 기초로 사용하고자 할 때, 도심지에서 사용할 수 있는 무소음, 무진동공법을 보기에서 모두 골라 기호로 쓰시오. (4점)

┌─── 〈보 기〉───
   ⑦ Steam hammer 공법   ④ 압입(회전압입) 공법
   ④ Vibro floatation 공법   ④ 중공굴삭(중굴) 공법
   ⑪ PreBoring 공법   ⑪ Diesel hammer 공법
   ④ 수사법(Water jet)

____

정답 18

시멘트의 알칼리금속이온(Na^+, K^+)과 수산화이온(OH^-)이 실리카 사이에서 Silica Gel이 형성되어 수분을 계속 흡수 팽창하는 현상으로 균열발생, 조직 붕괴현상을 일으킨다.

정답 19

가. 볼트 축 전단형 고력 Bolt
나. 너트 전단형 고력 Bolt
다. Grip형 고력 Bolt
라. 지압형 고력 Bolt

정답 20

④, ④, ⑪, ④

21 지하구조물은 지하수위에서 구조물 밑면까지의 깊이만큼 부력을 받아 건물이 부상하게 되는데, 이것에 대한 방지대책을 4가지 기술하시오. (4점)

① _____

② _____

③ _____

④ _____

22 R.C조 지상 1층 건축물의 골조공사에 관한 사항이다. 시공순서를 보기에서 골라 기호를 쓰시오. (6점)

┌─〈보 기〉─────────────────────────┐
│
│ 가. 기둥철근 기초에 정착
│ 나. 보 및 바닥판 철근 배근
│ 다. 기둥철근 배근
│ 라. 벽내부 거푸집 및 기둥 거푸집 설치
│ 마. 콘크리트 치기
│ 바. 벽 철근 배근
│ 사. 기초판, 기초보 철근 배근
│ 아. 보 및 바닥판 거푸집 설치
│ 자. 기초판 및 기초보 콘크리트치기
│ 차. 기초 및 기초보 옆 거푸집 설치
│ 카. 벽외부 거푸집 설치
│
└───────────────────────────────┘

_____

23 지반개량공법에 대한 설명이다. 올바른 용어를 채우시오. (3점)

연약층의 흙을 양질의 흙으로 교체하는 방법을 (①)공법이라고 하며, 지반에 파이프를 박고 액체질소나 프레온가스를 주입하여 지하수를 동결시켜 차단하는 것을 (②)공법이라고 한다. 또한 구조물에 상당하는 무게를 미리 연약지반위에 일정기간 방치하여 연약지반을 압밀시키는 것을 (③)공법이라고 한다.

① _____ ② _____ ③ _____

[정답] 21

① Rock Anchor공법을 사용하여 부상을 방지한다.
② 배수공법으로 지하수위를 낮춘다.
③ 구조물의 단면을 확대하여 수압에 저항한다.
④ 차수공법으로 물을 차단한다.
※ 기타
① 마찰말뚝을 사용하여 마찰력을 증진시킨다.
② 인접건물과 긴결하여 대처한다.

[정답] 22

차 - 사 - 가 - 자 - 다 - 라 - 바 - 카 - 아 - 나 - 마

[정답] 23

① 치환
② 동결
③ 선행재하(성토)

24 다음 계측기의 종류에 맞는 용도를 골라 번호로 쓰시오. (6점)

종 류	용 도
가. Piezo meter	① 하중 측정
나. Inclino meter	② 인접건물의 기울기도 측정
다. Load cell	③ Strut 변형 측정
라. Extension meter	④ 지중 수평 변위 측정
마. Strain gauge	⑤ 지중 수직 변위 측정
바. Tilt meter	⑥ 간극수압의 변화 측정

가. _____ 나. _____ 다. _____

라. _____ 마. _____ 바. _____

2005년 1회 출제문제

1 다음은 혼화재 종류에 대한 설명들이다. 아래 설명이 뜻하는 혼화재 명칭을 쓰시오. (3점)

가. 공기 연행제로서 미세한 기포를 고르게 분포시킨다.

_____

나. 시멘트와 물과의 화학반응을 촉진시킨다.

_____

다. 화학반응이 늦어지게 한다.

_____

2 연약지반의 지내력을 강화시키기 위하여 지반개량을 실시하는데 지반개량의 공법 중에서 다음 공법의 종류 2가지를 쓰시오. (2점)

① _____   ② _____

3 다음 측정기별 용도를 쓰시오. (4점)

가. Washington Meter : _____

나. Piezo Meter : _____

다. Earth Pressure Meter : _____

라. Dispenser : _____

정 답
정답 1 가. AE제(표면활성제) 나. 응결경화 촉진제 다. 지연제(응결지연제)
정답 2 ① 동 다짐 공법 ② 다짐모래말뚝공법 (바이브로 콤포져공법)
정답 3 가. 콘크리트내의 공기량 측정기구 나. 간극수압 측정기구 다. 토압측정기구 라. AE제의 계량장치

4 다음 그림과 같은 간이 사무실 건축에서 바닥은 테라죠 현장갈기로 하고, 벽은 시멘트 벽돌 바탕에 시멘트 모르타르로 바름할 때 각 공사수량을 산출하시오. (9점)

(단, ① 벽두께-외벽 : 1.0B, 내벽 : 0.5B   ② 벽돌의 크기 : 표준형을 사용한다.

    ③ 벽돌벽의 높이 : 2.7m   ④ 외벽 시멘트 모르타르 바름높이 : 3m

    ⑤ 사무실 내부 걸레받이 높이는 15cm 이며 테라죠 현장갈기 마감

    ⑥ 창호의 크기

$$\frac{1}{D} : 2{,}200mm \times 2{,}400mm \qquad \frac{1}{W} : 1{,}800mm \times 1{,}200mm$$

$$\frac{2}{D} : 1{,}000mm \times 2{,}100mm \qquad \frac{2}{W} : 1{,}200mm \times 900mm$$

    ⑦ 벽돌의 할증율 : 5%

    ⑧ 시멘트 벽돌 수량산출시 외벽 및 칸막이 벽의 길이 산정은 모두 중심거리로 한다.)

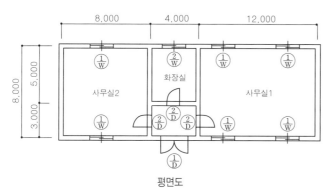

평면도

정답 **4**

가. 시멘트 벽돌량

  ① 외벽 1.0B : $(24+8) \times 2 \times 2.7 - (2.2 \times 2.4 + 1.8 \times 1.2 \times 6 + 1.2 \times 0.9) = 153.48m^2 \times 149 = 22{,}868.5$장

  ② 내벽 0.5B : $(8 \times 2 + 4) \times 2.7 - (1 \times 2.1 \times 3) = 47.7m^2 \times 75 = 3{,}577.5$장

    ∴ 합계 : $(22{,}868.5 + 3{,}577.5) \times 1.05 = 27{,}768.3 \rightarrow 27{,}768$매

나. 테라죠 현장갈기 수량(m²)(단, 사무실 1, 2의 경우임)

  ① 사무실 1 : $(12-0.14) \times (8-0.19) + \{(11.86 + 7.81) \times 2 - 1\} \times 0.15 = 98.377m^2$

  ② 사무실 2 : $(8-0.14) \times (8-0.19) + \{(7.86 + 7.81) \times 2 - 1\} \times 0.15 = 65.937m^2$

    ∴ 합계 : $98.377 + 65.937 = 164.314 \rightarrow 164.31m^2$

다. 외벽미장 면적

  ① $(24.19 + 8.19) \times 2 \times 3 - (2.2 \times 2.4 + 1.8 \times 1.2 \times 6 + 1.2 \times 0.9) = 174.96m^2$

5 다음 보기의 미장재료에서 기경성과 수경성 미장재료를 구분하여 쓰시오. (4점)

> ─〈보 기〉─────────────
>
>   진흙,   시멘트 모르타르,   회반죽,   무수석고 플라스터,
>   돌로마이트 플라스터,   석고플라스터

가. 기경성 미장재료 : _____

나. 수경성 미장재료 : _____

정답 5
가. 진흙, 회반죽,
    돌로마이트 플라스터
나. 시멘트 모르타르,
    무수석고 플라스터, 석고플라스터

6 계약서류 조항간의 문제점이나 계약서류와 현장조건 또는 시공조건의 차이점에 의해 발생되는 문제점에 대해 발주자나 시공자가 이의를 제기하여 발생하는 클레임의 유형 4가지를 쓰시오. (4점)

① _____

② _____

③ _____

④ _____

정답 6
① 공사지연(공기지연)
② 현장 공사 조건의 변경
③ 공사비 지불지연
④ 도면과 시방서의 불일치
※ • 작업범위 변경
• 일방적인 계약 파기
• 불합리한 작업기간 단축 등

7 다음 흙막이벽 공사에서 발생되는 현상을 쓰시오. (3점)

가. 시이트 파일 등의 흙막이벽 좌측과 우측의 토압차로써 흙막이 일부의 흙이 재하하중 등의 영향으로 기초파기하는 공사장 안으로 흙막이벽 밑을 돌아서 미끄러져 올라오는 현상 (_____)

나. 모래질 지반에서 흙막이벽을 설치하고 기초파기 할 때의 흙막이벽 뒷면수위가 높아서 지하수가 흙막이 벽을 돌아서 지하수가 모래와 같이 솟아오르는 현상 (_____)

다. 흙막이벽의 부실공사로서 흙막이벽의 뚫린 구멍 또는 이음새를 통하여 물이 공사장 내부바닥으로 스며드는 현상 (_____)

정답 7
가. 히이빙 현상
나. 보일링 현상
다. 파이핑 현상

8 다음 데이터를 공정표로 작성하고, 4일의 공기를 단축한 최종상태의 공사비를 산출하시오. (단, 최종작성 네트워크 공정표에서 크리티칼 패스는 굵은 선으로 표시하고 결합점 시간은 다음과 같이 표시한다.) **(10점)**

작업명	선행작업	표준(Normal)		급속(Crash)	
		소요일수	공사비	소요일수	공사비
A	없음	3일	70,000	2일	130,000
B	없음	4일	60,000	2일	80,000
C	A	4일	50,000	3일	90,000
D	A	6일	90,000	3일	120,000
E	A	5일	70,000	3일	140,000
F	B, C, D	3일	80,000	2일	120,000

정답 **8**

① 공정표

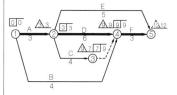

② 총공사비
총공사비 = 표준공비 + 추가공비
= 420,000 + 110,000
= 530,000원

해설 **8**

답안지에 제시되어 있는 표는 S.A.M(Siemens Approximation Method)이라는 공기단축법이다.

① 가로축에 각 경로를 나열하고 세로축에 각 작업을 나열한 다음 서로 만나는 칸에 비용구배와 단축가능 일수를 기입한다.

② 맨아래에는 각 경로의 공기를 표기하여 단축공기보다 초과되는 경로를 찾는다.

③ 초과되는 경로에서 최소비용 순서로 공기를 단축하되 단축된 작업이 다른 단축경로에도 포함되어 있는지를 파악하여 포함되어 있다면 그 경로의 단축도 표시해 나간다.

정답

작업＼경로	A-E	A-D-F	A-C-F	B-F	비용구배	공기단축	추가비용
A	$\frac{60,000}{1}$	$\frac{60,000}{1}$	$\frac{60,000}{1}$		60,000/일		
B				$\frac{10,000}{2}$	10,000/일		
C			$\frac{40,000}{1}$		40,000/일	1	40,000
D		$\frac{10,000}{3}$			10,000/일	3	30,000
E	$\frac{35,000}{2}$				35,000/일		
F		$\frac{40,000}{1}$	$\frac{40,000}{1}$	$\frac{40,000}{1}$	40,000/일	1	40,000
공기	8	8	8	6			110,000

9 390×190×190인 시멘트 블록의 압축강도 시험에서 하중속도를 매초 0.2MPa로 한다면 압축강도 8MPa인 블록은 몇 초에서 붕괴되겠는지 붕괴시간을 구하시오. (3점)

- 붕괴시간 : _____

정답 **9**

하중속도가 매초당 0.2N/mm²씩 증가 하므로 이 압축강도가 8N/mm²가 되려면 40초가 경과되어야 한다.

10 블록쌓기 시공도에 기입하여야 할 사항에 대하여 4가지만 쓰시오. (4점)

① _____

② _____

③ _____

④ _____

정답 **10**

① Block의 종류, Block 나누기
② Mortar 충진개소, 위치
④ 철근 가공상세, 철근배치, 이음의 위치, 방법
④ 매립철물의 종류, 위치
※ 인방보, 테두리보의 위치, 배근상태

11 다음 설명이 뜻하는 콘크리트 명칭을 써 넣으시오. (3점)

(1) 콘크리트면에 미장 등을 하지 않고, 직접 노출시켜 마무리한 콘크리트

           _____

(2) 부재 단면치수가 80cm이상, 콘크리트 내·외부 온도차가 25℃이상으로 예상되는 콘크리트   _____

(3) 건축구조물이 20층 이상이면서 기둥크기를 적게 하도록 콘크리트 강도를 높게 하는 구조물에 사용되는 콘크리트로서 설계기준 강도가 보통 400 kgf/cm²이상인 콘크리트   _____

정답 **11**

(1) 제물치장 콘크리트
    (Exposed Concrete)
(2) 매스 콘크리트(Mass Concrete)
(3) 고강도 콘크리트(High Strength Concrete)

12 철골조에서의 칼럼 쇼트닝(Column Shortening)에 대하여 기술하시오. (3점)

_____

_____

정답 **12**

철골조의 초고층 건물축조시 발생되는 기둥의 축소, 변위현상을 말한다.
발생이유 : 내·외부 기둥 구조의 차이, 재질이나 응력의 차이, 하중의 차이 때문

13 기존의 공법은 기초를 축조하여 상부로 시공해 나가는 공법이지만 톱다운 공법(top-down method)은 지하구조물의 시공순서를 지상에서부터 시작하여 점차 깊은 지하로 진행하여 완성하는 공법으로서 여러 장점을 갖고 있다. 이 장점 중 기상변화의 영향이 적어 공기단축을 꾀할 수 있는데 그 이유를 설명하시오. (3점)

[정답] 13

1층 바닥 슬래브가 선시공되어, 슬래브 밑에서 굴토공사를 진행하므로 동절기에도 전천후시공이 가능하기 때문이다.

14 염분을 포함한 바다모래를 골재로 사용하는 경우 철근 부식에 대한 방청상 유효한 조치를 3가지 쓰시오. (3점)

① _____
② _____
③ _____

[정답] 14

① 철근 표면에 아연도금 처리
② 콘크리트에 방청제 혼입
③ 에폭시 코팅 철근사용
④ 골재에 제염제 혼합사용
⑤ W/C비 적게, 철근피복두께 확보

15 시멘트의 응결시간에 영향을 미치는 요소를 3가지 설명하시오. (3점)

① _____
② _____
③ _____

[정답] 15

① 시멘트의 분말도가 크면 응결이 빠르다.
② 온도가 높고, 습도가 낮을수록 응결이 빠르다.
③ 시멘트의 화학성분 중 (C_3A(알루민산 3석회)가 많을수록 응결이 빠르다.

16 PS 콘크리트에서 프리텐션 공법과 포스트텐션 공법을 간단히 쓰시오. (4점)

가. 프리텐션 공법 : _____

나. 포스트텐션 공법 : _____

[정답] 16

가. 강현재에 인장력을 가한 상태로 콘크리트를 부어 넣고 경화후 단부에서 인장력을 풀어주어 콘크리트에 압축력을 가한다.
나. 시드를 설치하고 콘크리트를 경화시킨 뒤 시드 구멍에 강현재를 삽입, 긴장시키고, 시멘트 페이스트로 그라우팅한 후 인장력을 풀어준다.

17 목재의 방부처리방법을 세가지 쓰고, 그 내용을 설명하시오. (3점)

① _____

② _____

③ _____

① 주입법 : 방부제를 상압주입이나 가압하여 나무깊이 주입하는 방법
② 도포법 : 방부제칠이나 유성페인트, 아스팔트 재료 등을 칠하는 방법
③ 표면탄화법 : 목재표면 3~4mm 정도를 태워 수분을 제거하는 방법

18 프리스트레스트 콘크리트에 이용되는 긴장재의 종류를 3가지 쓰시오. (3점)

① _____

② _____

③ _____

① PC 강선(PC 鋼線)
　(high strength steel, prestressing steel)
② PC 강봉 (PC 鋼奉)
　(high strength steel Bar)
③ PC 강연선(PC 꼬은선)
　(high strength steel strand, prestressing wire strand)

19 거푸집 블록조의 콘크리트 부어넣기에 있어서 일반 RC조와 비교할 때 시공 및 구조적으로 불리한 점을 4가지만 쓰시오. (4점)

① _____

② _____

③ _____

④ _____

① 줄눈이 많아서 강도가 부족하다.
② 블록 살두께가 얇아서 충분한 다짐이 곤란하다.
③ 줄눈 사이에 시멘트풀이 흘러 곰보발생이 우려된다.
④ 시공결과의 판단이 불명확하고 철근의 접착피복두께가 불안전하다.

20 다음 그림과 같은 헌치 보에 대하여, 콘크리트량과 거푸집 면적을 구하시오. (4점)
（단, 거푸집 면적은 보의 하부면도 산출할 것）

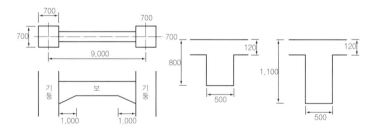

가. 콘크리트
① 보부분 : $0.5 \times 0.8 \times 8.3 = 3.32m^3$
② 헌치부분 : $(0.3 \times 0.5 \times 1 \times \frac{1}{2}) \times 2$
　　　　 $= 0.15m^3$
계 : $3.32 + 0.15 = 3.47m^3$
나. 거푸집 면적
① 보옆 : $0.68 \times 8.3 \times 2 = 11.288m^2$
② 헌치옆 : $\{(0.3 \times 1 \times \frac{1}{2}) \times 2\} \times 2$
　　　 $= 0.6m^2$
③ 보밑 : $0.5 \times 8.3 = 4.15m^2$
계 : $11.288 + 0.6 + 4.15 = 16.038m^2$

21 커튼월공사를 주프레임 재료를 기준으로 크게 3가지로 분류할 수 있는데 그 3가지의 커튼월을 쓰시오. (3점)

① _____ ② _____

③ _____

22 골재의 흡수량과 함수량의 용어에 대해 기술하시오. (2점)

가. 흡수량 : _____

나. 함수량 : _____

23 다음은 시트 방수공사의 항목들이다. 시공순서대로 기호를 나열하시오. (4점)

㉮ 단열재 깔기	㉯ 접착제 도포	㉰ 조인트 실(Seal)
㉱ 물채우기시험	㉲ 보강붙이기	㉳ 바탕처리
㉴ 시트붙이기		

_____

24 다음은 옥상에 아스팔트 방수공사를 한 그림이다. 콘크리트 바탕으로부터 최상부 마무리 까지의 시공순서를 번호에 맞추어 쓰시오. (단, 아스팔트 방수층 시공순서는 세분하지 않는다.) (4점)

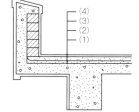

(1) _____ (2) _____

(3) _____ (4) _____

정답 21
① 금속재 커튼월
② precast concrete 커튼월
③ 복합커튼월

정답 22
가. 표면건조 내부포수 상태의 골재 중에 포함되는 물의 양
나. 습윤상태의 골재 내·외에 함유된 전 수량

정답 23
㉳ → ㉮ → ㉯ → ㉴ → ㉲ → ㉰ → ㉱

정답 24
(1) 바탕 Mortar 바름시공
(2) Asphalt 방수층 시공
(3) 보호누름시공
(4) 보호 Mortar 시공

25 건축공사 표준시방서에서의 방수공사 표기방법 중 각 공법에서 최후의 문자는 각 방수층에 대하여 공통으로 고정상태, 단열재의 유무 및 적용부위를 의미한다. 이에 사용되는 영문기호 F, M, S, U, T, W 중 4개를 선택하여 그 의미를 설명하시오. (4점)

① _____

② _____

③ _____

④ _____

[정답] 25
① F : 바탕에 전면 밀착시키는 공법 : Fully bonded
② M : 바탕과 기계적으로 고정시키는 방수층
　　 : Mechanical Fastened
③ S : 바닥에 부분적으로 밀착시키는 공법 : Spot bonded
④ T : 바탕과의 사이에 단열재를 삽입한 방수층
　　 : Thermal insulated
※ U : Underground, 지하층에 적용하는 방수
　 W : Wall, 외벽에 적용하는 방수

26 철골공사에서 고장력 볼트 조임에 쓰는 기기 2가지와 일반적으로 각 볼트군에 대하여 조임검사를 행하는 표준볼트의 수에 대해 쓰시오. (3점)

가. 조임기기 : • _____ • _____

나. 조임검사를 행하는 볼트의 수 : _____

[정답] 26
(1) 임팩트렌치, 토크렌치
(2) 전체 Bolt수의 10%이상 혹은 각 Bolt군에 1개 이상

2005년 2회 출제문제

1 아일랜드식 터파기 공법의 시공순서에서 번호에 들어갈 내용을 쓰시오. (4점)

> 흙막이 설치 - (1) - (2) - (3) - (4) - (지하구조물완성)

(1) _____

(2) _____

(3) _____

(4) _____

2 다음은 진동기를 과도 사용할 경우이다. ( ) 안에 알맞은 용어를 쓰시오. (2점)

진동기를 과도 사용할 경우에는 (①) 현상을 일으키고, AE콘크리트에서는 (②)이 많이 감소한다

① _____   ② _____

3 조적조를 바탕으로 하는 지상부 건축물의 외부벽면 방수방법의 내용을 3가지 쓰시오.
(3점)

① _____

② _____

③ _____

4 철근 콘크리트의 선팽창계수가 1.0×10⁻⁵이라면 10m 부재가 10℃의 온도변화시 부재의 길이 변화량은 몇 cm인가? (3점)

계산식($\Delta\ell$) : _____

정 답

정답 1

(1) 중앙부 굴착
(2) 중앙부 기초 구조물 축조
(3) 버팀대 설치
(4) 주변부 흙파기

정답 2

① 재료분리
② 공기량

정답 3

① 시멘트 액체 방수법을 이용하여 방수처리하는 방법
② 수밀성(방수성능)이 있는 재료를 부착하여 처리하는 방법
③ 에폭시 수지 등의 도막방수 재료를 표면에 도포하는 방법

정답 4

길이변화($\Delta\ell$) = 선팽창계수 × ΔT
∴ $1 \times 10^{-5} \times 10 \times 10 \times 1,000 = 1mm$이다.
답 : 0.1cm

5 콘크리트 구조체공사의 VH(Vertical Horizontal) 공법에 관하여 기술하시오. (4점)

_____

_____

6 대형 건축물 프로젝트의 추진과정에서 순서에 맞게 빈칸을 채우시오. (4점)

1) 프로젝트 착상 및 타당성 분석

2) _____

3) 구매·조달

4) _____

5) 시운전 및 완공

6) _____

[정답] **6**

2) 설계(Design)
4) 시공(Construction)
6) 인도(Turn over)

7 프리스트레스트(Prestressed)콘크리트의 작업명을 공정순으로 보기의 번호로 나열하시오. (4점)

　┌─〈보 기〉─────────────────────────
　│　1) 시드(sheath)설치　　2) 강현재 고정　　3) 강현재 삽입
　│　4) 강현재 긴장　　　　5) 콘크리트 타설　　6) 그라우팅
　│　7) 콘크리트 경화　　　8) 거푸집 조립
　└──────────────────────────────

[정답] **7**

8) → 1) → 5) → 7) → 3) → 4) → 2) → 6)

8 공사내용의 분류방법에서 목적에 따른 Breakdown Structure의 3가지 종류를 쓰시오. (3점)

① _____　　② _____

③ _____

[정답] **8**

① 작업분류체계 (WBS : Work Breakdown Structure)
② 조직분류체계(OBS : Organization Breakdown Structure)
③ 원가분류체계(CBS : Cost Breakdown Structure)

9 철골구조 공사에 있어서 철골 습식 내화피복공법의 종류를 3가지 쓰시오. (3점)

① _____ ② _____ ③ _____

① 현장콘크리트 타설 공법
② 뿜칠공법
③ 조적공법
※ 미장 공법

10 다음 도면과 같은 기둥 철근량(주근, 대근)을 산출하시오. (단, 층고는 3.6m, 주근의 이음길이는 25d로 하고, 철근의 중량은 D22는 3.04kg/m, D19는 2.25kg/m, D10은 0.56kg/m로 한다.) (4점)

```
        ┌─────────────┐ — 4-D22
        │ ● ● ● ●     │
        │ ●         ● │ — 8-D19
   60cm │ ●         ● │
        │ ●         ● │ — D10@150 (단부)
        │ ● ● ● ●     │      @300 (중앙부)
        └─────────────┘
            60cm
```

계산식 : _____

_____

답 : _____ kg

계산식
주근(D22) : $\{3.6+(25+10.3\times2)\times0.022\}$
$\times4=18.41\times3.04=55.966$kg
주근(D19) : $\{3.6+(25+10.3\times2)\times0.019\}$
$\times8=35.73\times2.25=80.392$kg
대근(D10) : $2.4\times(\dfrac{0.9}{0.15}+\dfrac{1.8}{0.3}+\dfrac{0.9}{0.15}+1)$
$=45.6\times0.56=25.536$kg
계 : $55.966+80.392+25.536=161.924$kg
답 : 161.92kg

11 시스템 거푸집 중에서 플라잉 폼(flying form)의 장점을 3가지 쓰시오. (3점)

① _____

② _____

③ _____

① 조립과 해체작업이 생략되어 설치시간이 단축된다.
② 거푸집의 처짐량이 작고 외력에 대한 안정성이 높다.
③ 인력이 절감되며, 기능공의 기능도에 크게 좌우되지 않는다.
※ 합판을 제외한 주요부재의 재사용이 가능하다.

12 서중 콘크리트로서 시공해야 할 시기를 일률적으로 정하기는 곤란하나 하루 기온을 중심으로 건축공사표준시방서에서 정하고 있는 일반적인 기준에 대하여 설명하시오. (4점)

_____

일평균기온이 25℃를 초과하는 기온에 타설하는 콘크리트를 말한다.

13 다음 데이터를 네트워크 공정표로 작성하고, 각 작업의 여유시간을 구하시오. (10점)

작업명	작업일수	선행작업	비 고
A	5	없음	
B	3	〃	
C	2	〃	
D	2	A, B	
E	5	A, B, C	
F	4	A, C	

표기하고, 주공정선은 굵은 선으로 표기하시오.

EST|LST   작업명 → ⓙ로
ⓘ ─────── ⓙ
       작업일수

ⓘ 작업명／작업일수 → ⓙ로

정답 13

가. 네트워크 공정표

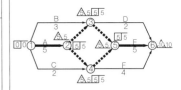

나. 여유시간

작업명	TF	FF	DF	CP
A	0	0	0	＊
B	2	2	0	
C	3	3	0	
D	3	3	0	
E	0	0	0	＊
F	1	1	0	

14 시멘트 모르터 미장공사에서 채용되는 부위별 미장시 합계 두께를 mm단위로 쓰시오.
（콘크리트 바탕을 기준으로 함）(4점)

가. 바닥 : _____

나. 천장 : _____

다. 내벽 : _____

라. 바깥벽 : _____

정답 14

가. 24mm
나. 15mm
다. 18mm
라. 24mm

15 보기에 열거한 공법들을 아래 분류에 따라 골라 번호를 쓰시오. (4점)

┌─〈보 기〉────────────────────────────┐
│ ① 칼 웰드 공법   ② 샌드 드레인 공법   ③ 베노토 공법 │
│ ④ 동결 공법   ⑤ 그라우팅 공법   ⑥ 이코스 공법 │
└──────────────────────────────────────┘

가. 제자리 콘크리트 말뚝 공법 : _____

나. 지반 개량 공법 : _____

정답 15

가. ①, ③, ⑥
나. ②, ④, ⑤

16 다음 통합공정관리(EVMS : Earned Value Management System) 용어를 설명한
것 중 맞는 것을 보기에서 선택하여 번호로 쓰시오. (3점)

> ─ 〈보 기〉─
> ① 프로젝트의 모든 작업내용을 계층적으로 분류한 것으로 가계도와 유사한
>   형성을 나타낸다.
> ② 성과측정시점까지 투입예정된 공사비
> ③ 공사착수일로부터 추정준공일까지의 실 투입비에 대한 추정치
> ④ 성과측정시점까지 지불된 공사비(BCWP)에서 성과측정시점까지 투입예정된
>   공사비를 제외한 비용
> ⑤ 성과측정시점까지 실제로 투입된 금액을 말한다.
> ⑥ 성과측정시점까지 지불된 공사비(BCWP)에서 성과측정시점까지 실제로 투
>   입된 금액을 제외한 비용
> ⑦ 공정, 공사비 통합, 성과측정, 분석의 기본단위를 말한다.

가. CA(cost account) : (＿＿＿)

나. CV(cost variance) : (＿＿＿)

다. ACWP(actual cost for work performed) : (＿＿＿)

정답 16
가. CA : ⑦
나. CV : ⑥
다. ACWP : ⑤

17 실링 방수제가 수밀성과 기밀성을 확보하면서 방수재로서 기능을 만족하고, 미를 장기
적으로 유지시키기 위해서 요구되는 실링방수제의 품질성능 요소를 3가지 쓰시오. (3점)

① ＿＿＿＿＿＿＿＿＿＿   ② ＿＿＿＿＿＿＿＿＿＿

③ ＿＿＿＿＿＿＿＿＿＿

정답 17
① 접착성능
② 내구성능
③ 비오염성능(오염방지성능)

18 다음은 목공사의 단면치수 표기법이다. ( )안에 알맞는 말을 써 넣으시오. (3점)

목재의 단면을 표시하는 치수는 특별한 지침이 없는 경우 구조재, 수장재는 모
두 (㉮)치수로 하고 창호재, 가구재의 치수는 (㉯)치수로 한다. 또 제재목을
지정치수대로 한 것을 (㉰)치수라 한다.

가. ＿＿＿＿＿＿＿   나. ＿＿＿＿＿＿＿   다. ＿＿＿＿＿＿＿

정답 18
가. 제재
나. 마무리
다. 정

19 다음 아래의 도면을 보고 요구하는 각 재료량을 산출하시오. (단, 기둥은 고려하지 않고, 평행현트러스보만 계산할 것) **(10점)**

가) Angle량 (kg)은? **(5점)**

(단, L − 50×50×4 = 3.06kg/m,   L − 65×65×6 = 5.9kg/m

L − 100×100×7 = 10.7kg/m,   L − 100×100×13 = 19.1kg/m)

나) PL-9의 량 (kg)은? **(5점)**

(단, 9 = 70.65kg/m²)

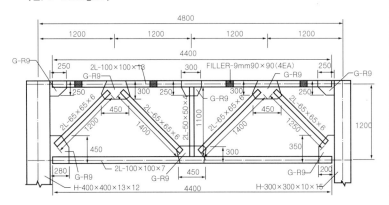

정답 **19**

가) Angle량 : L − 50×50×4 : 1.1×2×3.06 = 6.732kg

L − 65×65×6 : (1.2+1.4+1.4+1.25)×2×5.9 = 61.95kg

L − 100×100×7 : 4.4×2×10.7 = 94.16kg

L − 100×100×13 : 4.4×2×19.1 = 168.08kg

330.92kg

나) PL-9량: Gueest plate : {(0.28×0.45)+(0.25×0.25)×2+(0.3×0.45)×3+

0.25×0.3)+(0.2×0.35)}×70.65 = 56.59kg

Filler : 0.09×0.09×4×70.65 = 2.289kg

58.88kg

20 우편입찰제도에 관하여 기술하시오. **(2점)**

_____

_____

※ 참고사항

① 우편입찰시 봉합한 봉투 겉면에는 공사관리번호, 공사명, 입찰일시, 업체명 및 대표자, 연락처 등을 필히 기재한다.

② 담합 가능성이 없고, 참가업체와 경비를 줄일 수 있다. 주로 소액입찰에서 적용되는 제도이다.

정답 **20**

소정의 입찰서식을 이용하여 작성한 입찰서류를 등기우편 등을 이용하여 입찰서 제출 마감일 전일까지 입찰 담당자에게 도착시키는 방법을 말한다.

21 세로 규준틀이 설치되어 있는 벽돌조 건축물의 벽돌쌓기 순서를 보기에서 골라 번호로 쓰시오. (4점)

> ─〈보 기〉─────────────────────
> ① 기준쌓기　　② 벽돌 물축이기　　③ 보양　　④ 벽돌 나누기
> ⑤ 재료 건비빔　　⑥ 벽돌면 청소　　⑦ 줄눈파기　　⑧ 중간부 쌓기
> ⑨ 치장 줄눈　　⑩ 줄눈 누름

22 특기시방서상 콘크리트의 휨강도가 5MPa 이상으로 규정되어 있다.
150×150×530mm 공시체를 지간(Span) 450mm인 중앙점 하중법으로 휨강도 시험을 실시한 결과 45kN, 53kN, 35kN의 하중으로 파괴되었다면 평균 휨강도를 구하고, 평균치가 규정을 상회하고 있는지 여부에 따라 합격여부를 판정하시오. (4점)

가) 평균휨강도 : _____

나) 판정 : _____

해설 평균 휨강도

$$f_1 = \frac{3P_1 l}{2bd^2} = \frac{3 \times 45 \times 10^3 \times 450}{2 \times 150 \times 150^2} = 9MPa$$

$$f_2 = \frac{3P_2 l}{2bd^2} = \frac{3 \times 53 \times 10^3 \times 450}{2 \times 150 \times 150^2} = 10.6MPa$$

$$f_3 = \frac{3P_3 l}{2bd^2} = \frac{3 \times 35 \times 10^3 \times 450}{2 \times 150 \times 150^2} = 7MPa$$

$$\therefore f_b = \frac{f_1 + f_2 + f_3}{3} = \frac{26.6}{3} = 8.87MPa$$

23 KS F 4009 규정에 의하면 레디믹스트 콘크리트의 공기량은 보통 콘크리트의 경우 (①)%이며, 경량 콘크리트의 경우 (②)%로 하되 공기량의 허용오차는 ± (③)%로 한다. 보기에서 정답을 고르시오. (3점)

> ─〈보 기〉─────────────────────
> 0.5, 1.0, 1.5, 2.0, 2.5, 3.0, 3.5, 4.0, 4.5, 5.0, 5.5, 6.0, 6.5, 7.0

① _____　　② _____　　③ _____

24 직경 300mm, 길이 500mm의 콘크리트 시험체의 할렬인장 강도시험에서 최대 하중이 100kN으로 나타나면 이 시험체의 인장강도는? (3점)

_____ N/mm²

$$f_t = \frac{2P}{\pi dl}$$
$$= \frac{2 \times 100 \times 10^3}{\pi \times 300 \times 500} = 0.42 MPa$$

25 다음 설명이 가리키는 용어명를 쓰시오. (2점)

"종래의 단순한 시공업과 비교하여 건설사업의 발굴, 기획, 설계, 시공, 유지 관리에 이르기까지 사업(project) 전반에 관한 것을 종합, 기획 관리하는 업무 영역의 확대를 말한다."

정답 25
EC화(Engineering Construction화)

26 제물치장 콘크리트의 시공목적을 4가지 쓰시오. (4점)

① _____ ② _____
③ _____ ④ _____

정답 26
① 모양의 간소함을 탐미한다.
② 고강도 콘크리트를 추구한다.
③ 외장재 절약과 마감의 다양성 추구
④ 공사내용의 단일화로 경제성 추구

2005년 3회 출제문제

1 사용할 때마다 작은 부재의 조립, 분해를 반복하지 않고 대형화, 단순화하여 한번에 설치하고 해체하는 거푸집을 총칭하여 시스템거푸집이라고 한다. 이 시스템거푸집 중 거푸집판, 장선, 멍에, 서포트 등을 일체로 제작하여 수평, 수직방향으로 이동하는 바닥전용 거푸집을 무엇이라고 부르는가? (2점)

2 콘크리트에 대한 아래의 설명에 적합한 용어를 보기에서 골라 기호로 쓰시오. (3점)

┌─ 〈보 기〉
│ ① 한중 Concrete   ② 서중 Concrete   ③ 유동화 Concrete
│ ④ Mass Concrete   ⑤ Prestressed Concrete   ⑥ Prepacked Concrete
│ ⑦ 중량 Concrete   ⑧ 섬유보강 Concrete
└─

가. 수화반응이 지연되어 응결 및 강도발현이 지연되기 때문에 부어 넣기 전에 충분한 대책수립이 필요하다. (   )

나. 수화열이 내부에 축적되어 콘크리트 온도가 상승되고 균열발생이 우려된다. (   )

다. Slump loss가 증대되고 동일 Slump를 얻기 위해 단위수량이 증가한다. (   )

3 주어진 도면을 보고 요구하는 각 재료량을 산출하시오. (14점)
(단, 소수 3째자리에서 반올림한다.)

가. 콘크리트량(m³) - 배합비에 관계없이 전 콘크리트량을 구하시오.

나. 거푸집 면적(m²)을 구하시오.

다. 벽돌 소요량(매)을 구하시오.
(단, 사용벽돌은 표준형으로, 소요량은 쌓기량에 할증량을 포함하며, 외벽 시멘트 벽돌과 적벽돌 쌓기의 면적 산출은 각각 중심거리로 하고, 칸막이 벽은 실제 거리로 한다.)
① 시멘트 벽돌 (매)
② 적벽돌 (매)

라. 경비실 내벽 미장에 필요한 시멘트량(kg), 모래량(m³)을 구하시오.
　(단, 모르타르의 배합비는 1:3이며, 정미량으로 산출한다.)
　① 시멘트량(kg)
　② 모래량 (m³)

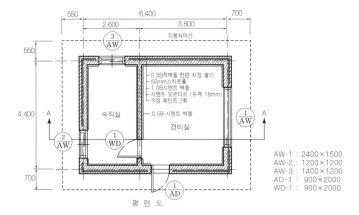

AW-1 : 2400×1500
AW-2 : 1200×1200
AW-3 : 1400×1200
AD-1 : 900×2000
WD-1 : 900×2000

평 면 도

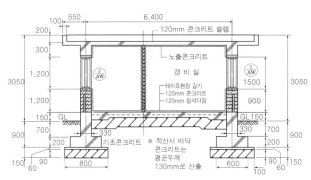

A-A'단 면 도

정답 3

구 분	수 량	수 량 산 출 근 거
콘 크 리 트	19.89㎡	① 버림콘크리트 : $0.8 \times 0.06 \times (6.4+4.4) \times 2 = 1.036$㎡ ② 기초판 : $0.6 \times 0.2 \times 21.6 \times = 2.592$㎡ ③ 기초벽 : $0.33 \times 0.85 \times 21.6 = 6.058$㎡ ④ 바닥콘크리트 : $0.13 \times (6.4-0.33) \times (4.4-0.33) = 3.211$㎡ ⑤ 테두리보 : $0.33 \times 0.18 \times 21.6 = 1.283$㎡ ⑥ 슬라브 : $0.12 \times (6.4+0.55+0.7) \times (4.4+0.55+0.7) = 5.186$㎡ ⑦ 파라펫 : $0.1 \times 0.2 \times (7.55+5.55) \times 2 = 0.524$㎡ ∴ 전체 콘크리트량$= 19.89$m³
거 푸 집	104.55㎡	① 기초판 및 벽 : $1.05 \times 21.6 \times 2 = 45.36$㎡ ② 테두리보 : $0.18 \times 21.6 \times 2 = 7.776$㎡ ③ 슬라브 : $7.65 \times 5.65 - (0.33 \times 21.6) + (2.4+1.4+1.2) \times 0.33$ 　　　　$+0.12 \times (7.65+5.65) \times 2 = 40.936$m² ④ 파라펫 : $0.2 \times 2 \times (7.55+5.55) \times 2 = 10.48$㎡ ∴ 전체 거푸집량$= 104.552 \rightarrow 104.55$㎡
벽 돌 량	시멘트 벽돌 7,252매	① 외부(1.0B 쌓기면적) : $2.4 \times [(6.4-0.33+0.19)+(4.4-$ 　$0.33+0.19)] \times 2 - (2.4 \times 1.5+1.4 \times 1.2+1.2 \times 1.2+0.9 \times 2) = 41.976$㎡ 　벽돌량$= 41.976 \times 149 = 6,254.4$장 ② 내부(0.5B 쌓기면적) : $2.58 \times (4.4-0.33) - 0.9 \times 2 = 8.701$㎡ 　벽돌량$= 8.701 \times 75 = 652.5$장 ③ 합계$= (6,254.4+652.5) \times 1.05 = 7,252.2 \rightarrow 7,252$매
	적벽돌 3,524매	① 외부(0.5B쌓기면적) : $2.4 \times [(6.4+0.33-0.09)+(4.4+0.33-$ 　$0.09)] \times 2 - (2.4 \times 1.5+1.4 \times 1.2+1.2 \times 1.2+0.9 \times 2) = 45.624$㎡ 　벽돌량$= 45.624 \times 75 \times 1.03 = 3,524.4 \rightarrow 3,524$매
미 장 공 사	시멘트 287.60kg	① 경비실내부미장면적 : $(3.59+4.07) \times 2 \times 2.58 - (2.4 \times 1.5+0.9$ 　$\times 2 \times 2) = 32.325$㎡ ② 모르타르량 : $32.325 \times 0.018 = 0.581$㎡ 　∴ 시멘트량 : 0.581×495kg$/$㎡$= 287.595$kg
	모래 0.58㎡	∴ 모래량 : 0.33㎡ $\times 3 = 0.99$㎡ $\times 0.581 = 0.575$㎡

〈참고〉 각각중심거리

　벽돌량은 벽중심선 길이×벽높이(2.4m)-(개구부면적)으로 구하므로 아래처럼 0.5B 쌓기 적벽돌
과 1.0B시멘트벽돌 중심선을 각각 구해야 한다.

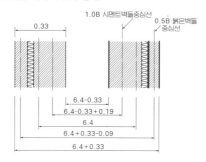

4 특기시방서상 레미콘의 압축강도가 18MPa 이상으로 규정되어 있다고 할 때 납품된 레미콘으로부터 임의의 3개 공시체(지름 150mm, 높이 300mm인 원주체)를 제작하여 압축강도를 시험한 결과 최대하중 300kN, 310kN, 320kN에서 파괴되었다. 파괴 압축강도를 구하고 규정을 상회하고 있는지 여부에 따라 합격 및 불합격을 판정하시오. (4점)

가) 파괴 압축강도 : _____

나) 판정 : _____

5 벽, 기둥 등의 모서리는 손상되기 쉬우므로 별도의 마감재를 감아 대거나 미장면의 모서리를 보호하면서 벽, 기둥을 마무리 하는 보호용 재료를 무엇이라고 하는가? (2점)

_____

6 다음 설명에 해당되는 용접결함의 용어를 쓰시오. (3점)

① 용접봉의 피복재 용해물인 회분이 용착금속 내에 혼합된 것
② 용융금속이 응고할 때 방출되어야 할 가스가 남아서 생기는 용접부의 빈자리
③ 용접금속과 모재가 융합되지 않고 단순히 겹쳐지는 것
④ 용접상부에 모재가 녹아 용착금속이 채워지지 않고 홈으로 남게된 부분

① _____　　② _____

③ _____　　④ _____

7 네트워크 공정표에서 자원배당의 대상을 3가지 쓰시오. (3점)

① _____　② _____　③ _____

8 기성콘크리트 말뚝 지정공사의 시험말뚝박기에 대한 다음 설명 중 ( )안에 적합한 숫자를 쓰시오. (4점)

가. 타격 횟수 (_____) 회에 총관입량이 (_____)mm이하인 경우의 말뚝은 박히는데 거부현상을 일으킨 것으로 본다.

나. 기초 면적이 (_____)m²까지는 2개의 단일 시험 말뚝을 설치하고 (_____)m²까지는 3개의 단일 시험 말뚝을 설치한다.

정답 **4**

$$F_1 = \frac{P_1}{A} = \frac{30,000kgf}{\frac{\pi \times 15^2}{4}} = 169.77kgf/cm^2$$

$$F_2 = \frac{P_2}{A} = \frac{31,000kgf}{\frac{\pi \times 15^2}{4}} = 175.42kgf/cm^2$$

$$F_3 = \frac{P_3}{A} = \frac{32,000kgf}{\frac{\pi \times 15^2}{4}} = 181.08kgf/cm^2$$

$$\therefore F = \frac{F_1 + F_2 + F_3}{3} = \frac{527.27}{3}$$
$$= 175.76kgf/cm^2$$

∴ 판정 : 불합격

정답 **5**

코너비드(Corner Bead : 모서리쇠)

정답 **6**

① 슬래그(Slag) 감싸들기
② 블로우홀 (Blow hole)
③ 오버랩(Overlap)
④ 언더컷 (Under Cut)

정답 **7**

자원배당의 대상
① 인력(Man power)
② 장비 · 설비(Machine, Equipment)
③ 자재(Material)
④ 자원(Money)

정답 **8**

가. 5, 6
나. 1500, 3000

9 지반개량공법 중 탈수법에서 다음 토질에 적당한 대표적 공법을 각각 1가지씩 쓰시오.

(2점)

① 사질토 : _____

② 점성토 : _____

[정답] **9**

① 웰 포인트(Well Point)공법
② 샌드 드레인(Sand Drain)공법

10 경화한 콘크리트는 시멘트의 수화생성물질로서 수산화석회를 유리하여 강알칼리성을 나타내고 수산화석회는 시간의 경과와 함께 콘크리트의 표면으로부터 공기중의 탄산가스 영향을 받아서 서서히 탄산석회로 변화하여 알칼리성을 소실하는 현상을 무엇이라 하는가?

(2점)

[정답] **10**

콘크리트의 중성화(탄산화)현상

11 다음 작업 리스트에서 네트워크 공정표를 작성하고 각 작업의 여유시간을 구하시오.

(10점)

작업명	선행작업	작업일수	비 고
A	없음	4	
B	A	6	① CP는 굵은 선으로 표시한다.
C	A	5	② 각 결합점에서는 다음과 같이 표시한다.
D	A	4	
E	B	3	EST │ LST ◁ LFT \ EFT
F	B, C, D	7	③ 각 작업은 다음과 같이 표시한다.
G	D	8	
H	E	6	②──작업명──③
I	E, F	5	공사일수
J	E, F, G	8	
K	H, I, J	6	

[정답] **11**

가. 공정표 작성

나. 여유시간계산

작업명	TF	FF	DF
A	0	0	0
B	0	0	0
C	1	1	0
D	1	0	1
E	4	0	4
F	0	0	0
G	1	1	0
H	6	6	0
I	3	3	0
J	0	0	0
K	0	0	0

12 철근 콘크리트 공사에서 형틀(거푸집) 가공조립은 정밀하고 견고하게 조립되어야 설계도 형상에 의하여 콘크리트 구조체를 형성할 수 있다. 보기의 구조부위별 형틀(거푸집) 조립작업순서에 맞게 그 기호순으로 나열하시오. (3점)

〈보 기〉
가. 보받이 내력벽   나. 외벽   다. 기둥   라. 큰보
마. 바닥   바. 작은보

정답 **12**
다 → 가 → 라 → 바 → 마 → 나

13 철골기둥 밑창판 모르타르 바르기 방법을 3가지만 쓰시오. (3점)

① _____   ② _____   ③ _____

정답 **13**
① 전면 바름법
② 나중채워넣기 중심바름법
③ 나중채워넣기 십자바름법

14 강재말뚝의 부식을 방지하기 위한 방법을 2가지 쓰시오. (2점)

① _____   ② _____

정답 **14**
① 판 두께를 증가시키는 방법
② 방청도료를 도포하는 방법
※ Mortar를 피복하는 방법

15 철근콘크리트 구조에서 기초 철근의 조립 순서를 기호로 나열하시오.

〈보 기〉
가. 직교철근 배근   나. 거푸집위치 먹줄치기   다. 대각선 철근 배근
라. 철근간격 표시   마. 기둥주근 설치   바. 스페이서 설치

정답 **15**
나. → 라. → 가. → 다. → 바. → 마.

16 조적조 벽체의 시공에서 Control joint를 두어야 하는 위치를 보기에서 모두 골라 기호로 쓰시오. (3점)

┌─〈보 기〉─────────────────────────────
│　　　가. 최상부 테두리보
│　　　나. 벽의 높이가 변하는 곳
│　　　다. 창문의 창대틀 하부벽
│　　　라. 콘크리트 기둥과 접하는 곳
│　　　마. 벽의 두께가 변하는 곳
│　　　바. 모든 문 개구부의 인방, 상부벽의 중앙
└───────────────────────────────────

정답 **16**

나, 라, 마

※ 조절줄눈 설치위치
① 벽높이가 변하는 곳
② 벽두께가 변하는 곳
③ 벽체와 기둥 및 붙임기둥의 접합부
④ 벽체와 기둥의 오목한 부분
⑤ 내력벽과 비내력벽의 접합부
⑥ 약한 기초의 상부벽

17 다음 설명을 읽고 그 설명이 뜻하는 용어를 적으시오. (5점)

(1) 공공공사에서 신기술, 신공법을 적용하여 공사비의 절감, 공기단축의 효과를 가져온 경우 계약금액을 감액하지 못하도록 하는 제도

(2) 공사계약자와 발주자간 공사계약사항의 실행을 보증회사(제3자)가 일정 수수료를 받고 보증해 주는 것

(3) 발주기관이 설계와 시공에 필요한 공사기일을 표준화하여 무리한 공기단축과 부실시공을 방지하기 위한 방안

(4) 재입찰후에도 낙찰자가 없을 때 최저 입찰자 순으로 교섭하여 계약을 체결하는 것

(5) 건설업의 고부가가치를 추구하기 위해 종래의 단순시공에서 벗어나 설계, 엔지니어링, Project 전반사항을 종합, 관리, 기획하는 업무영역의 확대를 뜻하는 용어

정답 **17**

(1) 기술개발보상제도
(2) 건설보증제도
(3) 표준공기제도
(4) 수의계약
(5) EC화(Engineering Construction化)

18 다음은 창호 공사에 관한 용어설명이다. 설명이 의미하는 용어명을 쓰시오. (4점)

　가. 창문을 창문틀에 다는 일 : _____

　나. 미닫이 또는 여닫이 문짝이 서로 맞닿는 선대 : _____

　다. 미서기 또는 오르내리창이 서로 여며지는 선대 : _____

　라. 창호가 닫아졌을 때 각종 선대 등 접하는 부분에 틈새가 나지 않도록 대어주
　　는 것 : _____

정답 **18**
　가. 박배
　나. 마중대
　다. 여밈대
　라. 풍소란

19 건설사업통합전산망인 CALS(Computer Aided Logistic Support)에 관하여 기술하
시오. (4점)

_____

정답 **19**
건설생산활동의 전과정에서 건설관련 주체들이 초고속전자통신망을 이용하여 관련 정보의 실시간 공유를 통한 건설분야 통합정보통신 시스템을 말한다.

20 파워쇼벨(Power shovel)의 1시간당 추정 굴착작업량을 다음 조건일 때 산출하시
오.(단, 단위를 명기하시오.) (4점)

　　┌─〈보 기〉──────────────────────────
　　│　（조건）　　q = 0.8m³,　　　F = 1.28,　　E = 0.83,　　K = 0.8　　Cm = 40sec

_____

정답 **20**
$$Q = \frac{3600 \times q \times f \times E \times K}{Cm}$$
$$= \frac{3600 \times 0.8 \times 1.28 \times 0.83 \times 0.8}{40}$$
$$= 61.19 m^3 / h$$

21 건설공사에서 계약분쟁의 해결방법 3가지를 쓰시오. (3점)

　① _____　　② _____

　③ _____

정답 **21**
① 상호합의에 의한 해결(합의)
② 조정 및 중재에 의한 해결(조정, 중재)
③ 재판에 의한 해결(소송)

22 철근의 단부에 갈고리(hook)를 설치해야 하는 경우를 3가지 쓰시오. (3점)

① _____

② _____

③ _____

[정답] **22**
① 원형철근인 경우
② 굴뚝철근
③ 늑근, 대근, 띠철근 인 경우

23 ALC(Autoclaved Lightweight Concrete) 패널의 설치공법을 3가지 쓰시오. (3점)

① _____   ② _____

③ _____

[정답] **23**
① 수직철근 보강 공법
② 슬라이드(Slide) 공법
③ 볼트 조임 공법
※ 타이플레이트공법, 커버플레이트
  공법

24 철근의 이음방법에는 콘크리트와의 부착력에 의한 ① _____ 외에

② _____ 또는 연결재를 사용한 ③ _____ 이 있다. (3점)

[정답] **24**
① 겹친이음
② 용접이음(가스압접이음)
③ 기계적이음

25 공기단축 MCX이론에서 최소의 비용으로 공기단축을 하기 위해서 비용구배(cost slope)를 계산하게 된다. 비용구배는 공기 1일을 단축하는데 추가되는 비용을 말한다. 비용구배를 식으로 나타내시오. (3점)

_____

[정답] **25**

$$비용구배 = \frac{특급비용 - 표준비용}{표준시간 - 특급시간}$$

26 철골공사를 시공할 때 베이스 플레이트(Base Plate)의 시공시에 사용되는 충전재의 명칭을 쓰시오. (3점)

_____

[정답] **26**
무수축 Mortar

2006년 1회 출제문제

1 거푸집 측압에 영향을 주는 요소를 4가지 적으시오. (4점)

① _____   ② _____

③ _____   ④ _____

2 철골공사의 용접접합에서 피복재의 역할을 3가지만 쓰시오. (3점)

① _____

② _____

③ _____

3 콘크리트 구조물의 균열 발생시 보강방법을 3가지 쓰시오. (3점)

① _____

② _____

③ _____

4 다음 설명에 알맞는 용어를 쓰시오. (4점)

(가) 나무나 석재의 모나 면을 깍아 밀어서 두드러지게 또는 오목하게 하여 모양지게 하는 것.

(나) 모서리 구석 등에 표면 마구리가 보이지 않게 45°각도로 빗잘라 대는 맞춤.

(다) 무량판 구조 또는 평판 구조에서 특수상자 모양의 기성재 거푸집.

(라) 굵은 골재를 거푸집에 넣고 그 사이 공극에 특수 모르타르를 적당한 압력으로 주입하여 만드는 콘크리트.

(가) _____   (나) _____

(다) _____   (라) _____

정 답

정답 1

① Concrete 타설 속도
② 콘크리트의 비중
③ 시멘트량
④ 거푸집의 수평단면
⑤ 바이브레이터의 사용
⑥ 거푸집의 강성
⑦ 철골 또는 철근량

정답 2

① 산화, 질화등 모재의 변질방지
② 함유원소를 이온화해 아크를 안정시킨다.
③ 용착금속에 합금원소를 가한다.
④ 용융금속의 탈산 정련을 한다.
⑤ 표면의 냉각, 응고 속도 낮춤

정답 3

① 강판접착공법
② 앵커접착공법
③ 탄소섬유판 접착공법

정답 4

(가) 모접기(면접기)
(나) 연귀맞춤
(다) 워플(Waffle)폼
(라) 프리팩트 콘크리트

5 특기시방서상 레미콘의 압축강도가 18MPa 이상으로 규정되어 있다고 할 때 납품된 레미콘으로부터 임의의 3개 공시체(지름 150mm, 높이 300mm인 원주체)를 제작하여 압축강도를 시험한 결과 최대하중 300kN, 310kN, 320kN에서 파괴되었다. 파괴 압축강도를 구하고 규정을 상회하고 있는지 여부에 따라 합격 및 불합격을 판정하시오. (4점)

가) 파괴 압축강도 : _____

나) 판정 : _____

정답 5

$$f_1 = \frac{P_1}{A} = \frac{300 \times 10^3}{\frac{\pi \times 150^2}{4}} = 16.98 MPa$$

$$f_2 = \frac{P_2}{A} = \frac{310 \times 10^3}{\frac{\pi \times 150^2}{4}} = 17.54 MPa$$

$$f_3 = \frac{P_3}{A} = \frac{320 \times 10^3}{\frac{\pi \times 150^2}{4}} = 18.11 MPa$$

$$\therefore f_c = \frac{f_1 + f_2 + f_3}{3} = \frac{52.63}{3}$$
$$= 17.54 MPa$$

∴ 판정 : 불합격

6 콘크리트 공사시에 레미콘 공장에서 현장타설까지의 진행순서를 보기에서 골라 쓰시오. (5점)

┌─〈보 기〉─────────────────────
│ ① 비빔시간   ② 대기시간   ③ 주행시간
│ ④ 타설시간   ⑤ 적재시간
└─────────────────────────

정답 6
① 비빔시간
② 적재시간
③ 주행시간
④ 대기시간
⑤ 타설시간

7 다음 데이터를 네트워크 공정표로 작성하고, 각 작업별 여유시간을 산출하시오. (8점)

공정관계	공기	선행작업	비 고
A	2	없음	단, 크리티칼 패스는 굵은 선으로 표시하고 결합점에서는 다음과 같이 표시한다.
B	5	없음	
C	3	없음	EST │ LST ◺ LFT │ EFT
D	4	A, B	
E	3	B, C	① ──작업명──→ ① 공사일수

(1) 공정표

(2) 여유시간계산

정답 7
(1) 공정표

(2) 여유시간

작업명	TF	FF	DF	CP
A	3	3	0	
B	0	0	0	*
C	3	2	1	
D	0	0	0	*
E	1	1	0	

8 건설공사의 기초거푸집 소요량이 100m²이고, 1, 2층의 거푸집이 각각 300m²일 때 거푸집 주문량을 산출하시오. (단, 기초 거푸집은 1회 사용, 일반층은 2회 사용하는 것으로 한다. 이때, 거푸집 1m²당 1회 사용시의 손실율은 3%이고, 2회 사용시 전용률은 57%이다.) (4점)

정답 8
① 기초거푸집 구입량 : $100 \times 1.03 = 103m^2$
② 1층 거푸집 구입량 : $300 \times 1.03 = 309m^2$
③ 2층 거푸집 구입량 : $300 \times 0.57 = 171m^2$
∴ 구입량은 $(300-171) \times 1.03 = 132.87m^2$
그러므로, 총 주문량은 $(103+309+132.87) = 544.87m^2$

9 다음이 설명하는 타일공법을 쓰시오. (3점)

(가) 가장 오래된 타일붙이기 방법으로 타일 뒷면에 붙임모르타르를 얹어 바탕모르타르에 누르듯이 하여 1매씩 붙이는 방법 : _____

(나) 평평하게 만든 바탕 모르타르위에 붙임 모르타르를 바르고 그위에 타일을 두드려 누르거나 비벼넣으면서 붙이는 방법 : _____

(다) 평평하게 만든 바탕모르타르 위에 붙임모르타르를 바르고 타일뒷면에 붙임모르타르를 얇게 발라 두드려 누르거나 비벼넣으면서 붙이는 방법:

정답 9
(가) 떠붙임공법
(나) 압착공법
(다) 개량압착공법

10 다음 보기에서 마감공사 항목을 시공순서에 따라 번호를 쓰시오. (5점)

〈보 기〉
(1) 벽미장(회반죽)마감　　(2) 바닥깔기(비닐타일)
(3) 징두리설치(인조 대리석판)　　(4) 창 및 출입문(새시)
(5) 걸레받이설치(인조 대리석판)

정답 10
(4) - (1) - (3) - (5) - (2)
※ 마감공사에 앞서 창문과 출입문을 설치하고 이어서 벽 - 징두리 - 걸레받이 - 바닥순으로 마감한다.

11 방수공법으로 안방수와 바깥방수의 장·단점을 쓰시오. (4점)

(가) 안 방 수 장점 : _____
　　　　　　 단점 : _____
(나) 바깥방수 장점 : _____
　　　　　　 단점 : _____

정답 11
(가) 안방수
• 장점 : 공사시기가 자유롭고 공사비가 저렴하다.
• 단점 : 수압이 적고 얕은 지하실에서 사용되며 내수압성이 떨어진다.
(나) 바깥방수
• 장점 : 수압이 크고 깊은 지하실에서 사용되며 내수압성이 크다.
• 단점 : 공사시기가 본 공사에 선행하므로 자유롭지 못하고, 공사비가 고가이다.

12 콘크리트의 인장응력이 생기는 부분에 미리 압축력을 주어 콘크리트의 인장강도를 증가시켜 휨저항을 크게 한 콘크리트의 명칭은? (2점)

___

13 CM계약의 장점과 단점을 2가지씩 쓰시오. (4점)

(가) 장점 : ___

___

(나) 단점 : ___

___

14 평판측량과 레벨측량의 기구를 보기에서 각각 골라 기호를 쓰시오. (4점)

┌─〈보 기〉─────────────────────
│ ① 앨리데이드   ② 평판   ③ 구심기   ④ 다림추
│ ⑤ 자침기   ⑥ 레벨   ⑦ 스태프(staff)
└──────────────────────────────

(가) 평판측량 : ___

(나) 레벨측량 : ___

15 기초공사에서 Floating Foundation에 관하여 설명하시오. (3점)

___

___

___

정답 12

프리스프레스트 콘크리트
(Prestressed Concrete)

정답 13

(가) 장점 :
① 설계자와 시공자의 통합관리로 의사소통개선, 마찰 감소
② VE/단계적발주로 원가절감, 공기 대폭단축가능
(나) 단점 :
① 프로젝트의 성패가 상당부분 CM 관리자의 능력에 좌우됨.
② 대리인형 CM인 경우 공사품질에 책임이 없어 문제발생시 책임소재 불명확.

정답 14

(가) 평판측량 : ①, ②, ③, ④, ⑤
(나) 레벨측량 : ⑥, ⑦

정답 15

① 건물하부의 지하실 바닥 전체를 하나의 일체식 기초로 축조하여 상부기둥을 지지하는 기초형식으로 전면기초 또는 Mat Foundation 이라고 한다.
② 연약지반에 RC 구조 등의 중량 건물을 세우는 경우 굴착한 흙의 중량과 건축물의 중량이 균형을 이루도록 만든 기초 공법(건물중량=배토중량의 2/3~3/4 정도)

16 콘크리트 펌프에서 실린더의 안지름 18cm, 스트로크 길이 1m, 스트로크수 24회/분, 효율 100%인 조건으로 1일 6시간 작업할 때 가능한 1일 최대 콘크리트 펌프량을 구하시오. (3점)

[정답] **16**

시간당 최대 토출량 $= \dfrac{\pi \times (0.18)^2}{4}$

$\times 1 \times 24 \times 60 = 36.62m^3 / hr$

$\therefore$ 1일 최대 펌핌량 $= 36.62m^3 / hr$

$\times 6$시간 $= 219.75m^3$

17 콘크리트 압축강도 시험에서 파괴양상에 대해 쓰시오. (3점)

(가) 고강도콘크리트 : _____

(나) 저강도콘크리트 : _____

(다) 일반 콘크리트 : _____

[정답] **17**

(가) 취성파괴
(나) 연성파괴
(다) 탄성파괴

18 철골조 내화피복공법의 종류를 4가지 쓰고 설명하시오. (4점)

① _____
② _____
③ _____
④ _____

[정답] **18**

① 현장타설공법 : 강재주위에 concrete를 5cm이상 현장에서 타설하는 공법으로 강재와 일체화 시공이 가능하다.
② 조적공법 : 돌, 벽돌, concrete 블록, 경량 concrete블록 등을 강재 주변에 쌓는다.
③ 미장공법 : 철골부재에 철망을 부착한 후 Mortar나 퍼얼라이트 Mortar 등을 바르는 공법이다.
④ 뿜칠공법 : 암면, 석면, 버미큘라이트 등의 내화 피복재를 뿜칠로 시공하는 공법으로 단면형상에 관계없이 시공이 가능하다.

19 다음 네트워크 공정표를 근거로 아래 물음에 답하시오. (3점) (단, ( )속의 숫자는 1일당 소요인원이고, 지정공기는 계산공기와 같다.)
① 각 작업을 EST에 따라 실시할 경우의 1일 최대 소요인원은?
② 각 작업을 LST에 따라 실시할 경우의 1일 최대 소요인원은?
③ 가장 적합한 계획에 의해 인원 배당을 행할 경우의 1일 최대 소요인원은?

```
           P        ②      S
         9일(4명)        18일(2명)
      ①            Q              ④
                54일(3명)
           R        ③      T
         18일(2명)       18일(2명)
```

① _____ ② _____ ③ _____

정답 19

① 각 작업을 EST에 따라 실시할 경우의 소요인원산적도

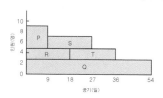

*1일 최대 소요인원은 0~9일까지로서 9명이 된다.

② 각 작업을 LST에 따라 실시할 경우의 소요인원산적도

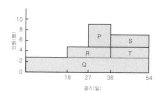

*1일 최대 소요인원은 27~36일까지로서 9명이 된다.

③ 가장 적합한 계획에 따라 실시할 경우의 소요인원산적도

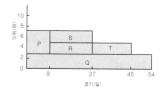

*1일 최대 소요인원은 0~27일까지로서 7명이 된다.

20 다음 그림을 보고 줄눈 이름을 쓰시오. (4점)

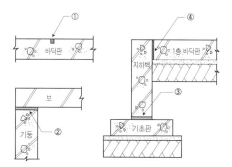

21 PHC 파일을 만드는 과정에서는 (①) 양생을 하고, (②)을 적용시켜 만든다 ( )에 알맞은 말을 쓰시오. (2점)

① _____

② _____

정답 20
① 조절줄눈(Control Joint)
② 미끄럼줄눈(Sliding Joint)
③ 시공줄눈
④ 신축줄눈(Expansion Joint)

정답 21
① 고온고압증기
② 프리텐션방식

정 답

22 Power Shovel의 시간당 작업량을 산출하시오. (4점)

data q=1.26 k=0.8 f=0.7 E=0.86 Cm=40sec

23 프리보링 공법 작업순서를 보기에서 골라 기호로 쓰시오. (3점)

〈보 기〉

① 어스오거드릴로 구멍굴착 ② 소정의 지지층 확인
③ 기성콘크리트 말뚝 경타 ④ 시멘트액 주입
⑤ 기성콘크리트 말뚝 삽입 ⑥ 소정의 지지력 확보

23 하절기콘크리트 시공시 발생하는 문제점으로써 콘크리트 품질 및 시공면에 미치는 영향에 대해 5가지를 쓰시오. (5점)

①
②
③
④
⑤

25 철골 절단방법을 3가지만 쓰시오. (3점)

① ② ③

정답 **22**

굴삭토량

$$Q = \frac{3{,}600 \times q \times k \times f \times E}{Cm}$$

$$= \frac{3{,}600 \times 1.26 \times 0.8 \times 0.7 \times 0.86}{40}$$

$= 54.613 \rightarrow 54.61m^3/hr$

정답 **23**

①→②→④→⑤→③→⑥

정답 **24**

① 단위수량의 증가로 인한 내수성, 수밀성 저하
② 슬럼프 저하 발생으로 충전성 불량, 표면마감 불량발생
③ 초기발열증대에 따른 온도균열 발생
④ 초기에 급격한 수화반응으로 콜드조인트가 쉽게 발생될 수 있다.
⑤ 초기의 급격한 수분증발로 플라스틱균열(초기건조수축균열)발생, 장기강도저하

정답 **25**

① 전달절단
② 톱절단
③ 가스절단

26 보강철근콘크리트블록조에서 세로철근을 반드시 넣어야 하는 위치 3개소를 쓰시오.

(3점)

① _____ ② _____ ③ _____

정답 **26**

① 벽끝
② 모서리나 교차부
③ 개구부 주위

27 다음 도면을 보고 옥상방수면적(m^2), 누름콘크리트량(m^3), 보호벽돌량(매)를 구하시오. (6점)

(단, 벽돌의 규격은 190×90×57 이며, 할증율은 5%임)

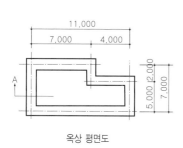

옥상 평면도

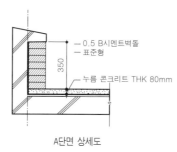

A단면 상세도

정답 **27**

① 옥상방수 면적 : (7×7)+(4×5)+{(11+7)×2 × 0.43} = 84.48m^2
② 누름콘크리트량 : {(7×7)+(4×5)} ×0.08 = 5.52m^3
③ 보호벽돌 소요량: {(11-0.09)+(7-0.09)} ×2×0.35×75매×1.05 = 982.3 →982매

2006년 2회 출제문제

1 콘크리트의 알칼리 골재반응을 방지하기 위한 대책을 3가지만 쓰시오. (3점)

① _____ ② _____

③ _____

2 철근콘크리트조 건축물에서 철근에 대한 콘크리트의 피복두께를 유지하여야 하는 주요
이유를 3가지만 쓰시오. (3점)

① _____ ② _____

③ _____

3 아래의 도면을 보고 다음에 요구하는 재료량을 산출하시오. (10점)

(단, D10=0.56kg/m, D13=0.995kg/m 이고, 이음길이와 피복은 고려하지 않는다. 또한 모든 수
량은 정미량으로 하고, 토량환산계수 L=1.2 이다.)

(1) 터파기(m³) (2) 잡석다짐(m³) (3) 버림콘크리트(m³)
(4) 거푸집(m²) : 버림콘크리트는 제외 (5) 콘크리트(m³)
(6) 철근 D10(kg), D13(kg), 합계(kg) (7) 잔토처리(m³) (8) 되메우기(m³)

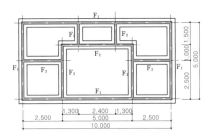

기초 보 복도

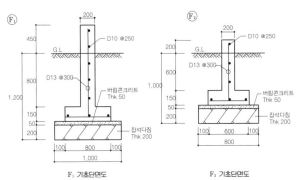

F₁ 기초단면도   F₂ 기초단면도

정　답

4 다음 데이터를 이용하여 정상공기를 산출한 결과 지정공기보다 3일이 지연되는 결과이었다. 공기를 조정하여 3일의 공기를 단축한 네트워크 공정표를 작성하고 아울러 총공사금액을 산출하시오. (10점)

작업기호	선행작업	정상 (Normal)		특급 (crash)		비용구배 (Cost Slope) (원/일)	비　고
		공기(일)	공비(원)	공기(일)	공비(원)		
A	-	3	7,000	3	7,000	-	단축된 공정표에서 CP는 굵은 선으로 표기하고, 각 결함점에서는
B	A	5	5,000	3	7,000	1,000	
C	A	6	9,000	4	12,000	1,500	
D	A	7	6,000	4	15,000	3,000	
E	B	4	8,000	3	8,500	500	
F	B	10	15,000	6	19,000	1,000	로 표기한다.(단, 정상공기는 답지에 표기하지 않고 시험지 여백을 이용할 것.)
G	C, E	8	6,000	5	12,000	2,000	
H	D	9	10,000	7	18,000	4,000	
I	F,G,H	2	3,000	2	3,000	-	

비고란: EST LST / 작업명 공사일수 / LFT EFT 형식 설명

5 구조적인 균열에 대한 보수재료가 갖추어야 하는 요구조건을 3가지만 쓰시오. (3점)

① _____

② _____

③ _____

6 탑다운공법(Top-Down Method)은 지상이 협소한 대지에서 작업공간이 부족하여도 공간을 활용하여 작업을 행할 수 있는데 그 이유를 기술하시오. (4점)

_____

_____

7 시멘트가 각각 500포, 1600포, 2400포가 있다. 공사현장에서 필요한 시멘트 창고의 면적은 얼마나 필요한가? (단, 쌓기 단수는 12단) (3점)

_____

정답 4

① 단축한 네트워크 공정표

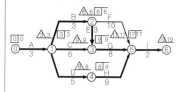

② 총공사 금액

단축작업	단축일수	추가공사비
E	1	500원
B, D	2	8,000원

∴ 총공사 금액
= 표준공사비 + 추가공사비
= 69,000 + 8,500원
= 77,500원

정답 5

(1) 보수대상 구조물 표면에 대한 부착력(점착력)이 우수할 것.
(2) 적합한 점도와 완주입이 가능한 충전성을 갖출 것.
(3) 경화시 수축이 없을 것
※성능 저하가 없고, 내후성이 우수할 것.

정답 6

역타공법은 1층 바닥판을 선시공하여서 이것을 작업장으로 활용하므로 협소한 대지에서도 효율적인 공간활용이 가능한 공법이다.

정답 7

① 500포의 경우 : $A = 0.4 \times \dfrac{500}{12}$
　$= 16.666 \rightarrow 16.67 m^2$

② 1,600포의 경우 : $A = 0.4 \times \dfrac{600}{12}$
　$= 20 m^2$

③ 2,400포의 경우 :
　$A = 0.4 \times \dfrac{(2,400 \times 1/3)}{12} = 26.666$
　$\rightarrow 26.67 m^2$

8 콘크리트 공사시 다음 설명이 뜻하는 용어를 쓰시오. (4점)

(가) 수량에 의해 변화하는 콘크리트 유동성의 정도
(나) 콘시스턴시에 의한 치어붓기 난이도 정도 및 재료분리에 저항하는 정도
(다) 마감성의 난이를 표시하는 성질
(라) 거푸집 등의 형상에 순응하여 채우기 쉽고, 분리가 일어나지 않은 성질

(가) _____   (나) _____

(다) _____   (라) _____

정답 **8**
(가) 반죽질기(Consistency)
(나) 시공연도(Workability)
(다) 마감성(Finishability)
(라) 성형성(Plasticity)

9 콘크리트를 타설 후 수화작용을 충분히 발휘시킴과 동시에 건조 및 외력에 의한 균열발생을 예방하고 오손, 변형, 파손 등으로부터 콘크리트를 보호하는 것 (2점)

_____

정답 **9**
보호(Protecting) 혹은
양생(Curing)

10 철골용접부위의 품질상태를 검사하는 비파괴시험법을 3가지만 쓰시오. (3점)

(1) _____   (2) _____

(3) _____

정답 **10**
(1) 방사선 투과시험
(2) 초음파 탐상법
(3) 자기분말 탐상법

11 건축물의 유지관리를 위한 정기적인 검사방법을 3가지 쓰시오. (3점)

① _____   ② _____   ③ _____

정답 **11**
① 초기점검
② 정기점검
③ 정밀점검
※ 기타 : 정밀안전진단, 긴급점검

12 다음 용어에 대해 설명하시오. (4점)

(가) 인트랩트 에어(Entraped Air) : _____

_____

(나) 인트레인드 에어(Entrained Air) : _____

_____

정답 **12**
(가) 일반 콘크리트에 자연적으로 형성되는 부정형의 상호연속된 기포로 1~2%정도 함유하게 된다.
(나) AE제에 의하여 발생하는 독립된 균질한 미세 기포로 볼베어링 역할을 하여 시공연도를 증진시킨다. (적당한 공기량은 4~6%)

13 기둥 주근은 (①), 큰보의 주근은 (②), 작은보 주근은(③), 직교하는 단부보 하부에 기둥이 없을 때 보 상호간에, 바닥철근은 보 또는 (④)에 정착한다. ( )에 알 맞은 것을 보기에서 골라 쓰시오. (4점)

┌─〈보 기〉─────────────────────────┐
　　① 벽체　　② 기초　　③ 큰보　　④ 기둥　　⑤ 지붕
└──────────────────────────────┘

정답 **13**
① : 기초
② : 기둥
③ : 큰보
④ : 벽체

14 조적벽체에서 테두리보(Wall Girder)의 역할에 대하여 3가지만 적으시오. (3점)

① _____

② _____

③ _____

정답 **14**
※ 테두리보의 설치 목적(역할)
① 분산된 벽체를 일체화 한다.
　 (수축균열을 최소화, 강도증진)
② 집중하중을 균등 분산한다.
③ 세로 철근을 정착시킨다.
　 (제자리 Concrete보 타설시)
④ 지붕 Slab의 하중을 보강한다.

15 현행 건설계약 제도상 자주 사용되는 보증금의 종류 3가지만 적으시오. (3점)

① _____

② _____

③ _____

정답 **15**
① 입찰보증금
② 계약이행보증금(계약보증금)
③ 하자보증금

16 대안입찰제도 대하여 설명하시오. (3점)

① _____

② _____

③ _____

정답 **16**
처음 설계된 내용보다 기본방침의 변경없이 공사비를 낮추면서 동등 이상의 기능과 효과를 갖는 방안을 시공자가 제시할 경우 이를 검토하여 채택하는 입찰제도.

17 TQC에 이용되는 도구 설명하시오. (4점)

(가) 파레토도 : _____

(나) 특성요인도 : _____

(다) 층별 : _____

(나) 산점도 : _____

18 다음 관계있는 것을 보기에서 번호를 골라 쓰시오. (4점)

─〈보 기〉─
① 고장력볼트 ② 구멍맞추기 ③ 세우기 ④ 현장리벳치기

(가) 뉴매틱해머 : _____ (나) 진폴 : _____

(다) 드리프트핀 : _____ (라) 임팩트렌치 : _____

19 W/C=55%, C=310kg, 물의 량(m³)을 구하시오. (3점)

_____

20 경영전략 수립을 위한 건설산업의 환경분석은 기회요소와 위협요소에 대한 표출작업이라 할 수 있다. 이를 대비하여 조사하여야 할 항목을 3가지만 쓰시오. (3점)

① _____

② _____

③ _____

[정답] 17
(가) 불량 등 발생건수를 분류 항목별로 나누어 크기 순서대로 나열해 놓은 그림
(나) 결과에 원인이 어떻게 관계하고 있는가를 한눈에 알 수 있도록 작성한 그림
(다) 집단을 구성하고 있는 많은 데이터를 몇개의 부분집단으로 나누는 것
(라) 대응되는 두 개의 짝으로 된 데이터를 그래프 용지 위에 점으로 나타낸 그림

[정답] 18
(가) : ④
(나) : ③
(다) : ②
(라) : ①

[정답] 19
$$W/C = \frac{물의\ 중량(kg)}{시멘트\ 중량(kg)}$$
① 310kg×0.55=170.5kg(l)
② 물 1m³는 1,000l 이므로
170.5÷1,000=0.1705m³

[정답] 20
① 일반 경제지표
② 정부의 투자계획 및 제도
③ 건설수요 예상물량
④ 잠정적 고객
⑤ 경쟁자의 능력
⑥ 자원공급력(인력, 자재, 하도급업자 등)
⑦ 지역별 특수조건(제도 등)

21 페데스탈 파일의 시공순서를 보기에서 골라 기호로 쓰시오. (3점)

<보 기>
⑦ 내관을 빼낸다.
㉯ 외관내에 콘크리트를 넣는다.
㉰ 내관을 넣어 콘크리트를 다지며 외관을 서서히 빼 올리며 콘크리트를 구근형으로 다진다.
㉱ 외관과 내관의 2중관을 동시에 소정위치까지 박는다.

22 다음 설명에 해당되는 용어를 쓰시오. (3점)

(가) 건축주와 직접계약을 체결한 자.
(나) 건축물이 설계도서대로 시공되는지의 여부를 확인 및 감독하는 자
(다) 건설프로젝트의 전 과정에 CM업무를 수행하는 자

23 입찰제도 중 낙찰자 선정방식의 종류를 4가지만 적으시오. (4점)

① _____ ② _____
③ _____ ④ _____

24 기초구조물의 부동침하 방지대책을 4가지만 적으시오. (4점)

(1) _____ (2) _____
(3) _____ (4) _____

정답 **21**
※ ㉱ → ⑦ → ㉯ → ㉰

정답 **22**
(가) 원도급자
(나) 감리자
(다) 건설사업 관리자(CM Manager)

정답 **23**
※ 현행입찰제도를 기준(2013년)
① 최저가 낙찰제도
② 적격심사제도
③ 턴키 입찰제도(설계/시공 일괄 입찰제도)
④ 대안 입찰제도
※ 기타 : 내역입찰제도

정답 **24**
(1) 기초를 경질층에 지지시킬 것
(2) 마찰 말뚝을 사용하여 보강할 것
(3) 지하실을 설치할 것
(4) 복합기초를 사용할 것

25 거푸집이 갖추어야 할 구비조건을 4가지 쓰시오. (4점)

(가) _____　　　(나) _____

(다) _____　　　(라) _____

정답 **25**
(가) 시멘트 페이스트 누출방지를 위한 수밀성 확보
(나) 콘크리트의 치수, 형상 유지
(다) 외력, 측압에 대한 안전성
(라) 조립 및 해체의 간편성, 반복 사용의 전용성

26 다음은 지반 조사법 중 보링에 대한 설명이다. 알맞은 용어를 쓰시오. (3점)

① 비교적 연약한 토지에 수압을 이용하여 탐사하는 방식
② 경질층을 깊이 파는데 이용하는 방식
③ 지층의 변화를 연속적으로 비교적 정확히 알고자할 때 사용하는 방식

①　_____　　②　_____　　③　_____

정답 **26**
① 수세식 보링
② 충격식 보링
③ 회전식 보링

2006년 3회 출제문제

1 기초와 지정의 차이점을 기술하시오. (4점)

(1) 기초 : _____

(2) 기초 : _____

2 철골공사에서 철골에 녹막이칠을 하지 않는 부분을 3가지만 쓰시오. (3점)

① _____

② _____

③ _____

3 다음이 설명하는 현장타설 콘크리트 말뚝의 종류를 쓰시오. (3점)

(1) 1.0~2.5ton의 3가지 추를 사용하여 잡석과 콘크리트를 교대 투입 후 추로 다
    짐하여 콘크리트 말뚝을 만드는 공법 : _____

(2) 철관을 쳐서 박아넣고 그 속에 콘크리트를 부어넣고 중추로 다짐하여 외관
    을 뽑아내는 공법 : _____

(3) 외관에 심대(Core)를 넣고 박아 심대를 뽑고 콘크리트를 넣은 후 다짐을 실
    시하여 외관이 땅속에 남은 유곽 파일 : _____

4 흙막이 공법 중 그 자체가 지하구조물이면서 흙막이 및 버팀대 역할을 하는 공법을 보기
에서 모두 골라 기호로 쓰시오. (3점)

─ 〔보기〕─
㉮ 지반정착(Earth Anchor) 공법   ㉯ 개방잠함(Open Caisson)공법
㉰ 수평버팀대공법   ㉱ 강재널말뚝(Sheet pile)공법
㉲ 우물통(Well) 공법   ㉳ 용기잠함(Pneumatic Caisson)공법

5 역타설 공법(Top-Down Method)의 장점을 4가지 쓰시오. (4점)

① _____

② _____

③ _____

④ _____

6 흙의 전단강도에 관한 설명 중 ( )안의 내용을 보기 중 골라 기재하시오. (4점)

──〔보기〕────────────────────────
　① 지지　　② 안정　　③ 침하　　④ 붕괴　　⑤ 안전　　⑥ 융기
──────────────────────────────

전단강도란 흙에 관한 역학적 성질로서 기초의 극한 지지력을 알수 있다. 따라서 기초의 하중이 흙의 전단강도 이상이 되면 흙은 (①)되고, 기초는 (②)되며, 이하이면 흙은 (③)되고, 기초는(④)된다.

① _____　　② _____

③ _____　　④ _____

7 콘크리트 공사 중 거푸집짜기 시공상 주의사항에 대하여 5가지를 쓰시오. (5점)

① _____

② _____

③ _____

④ _____

⑤ _____

정답 **5**

① 주변지반과 건물에 영향이 없는 안정적공법이다.
② 지상, 지하 동시작업으로 공기가 단축된다.
③ 1층 바닥판을 작업장으로 활용이 가능하다.
④ 천후와 무관한 전천후 작업이 가능하다.

정답 **6**

① 붕괴　② 침하
③ 안정　④ 지지

정답 **7**

① 수밀성(조립의 밀실성) 확보
② 외력, 측압에 대한 안전성 추구
③ 충분한 강성과 칫수 정확성 확보
④ 조립해체의 간편성 추구
⑤ 이동간편성, 전용성 고려(이동용 이, 반복사용 가능)

8 다음이 설명하는 건설관리조직의 명칭을 쓰시오. (3점)

건설사업에서 전통적으로 사용되어 온 것으로, 사업성격이 분명하고 단순하며 각 업무가 분절되어도 서로 큰 영향을 미치지 않은 경우에 적합하지만 CM 등이 적용되는 대규모 공사에는 부적합하고 자칫 관료적이 되기 쉬운 건설관리조직 :

___

9 흙막이의 계측관리시 계측에 사용되는 측정기 중 3가지를 쓰시오. (3점)

(1) ___

(2) ___

(3) ___

10 아래 그림에서 한 층분의 물량을 산출하시오. (10점)

① 부재치수(단위 : mm)

② 전기둥(C_1) : 400×400, (C_2) : 500×500, 슬랩두께(t) : 120

③ G_1 : 300×600(b×D), G_2 : 300×700

④ 층고 : 3,300

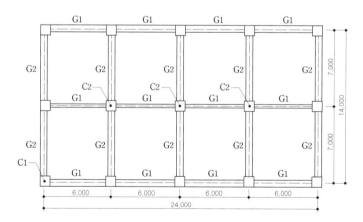

(가) 전체 콘크리트량(m^3) ___

(나) 전체 거푸집 면적(m^2) ___

정답 **8**

라인조직 또는 직계식 조직

정답 **9**

(1) Tilt Meter (경사계)

(2) Strain Gauge (변형계)

(3) Soil Pressure Gauge (토압계)

정답 **10**

① 콘크리트량(m^3)

기둥 C1 : 0.4×0.4×3.18×12개=6.1056

    C2 : 0.5×0.5×3.18×3개=2.385

보 G1 : (5.5m) 0.3×0.48×5.5×4개
    =3.168

   G1 : (5.55m) 0.3×0.48×5.55×4개
    =3.1968

   G1 : (5.6m) 0.3×0.48×5.6×4개
    =3.2256

   G2 : (6.5m) 0.3×0.58×6.5×
    6개=6.786

   G2 : (6.55m) 0.3×0.58×6.55×
    4개=4.5588

슬래브 : 24.3×14.3×0.12=41.6988

   ∴ 계=71.1246 → 71.12m^3

② 거푸집량(m^2)

기둥 C1 : 1.6×3.18×12개=61.056

    C2 : 2×3.18×3개=19.08

보 G1 : (5.5m) 0.48×2×5.5×4개
    =21.12

   G1 : (5.55m) 0.48×2×5.55×4개
    =21.312

   G1 : (5.6m) 0.48×2×5.6×4개
    =21.504

   G2 : (6.5m) 0.58×2×6.5×
    6개=45.24

   G2 : (6.55m) 0.58×2×6.55×
    4개=30.392

슬래브 : (24.3×14.3)+(24.3+14.3)×2
    ×0.12=356.754

   ∴ 계:576.458 → 576.46m^2

11 지반개량공법에서 진동다짐 압입공법의 종류를 2가지 쓰시오. (2점)

① _____

② _____

12 일반적인 콘크리트의 배합설계 순서를 8가지로 나누어 쓰시오. (5점)

(1) _____   (2) _____

(3) _____   (4) _____

(5) _____   (6) _____

(7) _____   (8) _____

13 히스토그램(Histogram)의 작성순서를 보기에서 골라 순서를 기호로 쓰시오. (3점)

〈보기〉
① 히스토그램을 규격값과 대조하여 안정상태인지 검토한다.
② 히스토그램을 작성한다.
③ 도수분포도를 만든다.
④ 데이터에서 최소값과 최대값을 구하여 전범위를 구한다.
⑤ 구간폭을 정한다.
⑥ 데이터를 수집한다.

14 다음 설명에 적합한 진동기의 명칭을 쓰시오. (3점)

(1) 콘크리트에 꽂아서 사용하여 진동에 의하여 콘크리트를 액상화시켜 다짐 효과가 크다. _____

(2) 거푸집을 진동시키는 것으로 얇은 벽이나 공장제작 콘크리트에서 사용된다.

_____

(3) 타설된 콘크리트 위를 다짐하는 용도로 사용. _____

15 굳지않은 콘크리트의 성질을 4가지 쓰시오. (4점)

(가) _____   (나) _____

(다) _____   (라) _____

정답 **15**

(가) 반죽질기(Consistency)
(나) 시공연도(Workability)
(다) 마감성(Finishability)
(라) 성형성(Plasticity)
(마) 압송성(Pumpability)
(바) 다짐성(Compactability)

16 콘크리트의 제조과정에서 다음의 성분이 과량 함유된 경우 우려되는 대표적 피해현상을 쓰시오. (4점)

(가) 유기불순물 _____

(나) 염화물 _____

(다) 점토덩어리 _____

(라) 당분 _____

정답 **16**

① 유기불순물 : 시공연도 저하, 강도 저하
② 염화물 : 철근의 부식 및 이상응결(응결 촉진), 균열 증가
③ 점토덩어리 : 강도 저하, 수밀성 저하, 흡수율 증가, 부착력 저하
④ 당분 : 응결지연

17 다음 아래 보기의 자료에 의한 공사원가와 총공사비를 산출하시오. (4점)

〔보기〕
ㄱ 자재비 : 60,000,000원   ㄹ 간접공사비 : 20,000,000원
ㄴ 노무비 : 20,000,000원   ㅁ 일반관리비 부담금 : 10,000,000원
ㄷ 현장경비 : 10,000,000원   ㅂ 이윤 : 10,000,000원

① 공사원가

계산식 : _____

정 답 : _____

② 총공사비

계산식 : _____

정 답 : _____

정답 **17**

① 공사원가
계산식 : 자재비＋노무비＋현장경비 ＋간접공사비
＝60,000,000＋20,000,000＋ 10,000,000＋20,000,000
정답 : 110,000,000
② 총공사비
계산식 : 공사원가＋일반관리비부담 금＋이윤
＝110,000,000＋10,000,000＋ 10,000,000
정답 : 130,000,000

18 미장공사에서 사용되는 용어 중 다음이 뜻하는 용어를 쓰시오. (2점)

(가) 요철 또는 변형이 심한 개소를 고르게 덧바르거나 깎아내어 마감두께가 균등하게 되도록 조정하는 것. _____

(나) 바르기의 접합부 또는 균열의 틈새, 구멍 등에 반죽된 재료를 밀어넣어 때우는 것. _____

정답 **18**

(가) 바탕처리
(나) 덧먹임

19 다음 데이터를 네트워크 공정표로 작성하고, 4일의 공기를 단축한 최종상태의 공사비를 산출하시오. (단, 최종 작성 네트워크 공정표에서 크리티칼 패스는 굵은 선으로 표시하고 결합점 시간은 다음과 같이 표시한다.) (10점)

$$\boxed{EST \mid LST} \qquad \triangle\!\!\!\!\triangle{LFT \mid EFT}$$

$$①\xrightarrow[\text{공사일수}]{\text{작업명}}①$$

작업명	선행작업	표준(Normal)		급속(Crash)	
		소요일수	공사비	소요일수	공사비
A	없음	3일	70,000	2일	130,000
B	없음	4일	60,000	2일	80,000
C	A	4일	50,000	3일	90,000
D	A	6일	90,000	3일	120,000
E	A	5일	70,000	3일	140,000
F	B, C, D	3일	80,000	2일	120,000

[정답] 19

가. 네트워크 공정표

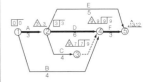

나. 단축한 최종상태의 공사비

단계	단축대상 작업	단축일수	추가공사비
1	D	2	10,000×2일 = 20,000원
2	F	1	40,000×1일 = 40,000원
3	D+C	1	50,000×1일 = 50000원

총공사비 :
= 표준상태공사비 + 공기단축시 추가비용
= 420,000원 + 110,000원
= 530,000원

20 건축공사의 단열공법에서 단열부위 위치에 따른 벽 단열 공법의 종류를 쓰시오. (3점)

(가) _____

(나) _____

(다) _____

[정답] 20

(가) 외부(외벽)단열공법
(나) 내부(내벽)단열공법
(다) 중공벽 단열공법

21 다음 설명과 관계되는 TQC 도구를 쓰시오. (4점)

(가) 슈미트해머와 반발경도 사이의 상관관계를 파악 :

_____

(나) 건물 누수의 원인을 분류 항목별로 구분하여 크기 순서대로 나열 :

_____

[정답] 21

(가) 산점도(산포도, Scatter Diagram)
(나) 파레토도(Pareto Diagram)

22 거푸집에서 시멘트 페이스트의 누출을 발견하였을 때 현장에서 취할 수 있는 조치를 쓰시오. (2점)

_____

정답 22

넝마 등으로 신속히 메운 다음 급결 모르타르나 석고 등과 같은 급경성 재료로 누출부위를 막거나, 각목이나 철판 또는 판자를 붙여 막는다.

23 목재면 바니쉬칠 공정의 작업순서를 보기에서 골라 기호로 쓰시오. (4점)

┌─ 〈보 기〉 ──────────────────────────┐
│ (1) 색올림   (2) 왁스문지름   (3) 바탕처리   (4) 눈먹임 │
└────────────────────────────────────┘

_____

정답 23

(3) – (4) – (1) – (2)

24 콘크리트내의 철근의 내구성에 영향을 주는 위험인자를 억제할 수 있는 방법을 4가지 쓰시오. (4점)

(가) _____

(나) _____

(다) _____

(라) _____

정답 24

(가) 물시멘트비를 작게하여 수밀한 콘크리트를 타설한다.
(나) 피복두께를 증가시켜 콘크리트로의 공기침입을 방지
(다) 방청제나 제염제를 투입해서 염분영향을 최소화
(라) 철근에 에폭시도장(수지도장)을 행한다.

25 콘크리트의 물시멘트비가 클 때 예상되는 결점을 4가지 쓰시오. (4점)

(1) _____

(2) _____

(3) _____

(4) _____

정답 25

(1) 콘크리트의 강도저하
(2) 재료분리 및 블리딩 현상 증가
(3) 건조수축 및 침강균열 증가
(4) 내구성, 수밀성 저하

2007년 1회 출제문제

1 다음 보기 중에서 관계있는 것끼리 연결하시오. (5점)

〈보 기〉
① 격리재　　　② 박리제　　　③ 콘크리트헤드
④ 페코빔　　　⑤ 갱폼

가. 거푸집 간격을 유지
나. 거푸집을 쉽게 떼어낼 수 있도록 거푸집면에 칠하는 약제
다. 타설된 콘크리트 윗면으로부터 최대 측압면까지의 거리
라. 신축이 가능한 무지주 공법
마. 사용할 때마다 작은 부재의 조립, 분해를 반복하지 않고 대형화, 단순화하여
한번에 설치하고 해체하는 거푸집 시스템

2 특명입찰(수의계약)의 장·단점을 2가지씩 쓰시오. (4점)

장　점 :　　　　　　　　　　　단　점 :

①　＿＿＿＿＿＿＿＿　　　①　＿＿＿＿＿＿＿＿

②　＿＿＿＿＿＿＿＿　　　②　＿＿＿＿＿＿＿＿

3 다음의 강제창호 제작순서를 (　) 안에 알맞는 말을 써 넣어 완성하시오. (4점)

원척도 - (　　　　) - 변형바로잡기 - (　　　　) - (　　　　) -
구부리기 - (　　　　) - (　　　　) - 마무리

4 VE(Value Engineering : 가치공학)의 아이디어 창출기법으로 사용되는 Brain
storming의 4가지 원칙을 기술하시오. (4점)

(1)　＿＿＿＿＿＿＿＿　　(2)　＿＿＿＿＿＿＿＿

(3)　＿＿＿＿＿＿＿＿　　(4)　＿＿＿＿＿＿＿＿

---

5 다음 설명이 의미하는 시방서명을 쓰시오. (4점)

가. 공사기일 등 공사전반에 걸친 비기술적인 사항을 규정한 시방서

나. 모든 공사의 공통적인 사항을 건설교통부가 제정한 시방서

다. 특정공사별로 건설공사 시공에 필요한 사항을 규정한 시방서

라. 공사시방서를 작성하는데 안내 및 지침이 되는 시방서

정답 **5**

가. 일반시방서
나. 건축공사표준시방서
다. 공사시방서
라. 안내시방서

---

6 강관비계를 수직·수평·경사방향으로 연결 또는 이음 고정시킬 때 사용하는 부속철물의 명칭을 3가지 쓰시오. (3점)

①

②

③

정답 **6**

① 이음관(강관 죠인트)
② 고정형 클램프
③ 회전형 클램프

---

7 다음의 공사 관리 계약 방식에 대하여 설명하시오. (4점)

가. CM for Fee 방식 :

나. CM at Risk 방식 :

정답 **7**

가. 대리인형 CM으로써, CM조직은 프로젝트 전반에 걸쳐 컨설턴트 역할만 수행하고, 보수를 받으며 공사결과에 대한 책임은 없는 수행 형태이다.
나. 시공자형 CM으로써, CM이 직접 공사를 수행하거나 전문시공업자와 직접계약을 맺어 공사전반을 책임지는 형태이다.

---

8 유동화 콘크리트의 제조방법을 3가지 쓰시오. (3점)

①

②

③

정답 **8**

① 유동화제를 현장에서 첨가하여 유동화하는 방법
② 공장첨가하여 유동화하는 방법
③ 공장첨가 후 현장에서 유동화하는 방법

9 다음의 보기에서 CM(건설사업관리)의 계약유형을 모두 골라 기호를 쓰시오. (4점)

〈보 기〉
① ACM(Agency CM)
② XCM(Extended CM)
③ OCM(Owner CM)
④ GMPCM(Guaranteed Maximum Price CM)
⑤ EC(Engineering Contractor)
⑥ Design-Build 방식
⑦ PM방식
⑧ Partnering 방식
⑨ Time+Cost 계약 방식

정답 **9**
①, ②, ③, ④

10 콘크리트 시공과정 중 휴식시간 등으로 응결하기 시작한 콘크리트에 새로운 콘크리트를 이어칠 때 일체화가 저해되어 생기게 되는 줄눈은 무엇인가? (2점)

정답 **10**
콜드 조인트(cold joint)

11 지내력을 시험하는 방법을 2가지만 적으시오. (2점)

① _____

② _____

정답 **11**
① 평판재하시험
  (P.B.T : Plate Bearing Test)
② 말뚝의 재하시험

12 다음의 내용에 대한 용어를 설명하시오. (6점)

(1) 인트랩트 에어(entraped air) : _____

(2) 인트레인드 에어(entrained air) : _____

(3) 조립률 : _____

정답 **12**
(1) 일반콘크리트에 자연적으로 형성되는 부정형의 상호연속된 1~2% 정도의 기포
(2) AE제에 의해 발생하는 독립된 균질한 미세기포로 볼베어링 역할을 하여 시공연도를 증진시킴
(3) 골재의 체가름 시험을 통해 골재의 입도 및 굵은골재의 최대치수를 구하기 위한 치수(골재의 체가름 시험을 통한 10개체의 누적중량백분율의 합을 100으로 나눈 값)

13 표준형 벽돌 1,000장으로 1.5B두께로 쌓을 수 있는 벽 면적은? (단, 할증율은 고려하지 않는다.) (3점)

정답 **13**
표준형벽돌이고 벽두께가 1.5B일 때 벽면적 1m^{2}당 224매가 정미량이다.
① 벽면적 : 1,000 ÷ 224 = 4.464
  ∴ 4.46m^2

14 그림과 같은 철근콘크리트보의 주근 철근량을 구하시오. (단, D22=3.04kg/m, 정착 길이는 인장철근의 경우 40d 압축철근의 경우는 25d로 하고 후크(hook)의 길이는 10.3d로 한다.) (6점)

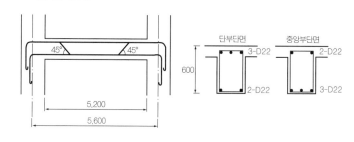

|정답| **14**

① 상부철근 (D22) : {5.2+(40+10.3) ×0.022×2}×2개＝14.83m

② 하부철근 (D22) : {5.2+(25+10.3) ×0.022×2}×2개＝13.51m

③ 벤트철근 (D22) : {5.2+(40+10.3) ×0.022×2}+{($\sqrt{2}$×0.5-0.5)×2} ＝7.83m

∴ 계 (D22) : {14.8+13.51+7.83}× 3.04＝109.865 → 109.87kg

---

15 지하실 바깥방수 시공순서를 보기에서 골라 번호를 쓰시오. (5점)

┌─〈보 기〉─────────────────────────────────
│ (1) 밑창(버림)콘크리트   (2) 잡석다짐   (3) 바닥콘크리트
│ (4) 보호누름 벽돌쌓기   (5) 외벽콘크리트   (6) 외벽방수
│ (7) 되메우기   (8) 바닥방수층 시공

|정답| **15**

(2)
(1)
(8)
(3)
(5)
(6)
(4)
(7)

---

16 한국산업규격(KS)에 명시된 속빈블록의 치수를 3가지 쓰시오. (3점)

① _____   ② _____

③ _____

|정답| **16**

① 390×190×190
② 390×190×150
③ 390×190×100

---

17 다음 지반탈수공법의 명칭을 쓰시오. (4점)

(1) 점토질지반의 대표적인 탈수공법으로서 지반에 지름 40~60cm의 구멍을 뚫 고 모래를 넣은후, 성토 및 기타 하중을 가하여 점토질 지반을 압밀하므로써 탈수하는 공법을 무슨공법이라고 하는가 ?

(2) 사질지반의 대표적인 탈수공법으로서 직경 약 20cm 특수파이프를 상호 2m 내외 간격으로 관입하여 모래를 투입한 후 진동다짐하여 탈수통로를 형성시 켜서 탈수하는 공법을 무슨 공법이라고 하는가 ?

① _____   ② _____

|정답| **17**

(1) Sand drain 공법
(2) 웰 포인트 공법

18 지하구조물 축조시 인접구조물의 피해를 막기 위해 실시하는 언더피닝(Under pinning)공법의 종류를 4가지 적으시오. (4점)

① _____ ② _____

③ _____ ④ _____

정답 **18**
① 이중 널말뚝 설치공법
② 현장타설콘크리트 말뚝설치보강 공법
③ Mortar 및 약액주입법등 지반안정 공법
④ 강재말뚝보강공법

19 다음은 TQC의 7가지 도구에 대한 설명이다. 해당하는 도구명을 쓰시오. (3점)

(1) 계량치의 데이터가 어떠한 분포를 하고 있는지 알아보기 위하여 작성하는 그림 : _____

(2) 불량 등 발생 건수를 분류 항목별로 나누어 크기 순서대로 나열해 놓은 그림 : _____

(3) 결과에 원인이 어떻게 관계하고 있는가를 한 눈에 알 수 있도록 작성한 그림 : _____

정답 **19**
(1) 히스토그램(Histogram)
(2) 파레토도(Pareto diagram)
(3) 특성요인도(Fish-bone diagram)

20 다음 데이터를 네트워크공정표로 작성하고 각 작업별 여유시간을 산출하시오. (6점)

공정관계	공기	선행작업	비 고
A	6	없음	단, 크리티칼 패스는 굵은 선으로 표시하고 결합점에서는 다음과 같이 표시한다.
B	4	없음	
C	3	없음	
D	3	B	
E	6	A, B	
F	5	A, C	

정답 **20**

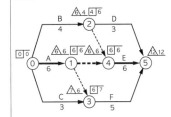

작업명	TF	FF	DF	CP
A	0	0	0	※
B	2	0	2	
C	4	3	1	
D	5	5	0	
E	0	0	0	※
F	1	1	0	

21 다음 도면의 철근콘크리트 독립기초 2개소 시공에 필요한 다음 소요 재료량을 정미량으로 산출하시오. (6점)

① 콘크리트량(m³)
② 거푸집량(m²)
③ 시멘트량(단, 1 : 2 : 4 현장계량용적배합임 – 포대수)
④ 물량(물시멘트비는 60%임 – ℓ)

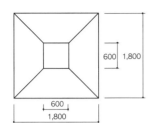 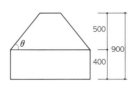

정답 21

① 콘크리트량 : $1.8 \times 1.8 \times 0.4 + \dfrac{0.5}{6}[(2 \times 1.8 + 0.6) \times 1.8 + (2 \times 0.6 + 1.8) \times 0.6$

            $= 2.076 \times 2$개 $= 4.152 \to 4.15m^3$

② 거푸집량 : $1.8 \times 0.4 \times 4 + \left[\left(\dfrac{1.8 + 0.6}{2}\right) \times \sqrt{0.6^2 + 0.5^2}\right] \times 4$

            $= 6.628 \times 2$개 $= 13.256 \to 13.26m^2$

③ 시멘트량
- 배합비 $1:2:4$일때 콘크리트 $1m^3$당 재료량은

  $V = 1.1m + 0.57n = 1.1 \times 2 + 0.57 \times 4 = 4.48$

- 시멘트소요량 $C = \dfrac{1}{V} \times 1500 = \dfrac{1}{4.48} \times 1500 = 334.8kg \div 40kg = 8.37$ 포대

∴ 전시멘트량 $C = 8.37$포 $\times 4.152 = 34.75 \to 35$포

④ 물량 : 34.75 포 $\times 40kg \times 0.6 = 834kg(l)$

22 적시생산시스템 Just In Time(JIT)에 대한 용어를 설명하시오. (4점)

_____

_____

_____

정답 22

즉시(적시) 생산시스템이란 무재고를 목표로 하는 생산 System으로 작업에 필요한 자재·인력을 적재·적소에 적시에 공급함으로써 운반·대기시간을 절약하는 효율적 생산방식을 말한다.
※ 주로 공장생산부품을 현장조립하는 방식에서 많이 사용된다.

23 다음의 재료분리의 원인과 방지대책을 간단히 서술하시오. (4점)

(1) 원인

 ① 물시멘트비 : _____

 ② 굵은골재최대치수 : _____

(2) 방지대책

 ① 혼화제 2개 : _____

 ② 잔골재율 : _____

정답 23

(1)
 ① 물시멘트비가 클 때(물시멘트비 과다)
 ② 굵은골재 최대치수가 클 때
(2)
 ① AE제, 포졸란
 ② 잔골재율을 증가시킨다.

24 다음 알맞는 말을 보기에서 골라 번호를 쓰시오. (4점)

〈보 기〉
| (1) 높 | (2) 낮 | (3) 빠를 | (4) 늦을 |
| (5) 두꺼울 | (6) 얇을 | (7) 클 | (8) 작을 |

생콘크리트의 측압은 슬럼프가 (㉮)수록, 벽두께가 (㉯)수록, 부어넣기 속도가 (㉰)수록 대기습도가 (㉱)을수록 크다.

25 건축시공의 현대화방안에 있어서 건축생산의 3S System을 쓰시오. (3점)

① _____ ② _____

③ _____

정답 **24**
(가) - (7)   (나) - (5)
(다) - (3)   (라) - (1)

정답 **25**
① 단순화(Simplification)
② 규격화(Standardization)
③ 전문화(Specialization)

2007년 2회 출제문제

1 레디믹스트 콘크리트(Ready Mixed Concrete)에 대하여 기술하시오. (3점)

_____

_____

2 BOT(Build-Operate-Transfer)와 BTO(Build-Transfer-Operate)의 차이점을 비교하여 설명하시오. (3점)

_____

_____

3 큰분류의 지반조사 순서를 열거한 다음 항목의 빈칸을 알맞는 말로 써 넣으시오. (2점)

(가   ) - (나   ) - 본조사 - (다   )

4 다음의 철골공사 현장 세우기 작업을 보기에서 골라 작업순서에 맞게 번호순으로 나열하시오. (3점)

> ┌─〈보 기〉─────────────────────────────
> ① 기초상부 고름질   ② 철골 세우기   ③ 가조립   ④ 철골도장
> ⑤ 기초콘크리트 치기 ⑥ 앵커볼트 정착   ⑦ 변형 바로잡기

_____

5 철근콘크리트공사를 하면서 철근간격을 일정하게 유지하는 이유를 3가지 쓰시오. (3점)

① _____   ② _____

③ _____

6 건축공사 표준시방서에서 정한 거푸집의 존치기간에 대한 내용이다. (　)를 채우시오.
(3점)

「기초, 보옆, 기둥 및 벽의 거푸집널 존치기간은 콘크리트의 압축강도가 (　①　)
N/mm² 이상에 도달한 것이 확인될 때 까지이며, 다층구조인 경우 받침기둥의
존치기간은 슬래브밑 및 보밑 모두 설계기준 강도의 (　②　)% 이상의 콘크리
트 압축강도가 얻어진 것이 확인 될 때 까지이며, 계산결과에 관계없이 받침기
둥을 해체시의 콘크리트의 압축강도는 (　③　)N/mm²이상이어야 한다.」

①　_____　②　_____

③　_____

정답 **6**

① 5
② 100
③ 14

7 다음 물음에 답하시오. (2점)

철골구조의 여러 접합방식 중에서 부재를 접합할 때 접합부재 상호간의 마찰력
에 의하여 응력을 전달시키는 접합방식은?

_____

정답 **7**
고력Bolt접합 혹은 고력Bolt마찰접합

8 건물의 창과 외벽을 구성하는 유리와 패널류를 구조 실런트(Structural Sealant)를 사
용하여 실내측의 멀리온이나 Frame 등에 접착고정하는 공법의 명칭과 검토사항을 쓰시
오. (4점)

가. 공법의 명칭 : _____

나. 검토 사항 : _____

정답 **8**
가. SGS(Structural Sealant Glazing
　　System) 공법
나. 풍압력, 온도 무브먼트(온도변화
　　에 따른 부재의 팽창, 수축), 지진
　　에 대한 검토, 유리중량 검토

9 다음은 한중콘크리트에 대한 사항이다. 다음 (　) 안의 사항을 완성하시오. (3점)

한중콘크리트는 일평균 기온이 (　) 이하의 동결위험이 있는 기간에 타설하
는 콘크리트를 말하고 물시멘트비(W/C)는 (　) 이하로 하여, 동결위험을 방
지하기 위하여 (　) 콘크리트를 사용해야 한다.

가. _____　나. _____　다. _____

정답 **9**
가. 4℃
나. 60%
다. AE제 혹은 초속경

10 돌붙임시공 순서를 보기에서 골라 번호로 적으시오. (3점)

〈보 기〉

㉮ 청소　　　　　　㉯ 보양　　　　　　㉰ 돌붙이기　　　　㉱ 돌나누기

㉲ Mortar 사춤　　㉳ 치장줄눈　　　　㉴ 탕개줄 또는 연결철물설치

정답 **10**

㉱ - ㉮ - ㉰ - ㉲ - ㉴ - ㉳ - ㉯

11 강판을 그림과 같이 가공하여 20개의 수량을 사용하고자 한다. 강판의 비중이 7.85일 때 소요량(kg)을 산출하고 스크랩의 발생량(kg)도 함께 산출하시오. (4점)

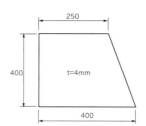

t=4mm

정답 **11**

① 소요량 : $0.4 \times 0.4 \times 0.004 \times 7,850 \text{kg} \times$ 20개 $= 100.48 \text{kg}$

② 스크랩량 : $\dfrac{0.15 \times 0.4}{2} \times 0.004 \times$ $7,850 \times 20$개 $= 18.84 \text{kg}$

12 다음의 각종 모르타르에 해당하는 주요용도를 보기에서 골라 번호로 쓰시오. (4점)

〈보 기〉

① 경량, 단열용　　　　　　② 내산 바닥용

③ 보온, 불연용　　　　　　④ 방사선 차단용

(가) 아스팔트 모르타르 : _____　(나) 질석 모르타르 : _____

(다) 바라이트 모르타르 : _____　(라) 활석면 모르타르 : _____

정답 **12**

(가) ②　(나) ①　(다) ④　(라) ③

13 다음 설명이 뜻하는 알맞은 용어를 보기에서 골라 기호로 적으시오. (3점)

〈보 기〉

① CM (Construction Management)　　② EC (Engineering Construction)

③ CALS (Continuous Acquisition & Life Cycle Support)

④ Fast track　　　　　　　　　　　⑤ VE (Value Engineering)

⑥ L. C. C (Life Cycle Cost)

정답 **13**

(가) ③　(나) ②　(다) ⑥

(가) 건설생산 전과정에서 건설관련 주체가 정보를 실시간 공유하여 건설사업을 지원하는 건설분야 통합정보 통신 시스템 : _____

(나) 종래의 단순 설계, 시공에서 project의 발굴, 기획, 설계, 설시공, 유지관리 등 업무영역의 확대를 말함. : _____

(다) 건축물의 초기 단계에서 설계, 시공, 유지관리, 해체에 이르는 일련의 과정 과 제비용 : _____

14 콘크리트에서 이용되는 거푸집의 역할을 3가지 쓰시오. (3점)

① _____   ② _____

③ _____

15 TQC에 이용되는 도구 중 다음에 대하여 설명하시오. (4점)

(1) 파레토도 : _____

(2) 특성요인도 : _____

(3) 층별 : _____

(4) 산점도 : _____

16 다음은 타일붙임 공법에 대한 설명이다. ( ) 안에 알맞은 공법을 보기에서 골라 기호 로 쓰시오. (3점)

┌─ 〈보 기〉 ─────────────────────────────┐
① 개량압착 공법   ② 압착 공법   ③ 떠붙임 공법
④ 개량떠붙임 공법   ⑤ 밀착(동시줄눈)공법
└─────────────────────────────────────┘

(가) 타일 뒷면에 붙이용 모르타르를 바르고 바탕에 누르듯이 하여 1매씩 붙이 는 방법으로, 벽면의 아래에서 위로 붙여 가는 종래의 일반적인 공법은 ( )이다.

(나) 원칙적으로 타일두께의 1/2이상으로 붙임모르타르를 5~7mm 바르고 그위 에 타일을 수평막대 등으로 타일을 눌러 붙이는 공법은 ( )이다.

(다) 바탕면에 붙임 모르타르를 5~8mm 발라 타일을 눌러 붙인 다음 충격공구 (Vibrator)로 충격하여 붙이는 공법은 ( )이다.

정답 14
① 콘크리트의 형상, 칫수유지
② 수분, 시멘트 paste 누출 방지
③ 외기에 대한 영향 방지

정답 15
(1) 불량 등 발생건수를 분류항목별 로 나누어 크기순서대로 나열해 놓으 그림
(2) 결과에 원인이 어떻게 관계하고 있는가를 한눈에 알 수 있도록 작성한 그림
(3) 집단을 구성하고 있는 많은 데이 터를 몇 개의 부분집단으로 나누 는 것
(4) 대응되는 두 개의 짝으로 된 데 이터를 그래프 용지위에 점으로 나타낸 그림

정답 16
(가) ③
(나) ②
(다) ⑤

17 가치공학(Value Engineering)의 기본추진 절차를 4단계로 구분하여 쓰시오. (4점)

① _____   ② _____

③ _____   ④ _____

정답 **17**
① 정보수집 및 기능분석단계
② 아이디어 창출단계
③ 대체안 평가 및 개발단계
④ 제안 및 실시단계

18 그림과 같은 줄기초의 길이가 150m 일 때 기초콘크리트량, 철근량 및 거푸집량을 산출하시오. (단, D13＝0.995kg/m, D/10＝0.56kg/m 이며, 이음길이는 무시하고 정미량으로 할 것) (6점)

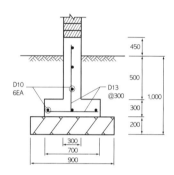

정답 **18**
① 콘크리트량
  (기초판) : $0.3 \times 0.7 \times 150 = 31.5\text{m}^3$
  (기초벽) : $0.95 \times 0.3 \times 150 = 42.75\text{m}^3$
  ∴ $31.5 + 42.75 = 74.25\text{m}^3$
② 철근량(기초판) :
  D13 : $(150 \div 0.3 + 1) \times 0.7 = 350.7\text{m}$
  D10 : $3 \times 150 = 450\text{m}$
  (기초벽)
  D13 : $(150 \div 0.3 + 1) \times (1.25 + 0.35)$
    $= 801.6\text{m}$
  D10 : $3 \times 150 = 450\text{m}$
  (D13) : $(350.7 + 801.6) \times 0.995$
      $= 1,146.538 \rightarrow 1146.54\text{kg}$
  (D10) : $(450 + 450) \times 0.56 = 504\text{kg}$
  ∴ 계 : $1,146.538 + 504$
      $= 1,650.538 \rightarrow 1,650.54\text{kg}$
③ 거푸집량 :
  $\{(0.3 + 0.5 + 0.45) \times 150 \times 2 + (0.7 \times 0.3$
  $+ 0.3 \times 0.95) \times 2\} = 375.99\text{m}^2$

19 다음 데이터를 네트워크공정표로 작성하고 각 작업별 여유시간을 산출하시오. (10점)

공정관계	공기	선행작업	비 고
A	5	없음	단, 크리티칼 패스는 굵은 선으로 표시하고 결합점에서는 다음과 같이 표시한다.
B	2	없음	
C	4	없음	EST LST ／LFT＼EFT
D	4	A, B, C	① →작업명 공사일수→ ①
E	3	A, B, C	
F	2	A, B, C	

정답 **19**

작업명	TF	FF	DF	CP
A	0	0	0	※
B	3	3	0	
C	1	1	0	
D	0	0	0	※
E	1	1	0	
F	2	2	0	

정답 **19**

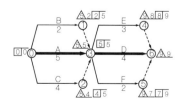

20 다음 철골트러스 1개분의 철골량을 산출하시오. (단, L−65×65×6=5.91kg/m, L−50×50×6=4.43kg/m, PL−6=47.1kg/m²). (6점)

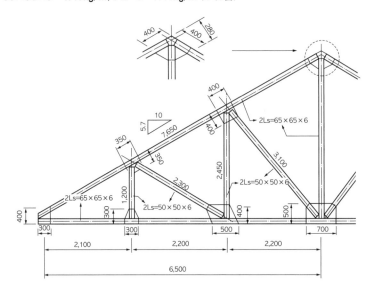

[정답] **20**

① Angle량

구 분	산 출 근 거		합 계
평 보 2Ls-65×65×6	(6.5+0.15)×2×2(좌우)=26.6m	64.78m×5.91kg = 382.849kg	
ㅅ자보 2Ls-65×65×6	7.65×2×2(좌우)=30.6m		543.22kg
왕대공 2Ls-65×65×6	3.79×2=7.58m		
대 공 2Ls-50×50×6	(1.2+2.3+2.45+3.1)×2×2(좌우) =36.2m	36.2×4.43kg =160.366kg	

② 플레이트량

구 분	산 출 근 거	합 계
PL - 6	{(0.3×0.4+0.35×0.35+0.3×0.3+0.4×0.4+0.5×0.4)×2(좌우)+0.4×0.4+0.7×0.5}×47.1kg=89.25kg	89.25kg

21 다음은 지반 조사법 중 보링에 대한 설명이다. 알맞은 용어를 쓰시오. (3점)

① 비교적 연약한 토지에 수압을 이용하여 탐사하는 방식

② 경질층을 깊이 파는데 이용하는 방식

③ 지층의 변화를 연속적으로 비교적 정확히 알고자할 때 사용하는 방식

① _____ ② _____ ③ _____

[정답] **21**

① 수세식 보링
② 충격식 보링
③ 회전식 보링

22 건설공사현장에 시멘트가 반입되었다. 특기시방서에 시멘트의 비중은 3.10 이상으로 규정되어 있다고 할 때 루샤델리 비중병을 이용하여 KS 규격에 의거 시멘트 비중을 시험한 결과에 대하여 시멘트의 비중을 구하고, 자재품질 관리상 합격여부를 판정하시오. (단, 시험결과 비중병에 광유를 채웠을 때의 최초 눈금은 0.5cc, 실험에 사용한 시멘트량은 100g, 광유에 시멘트를 넣은 후의 눈금은 32.2cc였다) (4점)

(가) 비중 : _____

(나) 판정 : _____

정답 **22**

(가) 비중

$$G = \frac{W}{V_2 - V_1} = \frac{100}{32.2 - 0.5} = 3.15$$

(나) 판정 : 합격

23 다음은 조립식 공법에 대한 설명이다. 설명에 해당하는 용어를 쓰시오. (5점)

(1) 창호 등이 설치된 건축물의 대형판을 아파트 등의 구조체에 이용하는 방법.
(2) 건축물의 1실 혹은 2실 등의 구조체를 박스형으로 지상에서 제작한 후 이를 인양조립하는 방법.
(3) 지상의 평면에서 벽판 및 구조체를 제작한 후 이를 일으켜서 건축물을 구축하는 공법.
(4) 지상에서 여러 층의 슬래브를 제작한 후 이를 순차적으로 들어 올려 구조체를 축조하는 공법.
(5) 창문틀 등을 건축물의 벽판에 설치한 후 구조체에 붙여대어 이용하는 공법.

(1) _____ (2) _____

(3) _____ (4) _____

(5) _____

정답 **23**

(1) 내력벽식 공법
(2) 박스식 공법
(3) 틸트업(Tilt up)공법
(4) 리프트 슬래브(Lift Slab)공법
(5) 커튼월 공법

24 일반적인 단열재의 요구조건을 4가지만 적으시오. (4점)

(1) _____ (2) _____

(3) _____ (4) _____

정답 **24**

(1) 열전도율이 작을 것
(2) 흡수성, 투수성이 작을 것
(3) 비중이 작을 것(가벼울 것)
(4) 내후성, 내부패성이 좋을 것

25 공사 관리를 실시하는데에는 자원에 대한 배당이 매우 중요하다 할 수 있다. 이 때 소요되는 자원을 아래와 같이 특성상으로 분류하면 그 대상은 어떤 것인지 기입하시오. (4점)

가. 내구성 자원(Carried-forward resource) _____

나. 소모성 자원(Used-by-job resource) _____

정답 **25**

가. 인력, 장비
나. 자재, 자금

26 중성화의 정의와 반응식에 대하여 다음 물음에 답하시오. (4점)

가. 중성화의 정의

　　대기중의 탄산가스의 작용으로 콘크리트내의 (　①　)이 (　②　)으로
　　변하면서 알카리성을 소실하는 현상을 말한다.

　　① _____　② _____

나. 중성화 반응식

　_____

2007년 3회 출제문제

1 다음 ( )안에 알맞는 숫자를 써 넣으시오. (4점)

건축공사표준품셈에서 규정한 소운반거리는 (   )m 이내이며, 경사면 소운반의 경우 직고 1m를 수평거리 (   )m의 비율로 본다.

2 컨소시엄(Consortium)공사에 있어서 페이퍼조인트(paper joint)에 관하여 기술하시오. (3점)

_____

_____

3 기준점(Bench Mark)의 정의 및 설치시 주의사항을 3가지를 쓰시오. (5점)

가. 정의 : _____

나. 주의사항 :

① _____

② _____

③ _____

4 다음의 용어를 설명하시오. (4점)

(1) 예민비 : _____

(2) 지내력시험 : _____

(3) 지내력시험의 종류 : _____

정 답

정답 1

20, 6

정답 2

명목상(서류상)으로는 여러 회사의 공동도급 형태이지만 실제로는 한 회사가 공사를 진행하고 하도급형태로 이루어지거나, 단순한 이익배당에만 관여하는 서류상으로만 공사에 참여하는 것을 말한다.

정답 3

(가) 건축물 시공시 기준위치를 정하는 원점으로 공사 중 높이의 기준을 정하고자 설치한다.

(나) ① 이동의 염려가 없는 곳에 설치한다.
② 2개소 이상 설치한다.
③ 지면에서 0.5m~1.0m 정도 바라보기 좋고 공사에 지장이 없는 곳에 설치한다.

정답 4

(1) 점토에서 함수율을 변화시키지 않고 이기면 강도가 약해지는 정도를 나타낸 것
(2) 재하시험이라고도 하며, 기초지반 저면에 직접 하중을 가하여 지반의 허용지내력을 구하는 시험
(3) 직접재하시험, 반력을 이용한 재하시험

5 다음의 용어를 설명하시오. (4점)

(1) 성능발주방식 : _____

_____

(2) CM : _____

_____

(3) L. C. C : _____

_____

(4) 실비청산 보수 가산 도급 : _____

_____

6 콘크리트 공사에서 다음 설명에 알맞는 용어를 보기에서 골라 번호로 쓰시오. (4점)

(가) 물시멘트비를 일정하게 유지 시키면서 골재를 계량하는 장치
(나) 모래의 용적계량 장치
(다) 모르타르를 압축공기로 분사하여 바르는 콘크리트 시공방법
(라) 콘크리트를 부어넣은 후 블리딩 수의 증발에 따라 그 표면에 나오는 미세한 물질

> 〈보 기〉
> (1) 디스펜서 　　　(2) 이넌 데이트 　　　(3) 쇼트 크리트
> (4) 컨시스턴시 　　(5) 워세 크리터 　　　(6) 레이턴스

① _____ 　② _____ 　③ _____ 　④ _____

7 다음 기초공사에 소요되는 터파기량(m³), 되메우기량(m³), 잔토처리량(m³)을 산출하시오. (단, 토량환산계수는 L＝1.2임) (6점)

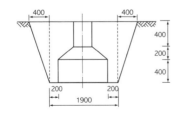
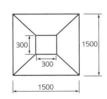

정답 **7**

① 터파기량 : $V = \dfrac{h}{6}\left[(2a+a')b + (2a'+a)b'\right]$

$= \dfrac{1}{6}\left[(2\times2.7+1.9)\times2.7 + (2\times1.9+2.7)\times1.9\right]$

$= 5.343 \rightarrow 5.34m^3$

② 되메우기량 = 기초파기량 − 기초구조부체적

- 기초구조부체적 = $1.5\times1.5\times0.4$

$+\dfrac{0.2}{6}\left[(2\times1.5+0.3)\times1.5 + (2\times0.3+1.5)\times0.3\right]$

$+0.3\times0.3\times0.4 = 1.122m^3$

∴ 되메우기량 = 5.343-1.122 = 4.221 → 4.22m³

③ 잔토처리량 = 기초구조부체적 × 토량환산계수

$=1.122\times1.2 = 1.346 \rightarrow 1.35m^3$

---

8 다음 설명이 뜻하는 용어를 쓰시오. (4점)

- 타설된 콘크리트 윗면으로부터 최대측압면까지의 거리

정답 **8**

콘크리트헤드(Concrete Head)

---

9 다음 설명이 뜻하는 용어를 쓰시오. (3점)

(가) 건설공사 계약 체결 후 공사착수시까지의 준비기간 : _____

(나) 네트워크 공정표에서 지정공기와 계산공기를 일치시키는 과정 : _____

(다) 작업을 1일 단축할 때 추가되는 직접비용 : _____

정답 **9**

(가) 리드 타임(Lead Time)
(나) 공기 조정
(다) 비용 구배(Cost Slope)

---

10 다음 작업리스트에서 네트워크 공정표를 작성하고, 각 작업의 여유시간을 산출하시오.
(10점)

작업명	작업일수	선행작업	비　　　고
A	5	없음	
B	6	A	
C	5	A	1. CP는 굵은 선으로 표시한다.
D	4	A	2. 각 결합점에서는 다음과 같이 표시한다.
E	3	B	
F	7	B, C, D	
G	8	D	
H	6	E	
I	5	E, F	
J	8	E, F, G	
K	7	H, I, J	

정답 **10**

작업명	TF	FF	DF	CP
A	0	0	0	※
B	0	0	0	※
C	1	1	0	
D	1	0	1	
E	4	0	4	
F	0	0	0	※
G	1	1	0	
H	6	6	0	
I	3	3	0	
J	0	0	0	※
K	0	0	0	※

정답 10

공정표 작성

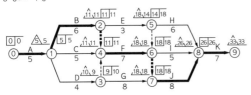

11 다음 용어를 설명하시오. (3점)

- TES (선기술 후가격 협상제도)

_____

_____

_____

12 다음 용어를 설명하시오. (4점)

(가) 정초식 : _____

(나) 상량식 : _____

_____

13 보강 블록구조의 시공에서 반드시 몰탈 또는 콘크리트로 사춤을 채워 넣는 부위를 3가 지만 쓰시오. (3점)

(1) _____ (2) _____ (3) _____

14 콘크리트의 각종 Joint에 대하여 설명하시오. (4점)

(1) Cold Joint : _____

(2) Construction Joint : _____

(3) Control Joint : _____

(4) Expansion Joint : _____

정답 11

공사발주시 기술능력 우위업체를 선 정하기 위한 방법으로, 기술제안서와 가격제안서를 분리하여 제출받아 기 술능력 우위업체 중 예정가격내에서 협상에 의해 낙찰자와 계약하는 방시

정답 12

(가) 정초식 : 기초공사 완료시에 행 하는 의식
(나) 상량식 : 콘크리트조에서는 콘 크리트 지붕공사가 완료되었을 때 행하는 의식
※ 목조에서는 지붕마룻대가 올라 갈 때 행한다.

정답 13

(1) 벽끝
(2) 모서리, 교차부
(3) 문꼴(개구부) 주위

정답 14

(1) 콘크리트 시공과정 중 휴식시 간 등으로 응결하기 시작한 콘 크리트에 새로운 콘크리트를 이어칠 때 일체화가 저해되어 생기게 되는 줄눈.(불연속면이 생기는 줄눈으로 계획되지 않 은 줄눈이다.)
(2) 콘크리트를 한번에 계속하여 부 어나가지 못할 곳에 생기게 되 는 줄눈으로 계획된 줄눈이다.
(3) 벽, 바닥판의 수축에 의한 표면 균열을 방지하기 위해 설치하 는 균열유도 줄눈이다.
(4) 건축물의 온도에 의한 신축팽 창, 부동침하 등에 의하여 발생 하는 건축의 전체적인 불규칙 균열을 한 곳에 집중시키도록 설계 및 시공시 고려되는 줄눈 으로 응력해제 줄눈이다.

15 TQC에 이용되는 도구 중 다음에 대하여 설명하시오. (4점)

(1) 파레토도 : _____

(2) 특성요인도 : _____

(3) 층별 : _____

(4) 산점도 : _____

정답 **15**

(가) 불량 등 발생건수를 분류 항목별로 나누어 크기순서대로 나열해 놓은 그림

(나) 결과에 원인이 어떻게 관계하고 있는가를 한눈에 알 수 있도록 작성한 그림

(다) 집단을 구성하고 있는 많은 데이터를 몇 개의 부분집단으로 나누는 것

(라) 대응되는 두 개의 짝으로 된 데이터를 그래프 용지 위에 점으로 나타낸 그림

16 혼화재(混和材)와 혼화제(混和劑)를 구분하여 설명하고, 혼화재 및 혼화제의 종류를 3가지 씩 쓰시오. (6점)

(1) 혼화재의 정의 : _____

_____

(2) 혼화재의 종류 : ① _____ ② _____ ③ _____

(3) 혼화제의 정의 : _____

_____

(4) 혼화제의 종류 : ① _____ ② _____ ③ _____

정답 **16**

(1) 혼화재(混和材) : 시멘트의 5% 이상 비교적 다량으로 사용 되고 배합시 계산되는 재료

(2) ① 플라이 애쉬
② 고로슬래그분말
③ 포졸란
※ 실리카흄 등

(3) 혼화제(混和劑) : 비교적 소량 (시멘트량의 1% 이하)으로 사용 되고 배합시 무시되는 재료

(4) ① AE제
② 경화촉진제
③ 유동화제
※ 발포제 등

17 철골세우기에서 기초 상부 고름질의 방법을 3가지만 쓰시오. (3점)

(1) _____ (2) _____

(3) _____

정답 **17**

① 전면 바름법
② 나중채워넣기 중심바름
③ 나중채워넣기 십자바름

18 철골공사에서 고장력 볼트조임의 장점을 4가지 쓰시오. (4점)

① _____

② _____

③ _____

④ _____

정답 **18**

① 접합부의 강성이 높다.
② 노동력 절약, 공기단축
③ 마찰접합, 소음이 없다.
④ 화재, 재해의 위험이 적다.
⑤ 피로강도가 높다.
⑥ 현장시공 설비가 간다.
⑦ 불량부분 수정이 쉽다.

19 실시설계도서가 완성되고 공사물량산출 등 견적업무가 끝나면 공사예정가격작성을 위한 원가계산을 하게 된다. 원가계산기준 중 아래 내용에 대한 답안을 쓰시오. (3점)

(1) 공사시공과정에서 발생하는 재료비, 노무비, 경비의 합계액 : _____

(2) 기업의 유지를 위한 관리활동부문에서 발생하는 제비용 : _____

(3) 공사계약목적물을 완성하기 위하여 직접 작업에 종사하는 종업원 및 기능공에 제공되는 노동력의 댓가 : _____

정답 **19**
① 공사 원가
② 일반관리비
③ 직접노무비

20 다음은 철골조 기둥공사의 작업 흐름도이다. 알맞은 번호를 보기에서 골라 ( )를 채우시오. (4점)

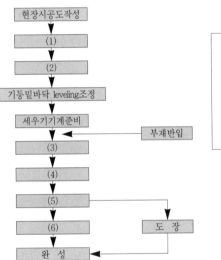

〈보 기〉
(가) 본접합
(나) 세우기 검사
(다) 앵커볼트 매립
(라) 세우기
(마) 중심내기
(바) 접합부의 검사

정답 **20**
(1) (마)
(2) (다)
(3) (라)
(4) (나)
(5) (가)
(6) (바)

21 아래 평면의 건물높이가 16.5m일 때 비계면적을 산출하시오. (단, 쌍줄비계로 함) (4점)

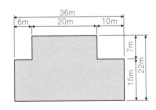

정답 **21**
비계면적
$A = \{0.9 \times 8 + (36+22) \times 2\} \times 16.5$
    $= 2,032.8m^2$

22 다음 물음에 답하시오. (2점)

- 고장력 볼트의 조임은 표준볼트의 장력을 얻을 수 있도록 1차조임, 금매김, 본 조임의 순서로 행한다. 표준볼트 장력을 얻을 수 있는 볼트의 등급인 고장력 볼트 F10T에서 10이 가르키는 의미는?

[정답] **22**

고장력 볼트의 인장강도
$10 tonf/cm^2$ 또는 $1kN/mm^2$

23 Pre-Stressed Concrete 중 Post-tension 공법의 시공순서를 보기에서 골라 번호로 쓰시오. (4점)

┌─〈보 기〉─────────────────────────────────┐
(가) 강현재삽입   (나) 그라우팅   (다) 콘크리트 타설
(라) 강현재 긴장   (마) 시이드(sheath) 설치
(바) 강현재 고정   (사) 콘크리트 경화
└──────────────────────────────────────┘

[정답] **23**
(마)
(다)
(사)
(가)
(라)
(바)
(나)

24

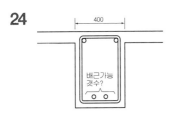

다음 그림과 같은 철근콘크리트 T형보에서 하부의 주근 철근이 1단으로 배근될 때 배근 가능한 개수를 구하시오. (단, 보의 피복두께는 3cm이고, 늑근은 D10-@200 이며, 주근은 D16을 이용 하고, 사용 콘크리트의 굵은 골재의 최대치수는 18mm이며, 이음정착은 고려하지 않는 것으로 한다.) (4점)

[정답] **24**
(1) 철근간격 결정 : 2.5cm
    ①, ②, ③ 중 큰 값
    ① : 2.5cm
    ② : 1.0×주근직경
        $1.0 \times 1.6cm = 1.6cm$
    ③ : $1.33 \times 1.8cm = 2.4cm$
(2) 배근가능범위 :
    $40cm - (3+3+1+1) = 32cm$
(3) 철근갯수(X) :
    $1.6X + (X-1) \times 2.5 = 32cm$
    $4.1X = 34.5cm$ ∴ $X = 8.4$
※ 따라서 8개 배근가능

25 다음은 지반 조사법 중 보링에 대한 설명이다. 알맞은 용어를 쓰시오. (3점)

① 비교적 연약한 토지에 수압을 이용하여 탐사하는 방식
② 경질층을 깊이 파는데 이용하는 방식
③ 지층의 변화를 연속적으로 비교적 정확히 알고자 할 때 사용하는 방식

① _____   ② _____   ③ _____

[정답] **25**
① 수세식 보링
② 충격식 보링
③ 회전식 보링

2008년 1회 출제문제

1 KSL 5201 규정에서 정한 포틀랜드 시멘트의 종류를 5가지 쓰시오. (5점)

① _____   ② _____

③ _____   ④ _____

⑤ _____

정답 1

(1) 1종 : 보통 포틀랜드 시멘트
(2) 2종 : 중용열 포틀랜드 시멘트
(3) 3종 : 조강 포틀랜드 시멘트
(4) 4종 : 저열 포틀랜드 시멘트
(5) 5종 : 내황산염 포틀랜드 시멘트

2 개방 잠함 기초의 시공순서를 보기에서 골라 쓰시오. (3점)

── 〈보 기〉 ──

(가) 주변 기초 구축   (나) 지하구조체 지상 구축

(다) 중앙부 기초 구축   (라) 하부 중앙흙 파낸다.

_____

정답 2

(나)
(라)
(다)
(가)

3 다음은 레미콘 비비기와 운반방식에 따른 종류의 설명으로 보기에서 명칭을 골라 번호로 쓰시오. (3점)

── 〈보 기〉 ──

(1) 센트럴 믹스트 콘크리트   (2) 트랜시트 믹스트 콘크리트

(3) 슈링크 믹스트 콘크리트

(가) 트럭믹서에 모든 재료가 공급되어 운반 도중에 비벼 지는 것
(나) 믹싱 플랜트 고정믹서에서 어느 정도 비빈 것을 트럭 믹서에 실어 운반 도중 완전히 비비는 것
(다) 믹싱 플랜트 고정믹서로 비빔이 완료된 것을 에지테이터 트럭으로 운반하는 것

(가) _____   (나) _____   (다) _____

정답 3

(가) (2)
(나) (3)
(다) (1)

4 벽타일 붙이기공법의 종류를 4가지를 적으시오. (4점)

① _____   ② _____

③ _____   ④ _____

정답 4

① 떠붙임공법
② 압착공법
③ 개량압착공법
④ 밀착공법(동시줄눈공법)

5 다음은 혼화제의 종류에 대한 설명이다. 아래의 설명이 뜻하는 혼화제의 명칭을 쓰시오.
(3점)

(가) 공기 연행제로서 미세한 기포를 고르게 분포시킨다.

(나) 염화물에 대한 철근의 부식을 억제한다.

(다) 기포작용으로 인해 충전성을 개선하고 중량을 조절한다.

(가) _____ (나) _____ (다) _____

6 철근콘크리트공사의 바닥(slab) 철근물량산출에서 주어진 그림과 같은 Two way slab 의 철근 물량을 산출(정미량)하시오. (단, D10=0.56gk/m, D13=0.995kg/m이고, Top bar 내민길이는 무시함.) (8점)

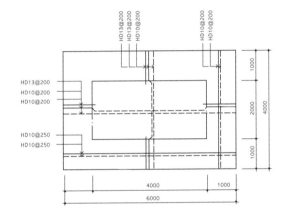

[정답] **6** 톱바의 내민길이를 고려치 않고 계산한 경우

(상부)

① 주근단부(D10) : $4 \times (1 \div 0.2 = 5 \rightarrow 5$개 $\times 2 + 1) = 44$m

② 주근톱바(D13) : $\{1 \times (4 \div 0.2)\} \times 2 = 40$m

③ 부근단부(D10) : $6 \times (1 \div 0.25 = 4 \rightarrow 4$개 $\times 2 + 1) = 54$m

④ 부근톱바(D13) : $\{1 \times (2 \div 0.2)\} \times 2 = 20$m

(하부)

① 주근(D10) : $4 \times (6 \div 0.2 + 1) = 124$m   ② 주근벤트(D13) : $4 \times (4 \div 0.2) = 80$m

③ 부근(D10) : $6 \times \left(\dfrac{2}{0.2} + \dfrac{2}{0.25} + 1 \right) = 114$m   ④ 부근벤트(D10) : $6 \times (2 \div 0.2) = 60$m

(D10) : $396 \times 0.56 = 221.76$kg   (D13) : $140 \times 0.995 = 139.3$kg

∴ 총계 : 361.06kg

7 다음 데이터를 네트워크 공정표로 작성하고, 각 작업의 여유시간을 구하시오. (10점)

작 업	선행작업	소요일수	비 고
A	없음	3	단, 이벤트(Event)에는 번호를 기입하고, 주공정선은 굵은선으로 표기한다.
B	없음	2	
C	없음	4	
D	C	5	
E	B	2	
F	A	3	
G	A, C, E	3	
H	D, F, G	4	

$\boxed{EST | LST}$ $\triangle{LFT \backslash EFT}$

①$\xrightarrow[\text{공사일수}]{\text{작업명}}$②

[정답] 7

네트워크 공정표

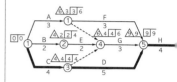

작업명	TF	FF	DF
A	3	0	3
B	2	0	2
C	0	0	0
D	0	0	0
E	2	0	2
F	3	3	0
G	2	2	0
H	0	0	0

8 벽돌벽의 표면에 생기는 백화현상의 정의와 발생방지 대책을 3가지 쓰시오. (4점)

(가) 백화현상의 정의 : _____

_____

(나) 방지대책 : ① _____

② _____

③ _____

[정답] 8

(가) 조적 Mortar 중의 석회분이 공기중의 탄산가스(CO_2)와 결합하여 탄산석회로 유출되어 벽돌이나 조적벽면에 흰가루가 돋는 현상

(나) ① 소성이 잘된 벽돌을 사용할 것
② 줄눈시공시 방수제 사용, 사춤을 철저히 할 것
③ 시공후 표면에 파라핀 도료나 실리콘 뿜칠을 할 것

9 파이프 구조에서 파이프 절단면 단부는 녹막이를 고려하여 밀폐하여야 하는데, 이 때 실시하는 밀폐방법에 대하여 3가지만 쓰시오. (3점)

① _____

② _____

③ _____

[정답] 9

① 스피닝(Spinning)에 의한 방법
② 가열하여 구형으로 가공
③ 원판, 반구형판을 용접
④ 관끝을 압착하여 용접밀폐 시키는 방법

10 3.2의 조립률과 7의 조립률을 1:2의 비율로 섞었을 때 혼합조립률을 계산하시오. (3점)

혼합 조립률(FM) : _____

[정답] 10

$$FM = \left(\frac{1}{1+2}\right) \times 3.2 + \left(\frac{2}{1+2}\right) \times 7$$
$$= 5.73$$

11 세로 규준틀이 설치되어 있는 벽돌조 건축물의 벽돌쌓기 순서를 보기에서 골라 번호로 쓰시오. (3점)

<보 기>

① 기준쌓기	② 벽돌 물 축이기	③ 보양
④ 벽돌 나누기	⑤ 벽돌면 청소	⑥ 줄눈파기
⑦ 중간부 쌓기	⑧ 치장 줄눈	⑨ 줄눈 누름

정답 **11**
⑤-②-④-①-⑦-⑨-⑥-⑧-③

12 다음 설명이 뜻하는 계약방식의 용어를 쓰시오. (4점)

(가) 사회간접시설의 확충을 위해 민간이 자금조달과 공사를 완성하여 투자액의 회수를 위해 일정기간 운영하고 시설물과 운영권을 발주측에 이전하는 방식 : _____

(나) 사회간접시설의 확충을 위해 민간이 자금조달과 공사를 완성하여 소유권을 공공부분에 먼저 이향하고, 약정기간 동안 그 시설물을 운영하여 투자금액을 회수하는 방식 : _____

(다) 사회간접시설의 확충을 위해 민간이 자금조달과 공사를 완성하여 시설물의 운영과 함께 소유권도 민간에 이전되는 방식 : _____

(라) 발주자는 설계에서 시공까지 건물의 요구성능만을 제시하고 시공자가 재료나 시공방법을 선택하여 요구성능을 실현하는 방식 : _____

정답 **12**
(가) BOT(Build-Operate-Transfer)방식
(나) BTO(Build-Transfer-Operate)방식
(다) BOO(Build-Operate-Own)방식
(라) 성능발주방식

13 다음 설명을 읽고 (　　) 안에 들어갈 적당한 부재 명칭을 쓰시오. (4점)

(가) 단관비계에서 (　①　)은 도리방향으로 1.5~1.8m, 보방향으로 0.9~1.5m 정도 벌려서 세우고 최고높이가 31m를 넘으면 두개를 합쳐서 세워야 한다. 통나무 비계에서 (　②　)은 최하부에서는 높이 3m 이하로 설치하고 그 위는 1.5m 내외로 설치하는 수평부재를 말한다. ①과 ②의 이음은 모두 겹친이음을 하는 것이 원칙이다.

(나) 단관비계나 통나무비계에서 (　③　)의 간격은 1.5m 이내로 배치하고 ①과 ②에 결속한다. 강관틀비계에서 (　④　)는 도리방향으로 세로틀에 설치하며, 보통은 수평방향으로 14~15m 간격으로 설치되며 ①에 모두 결속되어야 한다.

정답 **13**
① 기둥(비계기둥)
② 띠장(비계띠장)
③ 장선(비계장선)
④ 가새(비계가새)

14 다음 (　　　) 안에 적당한 말을 써 넣으시오. (3점)

콘크리트 타설이음부의 위치는 구조부재의 내력에의 영향이 가장 작은 곳에 정하도록 하며 다음을 표준으로 한다.

(가) 보, 바닥슬래브 및 지붕슬래브의 수직 타설이음부는 스팬의 (　①　) 부근에 주근과 직각방향으로 설치한다.

(나) 기둥 및 벽의 수평 타설이음부는 바닥슬래브(지붕슬래브), 보의 (　②　)에 설치하거나 바닥슬래브, 보, 기초부의 (　③　)에 설치한다.

정답 14
① 중앙
② 하단(하부)
③ 상단(상부)

15 원가절감 기법인 VE(Value Engineering)의 가치를 향상시키는 방법을 4가지 쓰시오. (4점)

(1) _____

(2) _____

(3) _____

(4) _____

정답 15
(1) 기능을 일정하게 하고 비용을 내린다.
(2) 비용을 일정하게 하고 기능을 올린다.
(3) 비용을 내리고 기능을 올린다.
(4) 비용을 약간 올리고 기능을 많이 올린다.
(5) 기능을 약간 내리고 비용은 많이 내린다.

16 미장공사에서 사용되는 용어 중 다음을 설명하시오. (2점)

(가) 바탕처리 : _____

(나) 덧먹임: _____

정답 16
(가) 요철 또는 변형이 심한 개소를 고르게 덧바르거나 깎아내어 마감두께가 균등하게 되도록 조정하는 것
(나) 바르기의 접합부 또는 균열의 틈새, 구멍 등에 반죽된 재료를 밀어 넣어 때우는 것

17 철골공사에서 용접부의 비파괴 시험방법의 종류를 3가지 쓰시오. (3점)

①　_____　　②　_____

③　_____

정답 17
① 방사선 투과시험
② 초음파 탐상법
③ 자기분말 탐상법

18 철근콘크리트조 건축물에서 철근에 대한 콘크리트의 피복두께를 유지하여야 하는 주요 이유를 3가지 쓰시오. (3점)

① _____ ② _____

③ _____

정답 **18**

(1) 소요의 내구성 확보
(2) 소요의 내화성 확보
(3) 소요의 강도 확보
(4) 콘크리트와의 부착력 확보
　※ 콘크리트의 유동성 확보

19 타일의 종류를 소지 및 용도에 따라 분류하시오. (2점)

(가) 소지 : _____

(나) 용도 : _____

정답 **19**

(가) 소지 : 도기질, 석기질, 자기
　질 타일
(나) 용도 : 내장타일, 바닥타일, 외장
　타일

20 커튼월공사의 성능 시험 항목을 4가지 쓰시오. (4점)

① _____ ② _____

③ _____ ④ _____

정답 **20**

(1) 예비시험
(2) 기밀성 시험
(3) 수밀성 시험
(4) 구조 성능 시험
　(내풍압강도 시험, 층간변위추종
　성시험)

21 공개경쟁 입찰의 순서를 보기에서 골라 번호로 나열하시오. (4점)

```
─── 〈보 기〉 ───────────────────────────────
① 입찰        ② 현장설명      ③ 낙찰        ④ 계약
⑤ 견적        ⑥ 입찰등록      ⑦ 입찰공고
────────────────────────────────────────────
```

_____

정답 **21**

⑦-②-⑤-⑥-①-③-④

22 다음 글을 읽고 (　　) 안에 들어갈 적당한 내용을 쓰시오. (3점)

시방서에서 규정한 철근콘크리트 슬럼프값의 표준은 일반적인 경우 (　①　)mm 이며, 단면이 큰 경우는 (　②　)mm이다.
AE제의 공기량 기준은 (　③　)% 정도이다.

① _____ ② _____ ③ _____

정답 **22**

① 80~180
② 60~150
③ 4~6

23 하절기 콘크리트에서 발생할 수 있는 문제점에 대한 대책 중 관계되는 것을 보기에서 모두 골라 기호로 쓰시오. (3점)

　　─ 〈보 기〉─
　　　가. AE제 감수제의 사용　　　　　나. 사용재료의 온도 상승방지
　　　다. 중용열 시멘트의 사용　　　　라. 운반 · 타설시간의 단축방안 강구
　　　마. 응결촉진제의 사용　　　　　바. 단위시멘트량의 증가

정답 23
가, 나, 다, 라

24 지반개량공법 중 탈수공법의 종류를 4가지 쓰시오. (4점)

①＿＿＿＿＿＿＿＿＿＿＿　　②＿＿＿＿＿＿＿＿＿＿＿

③＿＿＿＿＿＿＿＿＿＿＿　　④＿＿＿＿＿＿＿＿＿＿＿

정답 24
① 웰포인트 공법
② 페이퍼드레인 공법
③ 샌드드레인 공법
④ 생석회 공법
　 (화학적 공법)

25 다음 공정관리의 용어를 간략히 설명하시오. (4점)

(1) MCX :

(2) 특급점 :

정답 25
(1) 각 작업을 최소의 비용으로 최적의 공기를 찾아 공정을 수행하는 관리기법
(2) 직접비 곡선에서 특급공사비와 특급공기가 만나는 point로 소요공기를 더 이상 단축할 수 없는 한계점

26 시방배합결과 잔골재량 300kg 굵은골재량 700kg이었다. 현장 배합을 위한 검사결과 5mm체에 남는 잔골재량이 10%, 5mm체에 통과하는 굵은 골재량이 10%일 때 수정된 굵은 골재량을 구하시오. (4점)

정답 26

x+y＝S+G⋯⋯⋯⋯⋯⋯⋯⋯⋯⋯(1)
(1-a/100)*x+(b/100)*y＝S ⋯⋯⋯⋯⋯(2)
(a/100)*x+(1-b/100)*y＝G ⋯⋯⋯⋯(3)

여기서, S＝300(시방배합의 모래량), G＝700(시방배합의 자갈량), a＝10 (잔골재 5mm체에 남는양 %), b＝10 (굵은골재 5mm체를 통과하는 양 %) 입니다.
구하고자 하는 x는 입도에 대한 보정 잔골재량이고, y는 입도에 대한 보정 굵은골재량입니다. 위의 식을 연립방정식으로 풀어내면, x+y＝300+700＝1000
(1-10/100)*x+(10/100)*y＝300
(10/100)*x+(1-10/100)*y＝700
x＝250, y＝750 이 산정되며, 여기서 y값이 시방배합이 수정된 현장배합 골재량

2008년 2회 출제문제

1 철골용접시 용접부에 대한 다음 도식을 보충 설명하시오. (2점)

① _____ ② _____ ③ _____

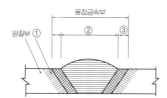

2 조적조를 바탕으로 하는 지상부 건축물의 외부벽면 방수방법의 내용을 3가지 쓰시오. (3점)

①
_____

②
_____

③
_____

3 다음 데이터를 네트워크 공정표로 작성하고, 각 작업의 여유시간을 구하시오. (8점)

작업명	작업일수	선행작업	비 고
A	2	없음	결합점에서는 다음과 같이 표시한다.
B	3	없음	
C	5	없음	EST LST △LFT EFT
D	4	없음	① 작업명 ①
E	7	A, B, C	공사일수
F	4	B, C, D	주공정선은 굵은 선으로 표시하시오.

① 공정표 작성   ② 여유시간

정 답

정답 1

① 변질부(열영향부)
② 용착금속부
③ 융합부(Fusion)

정답 2

① 시멘트 액체 방수
② 수밀재 붙임 방법
③ 도막 방수 공법

정답 3

① 공정표 작성

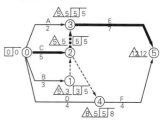

② 여유시간 산정

작업명	TF	FF	DF	CP
A	3	3	0	
B	2	2	0	
C	0	0	0	*
D	4	1	3	
E	0	0	0	*
F	3	3	0	

4 흙의 전단강도 식을 쓰고 각 기호가 나타내는 것을 쓰시오. (3점)

---

5 시멘트 창고 관리방법 4가지를 쓰시오. (4점)

① _____

② _____

③ _____

④ _____

6 다음 금속공사에서 사용되는 철물이 뜻하는 용어를 설명하시오. (2점)

(가) Metal Lath : _____

_____

(나) Punching Metal : _____

_____

7 벽돌쌓기 방식 중 영식쌓기 특성을 간단히 설명하시오. (4점)

---

8 한중 콘크리트의 문제점에 대한 대책을 보기에서 골라 기호 쓰시오. (3점)

〈 보 기 〉
가. AE제 사용	나. 응결지연제 사용
다. 보온양생	라. 물시멘트비를 60%이하로 유지
마. 중용열 시멘트 사용	바. Pre-cooling방법 사용

정답 **4**

$\tau = C + \sigma \tan \phi$

	τ : 전단강도
	C : 점착력
	$\tan \phi$: 마찰계수
	ϕ : 내부마찰각
	σ : 파괴면에 수직인 힘

① 점토인 경우 : 내부 마찰각 $\phi ≒ 0$ 이므로 $\tau ≒ C$

＊점착력 C는 Vane Test에서 구한다.

② 모래인 경우 : 점착력 $C ≒ 0$ 이므로 $\tau ≒ \sigma \tan \phi$ 이다.

＊마찰각 ϕ 는 표준관입시험에서 구한다.

정답 **5**

① 주위에 배수도랑을 두고 누수를 방지한다.

② 바닥은 지반에서 30cm 이상의 높이로 한다.

③ 필요한 출입구 및 채광창이외에 공기유통을 막기위하여 될수있는 대로 개구부를 설치하지 아니한다.(환기창 설치금지)

④ 반입, 반출구는 따로 두고 먼저 반입한 것을 먼저 쓴다.

정답 **6**

(가) 얇은 철판에 자름금을 내어서 당겨 만든 것으로 벽, 천장의 미장 바름에 사용되는 철물

(나) 판두께 1.2mm 이하의 얇은 판에 각종 무늬의 구멍을 천공한 것으로 장식용, 라지에이터 커버 등에 사용되는 철물

정답 **7**

영식쌓기 : 가장 튼튼한 쌓기 형식으로 내력벽에 이용되며 한켜는 길이, 다음켜는 마구리 쌓기로 하며, 모서리벽 끝에 이오토막 또는 반절 을 마구리켜에 사용하여 통줄눈을 방지한다.

정답 **8**

가, 다, 라

9 공정관리에 있어서 자원평준화 중 crew balance 방식에 관하여 기술하시오. (4점)

_____

_____

정답 9
정답 9

건설현장에서 몇개의 작업팀을 구성하고, 각 공구의 작업을 작업팀에 균형 있게 배당하는 방식으로 연속적인 반복작업에 효과적이다.

10 다음 도급계약방식의 분류를 설명한 것 중 (　　　) 안에 들어갈 내용을 써 넣으시오. (4점)

도급공사는 공사실시방식에 따라 공동도급, 분할도급, (　①　)으로 분류하며 공동도급의 운영방식은 공동이행방식, (　②　), 주계약자형 공동도급방식으로 분류된다.

① _____　② _____

정답 10

① 일식도급, 총도급
② 분담이행방식

11 다음은 진동기를 과도 사용할 경우이다. (　) 안에 알맞은 용어를 쓰시오. (2점)

진동기를 과도 사용할 경우에는 (　①　) 현상을 일으키고, AE콘크리트에서는 (　②　)이 많이 감소된다.

① _____　② _____

정답 11

① 재료분리
② 공기량

12 다음 측정기별 용도를 쓰시오. (4점)

(가) Washington Meter : _____

(나) Earth Pressure Meter : _____

(다) Piezo Meter : _____

(라) Dispenser : _____

정답 12

(가) 콘크리트내의 공기량 측정기구
(나) 토압측정기구
(다) 간극수압 측정기구
(라) AE제의 계량장치

13 다음에 설명한 용어를 써 넣으시오. (4점)

흙막이 벽을 이용하여 지하수위 이하의 사질토 지반을 굴착하는 경우에 생기는 현상으로 사질토 속을 상승하는 물의 침투압에 의해 모래가 입자사이의 평형을 잃고 액상화 되는 현상 _____

정답 13

보일링 현상 또는 분사현상
(Boiling of Sand, Quick Sand)

14 품질관리의 4싸이클 순서인 PDCA명을 쓰시오. (4점)

① _____ ② _____

③ _____ ④ _____

정답 14
① Plan(계획)
② Do(실시)
③ Check(검토)
④ Action(조치)

15 목구조의 횡력보강 부재를 3가지 적으시오. (3점)

① _____ ② _____

③ _____

정답 15
① 가새
② 버팀대
③ 귀잡이(귀잡이보)

16 다음 설명이 뜻하는 콘크리트의 명칭을 써 넣으시오. (3점)

(1) 콘크리트면에 미장등을 하지 않고, 직접 노출시켜 마무리한 콘크리트 :

(2) 부재 단면치수 80cm이상, 콘크리트 내외부 온도차가 25℃이상으로 예상되는 콘크리트 :

(3) 콘크리트 설계기준 강도가 일반 콘크리티의 경우 40MPa 이상이고, 경량콘크리트의 경우 27MPa 이상인 콘크리트 :

정답 16
(1) 제물치장콘크리트
   (Exposed Concrete)
(2) 매스콘크리트(Mass Concrete)
(3) 고강도콘크리트
   (High Strength Concrete)

17 다음 수량 산출시 각 재료의 할증율 괄호안에 쓰시오. (4점)

① 유리 (　%)	② 기와 (　%)
③ 시멘트벽돌 (　%)	④ 붉은벽돌 (　%)

정답 17
① 유리 : 1%
② 기와 : 5%
③ 시멘트벽돌 : 5%
④ 붉은벽돌 : 3%

18 철골 용접접합에서 발생하는 결함항목을 6가지만 쓰시오. (3점)

① _____ ② _____

③ _____ ④ _____

⑤ _____ ⑥ _____

정답 18
① Slag 감싸들기
② Under Cut
③ Overlap
④ Blow hole
⑤ Crack
⑥ 용입불량
⑦ Crater
⑧ 은정

19 콘크리트의 표준배합설계 순서를 보기에서 골라 기호로 쓰시오. (5점)

─────〈보 기〉─────
(1) 슬럼프값의 결정	(2) 시방배합의 산출 및 조정
(3) 배합강도의 결정	(4) 물시멘트비의 선정
(5) 잔골재율의 결정	(6) 소요강도의 결정
(7) 굵은 골재 최대치수의 결정	(8) 현장 배합의 결정
(9) 시멘트 강도의 결정	(10) 단위수량의 결정

정답 19

※ 콘크리트의 배합설계 순서는 다음과 같다.
설계강도(소요강도)결정 - 배합강도의 결정 - 시멘트 강도 결정 - 물시멘트비 결정 - 슬럼프값 결정 - 굵은골재 최대치수 결정 - 잔골재율의 결정 - 단위수량의 결정 - 시방배합의 산출 및 조정 - 현장배합의 결정
(6) - (3) - (9) - (4) - (1) - (7) - (5) - (10) - (2) - (8)

20 표준형 벽돌 1000장으로 1.5B두께로 쌓을 수 있는 벽 면적은? (4점)
(단, 할증율은 고려하지 않는다.)

정답 20

벽면적 : $1,000 \div 224 = 4.464$
$\rightarrow 4.46 \text{m}^2$

21 철골구조물에서 보 및 기둥에는 H형강이 많이 사용되는데 Long Span에서는 기성품인 Rolled형강을 사용 할 수 없을 정도의 큰 단면의 부재가 필요하게 된다. 이 경우 공장에서 두꺼운 철강판을 절단하여 소요크기로 용접제작하여 현장제작(Built up)형강을 사용하게 되는데 H-1200×500×25×100부재(L=20m) 20개의 철강판 중량은 얼마(ton)인가? (단, 철강의 비중은 7.85로 한다.) (4점)

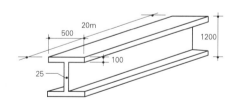

정답 21

1개의 중량
$(1.2 - 0.1 \times 2) \times 20 \times 0.025 + 0.5 \times 20 \times 0.1 \times 2 = 2.5$
총합계 : $2.5 \times 7.85 \times 20 = 392.5$
답 : 392.5 ton

22 Remicon(20-30-150)은 Ready Mixed Concerte의 규격에 대한 수치이다. 이 3가지의 수치가 뜻하는 바를 간단히 쓰시오. (3점)

(가) 20 : _____   (나) 30 : _____   (다) 150 : _____

정답 22

(가) 굵은골재 최대 크기(20mm)
(나) 콘크리트 강도(30Mpa)
(다) 슬럼프 값(150mm)

23 다음의 용어를 설명하시오. (4점)

스팬드럴(spandrel) 방식 : _____

_____

수평선을 강조하는 창과 스팬드럴의 조합으로 외관을 구성하는 커튼월 구조방식

24 아래 그림에서 한 층 분의 콘크리트량과 거푸집량을 산출하시오. (10점)

① 부재치수 (단위 :mm)

② 전기둥(C_1) : 500×500, 슬래브두께(t) : 120

③ G_1 , G_2 : 400×600(b×D), G_3 : 400×700, B_1 : 300×600

④ 층고 : 4,000

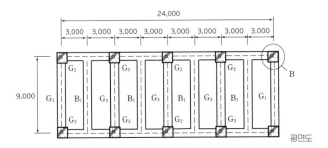

평면도

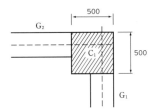

B부분 상세도

정답 **24** ① 콘크리트량

1. 기둥 (C_1) : $\{(0.5 \times 0.5 \times (4-0.12)\} \times 10개 = 9.7m^3$

2. 보 (G_1) : $\{0.4 \times 0.48 \times (9-0.6)\} \times 2개 = 3.226m^3$

3. 보 (G_2) : $(0.4 \times 0.48 \times 5.5 \times 4) + (0.4 \times 0.48 \times 5.45 \times 4) = 8.409m^3$

4. 보 (G_3) : $(0.4 \times 0.58 \times 8.4) \times 3개 = 5.846m^3$

5. 보 (B_1) : $(0.3 \times 0.48 \times 8.6) \times 4개 = 4.953m^3$

6. 슬라브 : $9.4 \times 24.4 \times 0.12 = 27.523m^3$

∴계 : $59.657 \rightarrow 59.66m^3$

② 거푸집량

  1. 기둥 (C_1) : $\{(0.5 + 0.5) \times 2 \times 3.88\} \times 10개 = 77.6m^2$

  2. 보 (G_1) : $(0.48 \times 2 \times 8.4) \times 2개 = 16.128m^2$

  3. 보 (G_2) : $(0.48 \times 5.5 \times 2 \times 4) + (0.48 \times 5.45 \times 2 \times 4) = 42.048m^2$

  4. 보 (G_3) : $0.58 \times 8.4 \times 2 \times 3 = 29.232m^2$

  5. 보 (B_1) : $0.48 \times 8.6 \times 2 \times 4 = 33.024m^2$

  6. 슬라브 : $9.4 \times 24.4 + (9.4 + 24.4) \times 2 \times 0.12 = 237.47m^2$

  ∴계 : $435.502 \rightarrow 435.50m^2$

25 다음 설명이 가르키는 용어명을 쓰시오. (3점)

(가) 신축이 가능한 무지주공법의 수평지지보 :

(나) 무량판 구조에서 2방향 장선 바닥판구조가 가능하도록 된 특수상자 모양의 기성재 거푸집 :

(다) 한 구획 전체의 벽판과 바닥판을 ㄱ자형 또는 ㄷ자형으로 짜는 거푸집 :

(가) : _____   (나) : _____   (다) : _____

정답 **25**

(가) 페코 비임(Pecco Beam)
(나) 워플 폼(Waffle Form)
(다) 터널 폼(Tunnel Form)

26 지반개량공법 중 탈수법에서 다음 토질에 적당한 대표적 공법을 각각 1가지씩 쓰시오.
(2점)

① 사질토 : _____

② 점성토 : _____

정답 **26**

① 웰 포인트(Well Point)공법
② 샌드 드레인(Sand Drain)공법

2008년 3회 출제문제

1 철골공사에 사용되는 용어를 설명하였다. 알맞은 용어를 쓰시오. (3점)

(가) 철골부재 용접시 이음 및 접합부위의 용접선이 교차되어 재용접된 부위가
열영향을 받아 취약해지기 때문에 모재에 부채꼴 모양의 모따기를 한 것:

_____

(나) 철골기둥의 이음부를 가공하여 상하부 기둥 밀착을 좋게 하며 축력의
25%까지 하부 기둥 밀착면에 직접 전달시키는 이음방법:

_____

(다) Blow hole, crater등의 용접결함이 생기기 쉬운 용접 bead의 시작과 끝 지점
에 용접을 하기 위해 용접 접합하는 모재의 양단에 부착하는 보조강판:

_____

2 다음 설명에 해당되는 답을 기재하시오. (4점)

(1) 접하는 두 부재 사이를 트이게 홈(groove)을 만들고 그 사이에 용착금속을
채워 두 부재를 결합하는 용접 접합방식 :

_____

(2) 필렛용접에서 유효용접길이는 실제 용접길이에서 유효목두께의 몇 배를 감
한 것으로 하는가?

_____

3 흙은 일반적으로 물을 포함하고 있으며 그 함수량의 변화에 따라 아래와 같이 그 성질이
변화한다. ( ) 속에 알맞은 표현을 쓰시오. (2점)

전건상태(1) - 소성상태 - (2) - 질척한 액성의 상태

① _____   ② _____

정 답

정답 1
(가) 스캘럽(scallop)
(나) Metal touch(메탈텃취가공)
(다) 엔드탭(End Tab＝Run off tab)

정답 2
(1) 맞댄(맞댐)용접접합,
　　Groove 용접접합,
　　Butt용접접합
(2) 2배

정답 3
① 소성한계
　(塑性限界 : plastic limit)
② 액성한계
　(液性限界) : liquid limit)

4 다음 설명이 가르키는 용어를 쓰시오. (4점)

(1) 건설업체의 공사 수행능력을 기술적 능력, 재무 능력, 조직 및 공사능력등 비가격적 요인을 검토하여 가장 효율적으로 공사를 수행할 수 있는 업체에 입찰 참가자격을 부여하는 제도는 ?

_____

(2) 설계에서부터 각종 공사정보의 활용성을 고려하여 원가절감 및 공기 단축을 꾀할수 있는 설계와 시공의 통합시스템은 ?

_____

5 다음의 콘크리트 용어에 대해 간단히 설명하시오. (6점)

(가) 알카리골재반응 : _____

(나) 인트랩트 에어(entraped air) : _____

(다) 배쳐플랜트(batcher plant) : _____

6 샌드드레인 공법을 설명하시오. (3점)

_____

_____

7 다음 설명을 읽고 ( ) 안에 들어갈 알맞는 말을 쓰시오. (3점)

> KSF 4009 규정에 의한 레디믹스트 콘크리트의 강도는 (①) 시험결과에 의하여 검사 로트(lot)의 합격여부가 결정되며, 시험횟수는 (②)m³마다 1회로 규정되어 있으며 보통은 1검사 로트는 (③)m³ 정도이다.

① _____ ② _____ ③ _____

정답 **4**

(1) PQ제도(Pre-Qualification 제도), 입찰참가자격 사전심사제도
(2) CM조직 (Construction Management)

정답 **5**

(가) 알카리 골재반응 : 포틀랜드 시멘트중의 알카리 성분과 골재등의 실리카질 광물이 화학반응을 일으켜 팽창을 유발시키는 반응.
(나) 일반 콘크리트에 자연적으로 형성되는 부정형의 상호연속된 기포로 1~2% 정도 함유하게된다.
(다) 배쳐플랜트 : 물, 시멘트, 골재 등을 정확하고 능률적으로 자동 중량 계량하여 혼합하여주는 콘크리트 생산, 기계설비

정답 **6**

점토질 지반의 대표적인 탈수공법으로 지반에 지름 40~60cm의 구멍을 뚫고 모래를 넣은 후, 성토 및 기타 하중을 가하여 점토질 지반을 압밀하므로써 탈수하는 공법

정답 **7**

① 1회 또는 3회
② 150
③ 450

8 BOT(Build-Operate-Transfer contract)방식을 설명하시오. (3점)

_____

_____

_____

정답 8
민간부분 수주측이 설계, 시공 후 일정기간 시설물을 운영하여 투자금을 회수하고 시설물과 운영권을 무상으로 발주측에 이전하는 방식

9 벽돌벽을 이중벽으로 하여 공간쌓기로 하는 목적을 3가지 쓰시오. (3점)

① _____ ② _____ ③ _____

정답 9
① 방습(방수)
② 보온(방한)
③ 방음(차음)

10 다음 조건에서 콘크리트 1m³을 생산하는데 필요한 시멘트, 모래, 자갈의 중량을 산출하시오. (6점)

〈보 기〉
　(1) 단위수량 : 160kg/m³　　　　　(2) 물시멘트비 : 50%
　(3) 잔골재율 : 40%　　　　　　　(4) 시멘트 비중 : 3.15
　(5) 잔골재 비중 : 2.6　　　　　　(6) 굵은 골재 비중 : 2.6
　(7) 공기량 : 1%

해설
① 콘크리트 1m³=1000= l 시멘트+모래+자갈+물+공기량에서 각 재료의 양을 구하면

체적 = $\dfrac{중량}{비중}$ 으로 구한다.

② 잔골재 및 굵은 골재량을 정미계산하면 소숫점이하의 양도 계산되나 배합계산에는 소숫점을 내지 않는 것임에 유의할 것

정답 10

① 단위시멘트량 =160÷0.5=320kg/m³

② 시멘트의 체적 = $\dfrac{320kg}{3.15\times1,000}$ = 0.102m³

③ 물의 체적 = $\dfrac{160kg}{1\times1,000}$ = 0.16m³

④ 전 골재의 체적 =1m³-(시멘트의 체적+물의 체적+공기량의 체적)
　= 1-(0.102+0.16+0.01)=0.728m³

⑤ 잔 골재의 체적
　= 전 골재의 체적×잔골재율{체적백분율로서: 모래의 체적/(모래+자갈의 체적)}
　= 0.728×0.4=0.291m³

⑥ 잔 골재량 = 0.291×2.6×1,000=756.6kg/m³

⑦ 굵은 골재의 체적 = 0.728×0.6×2.6×1,000=1,135.68kg/m³

∴ 시멘트 : 320kg/m³
　잔골재 : 756.6kg/m³ → 757kg/m³
　굵은골재 : 1,135.68kg/m³ → 1,136kg/m³
　물 : 160kg/m³

11 다음은 창호 공사에 관한 용어설명이다. 설명이 의미하는 용어명을 쓰시오. (4점)

① 창문을 창문틀에 다는 일

② 미닫이 또는 여닫이 문짝이 서로 맞닿는 선대

③ 미서기 또는 오르내리창이 서로 여며지는 선대

④ 창호가 닫아졌을 때 각종 선대 등 접하는 부분에 틈새가 나지 않도록 대어주는 것

① _____　② _____

③ _____　④ _____

정답 **11**
① 박배
② 마중대
③ 여밈대
④ 풍소란

12 다음 통합공정관리(EVMS : Earned Value Management System) 용어를 설명한 것 중 맞는 것을 보기에서 선택하여 번호로 쓰시오. (3점)

〈보기〉 ① 프로젝트의 모든 작업내용을 계층적으로 분류한 것으로 가계도와 유사한 형성을 나타낸다.
② 성과측정시점까지 투입예정된 공사비
③ 공사착수일로부터 추정준공일까지의 실 투입비에 대한 추정치
④ 성과측정시점까지 지불된 공사비(BCWP)에서 성과측정시점까지 투입예정된 공사비를 제외한 비용
⑤ 성과측정시점까지 실제로 투입된 금액을 말한다.
⑥ 성과측정시점까지 지불된 공사비(BCWP)에서 성과측정시점까지 실제로 투입된 금액을 제외한 비용
⑦ 공정, 공사비 통합, 성과측정, 분석의 기본단위를 말한다.

가. WBS(Work Breakdown Structure) : (_____)

나. SV(Schedule variance) : (_____)

다. BCWS(Budgeted Cost for Work Scheduled) : (_____)

정답 **12**
가. WBS : ①
나. SV : ④
다. BCWS : ②

13 조적공사 중 벽돌쌓기방법에서 사용되는 국가명칭이 들어간 벽돌쌓기 방법을 4가지 적으시오. (4점)

(1) _____　(2) _____

(3) _____　(4) _____

정답 **13**
(1) 영식쌓기
(2) 화란식(네덜란드식)쌓기
(3) 불식(프랑스식)쌓기
(4) 미식(미국식)쌓기

14 시이트(Sheet) 방수공법의 시공순서를 쓰시오. (3점)

바탕처리 → ((가)   ) → 접착제칠 → ((나)   ) → ((다)   )

(가) : _____   (나) : _____   (다) : _____

정답 **14**
(가) 프라이머칠
(나) 시이트 붙임
(다) 마무리(보호층 설치)

15 (   ) 안에 알맞는 용어를 쓰시오. (4점)

(1) 프리스트레스트 콘크리트에 사용되는 강재(강선, 강연선, 강봉)를 (   ) 라고 한다.

(2) 포스트텐션공법은 (   ) 설치후 - 콘크리트 타설 - 콘크리트 경화후 강재를 삽입하여 긴장, 정착후 그라우칭하여 완성시키는 방법이다.

정답 **15**
(1) 긴장재
(2) PC강재도관
     (Sheath, 쉬드, 시이드)

16 철골구조공사에 있어서 철골 습식 내화피복공법의 종류를 3가지 쓰시오. (3점)

① _____   ② _____   ③ _____

정답 **16**
① 뿜칠공법
② 미장공법
③ 타설공법
④ 조적공법

17 언더피닝공법을 시행하는 이유(목적)과 그 공법의 종류를 2가지 쓰시오. (4점)

(1) 공법의 목적 : _____

_____

(나) 공법의 종류 : _____

_____

정답 **17**
(1) 지하구조물 축조시나 터파기시 인접건물이나 구조물의 침하, 균열, 이동 등의 피해를 에방하기 위한 목적
(2) ① 이중널말뚝 설치공법
② 현장타설 콘크리트 말뚝설치보강법
③ Mortar 및 약액주입법

18 시멘트 분말도 시험법을 2가지 쓰시오. (4점)

① _____

② _____

정답 **18**
① 표준체에 의한 방법 도는 표준체에 의한 체가름 방법
② 블레인(blaine) 공기투과장치에 의한 방법

19 다음 도면을 보고 물량을 산출하시오. (6점)

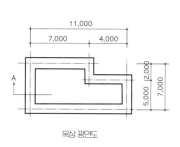

11,000

7,000   4,000

2,000

5,000   7,000

A

옥상 평면도

— 0.5 B시멘트벽돌
— 표준형

350

— 누름 콘크리트 THK 80mm

A 단면 상세도

(1) 옥상방수 면적 : _____

(2) 누름 콘크리트량 : _____

(3) 보호벽돌 소요량 : _____

20 벽면적 20m²에 표준형 벽돌 1.5B 쌓기시 붉은벽돌 소요량을 산출하시오. (3점)

_____

21 다음은 콘크리트의 문제점을 설명한 것이다. 해당 콘크리트를 보기에서 골라 기호로 쓰시오. (4점)

─── 〈보 기〉───

가. 서중 콘크리트	나. 한중 콘크리트
다. 유동화 콘크리트	라. 매스(Mass) 콘크리트
마. 진공 콘크리트	바. 프리팩트(Prepacked) 콘크리트

① 수화반응이 지연되어 콘크리트의 응결 및 강도발현이 늦어진다. :

_____

② 슬럼프 로스가 증대하고, 슬럼프가 저하하고 동일 슬럼프를 얻기 위해 단위 수량이 증가한다 :

_____

③ 슬럼프의 경시변화가 보통 콘크리트보다 커서 여름에는 30분, 겨울에는 1시간 정도에서 베이스 콘크리트의 슬럼프로 되돌아 오는 경우도 있다. :

_____

④ 수화열이 내부에 축적되어 콘크리트 온도가 상승하고 균열이 발생하기 쉽다. :

_____

정답 19

① 옥상방수 면적 : (7×7)+(4×5)+ {(11+7)×2 × 0.43} = 84.48m²

② 누름콘크리트량 : {(7×7)+(4×5)} × 0.08 = 5.52m³

③ 보호벽돌 소요량 : {(11-0.09)+ (7-0.09)}×2×0.35×75매×1.05 = 982.3 →982매

정답 20

20m² × 224 × 1.03 = 4,614.4 → 4,614매

정답 21

① 나
② 가
③ 다
④ 라

22 바닥돌 깔기의 경우 형식 및 문양에 따른 명칭을 5가지만 쓰시오. (5점)

① _____ ② _____

③ _____ ④ _____

⑤ _____

정답 22

① 잔돌원형 깔기
② 일자깔기
③ 우물마루식 깔기
④ 오늬무늬 깔기
⑤ 바둑판무늬 깔기
※ 마름모 깔기, 삿자리 깔기, 빗 깔기 등

23 철골조에서의 칼럼 쇼트닝(Column Shortening)에 대하여 기술하시오. (3점)

_____

_____

정답 23

철골조의 초고층 건물축조시 발생되는 기둥의 축소, 변위현상을 말한다.
발생이유 : 내·외부 기둥 구조의 차이, 재질이나 응력의 차이, 하중의 차이 때문

24 아래 보기에서 가치공학(Value Engineering)의 기본추진절차를 순서대로 나열하시오. (4점)

    ─〈보 기〉─

(가) 정보수집	(나) 기능정리	(다) 아이디어 발상
(라) 기능정의	(마) 대상선정	(바) 제안
(사) 기능평가	(아) 평가	(자) 실시

_____

정답 24

(마), (가), (라), (나), (사), (다), (아), (바), (자)

25 다음 데이터를 네트워크 공정표로 작성하고, 각 작업의 여유시간을 구하시오. (10점)

작 업	선행작업	소요일수	비 고
A	없음	3	
B	없음	4	단, 이벤트(Event)에는 번호를 기입하고, 주공정선은 굵은 선으로 표기한다.
C	없음	5	
D	A, B	6	
E	B	7	
F	D	4	
G	D, E	5	
H	C, F, G	6	
I	F, G	7	

EST\LST   LFT\EFT
①─작업명/공사일수─Ⓙ

정답 25

① 공정표 작성

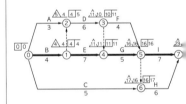

② 여유시간계산

작업명	TF	FF	DF	CP
A	2	1	1	
B	0	0	0	※
C	12	11	1	
D	1	0	1	
E	0	0	0	※
F	2	2	0	
G	0	0	0	※
H	1	1	0	
I	0	0	0	※

2009년 1회 출제문제

1 주어진 데이터에 의하여 다음 물음에 답하시오. (12점)

　(단, ① Net work 작성은 Arrow Net work로 할 것.

　　② Critical Path는 굵은 선으로 표시할 것.

　　③ 각 결합점에는 다음과 같이 표시한다.)

Activity Name	선행작업	Duration	공기1일 단축시 비용(원)	비　고
A	없음	5	10,000	
B	없음	8	15,000	
C	없음	15	9,000	① 공기단축은 　Activity I에서 2일, 　Activity H에서 3일, 　Activity C에서 5일
D	A	3	공기단축 불가	
E	A	6	25,000	
F	B, D	7	30,000	
G	B, D	9	21,000	② 표준공기시 총공사 　비는 1,000,000원이다.
H	C, E	10	8,500	
I	H, F	4	9,500	
J	G	3	공기단축 불가	
K	I, J	2	공기단축 불가	

　(가) 표준(Normal) Net work를 작성하시오.

　(나) 공기를 10일 단축한 Net work를 작성하시오.

　(다) 공기단축된 총공사비를 산출하시오.

해설 1. 표준 Net Work 공정표를 그리고 일정계산을 한다. (CP와 여유를 구하고 비용구배를 기입한다.)

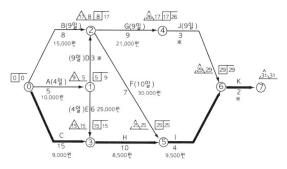

정　답

정답 1

(가) 표준 네트워크 공정표

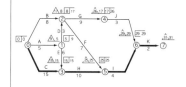

(나) 공기를 10일 단축한 네트워크 공정표

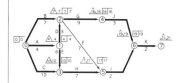

(다) 공기단축된 총공사비

단계	단축대상 작업	단축일수	추가공사비
1	H	3	8,500×3일=25,500원
2	C	4	9,000일×4일=36,000원
3	I	2	9,500×2일=19,000원
4	A+B+C	1	34,000×1일=34,000원
10일 단축			114,500원

∴ 총공사비

= 표준공사비 + 단축시추가비용

= 1,000,000 + 114,500원

= 1,114,500원

※ 이 문제는 어떤 특정작업에서의 단축을 요구하고 있다. (I-2일, H-3일, C-5일)
　쉽게 이해 한다면 문제의 요구조건에 따라 I에서 2일 H에서 3일, CD에서 5일을 단축할 때 최소비용에 의한 공기단축이 되나를 묻는 문제라고 이해하면 된다.

1. 공기를 10일 단축하고 추가비용을 구한다.
 (1) CP상의 작업중 비용구배가 최소인 H작업을 단축하는데 문제의 조건에 의해 3일만 단축한다.
 (2) 그 다음은 C작업에서 단축을 하는데 병행작업인 A, E 작업의 여유가 4일 이므로 C작업에서 4일만 단축한다.
 (3) C작업에서 4일이 단축되면 A, E 작업도 CP가 되므로 I작업을 단독으로 줄이는 방법과 병행작업을 같이 선택해서 줄이는 방법을 비교해야 하는데 문제의 요구조건에 있는 I작업에서 우선 단축하도록 한다.
 (4) I작업에서 2일 단축이 되면 총 단축된 일수가 9일이 된다. 그렇다면 9일의 여유를 가지고 있던 B-G-J 작업도 CP가 되어 CP 경로는 다음과 같다.
　① B-G-J-K
　② A-D-G-J-K
　③ A-E-H-I-K
　④ C-H-I-K
　이 경로중 한 경로도 빠트리지 않고 단축해야 한다.
　① 경로에서는 최소비용의 작업(B선택)
　②, ③ 경로중 공통 경로이면서 최소 비용인 작업(A선택)
　④ 경로는 C작업밖에 선택되지 않기 때문에 (C선택)
　따라서 A + B + C 작업을 통해서 단축하게 된다.

단계	단축대상작업	단축일	추가비용
1	H	3	8,500×3일=25,500원
2	C	4	9,000일×4일=36,000원
3	I	2	9,500×2일=19,000원
4	A+B+C	1	34,000×1일=34,000원

2 수평버팀대식 흙막이에 작용하는 응력이 아래의 그림과 같을 때 (　　　)안에 알맞은 말을 보기에서 골라 기호로 쓰시오. (3점)

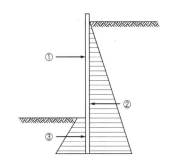

〈보 기〉
㉮ 수동토압
㉯ 정지토압
㉰ 주동토압
㉱ 버팀대의 하중
㉲ 버팀대의 반력
㉳ 지하수압

① _____　② _____　③ _____

정답 2
① ㉲
② ㉰
③ ㉮

3 다음 설명에 해당되는 용접결함의 용어를 쓰시오. (4점)

(가) 용접금속과 모재가 융합되지 않고 단순히 겹쳐지는 것.

(나) 용접상부에 모재가 녹아 용착금속이 채워지지않고 흠으로 남게 된 부분

(다) 용접봉의 피복재 용해물인 회분이 용착금속내에 혼입된 것.

(라) 용융금속이 응고할 때 방출되었어야 할 가스가 남아서 생기는 용접부의 빈 자리

(가) _____   (나) _____

(다) _____   (라) _____

정답 **3**

(가) 오버랩(Over Lap)
(나) 언더컷(Under Cut)
(다) 슬래그(Slag) 감싸들기
(라) 블로우 홀(Blow hole)

---

4 커튼월 공사에서 구조체의 층간변위, 커튼월의 열팽창, 변위등을 해결하는 긴결방법 3가지를 쓰시오. (3점)

① _____

② _____

③ _____

정답 **4**

① 회전방식(Locking Type)
② 슬라이드방식(Slide Type)
③ 고정방식(Fixed Type)

---

5 프리팩트 콘크리트 말뚝의 종류를 3가지만 쓰시오. (3점)

① _____ ② _____ ③ _____

정답 **5**

① CIP(Cast In Place)말뚝
② PIP(Packed In Place)말뚝
③ MIP(Mixed In Place)말뚝

---

6 다음의 용어를 설명하시오. (3점)

• 콘크리트 헤드(Concrete Head) _____

정답 **6**

타설된 콘크리트 윗면으로부터 최대 측압면까지의 거리

---

7 인텔리전트 빌딩의 access 바닥에 관하여 서술하시오. (4점)

_____

_____

정답 **7**

정방형의 Floor panel을 Pedestal(받침대)로 지지시켜 만든 2중바닥 구조로써 공조설비, 배관설비, 전기, 전자, computer설비등의 설치와 유지관리, 보수의 편리성과 용량 조정 등을 위하여 사용된다.

8 스페이서(Spacer)의 역할에 대하여 설명하시오. (2점)

_____

_____

정답 **8**

바닥이나 벽체에 배근된 철근이 거
푸집에 밀착됨을 방지하기 위한 피
복두께 유지용 간격재(굄재)
※ 철근과 거푸집의 밀착방지, 피복두
께 유지 목적

9 히스토그램(Histogram)의 작성순서를 보기에서 골라 순서를 기호로 쓰시오. (3점)

— 〈보 기〉 —
① 히스토그램 및 규격값과 대조하여 안정상태인지 검토한다.
② 히스토그램을 작성한다.
③ 도수분포도를 만든다.
④ 데이터에서 최소값과 최대값을 구하여 전범위를 구한다.
⑤ 구간폭을 정한다.
⑥ 데이터를 수집한다.

정답 **9**

⑥-④-⑤-③-②-①

10 숏 크리트(Shot Crete)를 설명하고, 장·단점을 쓰시오. (4점)

(가) 숏 크리트 :

_____

_____

(나) 장점 :

_____

(다) 단점 :

_____

정답 **10**

(가) 모르타르를 압축공기로 분사하
여 바르는 것으로 Sprayed
Concrete라고도 한다.
(나) 재료 표면의 강도, 수밀성, 내구
성 증진
※ 밀폐된 좁은 공간에 시공성
(충전성) 우수
(다) 다공질이고 외관이 거칠고 균
열발생 우려
※ 건식공법은 분진발생과 재료
낭비가 심함.

11 다음 용어를 설명하시오. (4점)

(가) 물시멘트 비 : _____

_____

(나) 아스팔트의 침입도 : _____

정답 **11**

(가) 부어넣기 직후의 모르타르 또
는 콘크리트에 포함된 시멘트
풀속의 시멘트에 대한 물의 중
량백분율
(나) 아스팔트의 양부를 판별하는데
가장 중요한 경도시험으로 25℃,
100g 추를 5초동안 누를 때 바
늘(침)이 0.1mm 들어가는 것을
침입도 1로 한다.

12 다음 그림과 같은 창고를 시멘트 벽돌로 신축하고자 할 때 벽돌 쌓기량(매)과 내외벽 시멘트 미장할 때 미장면적을 구하시오. (9점)

단, ① 벽두께는 외벽 1.5B쌓기, 간막이벽 1.0B쌓기로 하고 벽높이는 안밖 공히 3.6m로 가정하며 벽돌은 표준형(190×90×57)으로 할증율은 5%임

   ② 창문틀 규격은 $\frac{1}{D}$=2.2×2.4m, $\frac{2}{D}$=0.9×2.4m $\frac{3}{D}$=0.9×2.1m

                          $\frac{1}{W}$=1.8×1.2m, $\frac{2}{W}$=1.2×1.2m이다.

가. 벽돌량 :

_____

나. 미장면적 :

_____

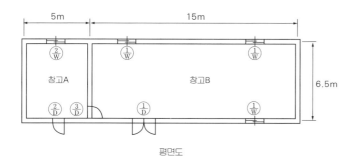

평면도

---

13 퍼트(PERT)에 의한 공정관리 방법에서 낙관시간이 4일, 정상시간이 5일, 비관시간이 6일 일때, 공정상의 기대시간(T_e)을 구하시오. (4점)

_____

---

14 비중이 2.65이고 단위체적질량이 1,600kg/m³ 이라면 골재의 공극률을 구하시오. (2점)

• 공극률 :

_____

정답 12

1. 벽돌량
① 외벽(1.5B) :
{(20+6.5)×2×3.6-(2.2×2.4+0.9×2.4+1.2×1.2+1.8×1.2×3)}×224=39,298.5장
② 내벽(1.0B) :
{(6.5-0.29)×3.6-(0.9×2.1)}×149
=3,049.4장
∴ 총 벽돌량 = (39,298.5+3,049.4)×1.05=44,465.2 → 44,465장

2. 미장면적
① 외부 : {(20.29+6.79)×2×3.6-15.36}
=179.616m²
② 내부 : {(14.76+6.21)×2+(4.76+6.21)×2}×3.6-19.14=210.828m²
∴ 총 미장면적 =
(179.616+210.828)=390.444
→ 390.44m²

정답 13

$$T_e = \frac{t_o + 4t_m + t_p}{6}$$
$$= \frac{4 + 4 \times 5 + 6}{6}$$
$$= 5 \,(일)$$

정답 14

• 공극률
$$= \frac{(G \times 0.999) - M}{G \times 0.999} \times 100$$
$$= \frac{(2.65 \times 0.999) - 1.6}{2.65 \times 0.999} \times 100$$
$$= 39.56\%$$

15 온도조절 철근(Temperature Bar)의 배근목적에 대하여 간단히 설명하시오. (2점)

_____

_____

[정답] **15**

온도변화에 따른 콘크리트의 수축균열 방지 목적으로 배근한다.

16 다음 용어를 구분지어 설명하시오. (4점)

(가) 다시비빔(remixing) : _____

(나) 되비빔(retempering) : _____

[정답] **16**

(가) 다시비빔 : 아직 엉기지 않은 콘크리트를 시간경과 또는 재료분리된 경우에 다시 비벼 쓰는 것.

(나) 되비빔 : 콘크리트가 응결하기 시작한 것을 다시 비비는 것

17 다음 측정기별 용도를 쓰시오. (4점)

(가) Washington Meter : _____

(나) Earth Pressure Meter : _____

(다) Piezo Meter : _____

(라) Dispenser : _____

[정답] **17**

(가) 콘크리트내의 공기량 측정기구
(나) 토압측정기구
(다) 간극수압 측정기구
(라) AE제의 계량장치

18 염분을 포함한 바다모래를 골재로 사용하는 경우 철근 부식에 대한 방청상 유효한 조치를 4가지 쓰시오. (4점)

① _____　② _____

③ _____　④ _____

[정답] **18**

① 철근 표면에 아연도금 처리
② 콘크리트에 방청제 혼입
③ 에폭시 코팅 철근사용
④ 골재에 제염제 혼합사용
⑤ W/C비 적게, 철근피복두께 확보

19 철근콘크리트 공사에서 철근이음을 하는 방법으로 가스압접이 있는데 가스압접으로 이음할 수 없는 경우를 3가지 쓰시오. (3점)

(가) _____　(나) _____

(다) _____

[정답] **19**

(가) 철근의 지름차이가 6mm를 초과할때
(나) 철근의 재질이 상이할 때 (항복점 강도나 성질이 다를 때)
(다) 0℃이하의 낮은 온도에서 작업할 때
(라) 지름 1/5 초과의 편심오차 발생시

20 다음 설명이 뜻하는 적합한 용어를 쓰시오. (3점)

(가) 상시하중, 지진하중 등 하중에 대한 응력을 소정한도까지 상쇄하도록 미리 계획적으로 도입된 콘크리트의 응력 : _____

(나) 프리캐스트 부재의 콘크리트 치기를 수평위치에서 부어넣고 경사지게 세워서 탈형하는 공법 : _____

(다) 주로 수량에 의해 좌우되는 아직 굳지 않은 콘크리트의 변형 또는 유동에 대한 저항성 : _____

정답 20

(가) 프리스트레스(prestress)
(나) 틸트업 공법(tilt-up method)
(다) 컨시스턴시(Consistency, 반죽질기)

21 대형 시스템거푸집 중에서 갱폼(Gang form)의 장·단점을 각각 2가지씩 쓰시오. (4점)

(가) 장 점 :
①
_____
②
_____

(나) 단 점 :
①
_____
②
_____

정답 21

(가) ① 조립과 해체작업이 생략되어 설치시간이 단축된다.
　　② 거푸집의 처짐량이 작고 외력에 대한 안정성이 높다.
(나) ① 중량물이므로 운반시 대형 양중장비가 소요된다.
　　② 거푸집 제작비용이 크므로 초기투자비용이 증가된다.

22 철근콘크리트 구조의 기둥에서 띠철근(Hoop Bar)의 역할을 2가지만 쓰시오. (2점)

•
_____
•
_____

정답 22

① 기둥 주철근의 좌굴 방지
② 수평력에 대한 전단 보강
③ 주근의 위치고정, 피복두께 유지 등

23 다음의 철골접합부 그림은 보와 기둥의 모멘트 접합부 상세이다. 기호로 지적된 부분의 명칭을 적으시오.

(가) _____

(나) _____

(다) _____

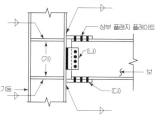

정답 23

(가) stiffener(스티프너, 보강스티프너, 수평스티프너)
(나) 전단 플레이트(plate)
(다) 하부 플랜지 플레이트 (flange plate)

24 콘크리트 유효 흡수량에 대해 기술하시오. (3점)

_____

_____

25 다음의 건축공사 표준시방서에 관한 내용 중 빈칸을 적절히 채워 넣으시오. (4점)

(가) 기초, 보옆, 기둥 및 벽의 거푸집널 존치기간은 콘크리트의 압축강도가 (　　) 이상에 도달한 것이 확인될 때까지로 한다.

(나) 다만 거푸집널 존치기간 중의 평균기온이 10℃ 이상이고, 보통 포틀랜드 시 멘트를 사용할 경우 재령 (　　)일 이상이 경과하면 압축강도 시험을 행 하지 않고도 거푸집을 제거할 수 있다.

26 다음 데이터는 일정한 산지에서 계속 반입되고 있는 잔골재의 단위체적 질량을 매차량마 다 1회씩 10대를 측정한 자료이다. 이 데이터를 이용하여 다음 물음에 답하시오. (6점)

[데이터 : 1760, 1740, 1750, 1730, 1760, 1770, 1740, 1760, 1740, 1750]
(표본산술평균 $\bar{x}$ =1750kg/m³)

① 변동(S) _____

② 표본분산(s^2) _____

③ 표본표준편차(s) _____

④ 변동계수(CV) _____

정답 24

콘크리트용 골재에서 표면건조 내부 포수상태의 질량과 기건상태의 질량 과의 차이를 말한다.

정답 25

(가) 5Mpa (5N/mm²)
(나) 6

정답 26

① 변동
$$S = \Sigma(x_i - \bar{x})^2$$
여기서 문제의 DATA가 모두 1700 단위이므로 계산을 간단히 하기 위 하여 10단위만 계산한다.
$$= (60-50)^2 + (40-50)^2 + (50-50)^2 +$$
$$(30-50)^2 + (60-50)^2 + (70-50)^2 +$$
$$(40-50)^2 + (60-50)^2 + (40-50)^2 +$$
$$(50-50)^2 = 1400$$
② 표본분산
$$s^2 = \frac{S}{n-1} = \frac{1400}{10-1} = 155.56$$
③ 표본표준편차
$$s = \sqrt{s^2} = \sqrt{155.56} = 12.47$$
④ 변동계수
$$CV = \frac{s}{\bar{x}} \times 100 = \frac{12.47}{1750} \times 100 = 0.71\%$$

2009년 2회 출제문제

1 강재의 길이가 5m이고, 2L-90×90×15 형강의 중량을 산출하시오. (2점)
(단, L-90×90×15 = 13.3kg/m임)

_____

2 다음의 용어를 설명하시오. (4점)

(1) 슬럼프 플로우(Slump flow) :

_____

_____

(2) 조립률 :

_____

_____

3 프리스트레스트 콘크리트(Prestressed Concrete)에서 다음 항에 대해서 간단하게 기술하시오. (4점)

(가) 프리텐션(Pre-Tension) 방식 : _____

_____

(나) 포스트텐션(Post-Tension) 방식 : _____

_____

정답 **1**

앵글(flange) : 5m×2개×13.3 = 133kg

정답 **2**

(1) 아직 굳지 않은 콘크리트의 유동성을 나타내는 지표. 시험규정에 따라 슬럼프 콘을 들어 올린 후 원형으로 퍼진 콘크리트의 직경을 측정하여 나타냄.
※ 콘크리트의 퍼진 지름이 500mm가 될 때까지의 시간을 체크하여 5±2초 이내면 합격 판정하는 (초)유동화 콘크리트의 유동성, 충전성, 재료분리 저항성 평가시험

(2) 80, 40, 20, 10, 5, 2.5, 1.2, 0.6, 0.3, 0.15mm 10개체를 1조로 체가름 시험을 하였을 때 각체에 남는 누적중량백분율의 합을 100으로 나눈값을 말한다.
※ 골재의 10개 체가름시험을 통한 골재입도를 파악하기 위한 시험

$$조립률 = \frac{각체에 남는 양의 총 누계율}{100}$$

정답 **3**

(가) 강현재에 인장력을 가한 상태로 콘크리트를 부어 넣고 경화 후 단부에서 인장력을 풀어주어 콘크리트에 압축력을 가한다.

(나) 쉬드를 설치하고 콘크리트를 경화시킨 뒤 쉬드 구멍에 강현재를 삽입, 긴장시키고, 시멘트 페이스트로 그라우팅한 후 인장력을 풀어준다.

4 다음 표는 어떤 공사장에서 사용할 콘크리트 슬럼프 시험 결과이다. 이 Data를 사용하여 $\overline{X}$와 R의 관리한계를 구하시오. (6점)

(단, $A_2 = 1.023$, $D_4 = 2.575$, $n = 4$)

조 번호	1	2	3	4	5
$\overline{X}$	7.8	6.5	8.5	7.0	7.7
R	1.2	0.8	1.3	1.0	1.2

정답 **4**

① 총 평균

$$\overline{\overline{X}} = \frac{\Sigma \overline{X}}{n} = \frac{7.8 + 6.5 + 8.5 + 7.0 + 7.7}{5} = 7.5$$

② 범위의 평균

$$\overline{R} = \frac{\Sigma R}{n} = \frac{1.2 + 0.8 + 1.3 + 1.0 + 1.2}{5} = 1.1$$

③ $\overline{X}$ 관리도의 관리한계

㉮ 중심선 $(CL) = \overline{\overline{X}} = 7.5$

㉯ 상한관리한계 $(UCL) = \overline{\overline{X}} + A_2 \overline{R} = 7.5 + 1.023 \times 1.1 = 8.625$

㉰ 하한관리한계 $(LCL) = \overline{\overline{X}} - A_2 \overline{R} = 7.5 - 1.023 \times 1.1 = 6.375$

④ R 관리도의 관리한계

㉮ 중심선 $(CL) = \overline{R} = 1.1$

㉯ 상한관리한계 $(UCL) = D_4 \cdot \overline{R} = 2.575 \times 1.1 = 2.833$

㉰ 하한관리한계 $(LCL) = D_3 \cdot \overline{R} = 0$

5 다음과 같은 작업데이터에서 비용구배(Cost Slope)가 가장 적은 작업부터 순서대로 작업명을 쓰시오. (3점)

작업명	정상계획		급속계획	
	공기(일)	비용(원)	공기(일)	비용(원)
A	4	6,000	2	9,000
B	15	14,000	14	16,000
C	7	5,000	4	8,000

정답 **5**

① 산출근거

$$A = \frac{9,000 - 6,000}{4 - 2} = 1,500원/일$$

$$B = \frac{16,000 - 14,000}{15 - 14} = 2,000원/일$$

$$C = \frac{8,000 - 5,000}{7 - 4} = 1,000원/일$$

② 작업명순서 : C - A - B

6 길이 4m×높이 1m 담장을 세우려 한다. 블록소요량을 산출하고, 일위대가표를 작성 후 재료비와 노무비를 산출하시오. (단, 블록규격 390×190×150) (10점)

(1) 담장 쌓기의 블록 소요량을 산출하시오.

계산식 : 답 : _____ 매

(2) 아래 수량과 단가를 기준으로 일위대가표를 작성하시오. (단위 : m²당)

구 분	단위	수량	재료비		노무비		비 고
			단가	금액	단가	금액	
블록							
시멘트							금액산출시 소수이하 수치버림
모래							
조적공							
보통인부							
합 계							

(수량) 2. 시멘트 : 4.59Kg/m²당　(단가) 1. 블록 : 550원/매당

3. 모래 : 0.01m³/m²당　　　2. 시멘트(40Kg) : 3,800원/포대당

4. 조적공 : 0.17인/m²당　　3. 모래 : 20,000원/m³당

5. 보통인부 : 0.08인/m²당　4. 조적공 : 89,437원/인

5. 보통인부 : 66,622원/인

(3) 작성한 일위대가표를 기준으로 담장 쌓기의 재료비와 노무비를 산출하시오.

계산식 : (재료비) =

(노무비) =

(재료비+노무비) =

답 : _____ 원

정답 **6**

(1) 담장 쌓기의 블록 소요량

계산식 : $4 \times 1 = 4m^2 \times 13 = 52$매

(2) 아래 수량과 단가를 기준으로 한 일위대가표 (단위 m² 당)

구 분	단위	수량	재료비		노무비		비 고
			단가	금액	단가	금액	
블록	매	13	550	7,150			
시멘트	Kg	4.59	95	436			금액산출시 소수이하 수치버림
모래	m³	0.01	20,000	200			
조적공	인	0.17	–	–	89,437	15,204	
보통인부	인	0.08	–	–	66,622	5,329	
합 계				7,786		20,533	

(수량) 2. 시멘트 : 4.59Kg/m²당   (단가) 1. 블록 : 550원/매당

         3. 모래 : 0.01m³/m²당   2. 시멘트(40Kg) : 3,800원/포대당

         4. 조적공 : 0.17인/m²당   3. 모래 : 20,000원/m³당

         5. 보통인부 : 0.08인/m²당   4. 조적공 : 89,437원/인

         5. 보통인부 : 66,622원/인   5. 보통인부 : 66,622원/인

(3) 작성한 일위대가표를 기준으로 한 담장 쌓기의 재료비와 노무비

    계산식 : (재료비) = 4×1 = 4m² → 4×7,786 = 31,144원

              (노무비) = 4×1 = 4m² → 4×20,533 = 82,132원

              (재료비+노무비) = 31,144 + 82,132 = 113,276원

7 제자리 콘크리트 말뚝시공 종류명을 5가지만 쓰시오. (3점)

① _____   ② _____

③ _____   ④ _____

⑤ _____

정답 **7**

① 콤프레솔 말뚝
② 심플렉스 말뚝
③ 페데스탈말뚝
④ 레이몬드말뚝
⑤ 프랭키말뚝
⑥ 어스드릴말뚝
⑦ 베노토말뚝
⑧ 프리팩트말뚝
⑨ 리버스 서큘레이션 말뚝 중 5가지를 적으면 된다.

8 굴착지반의 안전성에 대해 검토한 결과 하이빙(Heaving)과 보일링 파괴(Bailing Failure)가 예상되는 경우의 방지대책에 대하여 3가지를 답하시오. (3점)

① _____

② _____

③ _____

정답 **8**

① 강성이 큰 흙막이 벽을 양질의 지반내에 깊숙히 박는다. (※ 흙막이벽의 근입장을 증가시킨다.)
② well point 공법 등 배수공법을 이용하여 지하수위를 저하시킨다.
③ 흙파기시 아일랜드 컷 공법을 채택한다.

9 390×190×190인 시멘트 블록의 압축강도 시험에서 하중속도를 매초 0.2MPa로 한다면 압축강도 8MPa인 블록은 몇 초에서 붕괴되겠는지 붕괴시간을 구하시오. (3점)

• 붕괴시간 : _____

정답 **9**

하중속도가 매초당 0.2N/mm²씩 증가 하므로 이 압축강도가 8N/mm²가 되려면 40초가 경과되어야 한다.

10 Value Engineering 개념에서 $V = \dfrac{F}{C}$ 식의 각 기호를 설명하시오. (3점)

(가) _____　　(나) _____　　(다) _____

11 베노토 공법을 설명하시오. (2점)

_____

_____

12 콘크리트에서 크리프(Creep) 현상에 대하여 설명하시오. (2점)

_____

_____

13 다음은 건축공사표준시방서에 따른 거푸집널 존치기간 중의 평균기온이 10℃ 이상인 경우에 콘크리트의 압축강도 시험을 하지 않고 거푸집을 떼어낼 수 있는 콘크리트의 재령(일)을 나타낸 표이다. 빈 칸에 알맞은 날수를 표기하시오. (4점)

기초, 보옆, 기둥 및 벽의 거푸집널 존치기간을 정하기 위한 콘크리트의 재령

시멘트의 종류 평균기온	조강포틀랜드 시멘트	보통포틀랜드 시멘트 고로슬래그 시멘트 1종	고로슬래그 2종 시멘트 포틀랜드포졸란시멘트 2종
20℃ 이상	①	③	5일
20℃ 미만 10℃ 이상	②	6일	④

① _____　　　　② _____

③ _____　　　　④ _____

14 목재의 섬유포화점을 설명하고 함수율 증가에 따른 목재의 강도 변화에 대하여 설명하시오. (3점)

_____

_____

[정답] **14**

목재의 섬유포화점은 생(生)나무가 건조하여 함수율이 30%가 된 상태로서 이 점을 경계로 수축, 팽창, 강도의 변화가 현저해진다.
※ 섬유포화점 이상의 함수율에서는 목재의 수축, 팽창과 강도는 변함이 없고 그 이하에서는 함수율이 감소함에 따라 목재의 강도는 증가되며, 수축도 증가된다.

15 건축주와 시공자간에 다음과 같은 조건으로써 실비한정비율보수가산식을 적용하여 계약을 체결했으며, 공사완료 후 실제소요공사비를 상호 확인한 결과 90,000,000원이었다. 이 때 건축주가 시공자에게 지불해야 하는 총 공사 금액은 얼마인가? (3점)

> [계약조건]
> (1) 한정된 실비 : 100,000,000원
> (2) 보수비율 : 5%

_____

[정답] **15**

9천4백5십만원(94,500,000원)

[해설]
실비한정비율보수가산식에서의 공사비 산출 방법
(1) 실제소요공사비가 계약한 한정된 실비보다 커진 경우
    한정된 실비+(한정된 실비×보수비율)로 산정
    즉, 실제소요공사비가 한정된 실비보다 커졌더라도 1억 5백만원 이내에서 지불함
(2) 실제소요공사비가 계약한 한정된 실비보다 작은 경우
    실제소요공사비+(실제소요공사비×보수비율)로 산정
※ 이 문제의 경우는 (2) 방법으로 계산
    9천만원+(9천만원×0.05)=9천4백5십만원(94,500,000원)

16 역타설 공법(Top-Down Method)의 장점을 3가지 쓰시오. (3점)

① _____

② _____

③ _____

[정답] **16**

① 주변지반과 건물에 영향이 없는 안정적공법이다.
② 지상, 지하 동시작업으로 공기가 단축된다.
③ 1층 바닥판을 작업장으로 활용이 가능하다.
④ 천후와 무관한 전천후 작업이 가능하다.

17 철골의 내화피복 공법 중 습식공법을 설명하고 습식공법의 종류 3가지와 사용되는 재료 3가지를 적으시오. (5점)

(1) 습식공법 :

(2) 공법의 종류 :

(3) 사용재료 :

18 Sand drain 공법의 목적을 설명하고 방법을 쓰시오. (4점)

(가) 목적 :

(나) 방법 :

19 다음은 아일랜트 컷 공법과 트렌치 컷 공법의 시공순서를 단계별로 나열한 것이다. ( ) 안에 들어갈 알맞은 내용을 순서별로 적으시오. (4점)

(1) 아일랜드 컷 : 흙막이 설치 - ( ) - ( ) - ( ) - ( ) - 지하구조물 완성

(2) 트렌치 컷 : 흙막이 설치 - ( ) - ( ) - ( ) - ( ) - 지하구조물 완성

20 AE감수제와 쉬링크믹스트 콘크리트에 대해 설명하시오. (4점)

(1) AE감수제 :

(2) 쉬링크믹스트 콘크리트 :

정답 17

(1) 습식공법 : 화재발생시 강재의 온도상승에 따른 강도저하를 방지하기 위하여 강재주위를 물을 혼합 사용하는 내화재료로 피복하는 공법

(2) 종류 : 타설공법, 조적공법, 미장공법, 뿜칠공법

(3) 사용재료 : 콘크리트 또는 경량 콘크리트(=타설공법), 돌, 벽돌, 콘크리트블록(=조적공법), 펄라이트모르터(=미장공법), Rock wool, 석면, 암면, 버미큘라이트(=뿜칠공법)

정답 18

(가) 연약한 점토층을 탈수하여 지반강화

(나) 지름 40~60cm의 구멍을 뚫고 모래를 넣은 후, 성토 및 기타 하중을 가하여 점토질 지반을 압밀하여 탈수하는 공법

정답 19

(1) 중앙부굴착, 중앙부 기초구조물 축조, 버팀대설치, 주변부 흙파기

(2) 주변부 흙파기(굴착), 버팀대설치, 주변부기초 축조, 중앙부굴착

정답 20

(1) 단위수량을 감소시키는 동시에 미세기포를 연행하여 콘크리트의 워커빌리티 및 내구성을 향상시키기 위해 사용하는 혼화제(표준형, 지연형 및 촉진형의 3종류가 있음)

(2) 공장 고정믹서에서 반 비빈것을 트럭믹서에 실어, 운반중에 완전히 비벼서 공급하는 레미콘

21 지반조사시 실시하는 보오링(Boring)의 종류를 3가지만 쓰시오. (3점)

① _____ ② _____ ③ _____

22 주어진 자료(DATA)에 의하여 다음 물음에 답하시오. (10점)

작업명	선행작업	정상공기	정상비용	특급공기	특급비용	비 고
A	없음	5일	170,000	4일	210,000	각 결합점 위에는 다음과 같이 시간을 표시한다.
B	없음	18일	300,000	13일	450,000	
C	없음	16일	320,000	12일	480,000	
D	A	8일	200,000	6일	260,000	
E	A	7일	110,000	6일	140,000	
F	A	6일	120,000	4일	200,000	
G	D, E, F	7일	150,000	5일	220,000	

(EST LST / LFT EFT)
①─작업명─→①
공사일수

(1) 표준(Normal) Network 공정표를 작성하시오.

(2) 표준공기시 총공사비를 쓰시오.

(3) 4일 단축하였을 때 총공사비를 쓰시오.

정답 22

(1) 표준 Network

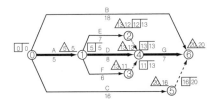

(2) 표준공기시 공사비 : (17+30+32+20+11+12+15)만원 = 137만원

(3)

	단축대상	추가직접비	
19일차	D	30,000	4일 단축 총공사비
18일차	G	35,000	= 20일표준공사비 + 추가 직접비
17일차	B + G	65,000	= 1,370,000원 + 200,000원
16일차	B + A	70,000	= 1,570,000원

23 금속재료의 녹을 방지하는 방청도장 재료의 종류를 2가지만 적으시오. (2점)

- _____
- _____

24 폴리머시멘트콘크리트의 특성을 보통시멘트콘크리트와 비교하여 4가지 서술하시오. (4점)

① _____

② _____

③ _____

④ _____

25 고력 Bolt의 표준볼트장력과 설계볼트장력을 비교하여 설명하시오. (2점)

_____

_____

26 지하구조물은 지하수위에서 구조물 밑면까지의 깊이만큼 부력을 받아 건물이 부상하게 되는데, 이것에 대한 방지대책을 4가지 기술하시오. (4점)

① _____

② _____

③ _____

④ _____

정답 **23**
① 광명단
② 방청 산화철 도료
③ 알루미늄 도료
④ 이온교환 수지 등

정답 **24**
① 워커빌리티가 우수하다.
② 다른 재료와의 접착력이 우수하다.
③ 휨강도, 인장강도 및 신장성능이 증대된다.(우수하다)
④ 내 충격성이 우수하고 동결융해에 대한 저항성이 크다.
※ 기타 - ① 내식성, 내수성 내 마모성이 우수하다.
② 내화성능이 저하된다.

정답 **25**
설계 Bolt 장력이란 고력 Bolt 내력 산정시 허용전단력을 정하기 위한 고려값이고, 표준 Bolt 장력은 설계 Bolt 장력에 10%를 할증한 것으로써 현장시공시 조임 표준값으로 사용된다.

정답 **26**
(1) Rock Anchor공법을 사용하여 부상을 방지한다.
(2) 배수공법으로 지하수위를 낮춘다.
(3) 구조물의 단면을 확대하여 수압에 저항한다.
(4) 차수공법으로 물을 차단한다.

2009년 3회 출제문제

1 어떤 골재의 비중이 2.65이고, 단위체적 질량이 1,800kg/m³ 이라면 이 골재의 실적률을 구하시오. (2점)

• 실적률 : _____

2 건축공사표준시방서에서의 방수공사 표기방법 중 각 공법에서 최후의 문자는 각 방수층에 대하여 공통으로 고정상태, 단열재의 유무 및 적용부위를 의미한다. 이에 사용되는 영문기호 F, M, S, U, T, W 중 4개를 선택하여 그 의미를 설명하시오. (4점)

① _____

② _____

③ _____

④ _____

3 배합강도를 결정함에 있어서 조강포틀랜드 시멘트를 사용하고 콘크리트 타설일로부터 28일간의 예상 평균기온의 범위가 5℃이상 15℃미만인 경우 콘크리트강도의 기온에 따른 보정값(T)은 얼마인가? (2점)

_____

참고자료 **콘크리트 강도의 기온에 따른 보정값 T의 표준값**

시멘트의 종류	콘크리트 타설일로부터 28일간의 예상 평균기온의 범위(℃)		
조강 포틀랜드 시멘트	15 이상	5 이상 15 미만	2 이상 5 미만
보통 포틀랜드 시멘트 플라이 애시 시멘트 A종 고로슬래그 시멘트 특급	16이상	8 이상 16 미만	3 이상 8 미만
플라이 애시 시멘트 B종	16 이상	10 이상 16 미만	5 이상 10 미만
고로슬래그 시멘트 1급 [1]	17 이상	13 이상 17 미만	10 이상 13 미만
콘크리트 강도의 기온에 따른 보정값 T(N/mm²)	0	3	6

(주) [1] 고로슬래그의 분량이 45% 이하인 경우는 플라이 애시 시멘트 B종과 같은 보정치로 하여도 좋다.

정 답

정답 **1**

• 공극률

$$= \frac{(G \times 0.999) - M}{G \times 0.999} \times 100$$

$$= \frac{(2.65 \times 0.999) - 1.8}{2.65 \times 0.999} \times 100$$

$$= 32.0\%$$

∴ 실적률 = 100-32 = 68%

정답 **2**

① F : 바탕에 전면 밀착시키는 공법 : Fully bonded

② M : 바탕과 기계적으로 고정시키는 방수층 : Mechanical Fastened

③ S : 바탕에 부분적으로 밀착시키는 공법 : Spot bonded

④ T : 바탕과의 사이에 단열재를 삽입한 방수층 : Thermal insulated

※ U : 지하에 적용하는 방수층 : Underground

W : 외벽에 적용하는 방수층 : Wall

정답 **3**

3N/mm²

※ 레미콘의 호칭강도
$(F_N) \geq f_{ck}+T$
f_{ck} : 설계기준강도
T : 온도보정값

4 TQC에 이용되는 도구 중 다음에 대하여 설명하시오. (4점)

(가) 파레토도 : _____

(나) 특성요인도 : _____

(다) 층별 : _____

(라) 산점도 : _____

5 공동도급(Joint Venture Contract)의 장점을 4가지만 쓰시오. (4점)

① _____

② _____

③ _____

④ _____

6 지반개량공법 중 탈수법에서 다음 토질에 적당한 대표적 공법을 각각 1가지씩 쓰시오. (2점)

① 사질토 : _____

② 점성토 : _____

7 다음 도면과 같은 기둥주근의 철근량을 산출하시오. (4점)
(단, 층고는 3.6m, 주근의 이음길이는 25d로 하고, 철근의 중량은 D22는 3.04kg/m, D19는 2.25kg/m, D10은 0.56kg/m로 한다.)

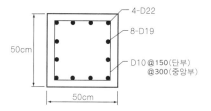

정답 **4**

(가) 불량 등 발생건수를 분류 항목별로 나누어 크기순서대로 나열해 놓은 그림

(나) 결과에 원인이 어떻게 관계하고 있는가를 한눈에 알 수 있도록 작성한 그림

(다) 집단을 구성하고 있는 많은 데이터를 몇개의 부분집단으로 나누는 것

(라) 대응되는 두 개의 짝으로 된 데이터를 그래프 용지 위에 점으로 나타낸 그림

정답 **5**

① 위험의 분산
② 자본력, 신용도의 증대
③ 공사이행의 확실성 보장
④ 공사도급 경쟁의 완화 수단

정답 **6**

① 웰 포인트(Well Point)공법
② 샌드 드레인(Sand Drain)공법

정답 **7**

주근 철근량

(D22) : 4개×{3.6+(25+10.3×2)× 0.022}=18.41m×3.04=55.966kg

(D19) : 8개×{3.6+(25+10.3×2)× 0.019}=35.73m×2.25=80.392kg

∴ 계 : 55.966+80.392=136.358

→ 136.36kg

8 Power Shovel의 시간당 작업량을 산출하시오. (4점)

> data   q=1.26   k=0.8   f=0.7   E=0.86   Cm=40sec

정답 **8**

굴삭토량

$$Q = \frac{3600 \times q \times k \times f \times E}{Cm}$$
$$= \frac{3600 \times 1.26 \times 0.8 \times 0.7 \times 0.86}{40}$$
$$= 54.613 \rightarrow 54.61 m^3 / hr$$

9 방수공법 중 도막방수와 시트방수의 방수층 형성 원리에 대하여 기술하시오. (4점)

(1) 도막방수 :

(2) 시트방수 :

정답 **9**

(1) 도료상의 방수제를 바탕에 여러 번 도포하여 방수막을 형성하는 방법

(2) 합성고무계와 염화비닐 등을 1개 sheet로 하여 바탕에 접착제로 접착시켜서 방수효과를 기대하는 방법

10 콘크리트의 온도균열을 제어하는 방법으로 널리 사용되는 Pre-cooling 방법과 Pipe-cooling 방법을 설명하시오. (4점)

(가) Pre-cooling :

(가) Pipe-cooling :

정답 **10**

(1) 콘크리트 재료의 일부 또는 전부를 냉각시키거나, 냉각수등을 사용하여 콘크리트의 온도를 낮추는 방법

(나) 콘크리트 타설전에 파이프를 배관하고 파이프 내로 냉각수나 찬공기를 순환시켜 콘크리트의 온도를 낮추는 방법

11 다음 보기 중 매스콘크리트의 온도균열을 방지할 수 있는 기본적인 대책을 모두 골라 적으시오. (3점)

> ┌─── 〈보 기〉 ───
> ㉮ 응결촉진제 사용   ㉯ 중용열시멘트 사용   ㉰ pre-cooling방법 사용
> ㉱ 단위시멘트량 감소   ㉲ 잔골재율 증가   ㉳ 물시멘트비 증가

정답 **11**

㉯, ㉰, ㉱

12 다음은 골재의 함수상태를 설명한 것이다. 알맞은 용어를 쓰시오. (2점)

(1) 골재를 100~110℃의 온도에서 질량변화가 없어질 때까지(24시간 이상) 건조한 상태 :

(2) 골재를 공기중에 건조하여 내부는 수분을 포함하고 있는 상태 :

(3) 골재의 내부는 이미 포화상태이고, 표면에도 물이 묻어 있는 상태 :

(4) 표면건조 내부포수 상태의 골재에 포함된 수량 :

(5) 습윤상태의 골재표면의 수량 :

13 다음 용어를 설명하시오. (6점)

(1) 이음 : _____

(2) 맞춤 : _____

(3) 쪽매 : _____

14 외부 쌍줄비계와 외줄비계의 면적산출 방법을 기술하시오. (4점)

_____

15 3m³의 모래를 운반하려고 한다. 소요인부수를 구하시오.

(단, 질통의 무게 50kg, 상하차시간 2분, 운반거리 240m, 평균운반속도 60m/분, 모래의 단위 용적중량 1,600kg/m³, 1일 8시간 작업하는 것으로 가정한다.) (4점)

_____

[정답] **15**   ① 운반할 모래의 총중량 : 3m³×1,600kg/m³=4,800kg

② 운반 질통 회수 : 4,800kg÷50kg=96회

③ 질통 1왕복 소요시간 : (240m÷60m/분)×2(왕복)+2(상하차)=10분

∴ 소요인원수 : (96회×10분)÷60분÷8시간=2인

[정답] **12**

(1) 절대건조상태(=절건상태)

(2) 기본건조상태(=기건상태)

(3) 습윤상태

(4) 흡수량

(5) 표면수량

[정답] **13**

(1) 두 부재를 재의 길이방향으로 길게 접합하는 것

(2) 두 부재를 서로 직각 또는 일정한 각도로 접합하는 것

(3) 두 부재를 길이 방향과 평행으로 옆대어 붙이는 것

[정답] **14**

① 쌍줄비계면적 :

$A(m^2)=H(L+8×0.9)$

벽 외면에서 90cm 거리의 지면에서 건물높이까지의 외주 면적이다.

② 외줄비계면적 :

$A(m^2)=H(L+8×0.45)$

벽 외면에서 45cm 거리의 지면에서 건물높이까지의 외주 면적이다.

[해설] **15**

1회 왕복소요시간

∴ 왕복시간 : 4분+4분+2분=10분

16 콘크리트에 사용되는 각종 혼화재료는 콘크리트의 성능, 성질을 보완, 증가시키기 위한 것이다. 이러한 혼화재료의 사용 목적을 4가지만 적으시오. (4점)

(1) _____

(2) _____

(3) _____

(4) _____

정답 **16**
(1) 시공연도의 증진 및 조절
(2) 동결융해 저항성 증가
(3) 단위수량 감소 효과
(4) 내구성 및 수밀성 증대
(5) 재료분리 저항성, Bleeding 현상 감소
(6) 응결시간의 조절

17 도장(칠)공사의 시공요령과 주의사항을 적은 다음 글에서 (   ) 안에 들어갈 알맞는 내용을 써 넣으시오. (3점)

> 뿜칠 시공시 뿜칠의 노즐 끝에서 도장면까지의 거리는 (①)mm를 유지해야하며, 시공각도는 (②)° 로하고 (③)℃ 이하에서는 도장작업을 중단해야 한다.

① _____   ② _____   ③ _____

정답 **17**
① 300
② 90
③ 5

18 표준시방서에서 규정하고 있는 일반적인 철근간격 결정 원칙 중 보기의 (   )안에 들어갈 알맞는 수치를 쓰시오. (3점)

> ─── 〈보 기〉 ───
> 철근과 철근의 순간격은 굵은골재 최대치수의 (①)배이상, (②)mm 이상, 이형철근 공칭직경의 (③)배 이상으로 한다.

정답 **18**
① 4/3(1.33)
② 25
③ 1.0(한)

19 대표적인 고층건물의 비내력벽 구조로써 사용이 증가되고 있는 커튼월공법은 재료에 의한 분류, 구조형식, 조립방식별 분류 등 다양한 분류방식이 존재한다. 이중 구조형식과 조립방식에 의한 커튼월공법을 각각 2가지씩 쓰시오. (4점)

(1) 구조형식에 따른 분류 2가지 : _____

(2) 조립방식에 의한 분류 2가지 : _____

정답 **19**
(1) 패널방식, 샛기둥방식, 커버방식
(2) Unit-Wall 방식, Stick-Wall 방식

20 다음의 거푸집 공사와 관련된 용어를 쓰시오. (5점)

(1) 슬라브에 배근되는 철근이 거푸집에 밀착되는 것을 방지하기 위한 간격재 (굄재)

(2) 벽거푸집이 오므라드는 것을 방지하고 간격을 유지하기 위한 격리재

(3) 거푸집 긴장철선을 콘크리트 경화 후 절단하는 절단기

(4) 콘크리트에 달대와 같은 설치물을 고정하기 위하여 매입하는 철물

(5) 거푸집의 간격을 유지하며 벌어지는 것을 막는 긴장제

[정답] **20**

(1) 스페이서
(2) 세퍼레이터
(3) 와이어 클립퍼
(4) 인서트
(5) 폼타이

21 다음 설명이 뜻하는 용어를 쓰시오. (4점)

(1) 보링 구멍을 이용하여 +자 날개를 지반에 때려 박고 회전하여 그 회전력 의 하여 지반의 점착력을 판별하는 지반조사 시험 : _____

(2) 블로운 아스팔트에 광물성, 동식물섬유, 광물질가루 등을 혼합하여 유동성을 부여한 것 : _____

[정답] **21**

(1) Vane Test(베인 테스트, 베인 시험)
(2) Asphalt Compound(아스팔트 컴파운드)

22 다음 Net Work 공정표를 보고 물음에 답하시오. (6점)

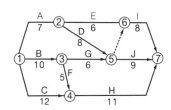

(1) Network 공정표상에 주공정선을 굵은 선으로 표시하고 각 작업의 EST, EFT, LST, LFT를 기입하시오.

(2) D작업의 TF와 DF를 구하시오.

① TF = _____

② DF = _____

[정답] **22**

(1)

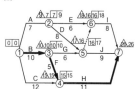

(2) ① TF = 17일 - 15일 = 2일
    ② DF = TF - FF
        = (2일) - (16일 - 15일) = 1일

23 안방수공법과 바깥방수 공법의 특징을 우측 보기에서 골라 번호로 표기하시오. (6점)

비교항목	안방수	바깥방수	보 기	
(1) 사용환경			① 수압적은 얕은지하	② 수압이큰 깊은지하.
(2) 바탕만들기			① 만들필요 없음	② 따로 만들어야함
(3) 공사용이성			① 간단하다.	② 상당한 난점이 있다.
(4) 본공사추진			① 자유롭다.	② 본공사에 선행
(5) 경제성			① 비교적 싸다.	② 비교적 고가이다.
(6) 보호누름			① 필요하다.	② 없어도 무방하다.

정답 23

비교항목	안방수	바깥방수
(1)	①	②
(2)	①	②
(3)	①	②
(4)	①	②
(5)	①	②
(6)	①	②

24 퍼트(PERT)에 의한 공정관리 방법에서 낙관시간이 4시간, 정상시간이 7시간, 비관시간이 8시간일 때, 공정상의 기대시간(T_e)을 구하시오. (4점)

정답 24

$$T_e = \frac{t_o + 4t_m + t_p}{6}$$
$$= \frac{4 + 4 \times 7 + 8}{6}$$
$$= 6.67 \ (시간)$$

25 철골공사에서 고장력 볼트조임의 장점에 대하여 4가지 쓰시오. (4점)

①
_____

②
_____

③
_____

④
_____

정답 25

① 접합부의 강성이 높다.
② 노동력 절약, 공기단축
③ 마찰접합, 소음이 없다.
④ 화재, 재해의 위험이 적다.
⑤ 피로강도가 높다.
⑥ 현장시공 설비가 간다.
⑦ 불량부분 수정이 쉽다.

26 철근의 인장강도(N/mm^2) 실험결과 데이터를 이용하여 다음이 요구하는 통계수치를 구하시오. (8점)

[데이터 : 460, 540, 450, 490, 470, 500, 530, 480, 490]

(1) 표본산술평균 : _____

(2) ① 변동 : _____

　　② 표본분산 : _____

(3) 표본표준편차 : _____

정답 **26**

(1) $\bar{x} = \dfrac{\sum x_i}{n} = \dfrac{4,410}{9} = 490$

(2) ① $S = \Sigma(x_i - \bar{x})^2 = 7,200$

　　② $s^2 = \dfrac{S}{n-1} = \dfrac{7,200}{9-1} = 900$

(3) $s = \sqrt{s^2} = \sqrt{900} = 30$

2010년 1회 출제문제

1 다음 용어를 설명하시오. (4점)

(1) 기준점 :

_____

(2) 방호선반 :

_____

(1) 건축물 시공시 기준위치를 정하는 원점으로 공사 중 높이의 기준을 정하고자 설치한다.
(2) 주출입구 및 리프트 출입구 상부 등에 설치한 낙하방지 안전시설

2 지하구조물 축조시 인접구조물의 피해를 막기 위해 실시하는 언더피닝(Under pinning) 공법의 종류를 4가지 적으시오. (4점)

① _____   ② _____

③ _____   ④ _____

① 이중 널말뚝 설치공법
② 현장타설콘크리트 말뚝설치보강공법
③ Mortar 및 약액주입법등 지반안정공법
④ 강재말뚝보강공법

3 대형 system 거푸집 중 터널폼(Tunnel Form)을 설명하시오. (3점)

_____

_____

대형 형틀로서 슬래브와 벽체의 콘크리트 타설을 일체화하기 위한 것으로 한 구획 전체의 벽판과 바닥판을 ㄱ자형 또는 ㄷ자형으로 짜서 아파트 공사 등에 사용하는 거푸집.

4 L.C.C (Life Cycle Cost)에 대하여 설명하시오. (2점)

_____

_____

건축물의 기획, 설계, 시공, 유지관리, 해체의 전과정에 필요한 제비용을 합한 전생애주기비용을 말함.

5 다음 데이터를 네트워크 공정표로 작성하시오. (8점)

작 업	선행작업	소요일수	비　　고
A	없음	4	
B	없음	8	단, 이벤트(Event)에는 번호를 기입
C	A	6	하고, 주공정선은 굵은선으로 표기한
D	A	11	다.
E	A	14	
F	B, C	7	
G	B, C	5	
H	D	2	
I	D, F	8	
J	E, H, G, I	9	

정답 5

네트워크 공정표

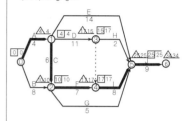

6 공정관리 중 진도관리에 사용되는 S-Curve(바나나 곡선)는 주로 무엇을 표시하는데 활용되는지를 설명하시오. (2점)

정답 6

공사일정의 예정과 실시상태를 그래프에 대비하여 공정진도를 파악하기 위함.

7 철근콘크리트공사를 하면서 철근간격을 일정하게 유지하는 이유를 2가지 쓰시오. (2점)

①　　　　　　　　　　　　②

정답 7

① 콘크리트의 유동성(시공성) 확보
② 재료분리 방지
③ 소요강도 확보

8 건축공사표준시방서에서 표기한 방수층의 영문기호 중 아스팔트 방수층에 적용되는 Pr, Mi, Al, Th, In의 영문기호의 의미를 설명하시오. (5점)

(1) Pr :

(2) Mi :

(3) Al :

(4) Th :

(5) In :

정답 8

(1) Pr : Protected - 보행 등에 견딜 수 있는 보호층이 필요한 방수층
(2) Mi : Mineral surfaced - 최상층에 모래 붙은 루핑을 사용한 방수층
(3) Al : Alc - 바탕이 ALC패널용의 방수층
(4) Th : Thermal insulated - 방수층 사이에 단열재를 삽입한 방수층
(5) In : Indoor - 실내용 방수층

9 건설공사 입찰과정에서 실시하는 PQ제도의 장점과 단점을 각각 3가지씩 쓰시오. (6점)

(1) 장점

- _____

- _____

- _____

(2) 단점

- _____

- _____

- _____

10 알칼리골재반응의 정의를 설명하고 방지대책을 3가지 적으시오. (5점)

(1) 정의 : _____

_____

(2) 방지대책 : _____

_____

11 콘크리트를 타설할 때 거푸집의 측압이 증가되는 요인을 4가지 쓰시오. (4점)

① _____　　② _____

③ _____　　④ _____

12 표준관입시험에 대하여 서술하시오. (3점)

_____

_____

정답 **9**

(1) 장점
① 부실시공 방지
② 기업의 경쟁력 확보
③ 입찰자 감소로 입찰시 소요시간과 비용 감소
④ 무자격자로부터 유능업체 보호
⑤ 건실업체 시공으로 우수시공 기대

(2) 단점
① 자유경쟁 원리에 위배
② 대기업에 유리한 제도
③ 평가의 공정성 확보 문제
④ 신규참여 업체에 장벽으로 간주
⑤ PQ 통과후 담합 우려

정답 **10**

(1) 정의 : 시멘트의 알칼리금속이온과 수산화이온이 실리카 사이에서 실리카겔이 형성되어 수분을 계속 흡수 팽창하는 현상

(2) 방지대책
① 저알칼리 시멘트 사용(알칼리 함량 0.6% 이하)
② Fly Ash 사용(양질의 포졸란이 반응 억제)
③ 방수제를 사용하여 수분을 억제한다.

정답 **11**

① 콘크리트 타설속도가 빠를수록
② slump값이 클수록
③ 콘크리트의 비중이 클수록
④ 부배합의 콘크리트일수록
⑤ 온도가 낮고 습도가 높을수록
⑥ 바이브레이터를 사용하여 다질수록
⑦ 거푸집의 강성이 클수록
⑧ 철골 또는 철근 사용량이 적을수록

정답 **12**

Rod 선단에 샘플러를 부착하고 Rod 상단에 63.5kg의 추를 76cm 높이에서 낙하시켜 30cm 관입시키는데 필요한 타격회수 N치를 구하여 지반의 밀도를 파악하는 현장시험.

13 실링 방수제가 수밀성과 기밀성을 확보하면서 방수재로서 기능을 만족하고, 미를 장기적으로 유지시키기 위해서 요구되는 실링방수제의 품질성능 요소를 3가지 쓰시오. (3점)

① _____ ② _____

③ _____

정답 13
① 접착성능
② 내구성능
③ 비오염 성능(오염방지성능)

14 목재의 방부처리방법을 3가지 쓰고 간단히 설명하시오. (3점)

① _____

② _____

③ _____

정답 14
① 주입법 : 방부제를 상압주입이나 가압하여 깊게 주입하는 방법
② 도포법 : 방부제칠이나 유성페인트, 아스팔트재료 등을 칠하는 방법
③ 표면탄화법 : 목재 표면을 3~4mm 정도 태워 수분을 제거하는 방법

15 공기단축기법에서 MCX(Minimum Cost eXpediting) 기법의 순서를 보기에서 골라 기호로 쓰시오. (4점)

— 〈보 기〉 —
㉮ 우선 비용 구배가 최소인 작업을 단축한다.
㉯ 보조 주공정선의 발생을 확인한다.
㉰ 단축한계까지 단축한다.
㉱ 단축가능한 작업이어야 한다.
㉲ 주공정선상의 작업을 선택한다.
㉳ 보조주공정선의 동시단축 경로를 고려한다.
㉴ 앞의 순서를 반복 시행한다.

_____

정답 15
㉲-㉱-㉮-㉰-㉯-㉳-㉴

16 샌드드레인(Sand Drain) 공법에 대하여 설명하시오. (3점)

_____

_____

정답 16
지름 40~60cm의 구멍을 뚫고 모래를 넣은 후, 성토 및 기타 하중을 가하여 점토질 지반을 압밀하여 탈수하는 공법

17 다음 설명한 콘크리트의 종류를 쓰시오. (3점)

(가) 콘크리트 제작시 골재는 전혀 사용하지 않고 물, 시멘트, 발포제만으로 만든 경량 콘크리트 :

(나) 콘크리트 타설 후 mat, Vaccum pump 등을 이용하여 콘크리트 속에 잔류해 있는 잉여수 및 기포등을 제거함을 목적으로 하는 콘크리트 :

(다) 거푸집 안에 미리 굵은 골재를 채워 넣은 후 그 공극 속으로 특수한 모르타르를 주입하여 만든 콘크리트 :

정답 **17**
(가) : 서모콘(Thermo-con)
(나) : 진공 콘크리트 혹은 Vaccum Dewatering Concrete(진공탈수콘크리트)
(다) 프리팩트 콘크리트

18 조적구조의 안전규정에 대한 다음 문장 중 (　)안에 적당한 내용을 쓰시오. (2점)

조적조 대린벽으로 구획된 벽길이는 (　①　) 이하이어야 하며, 내력벽으로 둘러싸인 바닥면적은 (　②　) 이하이어야 한다.

정답 **18**
① 10m
② 80m²

19 두께 0.15m, 너비 6m, 길이 100m 도로를 7m³ 레미콘을 이용하여 하루 8시간 작업시 레미콘 배차간격은? (4점)

①　_____

②　_____

정답 **19**
① 소요콘크리트량 : $0.15 \times 6 \times 100$ $= 90m^3$
② 7m³ 레미콘 차량대수 : $90/7 = 12.857 \rightarrow$ 13대
배차간격 : 하루 8시간 × 60분 $= 480$분/13대 $= 36.92$분 → 37분

20 옥상 8층 아스팔트 방수공사의 표준 시공순서를 쓰시오. (단, 아스팔트 종류는 구분하지 않고 아스팔트로 하며, 펠트와 루핑도 구분하지 않고 아스팔트 펠트로 표기한다.) (4점)

(1) 1층 :　　　　　　(2) 2층 :　　　　　　(3) 3층 :

(4) 4층 :　　　　　　(5) 5층 :　　　　　　(6) 6층 :

(7) 7층 :　　　　　　(8) 8층 :

정답 20

1층 : 아스팔트 프라이머 -
2층 : 아스팔트 -
3층 : 아스팔트 펠트 -
4층 : 아스팔트 -
5층 : 아스팔트 펠트 -
6층 : 아스팔트 -
7층 : 아스팔트 펠트 -
8층 : 아스팔트

21 다음 블록의 명칭을 쓰시오. (4점)

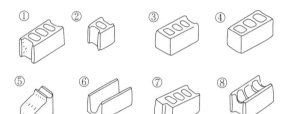

정답 21

① 기본블록
② 반블록
③ 한마구리 평블록
④ 양마구리 블록
⑤ 창대블록
⑥ 인방블록
⑦ 창쌤블록
⑧ 가로배근용 블록

22 CALS(Continuous Acquisition and Life cycle Support)에 대해 설명하시오. (4점)

정답 22

건설생산의 전과정에서 관련주체가 초고속 정보통신망을 활용하여 관련정보를 실시간으로 교환, 공유하여 건설사업을 지원하는 건설분야의 통합 정보통신 시스템을 말한다.

23 다음 그림과 같은 온통기초에서 터파기량, 되메우기량, 잔토처리량을 산출하시오.
（단, 토량환산계수L＝1.3으로 한다.）(9점)

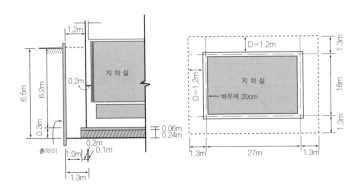

정답 ① 터파기량(m³) : $V_1 = L_x \times L_y \times H$에서

$L_x = 18 + 1.3 \times 2 = 20.6m$

$L_y = 27 + 1.3 \times 2 = 29.6m$

$H = 6.5m$

∴ 터파기량 : $V_1 = 20.6 \times 29.6 \times 6.5 = 3,963.44m^3$

② GL 이하의 구조부체적(m³) :

$V_2 =$ 잡석량(v_1) ＋밑창콘크리트량(v_2) ＋지하실부분체적(v_3)

㉮ 잡석량 : $v_1 = 0.24 \times (18 + 0.3 \times 2) \times (27 + 0.3 \times 2) = 123.206 \rightarrow 123.21m^3$

㉯ 밑창 콘크리트량 : $v_2 = 0.06 \times (18 + 0.3 \times 2) \times (27 + 0.3 \times 2) = 30.801 \rightarrow 30.80m^3$

㉰ 지하실 부분 :

$v_3 = 6.2 \times (18 + 0.1 \times 2) \times (27 + 0.1 \times 2) = 3,069.248 \rightarrow 3,069.25m^3$

∴ $V_2 = v_1 + v_2 + v_3 = 3,223.255 \rightarrow 3,223.26m^3$

③ 되메우기량(m³) ＝터파기량V_1－기초구조부체적V_2

$= 3,963.44m^3 - 3,223.255m^3 = 740.185 \rightarrow 740.19m^3$

④ 잔토처리량(m³) ＝기초구조부체적(V_2) ×토량환산계수(L)

$= 3,223.255m^3 \times 1.3 = 4,190.231 \rightarrow 4,190.23m^3$

24 다음 용어를 설명하시오. (4점)

(1) 코너비드(Corner Bead) _____

_____

(2) 차폐용 콘크리트 _____

_____

정답 24
(1) 코너비드 : 기둥, 벽 등의 모서리에 대어 미장 바름을 보호하는 철물
(2) 차폐용 콘크리트 : 중량 2.5t/m³ 이상의 방사선 차폐를 위한 콘크리트

25 벽타일 붙이기 시공순서를 쓰시오.

(1) 바탕처리   (2) _____   (3) _____   (4) _____   (5) _____

(2) _____   (3) _____

(4) _____   (5) _____

정답 25
(2) 타일나누기   (3) 벽타일붙임
(4) 치장줄눈   (5) 보양

26 다음 콘크리트의 균열보수법에 대하여 설명하시오. (4점)

가. 표면처리법
_____

나. 주입공법
_____

정답 26
가. 표면처리법 : 보통 진행정지된 0.2mm 이하의 미세 균열에 폴리머시멘트나 Mortar로 보수하는 방법(균열진행인 경우는 테이프 부착후 시일재를 도포하는 경우도 있음)
나. 주입공법 : 주입구멍을 천공하고 주입 파이프를 5~30cm 간격으로 설치하여 깊이 20mm 정도로 저점도의 에폭시 수지를 밀봉재로 주입하는 공법이다.

2010년 2회 출제문제

1 아래 그림은 철근콘크리트조 경비실건물이다. 주어진 평면도 및 단면도를 보고 C1, G1, G2, S1 에 해당되는 부분의 1층과 2층 콘크리트량과 거푸집량을 선출하시오. (10점)

단, 1) 기둥단면 (C1) : 30cm×30cm

　　2) 보단면 (G1, G2) : 30cm×60cm

　　3) 슬라브두께 (S1) : 13cm

　　4) 층고 : 단면도 참조

　　　단, 단면도에 표기된 1층 바닥선 이하는 계산하지 않는다.

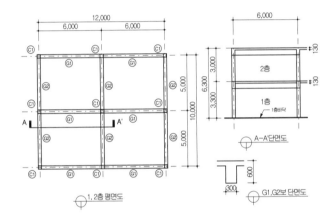

1, 2층 평면도

A-A'단면도

G1,G2보 단면도

정답

(1) 콘크리트량

① 기둥(C1) 1층 : $(0.3 \times 0.3 \times 3.17) \times 9$개 $= 2.567 m^3$

　　　　　　2층 : $(0.3 \times 0.3 \times 2.87) \times 9$개 $= 2.324 m^3$

② 보(G1) 1층+2층 : $(0.3 \times 0.47 \times 5.7) \times 12$개 $= 9.644 m^3$

　보(G2) 1층+2층 : $(0.3 \times 0.47 \times 4.7) \times 12$개 $= 7.952 m^3$

③ 슬라브(S1) 1층+2층 : $(12.3 \times 10.3 \times 0.13) \times 2$개 $= 32.939 m^3$

　계 : $55.426 m^3 \rightarrow 55.43 m^3$

(2) 거푸집량

① 기둥(C1) 1층 : $(0.3 + 0.3) \times 2 \times 3.17 \times 9$개 $= 34.236 m^2$

　　　　　　2층 : $(0.3 + 0.3) \times 2 \times 2.87 \times 9$개 $= 30.996 m^2$

② 보(G1) 1층+2층 : $(0.47 \times 5.7 \times 2) \times 12$개 $= 64.296 m^2$

　보(G2) 1층+2층 : $(0.47 \times 4.7 \times 2) \times 12$개 $= 53.016 m^2$

③ 슬라브(S1) 1층+2층 : $\{(12.3 \times 10.3) + (12.3 + 10.3) \times 2 \times 0.13\} \times 2$개 $= 265.132 m^2$

　계 : $447.676 m^2 \rightarrow 447.68 m^2$

2 다음 데이터를 네트워크 공정표로 작성하고 각 작업의 여유시간을 구하시오. (10점)

작업명	선행작업	공기	비　　고
A	없음	5	
B	없음	6	
C	A	5	
D	A, B	2	
E	A	3	
F	C, E	4	
G	D	2	
H	G, F	3	

EST│LST　　　LFT\EFT

① ――작업명→ ① 로 표기하고
　　공사일수

주공정선은 굵은 선으로 표시하시오.
단, Bar Chart로 전환하는 경우

① 공정표 작성　　　　　　② 여유시간

정답
① 공정표

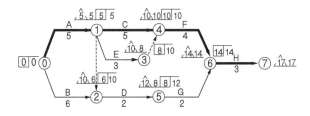

② 여유시간

작업명	TF	FF	DF	CP
A	0	0	0	*
B	4	0	4	
C	0	0	0	*
D	4	0	4	
E	2	2	0	
F	0	0	0	*
G	4	4	0	
H	0	0	0	*

3 철근 콘크리트의 선팽창 계수가 1.0×10^{-5}이라면 10m 부재가 10℃의 온도변화시 부재의 길이 변화량은 몇 cm인가? (3점)

계산식 :

정답 3

계산식 : 길이변화($\Delta \ell$) = 선팽창계수 $\times \Delta T$ ∴ $1 \times 10^{-5} \times 10 \times 10 \times 1,000 = 1$mm이다.

답 : 0.1cm

4 시공이 빠르고 이음이 없는 수밀한 콘크리트 구조물을 완성할 수 있는 벽체전용 System 거푸집의 종류를 3가지 쓰시오. (3점)

① _____　　② _____

③ _____　　④ _____

정답 4

① 갱폼(Gang Form)
② 클라이밍폼(Climbing Form)
③ 슬라이딩폼(Sliding Form)
④ 슬립폼(Slip Form)

5 콘크리트 압축강도를 조사하기 위해 슈미트 햄머를 사용할 때 반발경도를 조사한 후 추정 강도를 계산할 때 실시하는 보정 방안 3가지를 쓰시오. (3점)

① _____

② _____

③ _____

정답 5

① 타격각도 보정
② 콘크리트 재령 보정
③ 압축응력에 따른 보정

6 보기에 주어진 철골공사에서의 용접결함 종류 중 과대전류에 의한 결함을 모두골라 기호로 적으시오. (3점)

　　　〈보 기〉
　　　① 슬래그 감싸들기　② 언더컷　　③ 오버랩　　④ 블로홀　　⑤ 크랙
　　　⑥ 피트　　　　　　⑦ 용입부족　⑧ 크레이터　⑨ 피시아이

_____

정답 6

②, ⑤, ⑧

7 한국산업규격(KS)에 명시된 속빈블록의 치수를 3가지 쓰시오. (3점)

① _____　② _____

③ _____

정답 7

① $390 \times 190 \times 190$
② $390 \times 190 \times 150$
③ $390 \times 190 \times 100$

8 다음 용어를 설명하시오. (4점)

(1) 레이턴스(laitance) :

_____

(2) 콜드죠인트(cold joint) :

_____

(3) 모세관공극(capillary cavity) :

_____

(4) 크리프(creep) :

_____

정답 8

(1) 콘크리트를 부어 넣은 후 블리딩수의 증발에 따라 그 표면에 나오는 백색의 미세한 물질
(2) 콘크리트 시공과정 중 휴식시간 등으로 응결하기 시작한 콘크리트에 새로운 콘크리트를 이어칠 때 일체화가 저해되어 생기게 되는 줄눈
(3) 수화된 시멘트풀 가운데 고체 성분(수화생성물)으로 채워져 있지 않은 빈 부분
(4) 콘크리트에 일정하중을 계속 주면 하중의 증가 없이도 시간의 경과에 따라 변형이 증가하는 소성변형 현상

9 대형 시스템거푸집 중에서 갱폼(Gang form)의 장·단점을 각각 2가지씩 쓰시오. (4점)

(가) 장 점 :

① _____

② _____

(나) 단 점 :

① _____

② _____

정답 **9**

(가) ① 조립과 해체작업이 생략되어 설치시간이 단축된다.
     ② 거푸집의 처짐량이 작고 외력에 대한 안정성이 높다.
(나) ① 중량물이므로 운반시 대형양중장비가 소요된다.
     ② 거푸집 제작비용이 크므로 초기투자비용이 증가된다.

10 벽면적 20m²에 표준형 벽돌 1.5B 쌓기시 붉은벽돌 소요량을 산출하시오. (3점)

_____

_____

정답 **10**

$20m^2 \times 224 \times 1.03 = 4,614.4 \rightarrow 4,614$매

11 피복두께의 정의와 유지목적을 적으시오. (4점)

(1) 정 의 :

_____

(2) 유지목적 :

① _____ ② _____

③ _____

정답 **11**

(1) 철근 표면에서 이를 감싸고 있는 콘크리트 표면까지의 최단거리
(2) ① 소요의 내구성 확보
     ② 소요의 내화성 확보
     ③ 콘크리트와의 부착력 확보 등

12 중량콘크리트의 용도를 쓰고, 대표적으로 사용되는 골재 2가지를 쓰시오. (3점)

(가) 용 도 :

_____

(나) 사용골재 :

_____

정답 **12**

(가) 용도 : 방사선 차단
(나) 사용골재 : 중정석(Barite), 철광석(자철광 : Magnetite)

13 벽타일 붙이기공법의 종류를 3가지를 적으시오. (4점, 3점)

① _____ ② _____

③ _____

① 떠붙임공법
② 압착공법
③ 개량압착공법
④ 밀착공법(동시줄눈공법)

14 다음 문장의 ( ) 안을 적당한 용어로 채우시오. (2점)

물시멘트비는 시멘트에 대한 물의 ( ) 백분율 이다.

중량

15 슬러리월(Slurry Wall) 공법의 특징을 3가지 쓰시오. (3점)

① _____ ② _____

③ _____

① 진동, 소음이 적다.
② 인접건물 경계선까지 시공 가능
③ 지반보강, 차수효과가 확실
④ 임의의 형상, 칫수가 가능

16 다음 설명이 뜻하는 입찰방식을 쓰시오. (3점)

(1) 부적격자가 제거되어 공사의 신뢰성을 확보할 수 있으나 담함의 우려가 있음 : _____

(2) 입찰참가에 균등한 기회를 부여한 민주적인 방식이지만 과다경쟁으로 부실공사의 우려가 있음 : _____

(3) 공사의 기밀유지가 가능하지만 공사비가 높아질 우려가 있음 :

_____

(1) 지명경쟁입찰
(2) 공개(자유)경쟁입찰
(3) 특명입찰(수의계약)

17 다음의 공사 관리 계약 방식에 대하여 설명하시오. (4점)

가. CM for fee 방식 : _____

_____

나. CM at Risk 방식 : _____

_____

가. 대리인형 CM으로써, CM조직은 프로젝트 전반에 걸쳐 컨설턴트 역할만 수행하고, 보수를 받으며 공사결과에 대한 책임은 없는 수행 형태이다.
나. 시공자형 CM으로써, CM이 직접공사를 수행하거나 전문시공업자와 직접계약을 맺어 공사 전반을 책임지는 형태이다.

18 프리스트레스트 콘크리트에 이용되는 긴장재의 종류를 3가지 쓰시오. (3점)

(1) _____ (2) _____

(3) _____

정답 **18**

(1) PC 강선(PC 鋼線)
　　(high strength steel wire,
　　prestressing steel wire)
(2) PC 강봉 (PC 鋼奉)
　　(high strength steel Bar)
(3) PC 강연선(PC 꼬은선)
　　(high strength steel strand,
　　prestressing wire strand)

19 2중바닥 구조인 Acess Floor의 지지방식을 4가지 쓰시오. (4점)

① _____ ② _____

③ _____ ④ _____

정답 **19**

① 지지각 분리방식
② 지지각 일체방식
③ 조정 지지각 방식
④ 트렌치 구성방식

20 CIC (Computer Integrated Construction)를 설명하시오. (3점)

_____

_____

정답 **20**

컴퓨터를 통한 건설통합 System으로써 컴퓨터, 정보통신 및 자동화 조립기술을 토대로 건설생상에 기능, 인력들을 유기적으로 연계하여 각 건설업체의 업무를 각사의 특성에 맞게 최적화하는 개념

21 토질의 종류와 지반의 허용응력도에 관하여 ( ) 안을 알맞는 내용으로 채우시오. (5점)

(1) 장기허용지내력도
① 경암반 : ( ) KN/m^2
② 연암반 : ( ) KN/m^2
③ 자갈과 모래의 혼합물 : ( ) KN/m^2
④ 모래 : ( ) KN/m^2
(2) 단기허용지내력도 = 장기허용지내력도×( )

정답 **21**

(1) ① 4,000 ② 2,000 ③ 200 ④ 100
(2) 2배(1.5배)

22 다음과 같은 조건으로 동력소 면적을 산출하고 1개월 소요전력량을 구하시오. (5점)

─〈조 건〉─────────────────────
① 20Hp 전동기 5대   ② 5Hp 윈치 2대
③ 150W 전등 10개   ④ 1일 10시간씩 30일 사용한다.
────────────────────────────

정답 **22**

소요전력량 산출

① 전동기 (20Hp×0.746kw)×5
     =74.6kw
② 윈치 (5Hp×0.746kw)×2
     =7.46kw
③ 전등 0.15×10=1.5kw

정답

소요전력량 : 74.6+7.46+1.5=83.56kw

∴ 변전소 면적 : $A = 3.3\sqrt{83.56} = 30.165\text{m}^2$

∴ 1개월 소요전력량 : 83.56×10시간×30일=25,068kw

23 히빙(heaving 현상에 대하여 설명하시오. (2점)

정답 **23**

흙막이벽 좌측과 우측의 토압차로써 흙막이 일부의 흙이 재하하중 등의 영향으로 기초파기하는 공사장 안으로 흙막이벽 밑을 돌아서 미끄러져 올라오는 현상

24 말뚝의 시공방법 중 무소음 · 무진동 공법을 3가지 쓰고 설명하시오. (3점)

(1) _____

(2) _____

(3) _____

정답 **24**

(1) Pre-Boring 공법 : 말뚝구멍을 선 굴착 후 말뚝을 매입하거나 타입, 압입을 병용하는 방법

(2) 압입공법 : 유압 Jack을 이용하여 회전압입 · 진동압입 등으로 말뚝을 눌러 매입하는 방법

(3) 중굴공법 : 말뚝의 가운데 빈 부분을 이용하여 굴착하고, 말뚝을 매입하는 방법

※ 기타 : 수사식 공법 : 물을 고속 분사하여 지반을 무르게 하고 타입, 압입하여 말뚝을 지중에 매입하는 방법

25 철골공사에서 고력볼트 접합의 종류에 대한 설명이다. (   )안에 알맞은 용어를 쓰시오.
(4점)

가. torque control 볼트로서 일정한 조임 토크치에서 볼트축이 절단

_____

나. 2겹의 특수너트를 이용한 것으로 일정한 조임 토크치에서 너트(nut)가 절단

_____

다. 일반 고장력볼트를 개량한 것으로 조임이 확실한 방식

_____

라. 직경보다 약간 작은 볼트구멍에 끼워 너트를 강하게 조이는 방식

_____

정답 **25**
가. 볼트 축 전단형 고력 Bolt
나. 너트 전단형 고력 Bolt
다. Grip형 고력 Bolt
라. 지압형 고력 Bolt

2010년 3회 출제문제

1 콘크리트의 알칼리 골재반응을 방지하기 위한 대책을 3가지만 쓰시오. (3점)

① _____

② _____

③ _____

정답 1

정	답

정답 1
① 저알카리시멘트 사용(알카리함량 0.6% 이하)
② Fly Ash 사용(양질의 포졸란이 반응억제)
③ 방수제를 사용, 수분을 억제한다.

2 철골공사에서 앵커볼트 매입공법의 종류 3가지를 쓰시오. (3점)

① _____   ② _____   ③ _____

정답 2
① 고정 매입법
② 가동 매입법
③ 나중 매입법

3 다음은 시멘트의 풍화작용에 대한 설명이다. ( )안에 알맞은 말을 각각 써넣으시오. (3점)

> 시멘트가 대기중에서 수분을 흡수하여 수화작용으로 ( )가 생기고 공기 중 ( )를 흡수하여 ( )를 생기게 하는 작용

정답 3
$Ca(OH)_2$: 수산화석회
CO_2 : 이산탄소
$CaCO_3$: 탄산석회

4 기둥 축소(Column shortening)현상에 대한 다음 항목을 기술하시오. (4점)

가. 원인 :

_____

나. 기둥축소에 따른 영향 2가지

① _____   ② _____

정답 4
가. 구조의 차이, 재료의 재질에 따른 응력차이, Creep 변형 등
나. ① 슬래브의 처짐
② 창호의 개폐불량
※ 수직 배관의 손상, 커튼월의 손상

5 다음 데이터를 네트워크공정표로 작성하고, 각 작업의 여유시간을 계산하시오. (10점)

작업명	선행작업	작업일수	비 고
A	없음	5	
B	없음	2	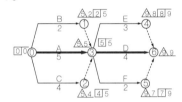
C	없음	4	EST LST LFT EFT
D	A, B, C	4	작업명
E	A, B, C	3	공사일수
F	A, B, C	2	위와 같이 일정 및 작업을 표기하고 주공정선은 굵은 선으로 표기한다.

① 네트워크 공정표 작성   ② 여유시간 산정

정답 5

① 공정표 작성

② 여유시간 산정

작업명	EST	EFT	LST	LFT	TF	FF	DF	CP
A	0	5	0	5	0	0	0	*
B	0	2	3	5	3	3	0	
C	0	4	1	5	1	1	0	
D	5	9	5	9	0	0	0	*
E	5	8	6	9	1	1	0	
F	5	7	7	9	2	2	0	

6 다음 용어를 설명하시오.

• LCC(Life Cycle Cost) :

_____

• VE(Value Engineering) :

_____

• Task Force 조직 :

_____

정답 6

• LCC(Life Cycle Cost) : 건축물의 기획, 설계, 시공, 유지관리, 해체의 전과정에 필요한 제비용을 합한 전생애주기비용을 말함.

• VE(Value Engineering) : 발주자가 요구하는 기능, 성능을 보장하면서 가장 저렴한 비용으로 공사를 수행하는 대안 창출을 통한 원가절감기법(가치공학)

• Task Force 조직 : 건축공사, 중요공사에서 전문가들이 모여 사업수행기간 동안만 한시적으로 운영하는 건설관리조직을 말함.

7 철골공사에서 활용되는 표준볼트장력을 설계볼트장력과 비교하여 설명하시오. (2점)

_____

_____

8 토공사용 기계 중 정지용 기계장비의 종류 3가지를 들고 특성 및 용도에 대해 간단히 설명하시오. (3점)

- _____

- _____

- _____

9 하절기콘크리트 시공시 발생하는 문제점으로써 콘크리트 품질 및 시공면에 미치는 영향에 대해 5가지를 쓰시오. (5점)

① _____

② _____

③ _____

④ _____

⑤ _____

10 천장이나 벽체에 주로 사용되는 일반 석고보드의 장·단점을 각각 2가지씩 나열하시오. (4점)

가. 장점

① _____

② _____

나. 단점

① _____

② _____

정답 **7**

설계 Bolt 장력이란 고력 Bolt 내력 산정시 허용전단력을 정하기 위한 고려값이고, 표준 Bolt 장력은 설계 Bolt 장력에 10%를 할증한 것으로써 현장시공시 조임 표준 값으로 사용된다.

정답 **8**

① 불도우져(Bull Dozer) : 운반거리 50~60m, 최대 100m 정도의 배토, 운반용
② 그레이더(Grader) : 정지작업, 도로정리등에 사용
③ 스크레이퍼(Scraper) : 최대 1500m 거리의 중장거리 배토, 정지, 운반용 기계

정답 **9**

① 단위수량의 증가로 인한 내수성, 수밀성 저하
② 슬럼프 저하 발생으로 충전성 불량, 표면마감불량발생
③ 초기발열증대에 따른 온도균열 발생
④ 초기에 급격한 수화반응으로 콜드죠인트가 쉽게 발생될 수 있다.
⑤ 초기의 급격한 수분증발로 플라스틱균열(초기건조수축균열)발생, 장기강도저하

정답 **10**

(가) 장점
① 방화성능, 단열성능 우수
② 시공이 용이함, 공기단축이 가능

(나) 단점
① 습기에 취약, 지하공사나 덕트주위에 사용금지
② 접착제 시공시 온도, 습도변화에 민감하여 동절기 사용이 어려움
※ 기타 : 못 사용시 녹막이 필요, 충격강도에 취약 등

11 Ready Mixed Concrete가 현장에 도착하여 타설될 때 시공자가 현장에서 일반적으로 행하여야 하는 품질관리 항목을 〔보기〕에서 모두 골라 기호로 쓰시오. (3점)

　　　──〈보 기〉──
　　　㉮ Slump 시험　　　　　　　　㉯ 물의 염소이온량 측정
　　　㉰ 골재의 반응성　　　　　　　㉱ 공기량 시험
　　　㉲ 압축강도 측정용 공시체 제작　㉳ 시멘트의 알칼리량

정답 **11**

㉮, ㉱, ㉲

12 다음의 네트워크 공정관리 기법에 사용되는 용어를 설명하시오. (4점)

(1) 최장패스 (Longest path) : _____

(2) 주공정선 : _____

(3) 급속(특급)공기 : _____

(4) 비용구배 : _____

정답 **12**

(1) 임의의 두 결합점간의 경로 중 소요기간이 가장 긴 경로
(2) 주공정선 : 개시 결합점에서 종료 결합점에 이르는 가장 긴 경로
(3) 급속(특급)공기 : 공기를 최대한 단축할 때 발생되는 추가 직접비용
(4) 비용구배 : 작업을 1일 단축할 때 추가되는 직접비용

13 다음의 설명에 알맞은 계약방식을 쓰시오. (4점)

가. (　　　　　) : 발주측이 프로젝트 공사비를 부담하는 것이 아니라 민간부분 수주측이 설계, 시공 후 일정기간 시설물을 운영하여 투자금을 회수하고 시설물과 운영권을 무상으로 발주측에 이전하는 방식

나. (　　　　　) : 사회간접시설을 민간부분 주도하에 설계, 시공 후 소유권을 공공부분에 먼저 이양하고, 약정기간 동안 그 시설물을 운영하여 투자금액을 회수하는 방식

다. (　　　　　) : 민간부분이 설계, 시공 주도 후 그 시설물의 운영과 함께 소유권도 민간에 이전되는 방식

라. (　　　　　) : 건축주는 발주시에 설계도서를 사용하지 않고 요구 성능만을 표시하고 시공자는 거기에 맞는 시공법, 재료 등을 자유로이 선택할 수 있게 하는 일종의 특명입찰방식

정답 **13**

(가) BOT(Build-Operate-Transfer)방식
(나) BTO(Build-Transfer-Operate)방식
(다) BOO(Build-Operate-Own)방식
(라) 성능발주방식

14 벽돌에 나타나는 일반적인 백화현상에 대해 설명하시오. (4점)

Mortar 중의 석회분이 공기중 CO_2 가스와 결합하여 탄산석회로 유출되어 조적 벽면에 흰가루가 돋는 현상

15 타일시공법 중 붙임재 사용법에 따른 공법을 1가지씩 쓰시오. (4점)

　가. 타일측에 붙임재를 바르는 공법

　나. 바탕측에 붙임재를 바르는 공법

정답 15
가. 떠붙임 공법
나. 압착공법 혹은 밀착공법(동시 줄눈공법)

16 콘크리트 비빔과 관련된 다음 용어에 대해 설명하시오. (4점)

　• 다시비빔(remixing) :

　• 되비빔(retempering) :

정답 16
• 다시비빔 : 아직 엉기지 않은 콘크리트를 시간경과 또는 재료 분리된 경우에 다시 비벼 쓰는 것
• 되비빔 : 콘크리트가 응결하기 시작한 것을 다시 비비는 것

17 일반적인 품질관리 순서를 보기에서 골라 번호로 나열하시오. (4점)

　　　　──〈보 기〉──
　　① 이상의 판정 및 수정조치　　② 관리도의 작성
　　③ 품질의 검사　　　　　　　　④ 품질 및 작업표준의 교육훈련 및 작업실시
　　⑤ 작업표준설정　　　　　　　⑥ 품질표준설정
　　⑦ 관리항목선정

정답 17
⑦ - ⑥ - ⑤ - ④ - ③ - ① - ②

18 네트워크공정표에 사용되는 다음 용어에 대해 설명하시오. (4점)

- TF(전체여유) : _____

- FF(자유여유) : _____

[정답] 18
- TF(전체여유) : 작업을 EST로 시작하고 LFT로 완료할 때 발생하는 전체여유(Total Float)
- FF(자유여유) : 작업을 EST로 시작한 다음 후속작업도 EST로 시작하여도 존재하는 자유여유 (Free Float)

19 다음 ( )안에 공통으로 들어가는 알맞은 용어를 쓰시오. (2점)

——〈보 기〉——
- 한중콘크리트에서는 초기강도발현이 늦어지므로 (　　　)를 이용하여 거푸집의 해체시기, 콘크리트 양생기간 등을 검토한다.
- 양생온도가 달라져도 그 (　　　)가 같으면 콘크리트의 강도는 비슷하다고 본다.

_____

[정답] 19
적산온도

20 다음 항목에 관계되는 시험을 보기에서 골라 번호를 쓰시오. (4점)

——〈보 기〉——
① 신월 샘플링 (Thin wall sampling)　　② 베인 시험 (Vane test)
③ 표준관입 시험　　④ 정량분석 시험

가. 진흙의 점착력 : (　　　)　　　나. 지내력 : (　　　)
다. 연한 점토질의 시료채취 : (　　　)　　라. 염분 : (　　　)

[정답] 20
가. ②
나. ③
다. ①
라. ④

21 흙막이공사의 지하연속벽(Slurry Wall)공법에 사용되는 안정액의 기능 2가지만 쓰시오. (2점)

① _____

② _____

[정답] 21
① 굴착공내의 붕괴 방지
② 지하수 유입방지(차수역할)
③ 굴착부의 마찰저항 감소
④ Slime 등의 부유물 배제, 방지 효과

22 다음 기초에 소요되는 철근, 콘크리트, 거푸집의 정미량을 산출하시오. (6점)

    (단, 이형철근 D16의 단위중량은 1.56kg/m, D13의 단위중량은 0.995kg/m 이다.)

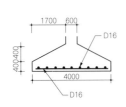

정답 22

① 별도의 지시가 없으면 철근1개의 길이는 기초판 일변의 길이와 같게하여 철근의 후크는 피복두께와 상쇄시킨다.

② 주어진 갯수로 산출

③ 거푸집량

밑면(1,700) : 높이(400)가 2 : 1 미만 이므로 경사면은 계산안함

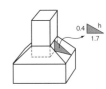

정답

가. 철근량(kg)

계산과정 : 주근(D16) : (9개×4m)×2=72m×1.56=112.32kg

               대각선근(D13) : ($\sqrt{2}$×4)×6개=33.941m×0.995=33.771kg

            ∴총중량 : 112.32+33.771=146.091 → 146.09kg

나. 콘크리트량(m³)

계산과정 : $4 \times 4 \times 0.4 + \dfrac{0.4}{6}[(2 \times 4 + 0.6) \times 4 + (2 \times 0.6 + 4) \times 0.6] = 8.901 \rightarrow 8.90 m^3$

다. 거푸집량(㎡)

계산과정 : 4×0.4×4=6.4m²

23 KS L 5201에서 규정하는 포틀랜드 시멘트(Portland cement)의 종류 5가지를 쓰시오. (5점)

① _____   ② _____

③ _____   ④ _____

⑤ _____

정답 23

(1) 1종 : 보통 포틀랜드 시멘트

(2) 2종 : 중용열 포틀랜드 시멘트

(3) 3종 : 조강 포틀랜드 시멘트

(4) 4종 : 저열 포틀랜드 시멘트

(5) 5종 : 내황산염 포틀랜드 시멘트

24 탈수공법 중 다음 공법에 대하여 기술하시오. (4점)

- 페이퍼 드레인(paper drain)공법 :

- 생석회 말뚝(chemico pile)공법 :

25 PMIS(Project Management Information System)에 대해 설명하시오. (3점)

정답 **24**

- 페이퍼 드레인(paper drain)공법 : 모래대신 합성수지로된 카드보드를 지반에 삽입하여 점토지반의 배수를 촉진하는 지반개량 압밀공법
- 생석회 말뚝(chemico pile)공법 : 모래대신 석회를 넣어 탈수 및 지반압밀을 증진시키는 점토지반 개량공법

정답 **25**

사업의 전 과정에서 건설관련주체간 발생되는 각종정보를 체계적, 종합적으로 관리하여 최고 품질의 사업목적물을 건설하도록 지원하는 전산 시스템

2011년 1회 출제문제

1 철골구조의 내화피복공사 시 활용되는 습식공법 4가지를 쓰시오. (4점)

① _____   ② _____

③ _____   ④ _____

정답 1

정답 1
① 뿜칠공법
② 미장공법
③ 타설공법
④ 조적공법

2 커튼월 공사에서 구조체의 층간변위, 커튼월의 열팽창, 변위 등을 해결하기 위한 긴결방법 3가지를 쓰시오. (3점)

① _____   ② _____

③ _____

정답 2
① 회전 방식(Locking type)
② 슬라이드 방식(Slide type)
③ 고정 방식(Fixed type)

3 블록 압축강도시험에 대한 다음 물음에 답하시오. (4점)

(가) 390×190×150mm 속빈 콘크리트 블록의 압축강도시험에서 블록에 대한 가압면적(mm²)

_____

(나) 압축강도 10MPa인 블록이 하중속도를 매초 0.2MPa로 할 때의 붕괴시간 (sec)

_____

정답 3
(가) $A = 390 \times 150 = 58,500 \text{mm}^2$
(나) 붕괴시간 = $10 \div 0.2 = 50$초(sec)

4 철근콘크리트 구조의 1방향 슬래브와 2방향 슬래브를 구분하는 기준에 대해 설명하시오. (3점)

_____

_____

정답 4
변장비(β) = 장변 span / 단변 span
① 1방향 슬래브 : $\beta > 2$
② 2방향 슬래브 : $\beta \leq 2$

5 철골공사의 용접부 내부결함에 대한 비파괴검사 방법 3가지를 쓰시오. (3점)

① _____ ② _____

③ _____

정답 **5**
① 방사선 투과시험
② 초음파 탐상법
③ 자기분말 탐상법

6 콘크리트의 탄산화에 대한 다음 (   ) 안을 채우시오. (4점)

(가) 공기 중 탄산가스의 작용으로 콘크리트 중의 (①   )이 서서히
     (②   )으로 되어 콘크리트가 알칼리성을 상실하게 되는 과정

(나) 반응식 : (③   ) + CO_2 → (④   ) + H_2O

정답 **6**
(가) ① 수산화칼슘
     ② 탄산칼슘
(나) ③ $Ca(OH)_2$
     ④ $CaCO_3$

7 철골 주각부 현장 시공 순서에 맞게 번호를 나열하시오. (3점)

〈보 기〉
① 기초 상부 고름질   ② 가조립   ③ 변형 바로잡기
④ 앵커볼트 정착   ⑤ 철골 세우기   ⑥ 기초콘크리트 치기
⑦ 철골 도장

정답 **7**
⑥ → ④ → ① → ⑤ → ② → ③ → ⑦

8 흙의 함수량 변화와 관련하여 (   ) 안을 채우시오. (2점)

〈보 기〉
흙이 소성상태에서 반고체 상태로 옮겨지는 경계의 함수비를 (①   )라 하고
액성상태에서 소성상태로 옮겨지는 함수비를 (②   )라고 한다

정답 **8**
① 소성한계
② 액성한계

9 다음 형강을 단면 형상의 표시방법으로 표시하시오. (2점)

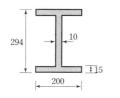

① _____

② _____

정답 **9**
① H - 294 × 200 × 10 × 15
② ㄷ - 150 × 65 × 20

10 시멘트계 바닥 바탕의 내마모성, 내화학성, 분진방진성을 증진시켜 주는 바닥강화제 (hardner) 중 침투식 액상하드너 시공시 유의사항 2가지를 쓰시오. (4점)

① _____

② _____

정답 **10**

① 바닥강화 시공시 또는 시공완료 후 기온이 5℃ 이하가 되면 작업을 중지한다.
② 타설된 면에 비나 눈의 피해가 없도록 보양 조치한다.

11 다음이 설명하는 구조의 명칭을 쓰시오. (2점)

─── 〈보 기〉 ───

건축물의 기초부분 등에 적층고무 또는 미끄럼받이 등을 넣어서 지진에 대한

건축물의 흔들림을 감소시키는 구조 : _____

정답 **11**

면진 구조

12 경화된 콘크리트의 크리프 현상에 대한 설명이다. 맞으면 O, 틀리면 X로 표시하시오. (5점)

① 재하기간 중 습도가 클수록 크리프는 커진다.   (   )

② 재하개시 재령이 짧을수록 크리프는 커진다.   (   )

③ 재하응력이 클수록 크리프는 커진다.   (   )

④ 시멘트 페이스트량이 적을수록 커진다.   (   )

⑤ 부재치수가 작을수록 크리프는 커진다.   (   )

정답 **12**

① X
② O
③ O
④ X
⑤ O

13 유동화콘크리트의 제조방법 3가지를 쓰시오. (3점)

① _____

② _____

③ _____

정답 **13**

① 유동화제를 현장에서 첨가하여 유동화하는 방법
② 공장첨가하여 유동화하는 방법
③ 공장첨가 후 현장에서 유동화하는 방법

14 기준점(Bench Mark)의 정의 및 설치시 주의사항 3가지를 쓰시오. (5점)

(1) 정의 : _____

(2) 설치시 주의사항

① _____   ② _____

③ _____

정답 **14**

(1) 건축물 시공시 기준위치를 정하는 원점으로 공사중 높이의 기준을 정하고자 설치
(2) ① 이동의 염려가 없는 곳에 설치한다.
② 2개소 이상 설치한다.
③ 지면에서 0.5~1.0m에 바라보기 좋고 공사에 지장이 없는 곳에 설치한다.

15 목공사 마무리 중 모접기(면접기)의 종류 3가지를 쓰시오. (3점)

① _____　　② _____

③ _____

정답 15
① 실모접기
② 둥근모접기
③ 큰모접기

16 다음 용어를 간단히 설명하시오. (4점)

(1) 잔골재율(S/a) :

_____

(2) 조립률(FM) :

_____

정답 16

(1) 잔골재량과 골재전량과의 절대용적율

$$※ \ 잔골재율 = \frac{잔골재용적}{전체골재용적} \times 100(\%)$$

(2)

$$※ \ F \cdot M = \frac{각체에 \ 남는 \ 누계(\%)의 \ 합계}{100}$$

10개의 체를 1조로 하여 체가름 시험을 하였을 때 각 체에 남는 누계량의 전시료(全試料)에 대한 중량백분율의 합을 100으로 나눈 값

17 점토지반 개량공법 두가지를 제시하고 그 중에서 한가지를 선택하여 간단히 설명하시오. (5점)

① _____

② _____

정답 17
① 치환공법 : 연약층의 흙을 양질의 흙으로 교체하는 공법(주로 점토지반을 사질지반으로 교체)
② 동결공법 : 지반에 파이프를 박고 액체질소나 프레온가스를 주입하여 지하수를 동결시켜 차단하는 공법

18 커튼월의 외관형태 타입 4가지를 쓰시오. (4점)

① _____　　② _____

③ _____　　④ _____

정답 18
① 격자 방식(Grid Type)
② 샛기둥 방식(Million Type)
③ 피복 방식(Sheathed Type)
④ 스팬드럴 방식(Spandrel Type)

19 그림과 같은 라멘의 부정정 차수를 구하시오. (3점)

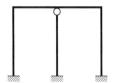

정답 **19**

$N = r + m + f - 2j$
　$= (3+3+3) + (5) + (3) - 2(6)$
　$= 5$차 부정정

---

20 다음 라멘의 휨모멘트도를 개략적으로 도시하시오. (3점)

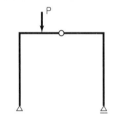

정답 **20**

$N = r + m + f - 2j$
　$= (2+1) + (4) + (2) - 2(5) = -1$차
→ 불안정 구조이므로 휨모멘트도
　없음

---

21 설계시공 일괄계약(Design-Build Contract)의 장점을 3가지 기술하시오. (3점)

① _____　② _____

③ _____

정답 **21**

① 설계와 시공의 의사소통개선
② 책임시공으로 책임한계 명확
③ 공기단축 및 공사비절감 노력
　왕성

---

22 다음 설명에 해당하는 시멘트 종류를 고르시오. (3점)

── 〈보 기〉 ──

조강 시멘트, 실리카 시멘트, 내황산염 시멘트, 중용열 시멘트, 백색 시멘트,
콜로이드 시멘트, 고로슬래그 시멘트

(1) ① 특성 : 조기강도가 크고 수화열이 많으며 저온에서 강도의 저하율이 낮다.
　　② 용도 : 긴급공사, 한중공사
(2) ① 특성 : 석탄 대신 중유를 원료로 쓰며, 제조시 산화철분이 섞이지 않도록
　　　　　　주의한다.
　　② 용도 : 미장재, 인조석 원료
(3) ① 특성 : 내식성이 좋으며 발열량 및 수축률이 작다.
　　② 용도 : 대단면 구조재, 방사성 차단물

정답 **22**

(1) 조강 시멘트
(2) 백색 시멘트
(3) 중용열시멘트

23 금속재 바탕처리법 중 화학적 방법 3가지를 쓰시오. (3점)

① _____   ② _____

③ _____

① 용제에 의한 방법
② 인산피막법
  (파커라이징법, 본더라이징법)
③ 워시프라이머법
  (에칭프라이머법)
※ 기타 : 산처리법, 알카리처리법

24 역타설공법(Top-Down Method)의 장점 3가지를 쓰시오. (3점)

① _____

② _____

③ _____

① 주변지반과 건물에 영향이 없는 안정적 공법이다.
② 지상, 지하 동시작업으로 공기가 단축된다.
③ 1층 바닥판을 작업장으로 활용이 가능하다.

25 강구조 볼트접합과 관련하여 용어를 쓰시오. (3점)

① 볼트 중심 사이의 간격 : _____

② 볼트 중심 사이를 연결하는 선 : _____

③ 볼트 중심 사이을 연결하는 선 사이의 거리 : _____

① 피치(pitch)
② 게이지라인(gauge line)
③ 게이지(gauge)

26 커튼월 조립방식에 의한 분류에서 각 설명에 해당하는 방식을 번호로 쓰시오. (3점)

┌─ 〈보 기〉─────────────────────────────────────┐
│ ① Stick Wall 방식   ② Window Wall 방식   ③ Unit Wall 방식 │
└───┘

(1) 구성 부재 모두가 공장에서 조립된 프리패브(Pre-fab)형식으로 창호와 유리, 패널의 일괄발주 방식임. 이 방식은 업체의 의존도가 높아서 현장상황에 융통성을 발휘하기가 어려움

(2) 구성 부재를 현장에서 조립·연결하여 창틀이 구성되는 형식으로 유리는 현장에서 주로 끼운다. 현장 적응력이 우수하여 공기조절이 가능

(3) 창호와 유리, 패널의 개별발주 방식으로 창호 주변이 패널로 구성됨으로써 창호의 구조가 패널 트러스에 연결할 수 있어서 재료의 사용 효율이 높아서 비교적 경제적인 시스템 구성이 가능한 방식

(1) ③
(2) ①
(3) ②

27 T부재에 발생하는 부재력을 구하시오. (2점)

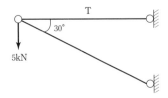

(1) $\sum V = 0 : -(5) - (C \cdot \sin 30°) = 0$

　　　$\therefore C = -10kN$　(압축)

(2) $\sum H = 0 : +(T) + (C \cdot \cos 30°) = 0$

　　　$\therefore T = +8.66kN$　(인장)

28 다음이 설명하는 용어를 쓰시오. (3점)

(1) 길이조절이 가능한 무지주공법의 수평지지보 : _____

(2) 무량판 구조에서 2방향 장선 바닥판 구조가 가능하도록 된 특수상자 모양의
기성재 거푸집 : _____

(3) 벽식 철근콘크리트 구조를 시공할 때 한 구획 전체의 벽판과 바닥판을 일체
로 제작하여 한번에 설치·해체할 수 있도록 한 거푸집 : _____

(1) 페코빔(Pecco beam)
(2) 워플폼(Waffle form)
(3) 터널폼(Tunnel form)

29 다음 용어를 간단히 설명하시오. (4점)

① 부대입찰제도 : _____

_____

② 대안입찰제도 : _____

_____

① 하도급업체의 보호육성 차원에서 입찰자에게 하도급자의 계약서를 입찰서에 첨부하도록 하여 하도급의 계열화를 유도하는 입찰방식
② 처음 설계된 내용보다 기본방침의 변경없이 공사비를 낮추면서 동등 이상의 기능과 효과를 갖는 방안을 시공자가 제시할 경우 이를 검토하여 채택하는 입찰방식

30 보의 압축연단에서 중립축까지의 거리 c 를 구하시오. (4점)

(단, $f_{ck} = 35MPa$, $f_y = 400MPa$, $A_s = 2,028mm^2$)

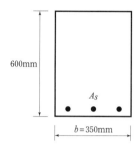

정답 **30**

(1) $f_{ck} \leq 40MPa \rightarrow \eta = 1.00, \quad \beta_1 = 0.80$

(2) $a = \dfrac{A_s \cdot f_y}{\eta \cdot 0.85 f_{ck} \cdot b} = \dfrac{(2,028)(400)}{(1.00)0.85(35)(350)} = 77.91mm$

(3) $c = \dfrac{a}{\beta_1} = \dfrac{(77.91)}{(0.80)} = 97.39mm$

2011년 2회 출제문제

1 철근의 응력-변형률 곡선에서 해당하는 4개의 주요 영역과 6개의 주요 포인트에 관련된 용어를 쓰시오. (3점)

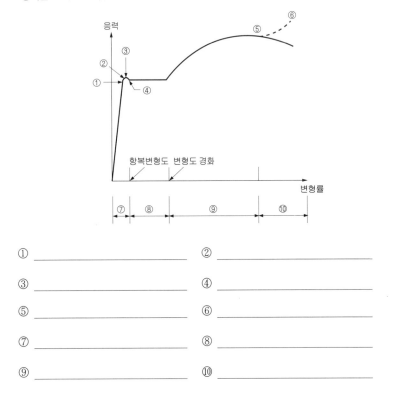

① _____ ② _____

③ _____ ④ _____

⑤ _____ ⑥ _____

⑦ _____ ⑧ _____

⑨ _____ ⑩ _____

2 다음 그림과 같은 기둥 주근의 철근량을 산출하시오.

(단, 층고는 3.6m, 주근의 이음길이는 25d로 하고, 철근의 중량은 D22는 3.04kg/m, D19는 2.25kg/m, D10은 0.56kg/m로 한다.) (4점)

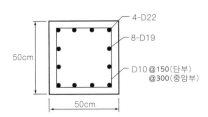

---

3 다음 보기에서 열거한 항목을 이용하여 시트방수의 시공순서를 기호로 쓰시오. (3점)

─〈보 기〉─────────────────────────
① 시트붙이기   ② 프라이머칠   ③ 바탕처리   ④ 접착제칠
─────────────────────────────────

(가   ) - (나   ) - (다   ) - (라   ) - 마무리

정답 **3**
가. ③
나. ②
다. ④
라. ①

4 콘크리트 구조체공사의 VH(Vertical horizontal) 공법에 관하여 기술하시오. (3점)

정답 **4**
침하균열을 방지하기 위하여 기둥, 벽 등 수직부재를 먼저 타설하고 수평부재를 나중에 분리하여 타설하는 방법으로 보통 Precast Half Slab공법과 병행하여 적용한다.

5 다음 설명이 의미하는 거푸집 관련 용어를 쓰시오. (4점)

(1) 철근의 피복두께를 유지하기 위해 벽이나 바닥 철근에 대어주는 것

(2) 벽 거푸집 간격을 일정하게 유지하여 격리와 긴장재 역할을 하는 것

(3) 기둥 거푸집의 고정 및 측압 버팀용으로 주로 합판 거푸집에서 사용되는 것

(4) 거푸집의 탈형과 청소를 용이하게 만들기 위해 합판 거푸집 표면에 미리 바르는 것

정답 **5**
(1) 스페이서(Spacer)
(2) 세퍼레이터(Separater)
(3) 칼럼밴드(Column Band)
(4) 박리제

6 콘크리트의 크리프(Creep) 현상에 대하여 쓰시오. (3점)

정답 **6**
Concrete에 일정하중을 계속 주면 하중의 증가없이도 시간의 경과에 따라 변형이 증가하는 소성변형 현상

7 건축공사에서 기준점(Bench Mark)을 설정할 때 주의사항을 2가지 쓰시오. (2점)

① _____

② _____

8 지반조사시 실시하는 보오링(Boring)의 종류를 3가지만 쓰시오. (3점)

① _____　② _____

③ _____

9 벽돌벽의 표면에 생기는 백화현상의 정의와 발생방지 대책을 3가지 쓰시오. (5점)

(가) 백화현상의 정의 : _____

_____

(나) 방지대책 : ① _____

② _____

③ _____

10 다음이 설명하는 용어를 쓰시오. (2점)

(1) 창 밑에 돌 또는 벽돌을 15도 정도 경사지게 옆세워 쌓는 방법 : _____

(2) 벽돌벽 등에 장식적으로 구멍을 내어 쌓는 방법 : _____

11 한중기 콘크리트에 관한 내용 중 ( )을 적당히 채우시오. (4점)

(1) 한중콘크리트는 초기강도 ( )MPa 까지는 보양을 실시한다.

(2) 한중콘크리트 물시멘트비(W/C)는 ( )% 이하로 한다.

12 구조물을 신축하기 전에 실시하는 Mock-up Test의 정의와 시험항목을 3가지만 쓰시오. (5점)

(가) 정의 : _____

_____

(나) 시험항목 : _____

정답 7
① 이동의 염려가 없는 곳에 설치한다.
② 바라보기 좋고 공사에 지장이 없는 곳에 2곳 이상 설치한다.

정답 8
① Auger Boring
② 수세식 보오링(Wash Boring)
③ 충격식 보오링 (Percussion Boring)
④ 회전식 보오링(Rotary Boring)

정답 9
(가) Mortar 중의 석회분이 공기 중 CO_2 가스와 결합하여 탄산석회로 유출되어 조적 벽면에 흰가루가 돋는 현상
(나) 대책
① 우중시공을 철저히 금지시킨다.
② 시공후 벽표면에 실리콘 뿜칠을 한다.
③ 줄눈시공시 방수제 사용, 사춤을 철저히 할 것

정답 10
(1) 창대쌓기
(2) 영롱쌓기

정답 11
(1) 5
(2) 60

정답 12
(가) 풍동시험을 근거로 3개의 실물모형을 만들어 건축예정지의 최악조건으로 시험하여 재료품질, 구조계산치 등을 수정할 목적으로 행하는 실물대 모형시험
(나) 예비시험, 기밀시험, 정압수밀시험, 동압수밀시험, 구조시험

13 아래에 표기된 실비청산보수 가산방식의 종류를 보기에 주어진 기호를 사용하여 적절히 표기하시오. (3점)

> ─〈보 기〉─
> A : 공사실비   A′: 한정된 실비   f : 비율보수   F : 정액보수

(1) 실비비율보수가산식 : _____

(2) 실비한정비율보수가산식 : _____

(3) 실비정액보수가산식 : _____

[정답] **13**
(1) $A + A \times f$
(2) $A' + A' \times f$
(3) $A + F$

14 다음에 설명하는 콘크리트의 줄눈 명칭을 쓰시오. (3점)

지반 등 안정된 위치에 있는 바닥판이 수축에 의하여 표면에 균열이 생길 수 있는데 이러한 균열을 방지하기 위해 설치하는 줄눈 : _____

[정답] **14**
조절줄눈(Control Joint)

15 다음 측정기별 용도를 쓰시오. (4점)

(가) Washington Meter : _____

(나) Earth Pressure Meter : _____

(다) Piezo Meter : _____

(라) Dispenser : _____

[정답] **15**
(가) 콘크리트내의 공기량 측정기구
(나) 토압측정기구
(다) 간극수압 측정기구
(라) AE제의 계량장치

16 목재에 가능한 방부제 처리법을 4가지 쓰시오. (4점)

① _____

② _____

③ _____

④ _____

[정답] **16**
① 침지법
② 주입법(가압주입법)
③ 표면탄화법
④ 도포법(방부제칠)

17 TQC에 이용되는 7가지 도구 중 4가지를 쓰시오. (4점)

_____

[정답] **17**
히스토그램, 파레토도, 특성요인도, 체크시트, 각종 그래프, 산점도, 층별

18 BOT(Build-Operate-Transfer Contract)방식을 설명하고 이와 유사한 방식을 3가지 쓰시오. (5점)

(1) BOT 방식 : _____

_____

(2) 유사한 방식 : _____

정답 **18**
(1) 민간 수주측이 시설물 완공 후 일정기간 시설물을 운영하여 투자금을 회수하고 시설물과 운영권을 무상으로 발주측에 이전하는 방식
(2) BTO방식, BOO방식, BTL방식

19 다음은 철근콘크리트 부재의 구조계산을 수행한 결과이다. 물음에 답하시오. (4점)

┌─ 〈보 기〉 ─────────────────────────┐
│ (1) 하중조건 :   │
│   ① 고정하중 : $M = 150kN \cdot m$, $V = 120kN$ │
│   ② 활하중 : $M = 130kN \cdot m$, $V = 110kN$ │
│ (2) 강도감소계수 :   │
│   ① 휨에 대한 강도감소계수 : $\phi = 0.85$ │
│   ② 전단에 대한 강도감소계수 : $\phi = 0.75$ │
└─────────────────────────────────────┘

(1) 소요공칭휨강도 : _____

(2) 소요공칭전단강도 : _____

정답 **19**
(1) $M_u = 1.2M_D + 1.6M_L$
$= 1.2(150) + 1.6(130) = 388kN \cdot m$
$\geq 1.4M_D = 1.4(150) = 210kN \cdot m$
$M_u = \phi M_n$ 에서
$M_n = \dfrac{M_u}{\phi} = \dfrac{(388)}{(0.85)} = 456.471kN \cdot m$

(2) $V_u = 1.2V_D + 1.6V_L$
$= 1.2(120) + 1.6(110) = 320kN$
$\geq 1.4V_D = 1.4(120) = 168kN$
$V_u = \phi V_n$ 에서
$V_n = \dfrac{V_u}{\phi} = \dfrac{(320)}{(0.75)} = 426.667kN$

20 다음 그림과 같은 구조물의 전단력도와 휨모멘트도를 그리고 최대전단력, 최대휨모멘트값을 구하시오. (4점)

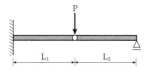

(1) 전단력도(SFD) : _____

(2) 최대전단력 : _____

(3) 휨모멘트도(BMD) : _____

(4) 최대휨모멘트 : _____

정답 **20**
(1)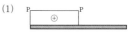

(2) P

(3)

(4) PL_1

21 다음 그림과 같은 겔버보의 A, B, C 지점반력을 구하시오. (3점)

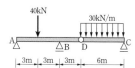

정답 **21**

(1) DC 구간 : $V_C = V_D$
   $= (30 \times 6) / 2 = 90kN(\uparrow)$

(2) D점은 지점이 아니기 때문에 반력이 존재할 수 없으므로 V_D 를 90kN($\downarrow$)의 하중으로 다시 작용시킨다.

(3) AD 내민보 구간 : $\sum M_B = 0$
   : $V_A \times 6 - 40 \times 3 + 90 \times 3 = 0$
   $\therefore V_A = -25kN(\downarrow)$

(4) $\sum V = 0 : V_A + V_B - 40 - 90 = 0$
   이므로 $V_B = 155kN(\uparrow)$

(5) $\sum H = 0 : H_A = 0$

22 그림과 같은 철근콘크리트 보가 $f_{ck} = 21MPa$, $f_y = 400MPa$, D22(단면적 387mm²)일 때 강도감소계수 $\phi = 0.85$ 를 적용함이 적합한지 부적합한지를 판정하시오. (4점)

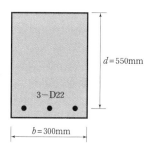

정답 **22**

(1) $f_{ck} \leq 40MPa \rightarrow \eta = 1.00$, $\beta_1 = 0.80$

(2) $a = \dfrac{A_s \cdot f_y}{\eta \cdot 0.85 f_{ck} \cdot b}$

   $= \dfrac{(3 \times 387)(400)}{(1.00)0.85(21)(300)} = 86.72mm$,

   $c = \dfrac{a}{\beta_1} = \dfrac{(86.72)}{(0.80)} = 108.4mm$

(3) $\varepsilon_t = \dfrac{d_t - c}{c} \cdot \varepsilon_c$

   $= \dfrac{(550) - (108.4)}{(108.4)} \cdot (0.0033)$

   $= 0.01344 > 0.005 \rightarrow$ 적합

23 철골세우기에서 기초 상부 고름질의 방법을 3가지만 쓰시오. (3점)

① _____

② _____

③ _____

① 전면 바름법
② 나중채워넣기 중심바름
③ 나중채워넣기 십자바름
④ 전면 나중채워넣기

24 다음 보기는 용접부의 검사 항목이다. 보기에서 골라 알맞는 공정에 해당번호를 써 넣으시오. (3점)

┌─〈보 기〉─────────────────────
│　(가) 트임새 모양　　(나) 전류　　　(다) 침투수압　　(라) 운봉
│　(마) 모아대기법　　(바) 외관판단　　(사) 구속　　　(아) 용접봉
│　(자) 초음파검사　　(차) 절단검사
└────────────────────────────

(1) 용접 착수전 : _____

(2) 용접 작업중 : _____

(3) 용접 완료후 : _____

정답 24
(1) (가), (마), (사)
(2) (나), (라), (아)
(3) (다), (바), (자), (차)

※ 단, 절단검사는 되도록 피한다.

25 굵은골재의 최대치수 25mm, 4kg을 물속에서 채취하여 표면건조 내부포수 상태의 질량이 3.95kg, 절대건조 질량이 3.60kg, 수중에서의 질량이 2.45kg 일 때 흡수율과 비중을 구하시오. (4점)

(1) 흡수율 : _____

(2) 표건비중 : _____

(3) 절건비중 : _____

(4) 겉보기비중 : _____

정답 25
(1) $\dfrac{3.95-3.60}{3.60}\times100=9.72\%$

(2) $\dfrac{3.95}{3.95-2.45}=2.63$

(3) $\dfrac{3.60}{3.95-2.45}=2.40$

(4) $\dfrac{3.60}{3.60-2.45}=3.13$

26 총 단면적 $A_g = 5,624mm^2$ 의 H-250×175×7×11(SM355)의 설계인장강도를 한계상태설계법에 의해 산정하시오. (단, 설계저항계수 $\phi = 0.90$ 을 적용한다.) (2점)

정답 **26**

$$\phi \ A_g \cdot F_y = 0.9 \times 5,624 \times 355$$
$$= 1,796,868N$$
$$= 1,796.868kN$$

27 다음에 제시된 화살표형 네트워크 공정표를 통해 일정계산 및 여유시간, 주공정선(CP)와 관련된 빈칸을 모두 채우시오. (단, CP에 해당하는 작업은 ※ 표시를 하시오.) (10점)

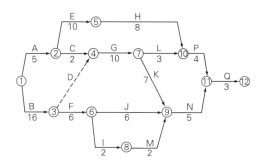

작업명	EST	EFT	LST	LFT	TF	FF	DF	CP
A								
B								
C								
D								
E								
F								
G								
H								
I								
J								
K								
L								
M								
N								
P								
Q								

정답 27

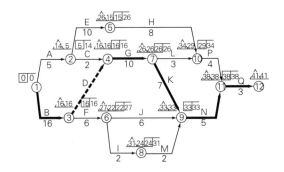

작업명	EST	EFT	LST	LFT	TF	FF	DF	CP
A	0	5	9	14	9	0	9	
B	0	16	0	16	0	0	0	※
C	5	7	14	16	9	9	0	
D	16	16	16	16	0	0	0	※
E	5	15	16	26	11	0	11	
F	16	22	21	27	5	0	5	
G	16	26	16	26	0	0	0	※
H	15	23	26	34	11	6	5	
I	22	24	29	31	7	0	7	
J	22	28	27	33	5	5	0	
K	26	33	26	33	0	0	0	※
L	26	29	31	34	5	0	5	
M	24	26	31	33	7	7	0	
N	33	38	33	38	0	0	0	※
P	29	33	34	38	5	5	0	
Q	38	41	38	41	0	0	0	※

2011년 3회 출제문제

1 아래 도면은 건물 옥상 도면이다. 다음을 산출하시오. (단, 벽돌의 할증률은 5%로 한다.) (6점)

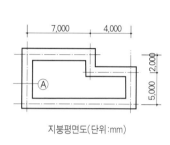

지붕평면도(단위:mm)

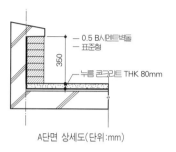

A단면 상세도(단위:mm)

① 옥상방수면적 : _____

② 누름콘크리트량 : _____

③ 보호벽돌 소요량 : _____

2 콘크리트 공사에서의 헛응결(False Set)에 대하여 설명하기. (3점)

_____

3 흙은 흙입자, 물, 공기로 구성되며, 도식화하면 다음 그림과 같다. 그림에 주어진 기호로 아래의 각종 용어를 표기하기. (6점)

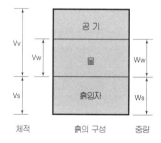

① 간극비 : _____

② 함수비 : _____

③ 포화도 : _____

정 답

정답 **1**

① 옥상방수 면적 :
$(7 \times 7) + (4 \times 5) + \{(11+7) \times 2 \times 0.43\} = 84.48\text{m}^2$

② 누름콘크리트량 :
$\{(7 \times 7) + (4 \times 5)\} \times 0.08$
$= 5.52\text{m}^3$

③ 보호벽돌 소요량 :
$\{(11-0.09) + (7-0.09)\} \times 2 \times 0.35$
$\times 75\text{매} \times 1.05 = 982.3 \to 982\text{매}$

정답 **2**

가수한 시멘트풀이 10~20분내에 발열하지 않고 퍽 굳어졌다가 이후 순조롭게 경화가 진행되는 현상을 말한다.(위응결, 이중응결 이라고도 하며, 시멘트 성분중 석고에 기인하여 이런현상이 생긴다.)

정답 **3**

① 간극비 : $\dfrac{Vv}{Vs}$

※ 간극비 $= \dfrac{\text{간극의 용적}}{\text{흙입자의 용적}}$

② 함수비 : $\dfrac{Ww}{Ws} \times 100(\%)$

※ 함수비 $= \dfrac{\text{물의 중량}}{\text{흙입자의 중량}} \times 100(\%)$

③ 포화도 : $\dfrac{Vw}{Vv} \times 100(\%)$

※ 포화도 $= \dfrac{\text{물의 용적}}{\text{간극부분의 용적}} \times 100(\%)$

4 시스템거푸집 중 갱폼(Gang Form)의 장·단점을 각각 2가지씩 쓰기. (4점)

(가) 장 점 :

① _____

② _____

(나) 단 점 :

① _____

② _____

5 방수공법 중 도막방수와 시트방수의 방수층 형성 원리에 대하여 기술하기. (4점)

(1) 도막방수 : _____

_____

(2) 시트방수 : _____

_____

6 기초를 보강하는 언더피닝 공법을 3가지 쓰기. (3점)

① _____

② _____

③ _____

7 네트워크 공정표에서 작업상호간의 연관관계만을 나타내는 명목상의 작업인 더미 (Dummy)의 종류를 3가지 쓰기. (3점)

① _____

② _____

③ _____

정답 **4**
(가) ① 조립과 해체작업이 생략되어 설치시간이 단축된다.
　　② 거푸집의 처짐량이 작고 외력에 대한 안정성이 높다.
(나) ① 중량물이므로 운반시 대형양중장비가 필요하다.
　　② 거푸집 제작비용이 크므로 초기투자비용이 증가된다.

정답 **5**
(1) 도료상의 방수제를 바탕에 여러번 도포하여 방수막을 형성하는 방법
(2) 합성고무계와 염화비닐 등을 1개 sheet로 하여 바탕에 접착제로 접착시켜서 방수효과를 기대하는 방법

정답 **6**
① 이중 널말뚝 설치공법
② 현장타설콘크리트 말뚝설치보강공법
③ Mortar 및 약액주입법등 지반안정공법

정답 **7**
① 넘버링(Numbering) 더미
② 로지컬(Logical) 더미
③ 커넥션(Connection) 더미
④ 타임랙(Time-Lag) 더미

8 도급계약 중 공동도급(Joint Venture) 방식의 장점 4가지를 설명 (4점)

① _____

② _____

③ _____

④ _____

정답 **8**

① 위험의 분산
② 자본력, 신용도의 증대
③ 공사이행의 확실성 보장
④ 공사도급경쟁의 완화수단이 된다.

9 흐트러진 상태의 흙 30m³를 이용하여 30m²의 면적에 다짐 상태로 60cm 두께를 터 돋우기 할 때 시공 완료된 다음의 흐트러진 상태의 토량을 산출하시오. (3점)
(단,이 흙의 L = 1.20이고, C = 0.90이다.)

_____ m³

정답 **9**

자연상태 : $30 \div 1.2 = 25m^3$
다짐상태 : $25 \times 0.9 = 22.5m^3$
돋우기체적 : $30 \times 0.6 = 18m^3$
남은량 : $22.5 - 18 = 4.5m^3$
자연상태 : $4.5 \div 0.9 = 5m^3$
∴ 흐트러진상태로 남는 토량 :
 $5 \times 1.2 = 6m^3$

10 콘크리트 헤드(Concrete Head)의 정의를 쓰기. (3점)

_____

_____

정답 **10**

타설된 콘크리트 윗면으로부터 최대측압면까지의 거리

11 지반조사 방법 중 보링(Boring)의 정의와 종류 4가지를 쓰기. (5점)

(가) 정의 :

_____

_____

(나) 종류 :

① _____ ② _____

③ _____ ④ _____

정답 **11**

(가) 지반을 천공하고, 토질의 시료를 체취하여 지층상황을 판단하는 방법
(나)
① Auger Boring
② 수세식 보링(Wash Boring)
③ 충격식 보링 (Percussion Boring)
④ 회전식 보링(Rotary Boring)

12 숏크리트(Shotcrete)공법의 정의를 기술하고, 그에 대한 장·단점을 1가지씩 쓰기. (4점)

(가) 숏 크리트 : _____

_____

(나) 장점 : _____

(다) 단점 : _____

정답 **12**
(가) 모르타르를 압축공기로 분사하여 바르는 것으로 Sprayed Concrete라고도 한다.
(나) 재료 표면의 강도, 수밀성, 내구성 증진
  ※ 밀폐된 좁은 공간에 시공성(충전성) 우수
(다) 다공질이고 외관이 거칠고 균열발생 우려
  ※ 건식공법은 분진발생과 재료낭비가 심함.

13 ALC(Autoclaved Lightweight Concrete) 패널의 설치공법을 4가지 쓰기. (4점)

① _____ ② _____

③ _____ ④ _____

정답 **13**
① 수직철근 보강 공법
② 슬라이드(Slide) 공법
③ 볼트 조임 공법
④ 커버플레이트 공법

14 그림과 같은 철골조 용접상세에서 다음 번호에 해당하는 부위의 명칭을 쓰기. (3점)

① _____

② _____

③ _____

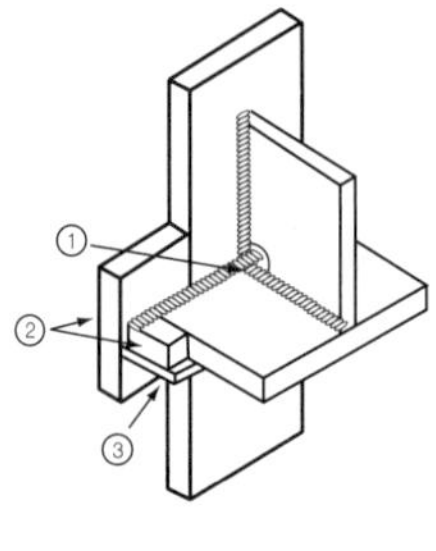

정답 **14**
① 스캘럽(scallop, 곡선모따기)
② 엔드탭(End tap, 보조강판)
③ 뒷댐재(back strip, 뒷꿰재)

15 건설공사의 원가절감기법 중 Value Engineering의 사고방식을 4가지를 쓰기. (4점)

① _____

② _____

③ _____

④ _____

정답 **15**
① 고정관념의 제거
② 사용자 중심의 사고(고객본위)
③ 기능중심의 접근(기능중심)
④ Team Design의 조직적 노력(집단사고)

16 기둥에서 띠철근의 역할 2가지를 쓰기. (2점)

  ① _____

  ② _____

[정답] **16**

① 기둥 주철근의 좌굴 방지
② 수평력에 대한 전단 보강

17 시멘트의 시험 중 분말도 시험의 종류를 2가지 쓰기. (4점)

  ① _____

  ② _____

[정답] **17**

① 표준체에 의한 방법 또는 표준체에 의판 체가름 방법
② 블레인(blaine) 공기투과장치에 의한 방법

18 다음과 같은 Network 공정표의 최장 소요일수를 구하고 CP를 표시하기. (4점)

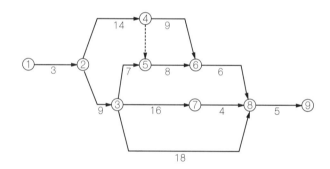

최장 소요일수 _____

[정답] **18**

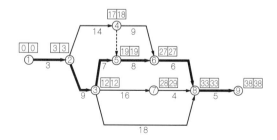

• 최장 소요일수 : 38일

19 다음의 입찰 방법을 간단히 설명하기. (3점)

(가) 공개경쟁입찰 : ____________________

(나) 지명경쟁입찰 : ____________________

(다) 특명입찰 : ____________________

20 온도철근의 배근 목적에 대하여 설명하기. (2점)

____

____

21 흙막이 공사에 사용하는 어스앵커공법의 특징을 4가지 쓰기. (4점)

① ____________________

② ____________________

③ ____________________

④ ____________________

22 다음에서 설명하는 용어쓰기. (2점)

〈보 기〉

드라이비트라는 일종의 못박기총을 사용하여 콘크리트나 강재 등에 박는 특수못 머리가 달린 것을 H형, 나사로 된 것을 T형이라고 한다.

____

정 답

정답 19

(가) 공개경쟁입찰 : 참가자를 공모하여 모두 입찰에 참여시키는 방식이다.

(나) 지명경쟁입찰 : 공사에 적격한 3~7개 업자를 선정하여 입찰에 참여시키는 방법

(다) 특명입찰 : 건축주가 시공에 적합하다고 인정하는 단일 업자를 선정 발주하는 방식

정답 20

온도변화에 따라 콘크리트의 수축으로 생기는 균열을 방지하기 위하여 배근하는 철근

정답 21

① 버팀대가 불필요하여 깊은 굴착시 버팀대공법보다 경제적이다.

② 넓은 작업장 확보가 가능하다.

③ 부분굴착이 가능하고, 공구분할이 용이하다.

④ 지반변화에 따른 설계변경이 용이하다.

※ 굴착공간이 넓어 기계화 시공이 가능하다. 정착부위의 토질이 불확실할 경우 위험하다.

정답 22

드라이브 핀(Drive Pin)

23 T형보에서 압축을 받는 플랜지 부분의 유효폭을 결정할 때는 세가지 조건에 의하여 산출된 값 중 가장 작은 값으로 결정하여야 하는데 이 세가지 조건에 대해 기술하기. (3점)

① _____

② _____

③ _____

[정답] **23**

① $16\,t_f + b_w$

② 양쪽 슬래브의 중심간 거리

③ 보 경간의 $\dfrac{1}{4}$

24 보통골재를 사용한 콘크리트의 압축강도(f_{ck})가 24MPa, 철근의 탄성계수(E_s)가 200,000MPa, 항복강도(f_y)가 400MPa 일 때 콘크리트의 탄성계수(E_c)와 탄성계수비($\dfrac{E_s}{E_c}$)를 구하기. (4점)

(1) 콘크리트의 탄성계수 : _____

(2) 탄성계수비 : _____

[정답] **24**

(1) $f_{ck} \le 40MPa : \quad \Delta f = 4MPa$

$E_c = 8{,}500 \cdot \sqrt[3]{(24)+(4)} = 25.811MPa$

(2) $n = \dfrac{E_s}{E_c} = \dfrac{(200{,}000)}{(25.811)} = 7.74863$

$\quad \rightarrow \ 7.75$

25 그림과 같은 플랫슬래브 지판(드롭 패널)의 최소 크기와 두께를 산정하기. (단, 슬래브 두께(t_s)는 200mm) (4점)

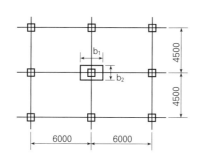

(1) 지판의 최소크기($b_1 \times b_2$) : _____

(2) 지판의 최소두께 : _____

[정답] **25**

(1) 지판의 최소 크기($b_1 \times b_2$) : 기둥이나 벽체 등 받침부의 중심선에서 각 방향 받침부 중심간 경간의 1/6 이상

① $b_1 = \dfrac{6{,}000}{6} + \dfrac{6{,}000}{6} = 2{,}000mm$

② $b_2 = \dfrac{4{,}500}{6} + \dfrac{4{,}500}{6} = 1{,}500mm$

$\therefore b_1 \times b_2 = 2{,}000mm \times 1{,}500mm$

(2) 지판의 최소 두께 : 지판의 슬래브 아래로 돌출한 두께는 슬래브 두께의 1/4 이상

$\therefore h_{min} = \dfrac{t_f}{4} = \dfrac{200}{4} = 50mm$

26 한변의 길이가 1.8m인 정사각형 철근콘크리트 기초판 바닥면에 작용하는 총토압 (kPa)을 계산하기. (단, 흙의 단위질량 $\rho_s = 2{,}082\text{kg/m}^3$), 철근콘크리트의 단위질량 $\rho_s = 2{,}400\text{kg/m}^3$) (5점)

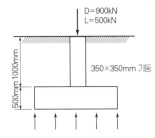

D=900kN
L=500kN

350×350mm 기둥

1000mm
500mm

계산과정 : _____

정답 **26**

(1) 흙과 철근콘크리트의 단위무게 계산 :
　① 흙의 단위무게 : $2{,}082 kg/m^3 \times 9.8 m/\sec^2 = 20{,}404 N/m^3$
　② 철근콘크리트의 단위무게 : $2{,}400 kg/m^3 \times 9.8 m/\sec^2 = 23{,}520 N/m^3$

(2) 기초판의 바닥에 작용하는 모든 하중 계산 :
　① 기초의 고정하중 : $(1.8m \times 1.8m \times 0.5m)(23{,}520 N/m^3) = 38{,}102.4 N = 38.10 kN$
　② 기둥의 고정하중 : $(0.35m \times 0.35m \times 1m)(23{,}520 N/m^3) = 2{,}881.2 N = 2.88 kN$
　③ 흙의 무게 : $(1m)(1.8^2 m^2 - 0.35^2 m^2)(20{,}404 N/m^3) = 63{,}609.47 N = 63.61 kN$
　④ 사용하중 : $900 kN + 500 kN = 1{,}400 kN$
　⑤ 총하중 : $1{,}504.59 kN$

(3) 총토압 계산 : $q_{gr} = \dfrac{P}{A} = \dfrac{1{,}504.59 kN}{1.8m \times 1.8m} = 464.38 kN/m^2 = 464.38 kPa$

27 그림과 같은 용접부의 설계강도를 구하시오. (단, 모재는 SM275, 용접재(KS D7004 연강용 피복아크 용접봉)의 인장강도 $F_{uw}=420N/mm^2$, 모재의 강도는 용접재의 강도보다 크다.) (4점)

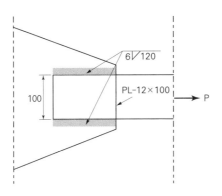

정답 27

$$\phi R_n = \phi \cdot 0.6 F_{uw} \cdot 0.7S \cdot (L-2S)$$
$$= (0.75) \cdot 0.6(420) \cdot 0.7(6) \cdot$$
$$(120-2\times6)\times2\,면$$
$$= 171,461N = 171.461kN$$

2012년 1회 출제문제

1 그림과 같은 캔틸레버 보의 A점의 반력을 구하시오. (4점)

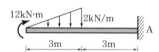

계산과정 :

2 기둥의 재질과 단면 크기가 모두 같은 그림과 같은 4개의 장주의 좌굴길이를 쓰시오.

(4점)

조 건				
	2a	4a	a	a/2
유효 좌굴 길이	①	②	③	④

3 강재의 탄성계수 210,000MPa, 단면적 10cm², 길이 4m, 외력으로 80kN의 인장력이 작용할 때 변형량(ΔL)을 구하시오. (2점)

계산과정 :

정 답

정답 1

(1) $\sum H = 0 : \ H_A = 0$

(2) $\sum V = 0 : \ -\left(\dfrac{1}{2} \times 2 \times 3\right) + (V_A) = 0$

$\therefore V_A = +3kN(\uparrow)$

(3) $\sum M_A = 0 :$

$+(M_A) + (12) - \left(\dfrac{1}{2} \times 2 \times 3\right)\left(3 + 3 \times \dfrac{1}{3}\right) = 0$

$\therefore M_A = 0$

정답 2

① $KL = (0.7)(2a) = 1.4a$

② $KL = (0.5)(4a) = 2.0a$

③ $KL = (2.0)(a) = 2.0a$

④ $KL = (1.0)\left(\dfrac{a}{2}\right) = 0.5a$

정답 3

$\Delta L = \dfrac{P \cdot L}{E \cdot A} = \dfrac{(80 \times 10^3)(4 \times 10^3)}{(210,000)(10 \times 10^2)}$

$= 1.52mm$

4 다음 그림과 같은 단순보의 A지점의 처짐각, 보의 중앙 C점의 최대처짐량을 계산하시오.
　（단, $E = 206GPa$, $I = 1.6 \times 10^8 mm^4$） (4점)

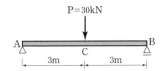

계산과정 : _____

정답 **4**

(1) A지점 처짐각 : $\theta_A = +\dfrac{1}{16} \cdot \dfrac{PL^2}{EI} = +\dfrac{1}{16} \cdot \dfrac{(30 \times 10^3)(6 \times 10^3)^2}{(206 \times 10^3)(1.6 \times 10^8)} = +0.00205 \ rad(\curvearrowright)$

(2) 중앙 C점의 처짐 : $\delta_C = +\dfrac{1}{48} \cdot \dfrac{PL^3}{EI} = +\dfrac{1}{48} \cdot \dfrac{(30 \times 10^3)(6 \times 10^3)^3}{(206 \times 10^3)(1.6 \times 10^8)} = +4.10 \ mm(\downarrow)$

※ 참고 :

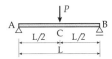

(1) 공액보(Conjugate Beam)법의 적용 :

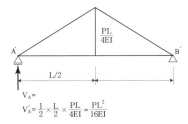

$V_A =$
$V_A' = \dfrac{1}{2} \times \dfrac{L}{2} \times \dfrac{PL}{4EI} = \dfrac{PL^2}{16EI}$

(2) 처짐각과 처짐 산정

① A점의 처짐각 : $\theta_A = V_A' = +\dfrac{1}{2} \times \dfrac{L}{2} \times \dfrac{PL}{4EI} = +\dfrac{1}{16} \cdot \dfrac{PL^2}{EI} (\curvearrowright)$

② 중앙점의 처짐 : $M_C' = \delta_C = +\left(\dfrac{PL^2}{16EI}\right)\left(\dfrac{L}{2}\right) - \left(\dfrac{PL^2}{16EI}\right)\left(\dfrac{L}{2} \times \dfrac{1}{3}\right) = +\dfrac{1}{48} \cdot \dfrac{PL^3}{EI} (\downarrow)$

5 그림과 같은 철근콘크리트 보에서 최외단 인장철근의 순인장변형률(ε_t)를 산정하고, 이 보의 지배단면(인장지배단면, 압축지배단면, 변화구간단면)을 구분하시오.

(단, $A_s = 1,927mm^2$, $f_{ck} = 24MPa$, $f_y = 400MPa$, $E_s = 200,000MPa$) (4점)

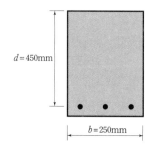

계산과정 : _____

정답 **5**

(1) $f_{ck} \leq 40MPa \rightarrow \eta = 1.00$, $\beta_1 = 0.80$

(2) $a = \dfrac{A_s \cdot f_y}{\eta \cdot 0.85 f_{ck} \cdot b} = \dfrac{(1,927)(400)}{(1.00)0.85(24)(250)} = 151.13mm$,

$c = \dfrac{a}{\beta_1} = \dfrac{(151.13)}{(0.80)} = 188.91mm$

(3) $\varepsilon_t = \dfrac{d_t - c}{c} \cdot \varepsilon_c = \dfrac{(450) - (188.91)}{(188.91)} \cdot (0.0033) = 0.00456$

(4) $0.0020 < \varepsilon_t (= 0.00456) < 0.005 \rightarrow$ 변화구간 단면

6 철근콘크리트 강도설계법에서 균형철근비의 정의를 쓰시오. (2점)

_____

_____

정답 **6**

인장철근이 설계기준항복강도 f_y에 대응하는 변형률에 도달함과 동시에 압축연단 콘크리트의 변형률이 그 극한변형률에 도달할 때의 단면의 인장철근비

7 강구조에서 메탈터치(Metal Touch)에 대한 개념을 간략하게 그림을 그려서 정의를 설명하시오. (4점)

_____

_____

_____

_____

정답 **7**

어떠한 외력조건에서도 단면에 인장응력이 생길 우려가 없고, 접합단면을 절삭 마감함으로써 밀착시킬 수 있는 구조는 압축력과 휨모멘트의 1/2이 직접 접촉면으로 전달하는 것으로 해석한다.

8 콘크리트 충전 강관(CFT) 구조를 설명하고 장 · 단점을 각각 2가지씩 쓰시오. (5점)

설명 : _____

장점 : _____

단점 : _____

정답 **8**

(2) 장 점	(3) 단 점
① 에너지 흡수 능력이 뛰어나 초고층 구조물의 내진성 유리	① 강관의 공장, 제작 규격에 의해 선택의 제약
② 기둥 시공시 거푸집 불필요	② 보와 기둥의 연속접합 시공 곤란
③ 인건비절감 및 시공속도 향상	③ 콘크리트의 충전성 품질검사 곤란

정답 **8**

(1) CFT : Concrete Filled Tube의 약칭으로 원형 또는 각형강관 내부에 콘크리트를 충전함으로써 강관이 콘크리트를 구속하는 특성에 의해 강성, 내력, 변형, 시공 등의 여러 면에서 뛰어난 특성을 발휘하는 공법

정　답

9 다음의 〔보기〕에서 설명하는 구조의 명칭을 쓰시오. (2점)

───〈보 기〉───

철골구조물 주위에 철근배근을 하고 그 위에 콘크리트가 타설되어 일체가 되도록
한 것으로서, 초고층 구조물 하층부의 복합구조로 많이 채택되는 구조

정답 **9**

매입형 합성기둥

10 다음 데이터를 보고 표준 네트워크공정표를 작성하고, 7일 공기단축한 상태의 네트워
크공정표를 작성하시오. (10점)

작업명	작업일수	선행작업	비용구배(천원)	비 고
A(①→②)	2	없음	50	(1) 결합점 위에는 다음과 같이 표시한다.
B(①→③)	3	없음	40	
C(①→④)	4	없음	30	
D(②→⑤)	5	A,B,C	20	
E(②→⑥)	6	A, B, C	10	EST LST △ LFT EFT
F(③→⑤)	4	B, C	15	① —작업명/공사일수→ ⓙ
G(④→⑥)	3	C	23	(2) 공기단축은 작업일수 의 1/2을 초과할 수 없다.
H(⑤→⑦)	6	D, F	37	
I(⑥→⑦)	7	E, G	45	

정답 **10**

(1) 표준 네트워크공정표

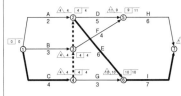

(2) 7일 공기단축한 네트워크공정표

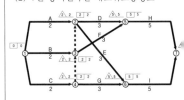

11 다음 괄호 안에 들어갈 알맞은 용어를 쓰시오. (3점)

Network공정표는 공기단축을 위해 작업시간을 3점 추정하는 (①) 공정표와
CPM공정표가 있다. CPM공정표는 작업 중심의 (②), 결합점 중심의 (③)
공정표가 있다.

정답 **11**

① PERT(Program Evaluation &
　 Review Technique)
② ADM(Arrow Diagram Method)
③ PDM(Precedence Diagram
　 Method)

12 다음 통합공정관리(EVMS : Earned Value Management System) 용어를 설명한 것 중 맞는 것을 보기에서 선택하여 번호로 쓰시오. (3점)

〈보 기〉

① 프로젝트의 모든 작업내용을 계층적으로 분류한 것
② 성과측정시점까지 투입예정된 공사비
③ 공사착수일로부터 추정준공일까지의 실 투입비에 대한 추정치
④ 성과측정시점까지 지불된 공사비(BC제)에서 성과측정시점
　 까지 투입예정된 공사비를 제외한 비용
⑤ 성과측정시점까지 실제로 투입된 금액
⑥ 성과측정시점까지 지불된 공사비(BCWP)에서 성과측점시점까지 실제로 투입된 금액을 제외한 비용
⑦ 공정, 공사비 통합, 성과측정, 분석의 기본단위

가. CA(Control Account) (　　)

나. CV(Cost Variance) (　　)

다. ACWP(Actual Cost for Work Performed) (　　)

정답 12
가. ⑦
나. ⑥
다. ⑤

13 다음 용어 간단히 설명하기 (4점)

가. 히빙(Heaving)현상 : _____

_____

나. 보일링(Boiling)현상 : _____

_____

정답 13
가. 흙막이벽 좌측과 우측의 토압차로써 흙막이 일부의 흙이 재하중 등의 영향으로 기초파기하는 공사장 안으로 흙막이벽 밑을 돌아서 미끄러져 올라오는 현상
나. 모래질 지반에서 흙막이 벽을 설치하고 기초파기 할 때의 흙막이벽 뒷면수위가 높아서 지하수가 흙막이 벽을 돌아서 지하수가 모래와 같이 솟아오르는 현상

14 다음 (　　)안에 알맞은 용어 쓰기 (2점)

콘크리트 다짐시 진동기를 과도하게 사용할 경우에는 (　①　)현상이 생기고, AE 콘크리트의 경우 (　②　)이(가) 많이 감소

정답 14
① 재료분리
② 공기량

15 현장에서 반입된 철근은 시험편을 채취한 후 시험을 하여야 하는데, 그 시험의 종류를 2가지만 쓰시오. (2점)

① _____　　② _____

정답 15
① 인장강도 시험
② 휨강도 시험

16 매스콘크리트의 수화열 저감을 위한 대책 3가지만 쓰기 (3점)

① _____

② _____

③ _____

17 Sheet방수공법의 장 · 단점을 각각 2가지 쓰기 (4점)

가. 장점

① _____

② _____

나. 단점

① _____

② _____

18 설계 · 시공 일괄계약(design-build) 장 · 단점을 각각 2가지 쓰기 (4점)

가. 장점

① _____

② _____

나. 단점

① _____

② _____

19 가설공사의 수평규준틀 설치 목적을 2가지 쓰기 (2점)

① _____

② _____

정답 **16**

① 단위시멘트 사용량을 가능한 작게 한다.

② 수화열이 낮은 시멘트를 사용

③ 프리쿨링, 파이프 쿨링 등에 의해 온도제어

※ ① 굵은 골재 칫수를 크게 하고, 잔골재율을 작게 한다.

② 골재나 물을 냉각시켜 사용한다.

정답 **17**

가. 장점

① 제품의 규격화로 방수층 두께가 균일하다.

② 상온에서 시공하므로 시공이 빠르고, 공기가 단축된다.

※ 운반이 용이하고 재료의 신축성이 있다.

나. 단점

① 온도에 민감하여, 동절기나 하절기에 작업이 제한된다.

② 복잡한 시공부위에 작업이 곤란한다.

※ ① 누수시 국부적인 보수가 곤란하다.

② Sheet 상호간 이음부의 결함우려, 외상에 의한 파손우려

정답 **18**

가. 장점

① 설계와 시공의 의사소통이 개선된다.

② 공기단축과 공사비 절감이 가능

나. 단점

① 건축주의 의도 반영의 어려움

② 대규모회사에 유리하고, 중소기업은 불리

정답 **19**

① 건물의 각부 위치를 정확하게 표시

② 건물의 높이, 기초나비, 길이 등을 정확하게 결정

20 철골 내화피복 공법의 종류에 따른 재료를 각각 2가지 쓰기 (3점)

공 법	재 료
타설공법	
조적공법	
미장공법	

21 다음 평면위 건물높이가 13.5m 일 때 비계면적을 산출하시오. (단, 도면의 단위는 mm이며, 비계형태는 쌍줄비계로 한다.) (4점)

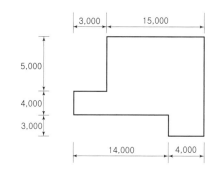

계산과정 : _____

22 시멘트 주요화합물을 4가지 쓰고, 그 중 28일 이후 장기강도에 관여하는 화합물 쓰기 (5점)

가. 주요화합물

_____

_____

나. 콘크리트의 28일 이후의 장기강도에 관여하는 화합물

_____

_____

[정답] 20
타설공법 : 콘크리트
　　　　　 경량콘크리트
조적공법 : 콘크리트 Block
　　　　　 ALC Block
미장공법 : 철망 Mortar
　　　　　 펄라이트 Mortar

[정답] 21
$A = \{0.9 \times 8 + (18+12) \times 2\} \times 13.5$
$\quad = 907.2\text{m}^2$

[정답] 22
가. 주요화합물
① 규산 삼석회(C_3S) : 규산3칼슘
② 규산 이석회(C_2S) : 규산2칼슘
③ 알민산 삼석회(C_3A)
　　: 알민산3칼슘
④ 알민산 철 사석회(C_4AF)
　　: 알민산철4칼슘
나. 콘크리트 28일 이후의 장기강
　 도에 관여하는 화합물 : 규산
　 이석회(C_2S)

23 금속판지붕공사에서 금속기와의 설치 순서를 번호로 나열하기 (4점)

─ 〈보 기〉 ─
① 서까래 설치(방부처리를 할 것)
② 금속기와 size에 맞는 간격으로 기와걸이 미송각재를 설치
③ 경량철골설치
④ Purlin설치(지붕레벨고려)
⑤ 부식방지를 위한 철골용접부위의 방청도장 실시
⑥ 금속기와 설치

정답 **23**
③ → ④ → ⑤ → ① → ② → ⑥

24 토질 관련 다음 용어를 설명 (2점)

가. 압밀 : _____

_____

나. 예민비 : _____

_____

정답 **24**
가. 압력을 받은 흙의 내부 간극에 물이 빠져나가면서 흙입자의 간격이 좁아지는 현상
나. 점토에 있어서 함수율을 변화시키지 않고 이기면 약해지는데 그 정도를 나타내는 것이 예민비이다. (압축강도의 감소비이다.)

25 T/S(Torque Shear)형 고력볼트의 시공순서 번호를 나열하기 (3점)

─ 〈보 기〉 ─
① 팁 레버를 잡아당겨 내측 소켓에 들어있는 핀테일을 제거
② 렌치의 스위치를 켜 외측 소켓이 회전하며 볼트를 체결
③ 핀테일이 절단되었을 때 외측 소켓이 너트로부터 분리되도록 렌치를 잡아당김
④ 핀테일에 내측 소켓을 끼우고 렌치를 살짝 걸어 너트에 외측 소켓이 맞춰지도록 함

정답 **25**
④ → ② → ③ → ①

26 다음은 한식기와 잇기에 관한 설명이다. ( )안에 해당하는 용어를 써넣으시오. (2점)

─ 〈보 기〉 ─
한식기와 잇기에서 산자위에서 펴 까는 진흙을 (①)(이)라 하며, 수키와 처마 끝에 막새 대신에 회백토로 둥글게 바른 것을 (②)(이)라 한다.

정답 **26**
① 알매흙
② 아귀토

27 SPS(Strut as Permanent System)공법의 특징을 4가지 쓰기 (4점)

① _____

② _____

③ _____

④ _____

정답 **27**

① 지하구조물과 지상작업 병행으로 공기가 단축된다.
② 지하구조물과 가설물의 간섭 배제로 시공성이 향상됨
③ 가설재의 폐기물 발생이 저감된다.
④ 채광, 환기 등 별도시설이 불필요
※ 기타 :
　① 가설지지체의 설치 및 해체 공정이 없어 작업능률 향상

28 부력에 의한 건축물의 부상(浮上)방지 대책을 2가지 쓰기 (2점)

① _____

② _____

정답 **28**

① Rock Anchor 공법 등 지반정착 공법 사용
② 배수공법이나 차수공법을 사용

29 콘크리트 구조물의 균열발생 시 실시하는 보강공법 3가지 쓰기 (3점)

① _____

② _____

③ _____

정답 **29**

① 강판접착 공법
② 단면증가 공법
　(단면을 증가시키는 방법)
③ 앵커접합 공법
※ ① 탄소섬유판 접착공법
　 ② 프리스트레스트 공법 등

2012년 2회 출제문제

1 다음 데이터를 네트워크 공정표로 작성하시오. (단, 반드시 비고란을 참고하여 작성) (6점)

작업명	작업일수	선행작업	비 고
A	5	-	단, 주공정선은 굵은선으로 표시한다. 각 결합점 일정계산은 PERT 기법에 의거 다음과 같이 계산한다.
B	2	-	
C	4	-	
D	5	A, B, C	
E	3	A, B, C	
F	2	A, B, C	
G	2	D, E	
H	5	D, E, F	
I	4	D, F	

비고란:
단, 주공정선은 굵은선으로 표시한다.
각 결합점 일정계산은 PERT 기법에 의거 다음과 같이 계산한다.

| ET | LT |

$$\xrightarrow[\text{공사일수}]{\text{작업명}} ① \xrightarrow[\text{공사일수}]{\text{작업명}}$$

(단, 결합점 번호는 반드시 기입한다.)

• 네크워크 공정표

공정표 작성

2 철골공사의 절단가공에서 절단방법의 종류를 3가지 쓰시오. (3점)

① _____

② _____

③ _____

① 전단절단
② 톱절단
③ 가스절단

3 철근콘크리트공사를 하면서 철근간격을 일정하게 유지하는 이유를 2가지 쓰시오. (2점)

① _____

② _____

① 콘크리트의 유동성(시공성) 확보
② 재료분리 방지
③ 소요강도 확보

4 탑다운 공법(Top-down method)공법은 지하구조물의 시공순서를 지상에서부터 시작하여 점차 깊은 지하로 진행하며 완성하는 공법으로서 여러 장점이 있다. 이 중 작업공간이 협소한 부지를 넓게 쓸 수 있는 이유를 기술하시오. (3점)

_____

_____

5 흙막이벽의 계측에 필요한 기기류를 3가지만 쓰시오. (3점)

① _____

② _____

③ _____

6 기초의 부동침하는 구조적으로 문제를 일으키게 된다. 이러한 기초의 부동침하를 방지하기 위한 대책 중 기초구조부분에 처리할 수 있는 사항을 4가지 기술하시오. (4점)

① _____

② _____

③ _____

④ _____

7 철골공사 중 용접접합과 고장력볼트 접합의 장점을 각각 2가지씩 쓰시오. (4점)

가. 용접

① _____   ② _____

나. 고장력볼트

① _____   ② _____

8 지반 개량공법 중 샌드드레인 공법(Sand Drain)에 대하여 설명하시오. (3점)

_____

정답

정답 4

역타공법은 1층 바닥판을 선시공하여서 이것을 작업장으로 활용하므로 협소한 대지에서도 효율적인 공간 활용이 가능한 공법이다.

정답 5

① 경사계(Tilt Meter)
② 변형계(Strain Gauge)
③ 토압계(Soil Pressure Gauge)

정답 6

① 기초를 경질지반에 지지시킬 것
② 마찰말뚝을 사용할 것
   (지지말뚝과 혼용금지)
③ 지하실을 설치할 것
④ 복합기초를 사용할 것

정답 7

가. 용접
① 강재의 양을 절약할 수 있다.
② 접합부의 일체성과 수밀성이 확보된다.
나. 고장력 볼트
① 현장 시공설비가 간단하다.
② 불량부분의 수정이 쉽다.

정답 8

지름 40~60cm의 구멍을 뚫고 모래를 넣은 후, 성토 및 기타 하중을 가하여 점토질 지반을 압밀하여 탈수하는 공법

9 품질관리도구 중 특성요인도(Characteristics Diagram)에 대하여 설명하시오. (3점)

_____

_____

정답 **9**
결과에 원인이 어떻게 관계하고 있는가를 한눈에 알 수 있도록 작성한 그림

10 거푸집 측압에 영향을 주는 요소는 여러 가지가 있지만, 건축 현장의 콘크리트 부어넣기 과정에서 거푸집 측압에 영향을 줄 수 있는 요인을 3가지 쓰시오. (3점)

① _____

② _____

③ _____

정답 **10**
① 콘크리트의 타설속도
② 다짐시 진동기 사용
③ 콘크리트의 슬럼프값
　(콘크리트 묽기의 정도)
※ 기타 : 콘크리트의 비중

11 공사내용의 분류방법에서 목적에 따른 Breakdown Structure의 3가지 종류를 쓰시오. (3점)

① _____

② _____

③ _____

정답 **11**
① 작업분류체계 （WBS : Work
　Breakdown Structure)
② 조직분류체(OBS : Organization
　Breakdown Structure)
③ 원가분류체계(CBS : Cost
　Breakdown Structure)

12 A.E제에 의하여 생성된 entrained air의 목적을 4가지를 쓰시오. (4점)

① _____

② _____

③ _____

④ _____

정답 **12**
① 워커빌리티(시공연도) 증진
② 단위수량 감소
③ 동결융해 저항성 증대
　(내구성 증진)
④ 재료분리 및 Bleeding 현상 감소

13 표준형 벽돌 1,000장으로 1.5B두께로 쌓을 수 있는 벽 면적은? (단, 할증율은 고려하지 않는다.) (4점)

계산과정 : _____

정답 **13**
벽면적 : $1,000 \div 224 = 4.464$
　　　　 $\rightarrow 4.46m^2$

14 프리스트레스트 콘크리트(Pre-stressed Concrete)의 프리텐션(Pre-tension)방식과 포스트텐션(Post-tension)방식에 대하여 설명하시오. (4점)

가. 프리텐션 방식 : _____

_____

나. 포스트텐션 방식 : _____

_____

[정답] **14**
가. 강현재에 인장력을 가한 상태로 콘크리트를 부어 넣고 경화후 단부에서 인장력을 풀어주어 콘크리트에 압축력을 가한다.
나. 쉬드를 설치하고 콘크리트를 경화시킨 뒤 쉬드 구멍에 강현재를 삽입, 긴장시키고, 시멘트 페이스트로 그라우팅 한후 인장력을 풀어준다.

15 하절기(서중) 콘크리트의 문제점에 대한 대책을 보기에서 모두 골라 번호로 쓰시오. (3점)

― 〈보 기〉 ―
① 단위시멘트량 증대   ② 응결촉진제 사용
③ 운반 및 타설시간의 단축계획 수립   ④ 중용열 시멘트 사용
⑤ 재료의 온도상승 방지대책 수립

[정답] **15**
③, ④, ⑤

16 다음은 건축공사표준시방서에 따른 거푸집널 존치기간 중의 평균기온이 10℃ 이상인 경우에 콘크리트의 압축강도 시험을 하지 않고 거푸집을 떼어 낼 수 있는 콘크리트의 재령(일)을 나타낸 표이다. 빈 칸에 알맞은 날수를 표기하시오. (4점)

기초, 보옆, 기둥 및 벽의 거푸집널 존치기간을 정하기 위한 콘크리트의 재령

시멘트의 종류 평균기온	조강포틀랜드시멘트	보통포틀랜드시멘트 고로슬래그시멘트 1종	고로슬래그시멘트 2종 포틀랜드포졸란시멘트 2종
20℃ 이상	①	③	5일
20℃ 미만 10℃ 이상	②	6일	④

[정답] **16**
① 2일
② 3일
③ 4일
④ 8일

17 미장재료 중 기경성(氣硬性)과 수경성(水硬性) 재료를 각각 2가지씩 쓰시오. (4점)

가. 기경성 미장재료

① _____   ② _____

나. 수경성 미장재료

① _____   ② _____

[정답] **17**
가. ① 회반죽
② 돌로마이트 플라스터 (마그네시아 석회)
나. ① 석고플라스터
② 시멘트모르타르

18 안방수와 바깥방수의 차이점을 4가지 쓰시오. (4점)

① ______

② ______

③ ______

④ ______

정답 18

① 안방수는 수압이 작은 얕은 지하에 사용, 바깥방수는 수압이 큰 깊은 지하에 사용
② 안방수는 시공이 간단, 바깥방수는 시공이 난이함.
③ 안방수는 비교적 저렴함, 바깥방수는 비교적 고가임.
④ 안방수는 보호누름 필요, 바깥방수는 없어도 무방함.

19 커튼월(Curtain Wall)방식을 다음의 분류에 따라 각각 2가지씩 쓰시오. (4점)

(1) 구조형식에 의한 분류

______

(2) 조립방식에 의한 분류

______

정답 19

(1) 패널방식, 샛기둥방식
(2) Unit-Wall 방식, Stick-Wall 방식

20 철골공사에서 베이스플레이트(Base Plate)의 시공 시 사용되는 충전재의 명칭을 쓰시오. (2점)

______

정답 20

무수축 Mortar

21 콘크리트 골재에서 유효 흡수량에 대해 기술하시오. (3점)

______

정답 21

표면건조 내부포화상태의 질량과 기건상태의 질량과의 차이

22 다음 그림은 철골 보-기둥 접합부의 개략적인 그림이다. 각 번호에 해당하는 구성재의 명칭을 쓰시오. (3점)

① ______

② ______

③ ______

정답 22

① 스티프너
② 하부 플랜지 플레이트
③ 전단 플레이트

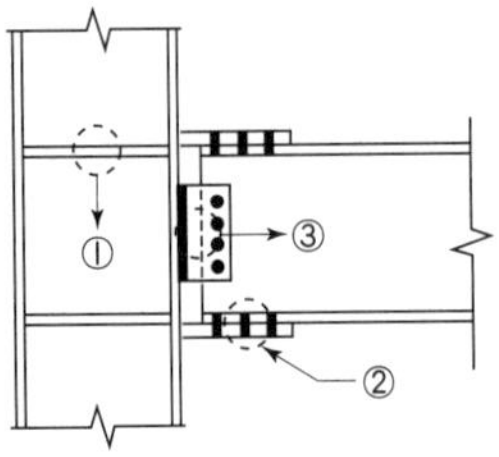

23 다음의 미장공사와 관련된 용어에 대하여 설명하시오. (4점)

가. 바탕처리 :

나. 덧먹임 :

정답 **23**

가. 바탕처리 : 요철 또는 변형이 심한 개소를 고르게 덧바르거나 깎아내어 마감두께가 균등하게 되도록 조정하는 것. 또는 바탕면이 지나치게 평활할 때 거칠게 하여 미장바름의 부착이 양호하도록 표면을 처리하는 것

나. 덧먹임 : 바르기의 접합부 또는 균열의 틈새, 구멍등에 반죽된 재료를밀어 넣어 때우는 것

24 휨 부재의 공칭강도에서 최외단 인장철근의 순인장 변형률 ε_t 가 0.004일 경우 강도 감소계수 ϕ 를 구하시오. (단, $f_y = 400MPa$) (3점)

계산과정 :

정답 **24**

① 최외단 인장철근의 변형률 :
$$0.002 < \varepsilon_t(=0.004) < 0.005$$
이므로 변화구간 단면의 부재이다.

② $\phi = 0.65 + (\varepsilon_t - 0.002) \times \dfrac{200}{3}$

$= 0.65 + (0.004 - 0.002) \times \dfrac{200}{3}$

$= 0.783$

25 그림과 같이 8-D22로 배근된 철근콘크리트 기둥에서 띠철근의 최대 수직간격을 구하시오. (3점)

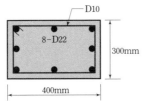

계산과정 :

정답 **25**

(1) $22mm \times 16 = 352mm$
(2) $10mm \times 48 = 480mm$
(3) 기둥의 최소폭 $300mm \times \dfrac{1}{2}$
$= 150mm$
(4) $200mm \leftarrow$ 지배

26 철근 콘크리트로 설계된 보에서 압축을 받는 D22 철근의 기본정착길이를 구하시오. (단, $f_y = 400MPa$, 보통중량콘크리트 $f_{ck} = 24MPa$ 이다.) (3점)

계산과정 :

정답 **26**

① $l_{db} = \dfrac{0.25d_b \cdot f_y}{\lambda \sqrt{f_{ck}}} = \dfrac{0.25(22)(400)}{1.0 \times \sqrt{24}}$

$= 449.07mm$

② $l_{db} = 0.043d_b \cdot f_y = 0.043(22)(400)$

$= 378.40mm$

∴ ①, ② 중 큰 값인 449.07mm

27 다음 그림의 x축에 대한 단면2차모멘트를 구하시오. (2점)

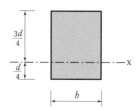

계산과정:

$$I_x = I_{도심} + A \cdot e^2 = \frac{bd^3}{12} + (bd)\left(\frac{d}{4}\right)^2$$
$$= \frac{7bd^3}{48}$$

28 다음 구조물의 부정정 차수를 구하시오. (3점)

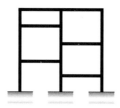

계산과정:

$$N = r + m + f - 2j$$
$$= (3+3+3) + (17) + (20) - 2(14)$$
$$= 18차 \ 부정정$$

29 1단 자유, 타단 고정인 길이 2.5m인 압축력을 받는 철골조 기둥의 탄성좌굴하중을 구하시오. (단, 단면2차모멘트 $I = 798,000mm^4$, 탄성계수 $E = 210,000MPa$) (3점)

계산과정:

$$P_{cr} = \frac{\pi^2 EI}{(KL)^2} = \frac{\pi^2 (210,000)(798,000)}{(2.0 \times 2,500)^2}$$
$$= 66,157N = 66.157kN$$

30 철골부재에서 비틀림이 생기지 않고 휨변형만 유발하는 위치를 전단중심(shear center) 이라 한다. 다음 형강들에 대하여 전단중심의 위치를 각 단면에 표기하시오. (3점)

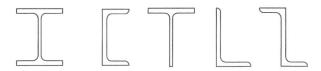

정답 **30**

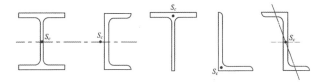

2012년 3회 출제문제

1 아래 그림에서와 같이 터파기를 했을 경우, 인접 건물의주위 지반이 침하할 수 있는 원인을 3가지 쓰시오. (단, 일반적으로 인접하는 건물보다 깊게 파는 경우) (3점)

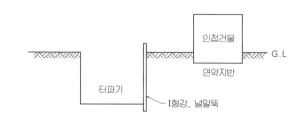

① _____

② _____

③ _____

2 지내력 시험방법 2가지를 쓰시오. (2점)

① _____   ② _____

3 다음 설명에 알맞는 콘크리트용 혼화재료의 명칭을 쓰시오. (3점)

가. (   ) : 콘크리트 내부에 미세한 독립된 기포를 발생시켜 콘크리트의작업성 및 동결용해 저항성능을 향상시키기 위해 사용되는 혼화제

나. (   ) : 콘크리트 내부의 철근이 콘크리트에 혼입되는 염화물에 의해 부식되는 것을 억제하기 위해 이용되는 혼화제

다. (   ) : 콘크리트의 단위용적중량의 경감 혹은 단열성의 부여를 목적으로 안정된 기포를 물리적인 수법으로 도입시키는 혼화제

4 다음 조적식 구조의 가준내용의 빈칸을 채우시오. (2점)

가. 조적식구조인 내력벽의 길이는 (   )m를 넘을 수 없다.

나. 조적식구조인 내력벽으로 둘러싸인 부분의 바닥면적은 (   )m²를 넘을 수 있다.

정답 1
① 히이빙 파괴에 의한 경우
② 보일링 현상에 의한 경우
③ 버팀대를 시공치 않았을 경우
④ 파이핑에 의한 침하
⑤ 널말뚝의 저면타입 깊이를 작게 했을 경우
⑥ 널말뚝 이동에 따른 침하
⑦ 뒷채움 불량에 의한 침하
⑧ 연약지반의 보강공사를 하지 않은 경우의 부동침하

정답 2
① 평판 재하시험
② 말뚝의 재하시험

정답 3
가. 공기연행제(AE제)
나. 방청제, 제염제
다. 기포제, 발포재

정답 4
가. 10
나. 80

5 단위 중량 13.3kg/m인 L-형강(2L-90×90×10) 5m의 중량(kg)을 구하시오. (2점)

계산과정: _____

[정답] **5**

앵글(flange) : 5m×2개×13.3
　　　　　　 =133kg

6 다음 금속공사에 이용되는 철물이 뜻하는 용어를 보기에서 골라 그 번호를 쓰시오. (4점)

────〈보 기〉────

(1) 철선을 꼬아 만든 철망.
(2) 얇은 철판에 각종 모양을 도려낸 것.
(3) 벽, 기둥의 모서리에 대어 미장바름을 보호하는 철물.
(4) 테라죠 현장갈기의 줄눈에 쓰이는 것.
(5) 얇은 철판에 자름금을 내어 당겨 늘린 것.
(6) 연강 철선을 직교시켜 전기 용접한 것.
(7) 천정, 벽 등의 이음새를 감추고 누르는 것.

(가) 와이어라스 : _____ (나) 메탈라스 : _____

(다) 와이어메쉬 : _____ (라) 펀칭메탈 : _____

[정답] **6**

(가) - (1)   (나) - (5)
(다) - (6)   (라) - (2)

7 다음 그림과 같이 배근된 보에서 외력에 의해 휨 균열을 일으키는 균열모멘트(M_{cr})을 구하시오. (단, 보통중량콘크리트 $f_{ck} = 24MPa$, $f_y = 400MPa$ 이다.) (4점)

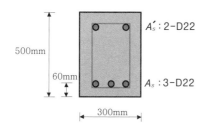

500mm
60mm
A'_s : 2-D22
A_s : 3-D22
300mm

계산과정: _____

[정답] **7**

① 보통중량콘크리트이므로 $\lambda = 1.0$

② $M_{cr} = 0.63\lambda\sqrt{f_{ck}} \cdot \dfrac{bh^2}{6}$

　　 $= 0.63(1.0)\sqrt{(24)} \cdot \dfrac{(300)(500)^2}{6}$

　　 $= 38,579,463 N \cdot mm$

　　 $= 38.579 kN \cdot m$

8 목공사에서 활용되는 이음, 맞춤, 쪽매에 대해 설명하시오. (3점)

    가. 이음 : _____

    나. 맞춤 : _____

    다. 쪽매 : _____

9 토질과 관련된 아래의 용어에 대해 설명하시오. (6점)

    가. 히빙(Heaving) 현상 : _____

    _____

    나. 보일링(Boiling) 현상 : _____

    _____

    다. 흙의 휴식각 : _____

    _____

10 Life Cycle Cost(LCC)에 대해 간단히 설명하시오. (2점)

_____

_____

11 중심축하중을 받는 단주의 최대 설계축하중을 구하시오.

    (단, $f_{ck} = 27MPa$, $f_y = 400MPa$, $A_{st} = 3,096mm^2$ 이다.) (3점)

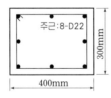

주근:8-D22
300mm
400mm

    계산과정 : _____

정답 8

가. 두 부재를 재의 길이방향으로 길게 접합하는 것

나. 두 부재를 서로 직각 또는 일정한 각도로 접합하는 것

다. 두 부재를 길이 방향과 평행으로 옆대어 붙이는 것

정답 9

가. 흙막이벽 좌측과 우측의 토압차로써 흙막이 일부의 흙이 재하중 등의 영향으로 기초파기하는 공사장 안으로 흙막이벽 밑을 돌아서 미끄러져 올라오는 현상

나. 모래질 지반에서 흙막이 벽을 설치하고 기초파기 할 때의 흙막이벽 뒷면수위가 높아서 지하수가 흙막이 벽을 돌아서 지하수가 모래와 같이 솟아오르는 현상

다. 흙입자간의 응집력, 부착력을 무시한채 즉 마찰력만으로 중력에 대해 정지하는 흙의 사면각도이다.

정답 10

건축물의 기획, 설계, 시공, 유지관리, 해체의 전과정에 필요한 제비용을 합한 전생애주기비용을 말함.

정답 11

$\phi P_n = \phi(0.80)[0.85 f_{ck} \cdot (A_g - A_{st}) + f_y \cdot A_{st}]$

$= (0.65)(0.80)[0.85(27) \cdot (300 \times 400 - 3,096) + (400)(3,096)]$

$= 2,039,100N = 2,039.1kN$

12 다음 조건으로 요구하는 산출을 구하시오. (단, L : 1.3, C : 0.9) (9점)

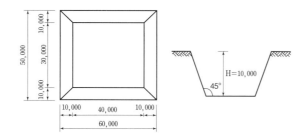

① 터파기량을 산출하시오.

___

② 운반대수를 산출하시오.(운반대수는 1대, 적재량은 12m³)

___

③ 5,000m²의 면적을 가진 성토장에 성토하여 다짐할 때 표고는 몇 m인지 구하시오. (비탈면은 수직으로 가정한다.)

___

정답　**12** ① 터파기량 : $V = \dfrac{h}{6}\left[(2a+a')b + (2a'+a)b'\right]$

$\qquad\qquad\quad = \dfrac{10}{6}\left[(2 \times 60 + 40) \times 50 + (2 \times 40 + 60) \times 30\right]$

$\qquad\qquad\quad = 20,333.333 \rightarrow 20,333.33m^3$

　② 운반대수 : $\dfrac{20,333.33 \times 1.3}{12} = 2,202.7 \rightarrow 2,203$ 대

　③ 성토표고 : 자연상태토량 $\times C = 20,333.33 \times 0.9 = 18,299,997m^3$

$\qquad\quad \therefore$ 표고 $= \dfrac{18,299,997}{5,000} = 3.659 \rightarrow 3.66m$

13 수동 아크 용접에서 용접봉 피복재의 역할에 대하여 3가지를 쓰시오. (3점)

① _____

② _____

③ _____

14 1단 자유, 타단 고정, 길이 2.5m인 압축력을 받는 H형강 기둥 (H-100×100×6×8)의 탄성좌굴하중을 구하시오. (4점)

(단, $I_x = 383 \times 10^4 mm^4$, $I_y = 134 \times 10^4 mm^4$, $E = 210,000 N/mm^2$)

Pcr

2.5m

계산과정 : _____

15 TQC에 이용되는 도구 중 다음에 대하여 설명하시오. (4점)

(가) 파레토도 : _____

(나) 특성요인도 : _____

(다) 층별 : _____

(라) 산점도 : _____

16 다음 작업리스트에서 네트워크 공정표를 작성하고, 각 작업의 여유시간을 구하시오. (10점)

작업명	작업일수	선행작업	비 고
A	5	없음	
B	6	A	
C	5	A	1. CP는 굵은 선으로 표시한다.
D	4	A	2. 각 결합점에서는 다음과 같이 표시한다.
E	3	B	
F	7	B, C, D	
G	8	D	
H	6	E	
I	5	E, F	
J	8	E, F, G	
K	7	H, I, J	

정답 **16**

① 공정표 작성

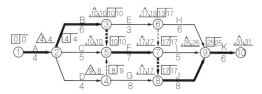

② 여유시간계산

작업명	TF	FF	DF
A	0	0	0
B	0	0	0
C	1	1	0
D	1	0	1
E	4	0	4
F	0	0	0
G	1	1	0
H	6	6	0
I	3	3	0
J	0	0	0
K	0	0	0

해설 D작업과 E작업은 DF가 0이 아님을 확인하라!

17 콘크리트의 알칼리 골재반응을 방지하기 위한 대책을 3가지 쓰시오. (3점)

① _____

② _____

③ _____

정답 **17**
① 저알카리시멘트 사용(알카리함량 0.6% 이하)
② Fly Ash 사용(양질의 포졸란이 반응억제)
③ 방수제를 사용, 수분을 억제한다.

18 도장공사에 쓰이는 녹막이용 도장재료를 2가지만 쓰시오. (2점)

① _____ ② _____

정답 **18**
① 광명단 도료
② 알루미늄 도료

19 지반조사를 위한 보링의 종류를 3가지 쓰시오. (3점)

① _____ ② _____

③ _____

정답 **19**
① 수세식 보오링
② 회전식 보오링
③ 충격식 보오링

20 기초와 지정의 차이점을 기술하시오. (4점)

(1) 기초 : _____

_____

(2) 지정 : _____

_____

정답 **20**
(1) 건축물의 최하부에서 상부구조의 하중을 받아서 지반에 안전하게 전달시키는 구조부분
(2) 기초밑면을 보강하거나 지반의 지지력을 보강해주기 위한 부분

21 콘크리트공사와 관련된 다음 용어를 간단히 설명하시오. (4점)

가. 콜드조인트(Cold Joint) : _____

_____

나. 블리딩(Bleeding) : _____

_____

_____

정답 **21**
가. 콘크리트 시공과정 중 휴식시간 등으로 응결하기 시작한 콘크리트에 새로운 콘크리트를 이어칠때 일체화가 저해되어 생기게 되는 줄눈
나. 아직 굳지 않은 시멘트풀, 몰탈 및 콘크리트에서 물이 윗면에 스며오르는 현상
(일종의 재료분리 현상)

22 그림과 같은 평행현 트러스의 U_2, L_2 부재의 부재력을 절단법으로 구하시오. (4점)

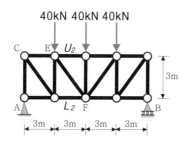

계산과정 : _____

23 다음 설명이 가르키는 용어명을 쓰시오. (3점)

(가) 신축이 가능한 무지주공법의 수평지지보 :

(나) 무량판 구조에서 2방향 장선 바닥판구조가 가능하도록 된 기성재 거푸집 :

(다) 한 구획 전체의 벽판과 바닥판을 ㄱ자형 또는 ㄷ자형으로 짜는 거푸집 :

(가) _____ (나) _____ (다) _____

24 다음 장방형 단면에서 각 축에 대한 단면2차모멘트의 비 I_x / I_y 를 구하시오. (2점)

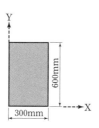

계산과정 : _____

정답 **22**

(1) $V_A = \dfrac{40 + 40 + 40}{2} = +60kN(\uparrow)$

(2) $M_F = 0 : +(60)(6) - (40)(3)$
$\qquad\qquad + (U_2)(3) = 0$
$\qquad \therefore U_2 = -80kN$ (압축)

(3) $M_E = 0 : +(60)(3) - (L_2)(3) = 0$
$\qquad \therefore L_2 = +60kN$ (인장)

정답 **23**

(가) 페코 비임(Pecco Beam)
(나) 워플 폼(Waffle Form)
(다) 터널 폼(Tunnel Form)

정답 **24**

(1) $I_x = \dfrac{(300)(600)^3}{12} + (300 \times 600)(300)^2$
$\qquad = 2.16 \times 10^4 mm^4$

(2) $I_y = \dfrac{(600)(300)^3}{12} + (600 \times 300)(150)^2$
$\qquad = 5.4 \times 10^9 mm^4$

(3) $\dfrac{I_x}{I_y} = \dfrac{2.16 \times 10^{10}}{5.4 \times 10^9} = 4$

25 철골부재 용접부의 결함 종류를 3가지만 쓰시오. (2점)

①　_____　　②　_____

③　_____

① 슬래그 감싸들기
② 언더컷(Under Cut)
③ 오버랩(Overlap)

26 어스 앵커(Earth Anchor) 공법에 대하여 설명하시오. (3점)

_____

_____

_____

흙막이 설치후 흙막이 배면을 Earth Drill로 천공하여 인장재와 Mortar를 주입, 경화시킨 후 강재의 인장력에 의해서 토압을 지지하게 하는 흙막이 공법

27 네트워크(Net Work) 공정관리기법 중 서로 관계있는 항목을 연결하시오. (4점)

① 계산공기　　　　　　㉮ 네트워크 중의 둘 이상의 작업이 연결된 작업의 경로

② 패스(Path)　　　　　㉯ 네트워크 시간산식에 의하여 얻은 기간

③ 더미(Dummy)　　　　㉰ 작업의 여유시간

④ 플로우트(Float)　　　㉱ 네트워크 작업의 상호관계를 나타내는 점선 화살선

① (　　　)　　② (　　　)　　③ (　　　)　　④ (　　　)

① ㉯　　　　　② ㉮
③ ㉱　　　　　④ ㉰

28 다음 그림과 같은 겔버보에서 A단의 휨모멘트를 구하시오. (2점)

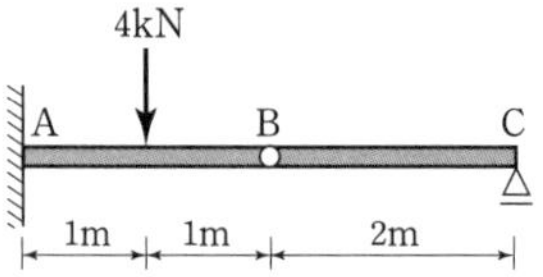

계산과정 : _____

$$M_{A,Right} = -[+(4)(1)] = -4kN \cdot m(\frown)$$

2013년 1회 출제문제

1 건축주와 시공자간에 다음과 같은 조건으로써 실비한정비율보수가산식을 적용하여 계약을 체결했으며, 공사완료 후 실제소요공사비를 상호 확인한 결과 90,000,000원이었다. 이 때 건축주가 시공자에게 지불해야 하는 총 공사금액은 얼마인가? (3점)

> [계약조건]
> (1) 한정된 실비 : 100,000,000원
> (2) 보수비율 : 5%

2 다음 데이터를 네트워크 공정표로 작성하고, 각 작업의 여유시간을 구하시오. (10점)

작 업	선행작업	소요일수	비 고
A	없음	3	단, 이벤트(Event)에는 번호를 기입하고, 주공정선은 굵은 선으로 표기한다.
B	없음	2	
C	없음	4	
D	C	5	
E	B	2	
F	A	3	
G	A, C, E	3	
H	D, F, G	4	

- 네크워크 공정표

정 답

정답 **1**

실비한정비율보수가산식에서의 공사비 산출 방법
(1) 실제소요공사비가 계약한 한정된 실비보다 커진 경우
한정된 실비+(한정된 실비×보수비율)로 산정즉, 실제소요공사비가 한정된 실비보다 커졌더라도 1억 5백만원 이내에서 지불함
(2) 실제소요공사비가 계약한 한정된 실비보다작은 경우
실제소요공사비+(실제소요공사비×보수비율)로 산정함
　※ 이 문제의 경우는 (2) 방법으로 계산
9천만원+(9천만원×0.05)＝9천4백5십만(94,500,000원)

정답 **2**

① 네트워크 공정표

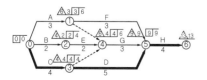

② 여유시간 산정

작업명	TF	FF	DF
A	3	0	3
B	2	0	2
C	0	0	0
D	0	0	0
E	2	0	2
F	3	3	0
G	2	2	0
H	0	0	0

3 중량콘크리트의 용도를 쓰고, 대표적으로 사용되는 골재 2가지를 쓰시오. (3점)

　(가) 용도 :

　_____

　(나) 사용골재 :

　_____

　_____

|정답| **3**
(가) 용도 : 방사선 차단
(나) 사용골재 : 중정석(Barite), 철
　　　광석(자철광 : Magnetite)

4 토량 2,000m³, 2대의 불도저가 삽날용량 0.6m³, 토량환산계수 0.7, 작업효율 0.9, 1
회 사이클시간 15분일 때 작업완료시간을 계산하시오. (4점)

　계산과정 : _____

|정답| **4**

(1) $Q = \dfrac{60 \cdot g \cdot f \cdot E}{Cm}$

$= \dfrac{60 \times 0.6 \times 0.7 \times 0.9}{15} = 1.512\text{m}^3/\text{hr}$

(2) $2{,}000\text{m}^3 \div 1.512\text{m}^3/\text{hr} \div 2\text{대}$
$= 661.38\text{hr}$

5 진도관리에 사용되는 S-Curve(바나나 곡선)는 주로 무엇을 표시하는데 활용되는지를
설명하시오. (2점)

　_____

　_____

|정답| **5**
공사일정의 예정과 실시상태를 그
래프에 대비하여 공정진도를 파악
하기 위함

6 다음과 같은 조건의 철근콘크리트 띠철근 기둥의 설계축하중 ϕP_n (kN)를 구하시오.

　(조건 : f_{ck} =24MPa, f_y =400MPa이고 8-HD22, HD22 철근 한 개의 단면적은
387mm² , 강도감소계수 ϕ =0.65) (3점)

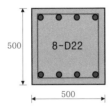

　계산과정 : _____

정답 6

$\phi P_n = \phi(0.80 \cdot P_o)$
$= (0.65)(0.80)[0.85 f_{ck} \cdot (A_g - A_{st}) + f_y \cdot A_{st}]$
$= (0.65)(0.80)[0.85(24)(500^2 - 8 \times 387) + (400)(8 \times 387)]$
$= 3,263,125 N = 3,263,125 kN$

7 시멘트 창고 관리방법 4가지를 쓰시오. (4점)

① _____

② _____

③ _____

④ _____

정답 7
① 주위에 배수도랑을 두고 누수를 방지한다.
② 바닥은 지반에서 30cm 이상의 높이로 한다.
③ 필요한 출입구 및 채광창이외에 공기유통을 막기위하여 될 수 있는대로 개구부를 설치하지 아니한다.(환기창 설치금지)
④ 반입, 반출구는 따로 두고 먼저 반입한 것을 먼저 쓴다.

8 다음 (　) 안에 알맞은 숫자를 기입하시오. (2점)

─ 〈보 기〉 ─
기성콘크리트말뚝을 타설할 때 그 중심간격은 말뚝지름의 (　　　)배 이상 또한
(　　　)mm 이상으로 한다.

정답 8
2.5, 750

9 염분을 포함한 바다모래를 골재로 사용하는 경우 철근 부식에 대한 방청상 유효한 조치를 3가지, 4가지 쓰시오. (3점)

① _____

② _____

③ _____

④ _____

정답 9
① 철근 표면에 아연도금 처리
② 콘크리트에 방청제 혼입
③ 에폭시 코팅 철근사용
④ 골재에 제염제 혼합사용
⑤ W/C비 적게, 철근피복두께 확보

10 철골공사에서 활용되는 표준볼트장력을 설계볼트장력과 비교하여 설명하시오. (2점)

_____

_____

정답 **10**

설계볼트장력은 고장력볼트 설계미끄럼강도를 구하기 위한 값이며, 현장시공에서의 표준볼트장력은 설계볼트장력에 10%를 할증한 값으로 한다.

11 다음 그림과 같은 창고를 시멘트 벽돌로 신축하고자 할 때 벽돌 쌓기량(매)과 내외벽 시멘트 미장할 때 미장면적을 구하시오. (9점)

(단, ① 벽두께는 외벽 1.5B쌓기, 간막이벽 1.0B쌓기로 하고 벽높이는 안밖 공히 3.6m로 가정하며 벽돌은 표준형(190×90×57)으로 할증율은 5%임

② 창문틀 규격은

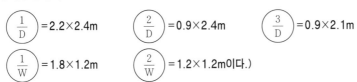

$$\left(\frac{1}{D}\right)=2.2\times2.4\text{m} \qquad \left(\frac{2}{D}\right)=0.9\times2.4\text{m} \qquad \left(\frac{3}{D}\right)=0.9\times2.1\text{m}$$

$$\left(\frac{1}{W}\right)=1.8\times1.2\text{m} \qquad \left(\frac{2}{W}\right)=1.2\times1.2\text{m이다.})$$

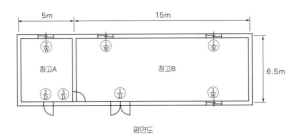

평면도

(가) 벽돌량 : _____

_____

(나) 미장면적 : _____

_____

정답 **11**

(가) 벽돌량

① 외벽(1.5B) : {(20+6.5)×2×3.6
 -(2.2×2.4+0.9×2.4+1.2×1.2+
 1.8×1.2×3)}224=39,298.5장

② 내벽(1.0B) : {(6.5-0.29)×3.6-
 (0.9×2.1)}×149=3,049.4장

∴ 총 벽돌량=(39,298.5+3,049.4)
 ×1.05=44,465.2

(나) 미장면적

① 외부:{(20.29+6.79)×2×3.6-
 15.36}=179.616m²

② 내부:{(14.76+6.21)×2+(4.76+
 6.21)×2}×3.6-19.14=210.828m²

∴ 총 미장면적=(179.616+210.828)
 =390.444

(가) 벽돌량 : 44,465장
(나) 미장면적 : 390.44m²

12 다음 보기 중 매스콘크리트의 온도균열을 방지할 수 있는 기본적인 대책을 모두 골라 적으시오. (3점)

┌─── 〈보 기〉 ───
㉮ 응결촉진제 사용   ㉯ 중용열시멘트 사용
㉰ pre-cooling방법 사용   ㉱ 단위시멘트량 감소
㉲ 잔골재율 증가   ㉳ 물시멘트비 증가
└─────────────

정답 12

㉯, ㉰, ㉱

13 주어진 색에 알맞은 콘크리트용 착색제를 보기에서 골라 번호로 쓰시오. (4점)

┌─── 〈보 기〉 ───
① 카본블랙   ② 군청
③ 크롬산 바륨   ④ 산화크롬
⑤ 산화제2철   ⑥ 이산화망간
└─────────────

(1) 초록색 - (   )   (2) 빨강색 - (   )

(3) 노랑색 - (   )   (4) 갈 색 - (   )

정답 13

(1) 초록색 - (④)
(2) 빨강색 - (⑤)
(3) 노랑색 - (③)
(4) 갈 색 - (⑥)

14 다음에 제시한 흙막이 구조물 계측기 종류에 적합한 설치 위치를 한가지씩 기입하시오. (4점)

① 하중계 : _____

② 토압계 : _____

③ 변형율계 : _____

④ 경사계 : _____

정답 14

① 하중계 : strut(버팀대)의 양단에 설치
② 토압계 : 토압측정위치의 지중에 설치
③ 변형율계 : 지중의 콘크리트 벽체나 어미말뚝 혹은 버팀대 중간에 설치
④ 경사계 : 인접건물의 벽체나 바닥에 설치

15 재령 28일 콘크리트 표준공시체(ϕ 150mm×300mm)에 대한 압축강도시험 결과 파괴하중이 400kN일 때 압축강도 f_c(MPa)를 구하시오. (3점)

계산과정 : _____

정답 15
$$f_c = \frac{P}{A} = \frac{P}{\frac{\pi D^2}{4}} = \frac{(400 \times 10^3)}{\frac{\pi (150)^2}{4}}$$
$$= 22.635 \text{N/mm}^2 = 22.635 \text{MPa}$$

16 다음의 거푸집 공사와 관련된 용어를 쓰시오. (5점)

> (1) 슬라브에 배근되는 철근이 거푸집에 밀착되는 것을 방지하기 위한 간격재(굄재)
> (2) 벽거푸집이 오므라드는 것을 방지하고 간격을 유지하기 위한 격리재
> (3) 거푸집 긴장철선을 콘크리트 경화 후 절단하는 절단기
> (4) 콘크리트에 달대와 같은 설치물을 고정하기 위하여 매입하는 철물
> (5) 거푸집의 간격을 유지하며 벌어지는 것을 막는 긴장제

(1) _____ (2) _____

(3) _____ (4) _____

(5) _____

정답 16
(1) 스페이서
(2) 세퍼레이터
(3) 와이어 클립퍼
(4) 인서트
(5) 폼타이

17 그림과 같은 L-100×100×7 인장재의 순단면적(mm²)을 구하시오. (3점)

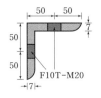

F10T-M20

계산과정 : _____

정답 17
$$A_n = A_g - n \cdot d \cdot t = (7)(200\text{-}7)$$
$$-(2)(20+2)(7) = 1,043 \text{mm}^2$$

18 철근배근시 철근이음 방식 3가지를 쓰시오. (3점)

(1) _____

(2) _____

(3) _____

19 그림과 같은 콘크리트 기둥이 양단힌지로 지지되었을 때 약축에 대한 세장비가 150이 되기 위한 기둥의 길이(m)를 구하시오. (3점)

200

150

계산과정 : _____

20 그림과 같은 독립기초의 2방향 뚫림전단(Punching Shear) 응력산정을 위한 저항면적(cm²)을 구하시오. (3점)

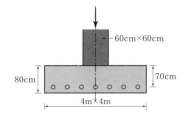

60cm×60cm

80cm

70cm

4m×4m

계산과정 : _____

(1) 겹친이음
(2) 용접이음 (가스압접이음)
(3) 기계식이음 (sleeve 압착이음)
(4) coupler에 의한 나사식이음

$$\lambda = \frac{KL}{r} = \frac{KL}{\sqrt{\dfrac{I}{A}}} = \frac{(1.0)L}{\sqrt{\dfrac{\dfrac{(200)(150)^3}{12}}{(200 \times 150)}}} = 150$$

으로부터 $L = 6,495\text{mm} = 6.495\text{m}$

정답 **20**

(1) 위험단면 : 기둥 바깥면에서 $\dfrac{d}{2}$ 만큼 떨어진 단면

(2) 위험단면의 둘레길이 (b_o) : $b_o = [(35+60+35) \times 2] \times 2 = 520\text{cm}$

(3) 저항면적 : $A = b_o \cdot d = (520)(70) = 36{,}400\text{cm}^2$

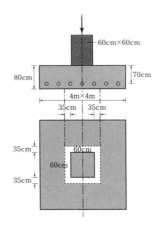

21 다음 용어를 설명하시오. (6점)

(1) 복층 유리 : _____

_____

(2) 배강도 유리 : _____

_____

정답 **21**

(1) 복층 유리 : 2개의 판유리 중간에 건조공기를 봉입한 것(단열, 방음, 결로방지 우수)

(2) 배강도 유리 : 유리를 연화점 이하로 가열 후 찬공기를 약하게 불어주어 냉각시켜 만든 건축용 유리(반강화유리)

22 용접 착수전의 용접부 검사항목 3가지 쓰시오. (3점)

① _____

② _____

③ _____

정답 **22**

① 트임새 모양
② 모아대기법
③ 구속법

23 그림과 같은 단순 인장접합부의 강도한계상태에 따른 고력볼트 설계전단강도를 구하시오. (단, 강재의 재질은 SS275, 고력볼트 F10T-M22, 공칭전단강도 Fnv=450N/mm²) (4점)

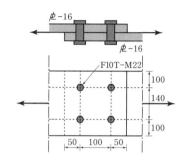

계산과정 :

---

24 다음 표에 제시된 창호재료의 종류 및 기호를 참고하여, 아래의 창호기호표를 표시하시오. (3점)

기 호	재료종류
A	알루미늄
P	플라스틱
S	강철
W	목재

영문기호	창호구별
D	문
W	창
S	셔터

구 분	창	문
철제	③	④
목재	①	②
알루미늄제	⑤	⑥

정답 23

$$\phi \cdot R_n = (0.75)(450)\left(\frac{\pi(22)^2}{4}\right)(4개)$$

$$= 513,179N = 513.179kN$$

정답 24

구 분	창	문
철제	$\dfrac{3}{SW}$	$\dfrac{4}{SD}$
목재	$\dfrac{1}{WW}$	$\dfrac{2}{WD}$
알루미늄제	$\dfrac{5}{AW}$	$\dfrac{6}{AD}$

25 대형 시스템거푸집 중에서 갱폼(Gang form)의 장·단점을 각각 2가지씩 쓰시오. (4점)

(가) 장점 :

① _____

② _____

(나) 단점 :

① _____

② _____

정답 25
(가) ① 조립과 해체작업이 생략되
　　　어 설치시간이 단축된다.
　　② 거푸집의 처짐량이 작고 외
　　　력에 대한 안정성이 높다.
(나) ① 중량물이므로 운반시 대형
　　　양중장비가 필요하다.
　　② 거푸집 제작비용이 크므로
　　　초기투자비용이 증가된다.

26 그림과 같은 하우(howe) 트러스 및 프랫(pratt) 트러스에서 ①~⑧ 부재를 인장재 및 압축재로 구분하시오. (4점)

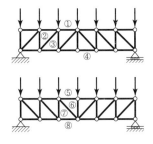

(가) 인장재 : _____

(나) 압축재 : _____

정답 26
(가) 인장재 : ③, ④, ⑥, ⑧
(나) 압축재 : ①, ②, ⑤, ⑦

2013년 2회 출제문제

1 철근콘크리트 공사에서 철근이음을 하는 방법으로 가스압접이 있는데 가스압접으로 이음 할 수 없는 경우를 3가지 쓰시오. (3점)

① _____

② _____

③ _____

2 다음은 시트 방수공사의 항목들이다. 시공순서대로 기호를 나열하시오. (3점)

> ㉮ 단열재 깔기　　㉯ 접착제 도포　　㉰ 조인트 실(Seal)
> ㉱ 물채우기시험　　㉲ 보강붙이기　　㉳ 바탕처리
> ㉴ 시트붙이기

_____

3 다음은 지반 조사법 중 보오링에 대한 설명이다. 알맞은 용어를 쓰시오. (3점)

① 비교적 연약한 토지에 수압을 이용하여 탐사하는 방식
② 경질층을 깊이 파는데 이용하는 방식
③ 지층의 변화를 연속적으로 비교적 정확히 알고자할 때 사용하는 방식

① _____　② _____　③ _____

4 외부 쌍줄비계와 외줄비계의 면적산출 방법을 기술하시오. (4점)

(1) 외부쌍줄비계 : _____

_____

(2) 외줄비계 : _____

_____

정답

정답 1
① 철근의 지름차이가 6mm를 초과할때
② 철근의 재질이 상이할 때 (항복점 강도나 성질이 다를 때)
③ 0℃이하의 낮은 온도에서 작업할 때
④ 지름 1/5 초과의 편심오차 발생시

정답 2
㉳ - ㉮ - ㉯ - ㉴ - ㉲ - ㉰ - ㉱

정답 3
① 수세식 보링
② 충격식 보링
③ 회전식 보링

정답 4
① 쌍줄비계면적
$A(m^2) = H(L+8 \times 0.9)$
벽 외면에서 90cm거리의 지면에서 건물높이까지의 외주 면적이다.
② 외줄비계면적
$A(m^2) = H(L+8 \times 0.45)$
벽 외면에서 45cm거리의 지면에서 건물높이까지의 외주 면적이다.

5 콘크리트의 알칼리 골재반응을 방지하기 위한 대책을 3가지만 쓰시오. (3점)

① _____

② _____

③ _____

정답 **5**

① 저알카리시멘트 사용(알카리함량 0.6% 이하)

② Fly Ash 사용(양질의 포졸란이 반응억제)

③ 방수제를 사용, 수분을 억제한다.

6 지반개량공법 중 탈수공법의 종류를 4가지 쓰시오. (4점)

① _____ ② _____

③ _____ ④ _____

정답 **6**

① 웰포인트 공법

② 페이퍼드레인 공법

③ 샌드드레인 공법

④ 생석회 공법
 (화학적 공법)

7 철골 주각부의 현장 시공 순서에 맞게 번호를 나열하시오. (2점)

─── 〈보 기〉 ───
 ① 기초 상부 고름질   ② 가조립   ③ 변형 바로잡기   ④ 앵커 볼트 설치
 ⑤ 철골 세우기   ⑥ 철골 도장

_____

정답 **7**

④-①-⑤-②-③-⑥

8 컨소시엄(Consortium)공사에 있어서 페이퍼조인트(paper joint)에 관하여 기술하시오. (3점)

_____

_____

정답 **8**

명목상(서류상)으로는 여러회사의 공동도급 형태이지만 실제로는 한 회사가 공사를 진행하고 하도급형태로 이루어지거나, 단순한 이익배당에만 관여하는 서류상으로만 공사에 참여하는 것을 말한다.

9 가치공학(Value Engineering)의 기본추진 절차를 4단계로 구분하여 쓰시오. (4점)

① _____

② _____

③ _____

④ _____

정답 **9**

① 정보수집 및 기능분석단계

② 아이디어 창출단계

③ 대체안 평가 및 개발단계

④ 제안 및 실시단계

10 커튼월의 외관형태에 따른 타입을 4가지 쓰시오. (4점)

① _____ ② _____

③ _____ ④ _____

정답 **10**
① 샛기둥방식(Mullion Type)
② 스팬드럴방식(Spandrel)
③ 격자방식(Grid Type)
④ 피복방식(Sheath Type)

---

11 히빙파괴와 보일링파괴의 방지 대책을 쓰시오. (4점)

① 히빙파괴 방지대책 : _____

② 보일링파괴 방지대책 : _____

정답 **11**
① 흙막이벽체를 견고한 지반까지 시공한다.(흙막이 벽체의 근입장을 증가시킨다)
② 배수공법으로 지하수위를 저하시킨다.

---

12 인장철근만 배근된 철근콘크리트 직사각형 단순보에 하중이 작용하여 순간처짐이 5mm 발생하였다. 5년 이상 지속하중이 작용할 경우 총처짐량(순간처짐＋장기처짐)을 구하시오. (단, 장기처짐 계수 $\lambda_\Delta = \dfrac{\xi}{1+50\rho'}$ 을 적용하며 시간경과계수는 2.0으로 한다. (4점)

계산과정 : _____

정답 **12**
(1) $\lambda_\Delta = \dfrac{\xi}{1+50\rho'} = \dfrac{(2.0)}{1+50(0)} = 2$

(2) 장기처짐＝탄성처짐×λ_Δ
　＝(5)(2)＝10mm

(3) 총처짐량＝순간처짐＋장기처짐
　＝(5)＋(10)＝15mm

---

13 철근콘크리트 구조에서 보의 주근으로 4-D25를 1단 배열 시 보폭의 최소값을 구하시오. (4점)

> [조건]
> 피복두께 40mm, 굵은골재 최대치수 18mm, 스터럽 D13

계산과정 : _____

정답 **13**
(1) 주철근 순간격 : ①, ②, ③ 중 큰 값
　① 25mm
　② 1.0×25＝25mm
　③ $\dfrac{4}{3}$ ×18＝24mm

(2) b＝40×2+13×2+25×4+25×3
　＝281mm

---

14 철근콘크리트공사에 이용되는 스페이서(Spacer)용도에 대하여 쓰시오. (2점)

_____

_____

정답 **14**
바닥이나 벽 철근이 거푸집에 밀착되는 것을 방지하는 간격재(굄재) 용도

15 다음 그림을 보고 해당되는 줄눈의 명칭을 적으시오. (4점)

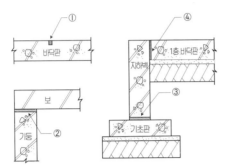

① _____   ② _____

③ _____   ④ _____

16 다음 데이터를 네트워크 공정표로 작성하고, 각 작업의 여유시간을 구하시오. (10점)

작 업	선행작업	소요일수	비 고
A	없음	5	
B	없음	6	
C	A	5	EST LST LFT EFT
D	A, B	2	①—작업명/공사일수—ⓙ 로 표기하고
E	A	3	
F	C, E	4	주공정선은 굵은 선으로 표기한다.
G	D	2	
H	G, F	3	

· 네크워크 공정표

정답 15
① 조절줄눈(Control Joint)
② 미끄럼줄눈(Sliding Joint)
③ 시공줄눈
④ 신축줄눈(Expansion Joint)

정답 16
② 여유시간 산정

작업명	TF	FF	DF	CP
A	0	0	0	＊
B	4	0	4	
C	0	0	0	＊
D	4	0	4	
E	2	2	0	
F	0	0	0	＊
G	4	4	0	
H	0	0	0	＊

정답 16
① 네트워크 공정표

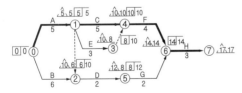

17 커튼월 공사 시 누수방지대책과 관련된 다음 용어에 대해 설명하시오. (4점)

① Closed Joint : _____

② Open Joint : _____

[정답] 17

① 이음부(Joint)를 완전 밀폐시켜 홈을 밀봉시키는 방식으로 고층건물에 사용

② 등압이론에 따라 내·외부면사이에 공기층을 만들어서 배수하는 방식. 주로 초고층 건물에 적용

---

18 콘크리트압축강도 f_{ck} =30MPa, f_y =400MPa, D22(공칭지름 22.2mm) 인장이형철근의 기본정착길이를 구하시오. (단, 경량콘크리트계수 λ =1) (3점)

계산과정 : _____

[정답] 18

$$L_{db} = \frac{0.6d_b \cdot f_y}{\lambda\sqrt{f_{ck}}} = \frac{0.6(22.2)(400)}{(1.0)\sqrt{(30)}}$$
$$= 972.755mm$$

---

19 그림과 같은 단순보의 최대 전단응력을 구하시오. (3점)

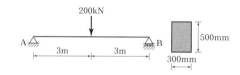

계산과정 : _____

_____

[정답] 19

(1) $V_{max} = V_A = V_B = \dfrac{P}{2} = +\dfrac{(200)}{2}$
$= 100$kN

(2) $\tau_{max} = k \cdot \dfrac{V_{max}}{A} =$

$\left(\dfrac{3}{2}\right) \cdot \dfrac{(100 \times 10^3)}{(300 \times 500)}$

$= 1$N/mm^2 = 1MPa

---

20 그림과 같은 철근콘크리트 8m 단순보 중앙에 집중고정하중 20kN, 집중활하중 30kN이 작용할 때 보의 자중을 무시한 최대 계수휨모멘트를 구하시오. (4점)

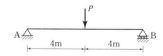

계산과정 : _____

_____

[정답] 20

(1) $P_u = 1.2P_D + 1.2P_L$

$= 1.2(20) + 1.6(30) = 72$kN

$\geq 1.4P_D = 1.4(20) = 28$kN

(2) $M_u = \dfrac{PL}{4} = \dfrac{(72)(8)}{4}$

$= 144$kN · m

21 철근콘크리트구조의 1방향 슬래브와 2방향 슬래브를 구분하는 기준에 대해 설명하시오. (3점)

_____

_____

정답 **21**
(1) 변장비(β) = 장변경간/단변경간
(2) 1방향 슬래브 : $\beta > 2$
(3) 2방향 슬래브 : $\beta \leq 2$

22 다음의 [보기]에서 설명하는 용어를 쓰시오. (3점)

───〈보 기〉───
- 바닥 콘크리트 타설을 위한 슬래브(Slab) 하부 거푸집판
- 작업 시 안정성 강화 및 동바리 수량감소로 원가절감 가능
- 아연도철판을 절곡하여 제작하며, 해체작업이 필요 없음

_____

정답 **22**
데크 플레이트(Deck Plate)

23 다음 설명에 해당하는 흙파기공법의 명칭을 쓰시오. (4점)

(가) 측벽이나 주열선 부분만을 먼저 파낸 후 기초와 지하구조체를 축조한 다음 중앙부의 나머지 부분을 파내어 지하구조물을 완성하는 공법

(나) 중앙부의 흙을 먼저 파고, 그 부분에 기초 또는 지하구조체를 축조한 후, 이를 지점으로 경사 혹은 수평 흙막이 버팀대를 가설하여 흙을 제거한 후 지하구조물을 완성하는 공법

(가) _____

(나) _____

정답 **23**
(가) 트렌치컷(Trench Cut) 공법
(나) 아일랜드컷(Island Cut) 공법

24 지정 및 기초공사와 관련된 다음 용어에 대해 설명하시오. (4점)

(1) 재하시험 : _____

(2) 합성말뚝 : _____

정답 **24**
(가) 지반이나 말뚝에 직접하중을 적재하여 지반이나 말뚝의 허용내력을 구하는 시험
(나) 이질재료를 접합시킨 말뚝으로써 하부강재와 상부콘크리트 같은 형태의 말뚝을 말함

25 철근의 단부에 갈고리(Hook)를 만들어야 하는 철근을 모두 골라 번호를 쓰시오. (3점)

> ① 원형철근   ② 스터럽   ③ 띠철근
> ④ 지중보의 돌출부 부분의 철근   ⑤ 굴뚝의 철근

정답 25
①, ②, ③, ⑤

26 콘크리트용 혼화재(混和材)와 혼화제(混和劑)를 간단히 설명하고 각각의 예를 1가지씩 쓰시오. (4점)

(가) 혼화재(混和材) : _____

(나) 혼화제(混和劑) : _____

정답 26
(가) 시멘트량의 5% 이상 다량사용
    되어 그 부피가 배합계산에 포
    함되는 재료
    예) 플라이애쉬 ※ 고로슬래그
(나) 시멘트량의 1%이하 소량사용
    되어 배합계산시 무시되는 재
    료
    예) AE제 ※ 유동화제

27 다음 용어에 대해 설명하시오. (4점)

(가) 적산(積算) : _____

(나) 견적(見積) : _____

정답 27
(가) 공사에 필요한 재료 및 품의 수
    량 즉, 공사량을 산출하는 기술
    활동
(나) 공사량에 단가를 곱하여 공사
    비를 산출하는 기술활동

28 강판을 그림과 같이 가공하여 20개의 수량을 사용하고자 한다. 강판의 비중이 7.85일 때 소요량(kg)을 산출하고 스크랩의 발생량(kg)도 함께 산출하시오. (4점)

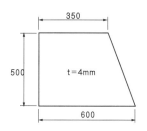

정답 28
① 소요량 : $0.6 \times 0.5 \times 0.004 \times 7,850 kg$
    $\times 20$개 $= 188.4 kg$

② 스크랩량 : $\dfrac{0.25 \times 0.5}{2} \times 0.004 \times$
    $7,850 \times 20$개 $= 39.25 kg$

2013년 3회 출제문제

1 그림과 같은 용접부의 설계강도를 구하시오. (단, 모재는 SM275, 용접재(KS D7004 연강용 피복아크 용접봉)의 인장강도 F_{uw}=420N/mm², 모재의 강도는 용접재의 강도 보다 크다.) (4점)

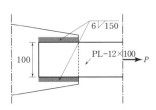

계산과정 : _____

_____

정답 1

$$\phi R_n = \phi \cdot 0.6 F_{uw} \cdot 0.7 S \cdot (L - 2S)$$
$$= (0.75) \cdot 0.6(420) \cdot 0.7(6) \cdot$$
$$(150 - 2 \times 6) \times 2면$$
$$= 219,089 N = 219.089 kN$$

2 다음 보기는 용접부의 검사 항목이다. 보기에서 골라 알맞는 공정에 해당번호를 써 넣으시오. (3점)

〈보 기〉
① 아크전압　　　② 용접속도　　　③ 청소상태
④ 홈의각도, 간격 및 치수　　　⑤ 부재의 밀착　　　⑥ 필렛의 크기
⑦ 균열, 언더컷 유무　　　⑧ 밑면따내기

(1) 용접 착수전 : _____

(2) 용접 작업중 : _____

(3) 용접 완료후 : _____

정답 2

(1) ③, ④, ⑤
(2) ①, ②, ⑧
(3) ⑥, ⑦

3 그림과 같은 구조물에서 T부재에 발생하는 부재력을 구하시오. (2점)

계산과정 : _____

정답 3

(1) $\sum V = 0 : -(5) - (F_c \cdot \sin 30°) = 0$
　$\therefore F_c = -10 kN (압축)$
(2) $\sum H = 0 : +(F_T) - (F_c \cdot \cos 30°) = 0$
　$\therefore F_T = +8.66 kN (인장)$

4 민간 주도하에 Project(시설물) 완공 후 발주처(정부)에게 소유권을 양도하고 발주처의 시설물 임대료를 통하여서 투자비가 회수되는 민간 투자사업 계약 방식의 명칭은 무엇인가? (2점)

[정답] **4**

BTL(Build · Transfer · Lease)방식

5 시멘트 벽돌 1.0B 두께로 가로 9m, 세로 3m 벽을 쌓을 경우 시멘트 벽돌이 소요된다. 이때 소요되는 사춤몰탈량을 산출하시오. (단, 시멘트 벽돌은 표준이다.) (4점)

(가) 시멘트 벽돌량 : ＿＿＿＿＿＿＿＿＿＿＿＿＿＿＿

(나) 사춤 모르타르량 : ＿＿＿＿＿＿＿＿＿＿＿＿＿＿＿

[정답] **5**

① 시멘트 벽돌량 : $9 \times 3 \times 149 = 4,023$
　$\times 1.05 = 4,224.15$　　∴ 4,224매
② 사춤모르타르량 : $(4,023 \div 1,000)$
　$\times 0.33 = 1.327$　　∴ 1.33m³

6 다음 데이터를 Net Work 공정표로 작성하고, 각 작업의 여유시간을 구하시오. (10점)

작 업	공사일수	선행작업	비　　　　고
A	2	없음	![EST LST]
B	3	없음	
C	5	없음	ⓘ 작업명 공사일수 → ⓙ 로 표기하고
D	4	없음	
E	7	A, B, C	주공정선은 굵은 선으로 표기하시오.
F	4	B, C, D	

① 네트워크 공정표　　　　　② 여유시간 산정

작업명	TF	FF	DF	CP
A				
B				
C				
D				
E				
F				

[정답] **6**

① 네트워크 공정표

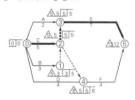

② 여유시간 산정

작업명	TF	FF	DF	CP
A	3	3	0	
B	2	2	0	
C	0	0	0	*
D	4	1	3	
E	0	0	0	*
F	3	3	0	

7 커튼월 조립방식에 의한 분류에서 각 설명에 해당하는 방식을 번호로 쓰시오. (3점)

─ 〈보 기〉─
① Stick Wall 방식   ② Window Wall 방식   ③ Unit Wall 방식

(1) 구성 부재 모두가 공장에서 조립된 프리패브(Pre-fab)형식으로 창호와 유리, 패널의 일괄발주 방식임. 이 방식은 업체의 의존도가 높아서 현장상황에 융통성을 발휘하기가 어려움

(2) 구성 부재를 현장에서 조립·연결하여 창틀이 구성되는 형식으로 유리는 현장에서 주로 끼운다. 현장 적응력이 우수하여 공기조절이 가능

(3) 창호와 유리, 패널의 개별발주 방식으로 창호 주면이 패널로 구성됨으로써 창호의 구조가 패널 트러스에 연결할 수 있어서 재료의 사용 효율이 높아 비교적 경제적인 시스템 구성이 가능한 방식

정답 **7**
(1) ③
(2) ①
(3) ②

8 골재 수량에 관련된 설명 중 서로 연관되는 것을 골라 기호로 쓰시오. (3점)

─ 〈보 기〉─
(가) 골재 내부에 약간의 수분이 있는 대기 중의 건조상태
(나) 골재의 표면에 묻어 있는 수량으로, 포면건조 포화상태에 대한 시료 중량의 백분율
(다) 골재입자의 내부에 물이 채워져 있고, 표면에도 물이 부착되어 있는 상태
(라) 표면건조 내부포화상태의 골재 중에 포함되는 물의 양
(마) 110℃ 정도 온도에서 24시간 이상 골재를 건조시킨 상태

(1) 습윤상태 : _____ (2) 흡 수 량 : _____

(3) 절건상태 : _____ (4) 기건상태 : _____

(5) 표면수량 : _____

정답 **8**
(1) 습윤상태 : (다)
(2) 흡수량 : (라)
(3) 절건상태 : (마)
(4) 기건상태 : (가)
(5) 표면수량 : (나)

9 다음 용어를 간단하게 설명하시오. (4점)

(1) 기준점 : _____

_____

(2) 방호선반 : _____

_____

정답 **9**
(1) 건축물 시공시 기준위치를 정하는 원점으로 공사중 높이의 기준을 정하고자 설치한다.
(2) 주출입구 및 리프트 출입구 상부 등에 설치한 낙하방지 안전시설

10 다음 그림을 보고 해당되는 줄눈의 명칭을 적으시오. (4점)

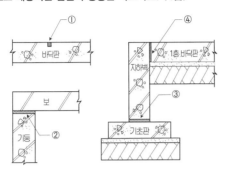

[정답] **10**

① 조절줄눈(Control Joint)
② 미끄럼줄눈(Sliding Joint)
③ 시공줄눈
④ 신축줄눈(Expansion Joint)

11 다음 그림과 같은 온통기초에서 터파기량, 되메우기량, 잔토처리량을 산출하시오. (단, 토량환산계수 L = 1.3으로 한다.) (9점)

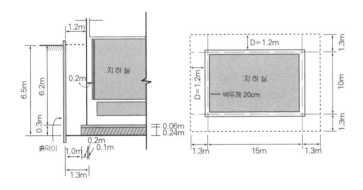

[정답] **11**

① 터파기량(m^3) : $V_1 = L_x \times L_y \times H$에서

        $L_x = 15 + 1.3 \times 2 = 17.6m$

        $L_y = 10 + 1.3 \times 2 = 12.6m$

        $H = 6.5m$

        ∴ 터파기량 : $V_1 = 17.6 \times 12.6 \times 6.5 = 1,441.44m^3$

② GL 이하의 구조부체적(m^3) :

        $V_2 = $ 잡석량(v_1) + 밑창콘크리트량(v_2) + 지하실부분체적(v_3)

    ㉮ 잡석량 : $v_1 = 0.24 \times (15 + 0.3 \times 2) \times (10 + 0.3 \times 2) = 39.686m^3$

    ㉯ 밑창 콘크리트량 : $v_2 = 0.06 \times (15 + 0.3 \times 2) \times (10 + 0.3 \times 2) = 9.921m^3$

㉲ 지하실 부분 :

$v_3 = 6.2 \times (15 + 0.1 \times 2) \times (10 + 0.1 \times 2) = 961.248 m^3$

$\therefore V_2 = v_1 + v_2 + v_3 = 1,010.855 m^3$

③ 되메우기량(m³) = 터파기량V_1 - 기초구조부체적V_2

= 1,441.44 - 1,010.855 = 430.585 m³

④ 잔토처리량(m³) = 기초구조부체적(V_2) × 토량환산계수(L)

= 1,010.855 × 1.3 = 1,314.111

12 벽돌벽의 표면에 생기는 백화의 발생원인과 대책을 각각 3가지만 쓰시오. (4점)

• 원인 : _____

• 대책 : ① _____ ② _____

       ③ _____

13 다음 흙막이벽 공사에서 발생되는 현상을 쓰시오. (3점)

가. 시이트 파일 등의 흙막이벽 좌측과 우측의 토압차로써 흙막이 일부의 흙이 재하하중 등의 영향으로 기초파기하는 공사장 안으로 흙막이벽 밑을 돌아서 미끄러져 올라오는 현상 (_____)

나. 모래질 지반에서 흙막이벽을 설치하고 기초파기 할 때의 흙막이벽 뒷면수위가 높아서 지하수가 흙막이 벽을 돌아서 지하수가 모래와 같이 솟아오르는 현상 (_____)

다. 흙막이벽의 부실공사로서 흙막이벽의 뚫린 구멍 또는 이음새를 통하여 물이 공사장 내부바닥으로 스며드는 현상 (_____)

14 지반개량공법 중 탈수법에서 다음 토질에 적당한 대표적 공법을 각각 1가지씩 쓰시오. (2점)

(1) 사질토 : _____

(2) 점성토 : _____

정답 12
• 원인 : 쌓기 몰탈 중의 물이나 침투하는 빗물 등에 의해서 몰탈중의 석회분이 공기 중 탄산가스와 결합하여 발생함.
• 대책 :
① 우중시공을 철저히 금지시킨다.
② 줄눈에 방수처리하고, 시공후 벽표면에 실리콘 뿜칠을 한다.
③ 줄눈시공시 방수제 사용, 사춤을 철저히 할 것

정답 13
가. 히이빙 현상
나. 보일링 현상
다. 파이핑 현상

정답 14
① 웰 포인트(Well Point)공법
② 샌드 드레인(Sand Drain)공법

15 그림과 같은 150mm×150mm 단면을 갖는 무근콘크리트 보가 경간길이 450mm로 단순지지되어 있다. 3등분점에서 2점 재하 하였을 때 하중 P=12kN에서 균열이 발생함과 동시에 파괴되었다. 이때 무근콘크리트의 휨균열강도(휨파괴계수)를 구하시오.

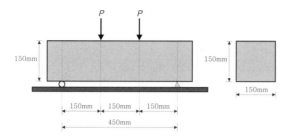

정답 15

$$f_r = \frac{PL}{bh^2} = \frac{(12 \times 10^3)(450)}{(150)(150)^2} = 1.6 N/mm^2$$
$$= 1.6 MPa$$

16 특명입찰(수의계약)의 장 · 단점을 2가지씩 쓰시오. (4점)

(1) 장 점

① _____

② _____

(2) 단 점

① _____

② _____

정답 16

장 점	단 점
① 공사기밀 유지 가능	① 공사비 상승 우려
② 우량공사 기대 가능	② 공사금액 결정 의 불투명성

17 다음 구조물의 휨모멘트도(BMD)를 그리시오. (3점)

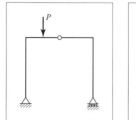

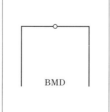

BMD

정답 17

(1) $N = r + m + f - 2j$
$= (2+1) + (4) + (2) - 2(5) = -1$차
   → 불안정

(2) 불안정 구조이므로 휨모멘트도 없음

18 전기로에서 페로실리콘 등 규소합금 제조 과정 중 부산물로 생성되는 매우 미세한 입자로써 고강도 콘크리트 제조 시 사용되는 이산화규소(SiO_2)를 주성분으로 하는 혼화재의 명칭을 쓰시오. (2점)

19 그림과 같은 구조물의 고정단에 발생하는 최대 압축응력을 구하시오. (단, 기둥 단면은 600mm×600mm, 압축응력은 -로 표현) (3점)

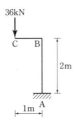

계산과정 :

정답 **19**

(1) 압축응력+휨응력

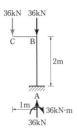

(2) $\sigma_A = -\dfrac{P}{A} - \dfrac{M}{Z} = -\dfrac{(36 \times 10^3)}{(600 \times 600)} - \dfrac{(36 \times 10^6)}{\dfrac{(600)(600)^2}{6}} = -1.1\text{N/mm}^2 = -1.1\text{MPa(압축)}$

20 커튼월(Curtain Wall)의 실물모형실험(Mock-up test)에서 성능시험의 시험종목을 4가지만 쓰시오. (4점)

① _____ ② _____

③ _____ ④ _____

21 철근코크리트 공사를 하면서 철근간격을 일정하게 유지하는 이유를 3가지 쓰시오.

(3점)

① _____

② _____

③ _____

정답 **21**
① 콘크리트의 유동성 확보
② 재료분리 방지
③ 소요의 강도 유지 및 확보

22 미장재료 중 수경성 재료와 기경성 재료를 각각 3가지만 쓰시오. (6점)

(1) 수경성 재료

① : _____ ② : _____ ③ : _____

(2) 기경성 재료

① : _____ ② : _____ ③ : _____

정답 **22**
(1) 수경성 재료
① 순석고 플라스터
② 시멘트 Mortar
③ 킨즈시멘트(Keen's Cement)

(2) 기경성 재료
① 진흙질재료
② 회반죽
③ 돌로마이트(돌로마이트석회,
Dolomite Plaster)

23 철골 용접접합에서 발생하는 결함항목을 4가지만 쓰시오. (4점)

① _____ ② _____

③ _____ ④ _____

정답 **23**
① Slag 감싸들기
② Under Cut
③ Overlap ④ Blow hole
⑤ Crack ⑥ 용입불량
⑦ Crater ⑧ 은점

24 프리스트레스트 콘크리트 방식과 관련된 내용의 ( )안에 알맞는 용어를 기입하시오.

(4점)

프리스트레스트 콘크리트에 사용되는 강재(강선, 강연선, 강봉)를 긴장재라고 총칭하며, (①) 방식에서 PC강재의 삽입공간을 확보하기 위해서 콘크리트 타설전 미리 매립하는 관(튜브)을 (②)라고 한다.

① _____ ② _____

정답 **24**
① 포스트텐션(Post-Tension)
② 시이드, 쉬드(Sheath)

25 흙막이 공법 중 그 자체가 지하구조물이면서 흙막이 및 버팀대 역할을 하는 공법을 보기에서 모두 골라 기호로 쓰시오. (3점)

> ─── 〈보 기〉 ───
>
> ㉮ 지반정착(Earth Anchor) 공법   ㉯ 개방잠함(Open Caisson)공법
> ㉰ 수평버팀대공법   ㉱ 강재널말뚝(Sheet pile)공법
> ㉲ 우물통(Well) 공법   ㉳ 용기잠함(Pneumatic Caisson)공법

정답 **25**

㉯, ㉲, ㉳

26 폭 $b = 500$mm, 유효깊이 $d = 750$mm인 철근콘크리트 단철근 직사각형 보의 균형철근비 및 최대철근량을 계산하시오. (단, $f_{ck} = 27$MPa, $f_y = 300$MPa) (4점)

계산과정 : _____

정답 **26**

(1) $f_{ck} \le 40MPa \;\rightarrow\; \eta = 1.00,\; \beta_1 = 0.80$

(2) $\rho_b = \dfrac{\eta(0.85 f_{ck})}{f_y} \cdot \beta_1 \cdot \dfrac{660}{660 + f_y}$

$\quad = \dfrac{(1.00)(0.85 \times 27)}{(300)} \cdot (0.80) \cdot \dfrac{(660)}{(660) + (300)} = 0.04207$

(3) $\rho_{max} = 0.658 \rho_b = 0.658(0.04207) = 0.02768$

(4) $A_{s \cdot max} = \rho_{max} \cdot b \cdot d = (0.02768)(500)(750) = 10{,}380 mm^2$

2014년 1회 출제문제

1 다음 그림과 같은 트러스 구조의 부정정차수를 구하고, 안정구조인지 불안정구조인지를 판별하시오. (4점)

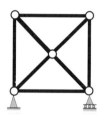

정   답

정답 **1**

$$N = r + m + f - 2j$$
$$= (2+1)+(8)+(0)-2(5)$$
$$= 1차\ 부정정 \rightarrow 안정$$

2 그림과 같은 단면의 x 축에 대한 단면2차모멘트를 계산하시오. (2점)

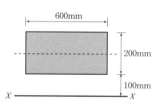

600mm

200mm

100mm

X — X

계산과정 : _____

정답 **2**

$$I = \frac{(600)(200)^3}{12} + (600 \times 200)(200)^2$$
$$= 5.2 \times 10^9 mm^4$$

3 그림과 같은 단순보 (A)와 단순보 (B)의 최대휨모멘트가 같을 때 집중하중 P 를 구하시오. (4점)

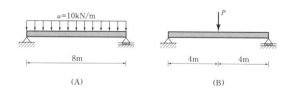

$w=10kN/m$

8m

(A)

P

4m   4m

(B)

계산과정 : _____

정답 **3**

(1) $\dfrac{wL^2}{8} = \dfrac{PL}{4}$

(2) $\dfrac{(10)(8)^2}{8} = \dfrac{P(8)}{4}$ 이므로 $P = 40kN$

4 콘크리트 설계기준압축강도 $f_{ck} = 30MPa$ 일 때 압축응력등가블록의 깊이계수 β_1 을 구하시오. (3점)

계산과정 : _____

5 다음 보기의 괄호 안을 채우시오. (2점)

─ 〈보 기〉 ─

띠철근 기둥의 수직간격은 축방향주철근 직경의 (①)배, 띠철근 직경의 (②)배, 기둥 단면의 최소 치수의 1/2 이하 중 작은값으로 한다. 단, 200mm 보다 좁을 필요는 없다.

① _____   ② _____

6 다음 보기에서 제시하는 형강을 개략적으로 스케치하고 치수를 기입하시오. (6점)

─ 〈보 기〉 ─

① $H - 294 \times 200 \times 10 \times 15$

② $\sqsubset - 150 \times 65 \times 20$

③ $L - 100 \times 100 \times 7$

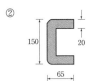
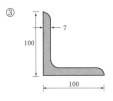

7 다음 데이터를 네트워크 공정표로 작성하고 각 작업의 전체여유(TF)와 자유여유(FF)를 구하시오. (10점)

작업명	작업일수	선행작업	비 고
A	5	–	네트워크 작성은 다음과 같이
B	6	–	
C	5	A, B	
D	7	A, B	
E	3	B	
F	4	B	
G	2	C, E	표기하고 주공정선은 굵은선으로 표기하시오.
H	4	C, D, E, F	

① 공정표 작성   ② 여유시간계산

정답 7

① 공정표 작성

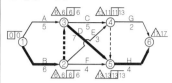

해설 네트워크 공정표 작성시 액티비티가 서로 교차되는 것을 가능한한 피하여야 하지만 부득이한 경우는 서로 교차될 수도 있다.

② 여유계산

작업명	TF	FF
A	1	1
B	0	0
C	2	0
D	0	0
E	4	2
F	3	3
G	4	4
H	0	0

해설 DF와 CP 항목은 출제당시 제외시킨 채 각 작업의 TF와 FF만 구하라고 출제되었다.

8 다음은 TQC의 도구에 대한 설명이다. 해당하는 도구명을 쓰시오. (3점)

(1) 계량치의 데이터가 어떠한 분포를 하고 있는지 알아보기 위하여 작성하는 그림 : _____

(2) 불량 등 발생건수를 분류항목별로 나누어 크기 순서대로 나열해 놓은 그림 : _____

(3) 결과에 원인이 어떻게 관계하고 있는가를 한 눈에 알아보기 위한 그림 : _____

정답 8
(1) 히스토그램
(2) 파레토도
(3) 특성요인도

9 품질관리 계획서 제출시 필수적으로 기입하여야 하는 항목을 4가지 적으시오. (4점)

(1) _____   (2) _____

(3) _____   (4) _____

참고 (1) 품질관리 계획서 제출 대상공사

   - 전면책임감리 대상인 건설공사로서 총 공사비가 500억원 이상인 건설공사
   - 다중이용건축물의 건설공사로서 연면적이 30,000㎡ 이상인 건축물의 건설공사
   - 당해 건설공사의 계약에 품질관리 계획의 수립이 명시되어 있는 건설공사

(2) 품질관리 계획서 작성내용

   건설공사정보 / 품질방침 및 목표 / 현장조직관리 / 문서관리 / 기록관리 / 자원관리
   설계관리 / 공사수행준비 / 교육훈련 / 의사소통 / 자재구매관리 / 지급자재관리
   하도급관리 / 공사관리 / 중점품질관리 / 계약변경 / 식별 및 추적
   기자재 및 공사목적물의 보존관리 / 검사, 측정 및 시험장비의 관리
   검사 및 시험, 모니터링 / 부적합사항관리 / 데이터의 분석관리 / 시정 및 예방조치
   품질감사 / 건설공사 운영성과 / 공사준공 및 인계

10 다음 그림의 보에 대하여, 콘크리트량과 거푸집량을 구하시오. (6점)
   (단, 계산과정을 나타내어야 함)

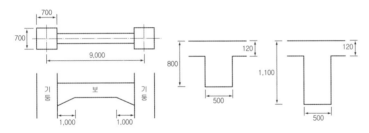

정답 **9**

(1) 일반적인 정답
 ① 품질방침 및 목표
 ② 품질관리 절차 확립
 ③ 단위작업별 품질관리계획
   (인원, 자재, 장비 등) 확정
 ④ 검측 및 시험계획
 ⑤ 부적격 판정 처리계획 등

(2) 건설기술 진흥법(기존:건설기술관
   리법) 규정에 의한 주요 정답
 ① 품질방침 및 목표
 ② 현장조직관리
 ③ 자재구매 및 지급자재 관리
 ④ 검사 및 시험, 모니터링
 ⑤ 검사 측정 및 시험장비의 관리
 ⑥ 부적합사항관리
 ⑦ 데이터의 분석관리
 ⑧ 시정 및 예방조치

정답 **10** ① 콘크리트량

 • 보부분 : $0.5 \times 0.8 \times 8.3 = 3.32m^3$

 • 헌치부분 : $\left(0.3 \times 0.5 \times 1 \times \dfrac{1}{2}\right) \times 2 = 0.15m^3$

 $\therefore 3.32 + 0.15 = 3.47m^3$ 답 : 3.47m³

② 거푸집량

 • 보옆 : $0.68 \times 8.3 \times 2 = 11.288m^2$

 • 헌치옆 : $\left(0.3 \times 1 \times \dfrac{1}{2}\right) \times 2 \times 2 = 0.6m^2$

 • 보밑 : $0.5 \times 8.3 = 4.15m^2$

 $\therefore 11.288 + 0.6 + 4.15 = 16.038m^2$ 답 : 16.04m²

11 BOT(Build-Operate-Transfer contract)방식을 설명하시오. (3점)

_____

_____

12 기준점(Bench Mark)을 설명하시오. (2점)

_____

_____

참고 설치시 주의점
① 이동의 염려가 없는 곳에 설치한다.
② 2개소 이상 설치한다.
③ 지면에서 0.5m~1.0m 정도 바라보기 좋고 공사에 지장이 없는 곳에 설치한다.

13 지하구조물은 지하수위에서 구조물 밑면까지의 깊이만큼 부력을 받아 건물이 부상하게 되는데, 이것에 대한 방지대책을 4가지 기술하시오. (4점)

(1) _____

(2) _____

(3) _____

(4) _____

14 철근콘크리트공사를 하면서 철근간격을 일정하게 유지하는 이유를 3가지 쓰시오. (3점)

①　_____　②　_____　③　_____

15 다음 측정기별 용도를 쓰시오. (4점)

(가) Washington Meter : _____

(나) Earth Pressure Meter : _____

(다) Piezo Meter : _____

(라) Dispenser : _____

정답 11
민간부분 수주측이 설계, 시공 후 일정기간 시설물을 운영하여 투자금을 회수하고 시설물과 운영권을 무상으로 발주측에 이전하는 방식

정답 12
건축물의 기준위치를 정하는 원점으로 공사중 높이나 위치의 기준을 정하고자 설치하는 가설물을 말한다.

정답 13
(1) Rock Anchor공법을 사용하여 부상을 방지한다.
(2) 배수공법으로 지하수위를 낮춘다.
(3) 구조물의 단면을 확대하여 수압에 저항한다.
(4) 차수공법으로 물을 차단한다.

정답 14
① 콘크리트의 유동성(시공성) 확보
② 재료분리 방지
③ 소요강도 확보

정답 15
(가) 콘크리트내의 공기량 측정기구
(나) 토압측정기구
(다) 간극수압 측정기구
(라) AE제의 계량장치

16 다음 설명에 해당되는 알맞는 줄눈(Joint)을 적으시오. (2점)

콘크리트 시공과정 중 휴식시간 등으로 응결하기 시작한 콘크리트에 새로운 콘크리트를 이어칠 때 일체화가 저해되어 생기게 되는 줄눈

[정답] **16**
콜드 죠인트(cold joint)

17 한중 콘크리트의 문제점에 대한 대책을 보기에서 골라 기호 쓰시오. (3점)

─── 〈보 기〉───
가. AE제 사용　　　　　　　나. 응결지연제 사용
다. 보온양생　　　　　　　　라. 물결합재비를 60%이하로 유지
마. 중용열 시멘트 사용　　　바. Pre-cooling방법 사용

[정답] **17**
가, 다, 라

18 고강도 콘크리트의 폭렬현상에 대하여 설명하시오. (3점)

[정답] **18**
내·외부의 조직이 치밀한 고강도 콘크리트에서 화재발생시 고압의 수증기가 외부로 분출되지 못하여 콘크리트가 폭파되듯이 터지는 현상

[참고] (1) 폭렬현상의 분류
　　① 점진적 폭렬(Processive Spalling)
　　② 폭발성 폭렬(Exprosive Spalling)
(2) 대표적인 폭렬이론
　　① 수증기압 이론
　　② 골재변형 이론
　　③ 열응력 이론
　　④ 폭발성 이론
　　⑤ 삼투압 이론
(3) 폭렬이 커지는 요인
　　① 흡수율이 크고 내화성이 약한 골재 사용시
　　② 콘크리트 내부 함수율이 클 경우
　　③ 내·외부 조직이 치밀하여 화재시 발생되는 수증기 배출이 어려울 때
　　④ 열 팽창에 의한 변위 구속이 많을 때

19 강구조 공사에서 철골에 녹막이칠을 하지 않는 부분을 3가지만 쓰시오. (3점)

① _____

② _____

③ _____

정답 **19**

① 고력Bolt 접합부의 마찰면
② 콘크리트에 매립되는 부분
③ 기계 절삭 마무리면
④ 용접부위 인접 100mm 부분과 초음파 탐상검사에 영향을 미치는 범위

20 강구조 공사 접합방법 중 용접의 장점을 4가지 쓰시오. (4점)

① _____ ② _____

③ _____ ④ _____

정답 **20**

① 소음, 진동(공해)이 없다.
② 중량 감소(강재량 절약)
③ 접합부 강성이 크다.
④ 일체성, 수밀성이 보장된다.

21 철골공사에서 용접부의 비파괴 시험방법의 종류를 3가지 쓰시오. (3점)

① _____ ② _____

③ _____

정답 **21**

① 방사선 투과시험
② 초음파 탐상법
③ 자기분말 탐상법

22 T-Tower Crane 대신 Luffing Crane을 사용해야 하는 경우를 2가지 적으시오. (4점)

① _____

② _____

참고 ① T형 크레인 : 집(Jib)이 수평으로 고정되어 있음, 작업 반경 내에 장애물이 없을 때 사용
    ② 러핑 크레인 : 상하 기복(Luffing)형으로 장애물이 있을 때 효과적임.

정답 **22**

① 도심지의 협소한 공간에서 작업해야 하는 경우
② 고층 건물 밀집지역에서 타건물에 방해가 될 경우
③ 인접대지 경계선을 침범할 수 없는 경우

23 강구조 공사에 있어서 철골 습식 내화피복공법의 종류를 4가지 쓰시오. (4점)

① _____ ② _____

③ _____ ④ _____

정답 **23**

① 뿜칠공법
② 미장공법
③ 콘크리트타설공법
④ 조적공법

24 목구조의 횡력 보강부재를 3가지 적으시오. (3점)

_____

가새
버팀대
귀잡이

25 알루미늄 창호를 철제창호와 비교한 장점을 2가지 쓰시오. (2점)

① _____

② _____

① 비중이 철의 1/3 정도로 가볍다.
② 녹슬지 않고, 사용연한이 길다.
③ 내식성이 강하고 착색이 가능하다.
④ 공작이 자유롭다.

26 다음 용어를 설명하시오. (4점)

(1) 스캘럽(scallop) : _____

_____

(2) 뒷댐재(Back Strip) : _____

_____

(1) 철골부재 용접시 이음 및 접합부
  위의 용접선이 교차되어 재용접
  된 부위가 열영향을 받아 취약해
  지기 때문에 모재에 부채꼴 모양
  의 모따기를 한 것
(2) 한면 맞댄용접시 용융금속의 녹
  아 떨어짐(용락)을 방지하기 위
  해 루트(Root) 간격 하부에 대어
  주는 받침쇠를 말함.

참고 ① 받침쇠 : 뒷댐재(Back Strip)는 루트하부에 대어줌.
        엔드탭이 설치된 경우는 엔드탭을 받쳐주는 역할 수행
      ② 엔드탭(End Tap) : 용접의 시발부와 종단부에 설치하는 보조강판

2014년 2회 출제문제

1 건축공사표준시방서에 따른 경질 석재의 물갈기 마감공정을 순서대로 적으시오. (3점)

(1) _____ (2) _____

(3) _____ (4) _____

2 철근공사에서 철근선조립공법의 시공적인 측면에서의 장점 3가지를 쓰기. (3점)

① _____

② _____

③ _____

3 미장공사와 관련된 다음 용어 설명. (4점)

손질 바름 : _____

_____

실러 바름 : _____

_____

4 콘크리트의 소성수축균열(Plastic shrinkage crack)에 관하여 설명. (3점)

_____

_____

정 답

정답 **1**

(1) 거친갈기
(2) 물갈기
(3) 본갈기
(4) 정갈기

정답 **2**

① 시공 정밀도 향상
② 현장 노동력 절감 및 공기단축
③ 품질향상 및 품질관리용이성
④ 강재의 절약 및 작업의 단순화
⑤ 소규모 양중장비로 시공가능
⑥ 전기배선, 배관공사 용이

정답 **3**

• 손질 바름 : 콘크리트, 콘크리트 블록 바탕에서 초벌바름 전에 마감두께를 균등하게 할 목적으로 모르타르 등으로 미리 요철을 조정하는 것
• 실러 바름 : 바탕의 흡수 조정, 바름재와 바탕과의 접착력 증진 등을 위하여 합성수지 에멀션 희석액 등을 바탕에 바르는 것

정답 **4**

• 굳지 않은 콘크리트에서 발생되는 초기균열로서 콘크리트 타설 후 블리딩의 속도보다 표면의 증발속도가 빠른 경우 표면 수축에 의해 발생되는 불규칙 균열
 ※주로 노출면적이 넓은 바닥판에서 표면의 급격한 건조로 발생됨

5 콘크리트 타설 중 가수하여 물·시멘트비가 큰 콘크리트로 시공하였을 경우 예상되는 결점을 4가지 쓰기. (4점)

① _____

② _____

③ _____

④ _____

6 실시설계도서가 완성되고 공사물량산출 등 견적업무가 끝나면 공사예정가격작성을 위한 원가계산을 하게 된다. 원가계산과 관련된 다음 설명에 알맞은 용어를 쓰시오. (3점)

(가) 공사시공과정에서 발생하는 재료비, 노무비, 경비의 합계액 :

     _____

(나) 기업의 유지를 위한 관리활동부문에서 발생하는 제비용 :

     _____

(다) 공사계약목적물을 완성하기 위하여 직접 작업에 종사하는 종업원 및 기능공에 제공되는 노동력의 댓가 : _____

7 다음 빈칸에 해당하는 용어를 쓰시오. (4점)

―― 〈보 기〉 ――

목공사에 있어 목재의 단면을 표시한 지정치수는 특기가 없을 때는 구조재, 수장재 모두 (①)치수로 하고, 창호재, 가구재는 (②)치수로 한다. 따라서 제재목의 실제치수는 톱날두께만큼 작아지고, 이를 다시 대패질 마무리하면 더욱 줄어든다.

① _____   ② _____

정답 5
① 콘크리트의 강도 저하
② 재료분리 현상 증가
③ 건조수축 증가
④ 내구성, 수밀성 저하

정답 6
(가) 공사원가
(나) 일반관리비
(다) 직접노무비

정답 7
① 제재
② 마무리

8 숏크리트(Shotcrete)공법의 정의를 기술하고, 그에 대한 장·단점을 1가지씩 쓰기. (4점)

(가) 숏크리트 공법 : _____

(나) 장점 : _____

(다) 단점 : _____

정답 **8**

(가) 숏크리트 공법 : 모르타르를 압축공기로 분사하여 바르는 것으로 Sprayed Concrete라고도 한다.
(나) 장점 : 재료 표면의 강도, 수밀성, 내구성 증진
　　※ 밀폐된 좁은 공간에 시공성 (충전성) 우수
(다) 단점 : 다공질이고, 외관이 거칠고, 균열발생 우려
　　※ 건식공법은 분진발생과 재료 낭비가 심함

9 Ready Mixed Concrete가 현장에 도착하여 타설될 때 시공자가 현장에서 일반적으로 행하여야 하는 품질관리 항목을 [보기]에서 모두 골라 기호로 쓰시오. (3점)

―― 〈보 기〉 ――
㉮ Slump 시험	㉯ 물의 염소이온량 측정
㉰ 골재의 반응성	㉱ 공기량 시험
㉲ 압축강도 측정용 공시체 제작	㉳ 시멘트의 알칼리량

정답 **9**

㉮, ㉱, ㉲

10 철골공사에서 내화피복 공법의 종류에 따른 재료를 각각 2가지씩 쓰시오. (3점)

공 법	재 료
타설공법	
조적공법	
미장공법	

• 타설공법 : _____

• 조적공법 : _____

• 미장공법 : _____

정답 **10**

• 타설공법 : 콘크리트, 경량콘크리트
• 조적공법 : 콘크리트 Block, ALC Block
• 미장공법 : 철망 Mortar, 펄라이트 Mortar

11 아래 그림은 철근콘크리트조 경비실건물이다. 주어진 평면도 및 단면도를 보고 C1, G1, G2, S1 에 해당되는 부분의 1층과 2층 콘크리트량과 거푸집량을 산출하시오. (10점)

    단, 1) 기둥단면 (C1) : 30cm×30cm

       2) 보단면 (G1, G2) : 30cm×60cm

       3) 슬라브두께 (S1) : 13cm

       4) 층고 : 단면도 참조

         단, 단면도에 표기된 1층 바닥선 이하는 계산하지 않는다.

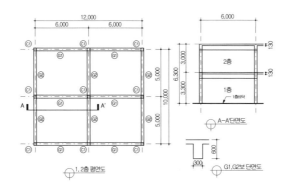

정답 **11**

(1) 콘크리트량

① 기둥(C1) 1층 : $(0.3 \times 0.3 \times 3.17) \times 9$개 $= 2.567\text{m}^3$

           2층 : $(0.3 \times 0.3 \times 2.87) \times 9$개 $= 2.324\text{m}^3$

② 보(G1) 1층+2층 : $(0.3 \times 0.47 \times 5.7) \times 12$개 $= 9.644\text{m}^3$

  보(G2) 1층+2층 : $(0.3 \times 0.47 \times 4.7) \times 12$개 $= 7.952\text{m}^3$

③ 슬라브(S1) 1층+2층 : $(12.3 \times 10.3 \times 0.13) \times 2$개 $= 32.939\text{m}^3$

  계 : $55.426\text{m}^3 \rightarrow 55.43\text{m}^3$

(2) 거푸집량

① 기둥(C1) 1층 : $(0.3+0.3) \times 2 \times 3.17 \times 9$개 $= 34.236\text{m}^2$

           2층 : $(0.3+0.3) \times 2 \times 2.87 \times 9$개 $= 30.996\text{m}^2$

② 보(G1) 1층+2층 : $(0.47 \times 5.7 \times 2) \times 12$개 $= 64.296\text{m}^2$

  보(G2) 1층+2층 : $(0.47 \times 4.7 \times 2) \times 12$개 $= 53.016\text{m}^2$

③ 슬라브(S1) 1층+2층 : $\{(12.3 \times 10.3)+(12.3+10.3) \times 2 \times 0.13\} \times 2$개 $= 265.132\text{m}^2$

  계 : $447.676\text{m}^2 \rightarrow 447.68\text{m}^2$

12 언더 피닝(Under Pinning)을 실시하는 이유(목적)을 기술하고, 언더피닝 공법의 종류를 2가지 쓰시오. (4점)

(가) 이유 : _____

_____

(나) 종류 :

① _____   ② _____

[정답] **12**

(가) 이유 : 지하구조물 축조시나 터파기시 인접건물이나 구조물의 침하, 균열, 이동 등의 피해를 예방하기 위한 목적

(나) 종류 :
   ① 이중널말뚝 설치공법
   ② 현장타설 콘크리트 말뚝설치 보강법
   ③ Mortar 및 약액주입법

13 다음 설명에 해당하는 보링 방법을 쓰시오. (4점)

─── 〈보 기〉───

① 충격날을 60~70cm 정도 낙하시키고 그 낙하충격에 의해 파쇄된 토사를 퍼내어 지층상태를 판단하는 방법
② 충격날을 회전시켜 천공하므로 토층이 흐트러질 우려가 적은 방법
③ 오거를 회전시키면서 지중에 압입, 굴착하고 여러번 오거를 인발하여 교란 시료를 채취하는 방법
④ 깊이 30m 정도의 연질층에 사용하며, 외경 50~60mm관을 이용, 천공하면서 흙과 물을 동시에 배출시키는 방법

① _____   ② _____

③ _____   ④ _____

[정답] **13**
   ① 충격식 보링
   ② 회전식 보링
   ③ 오거 보링
   ④ 수세식 보링

14 밀도가 2.65g/cm³이고 단위용적질량이 1,600kg/m³인 골재가 있다. 이 골재의 공극률(%)을 구하시오. (3점)

계산과정 : _____

[정답] **14**
$$100 - \left[\frac{1.6}{2.65} \times 100\right] = 39.62\%$$

15 SPS(Strut as Permanent System)공법의 특징을 4가지 쓰시오. (4점)

① _____

② _____

③ _____

④ _____

16 기성말뚝의 타격공법에서 주로 사용하는 디젤해머(Diesel Hammer)의 장점 또는 단점을 3가지만 쓰기. (3점)

① _____

② _____

③ _____

17 목재의 방부처리방법을 3가지 쓰고, 그 내용을 설명하시오. (3점)

① _____

② _____

③ _____

정답 **15**
① 지하구조물과 지상작업 병행으로 공기가 단축된다.
② 지하구조물과 가설물의 간섭 배제로 시공성이 향상됨
③ 가설재의 폐기물 발생이 저감된다.
④ 채광, 환기 등 별도시설이 불필요
※ 기타 :
① 가설지지체의 설치 및 해체 공정이 없어 작업능률 향상

정답 **16**
(1) 장점
① 큰 타격력이 얻어지며 시공능률이 우수
② 말뚝두부 손상이 적다.
③ 타격의 정밀도가 우수하다.
④ 장비의 조립·해체가 용이하다.

(2) 단점
① 해머(램)의 낙하고 조절이 어려움
② 소음, 진동이 크고 기름, 연기의 비산 등 공해가 큼
③ 연약지반에서는 시공능률이 떨어짐

정답 **17**
① 주입법 : 방부제를 상압주입이나 가압하여 나무깊이 주입하는 방법
② 도포법 : 방부제칠이나 유성페인트, 아스팔트재료 등을 칠하는 방법
③ 표면탄화법 : 목재표면 3~4mm 정도를 태워 수분을 제거하는 방법

18 다음 데이터를 공정표로 작성하고 각 작업의 전체여유(TF)와 자유여유(FF)를 구하시오. (8점)

작업명	작업일수	선행작업	비　　고
A	5	–	네트워크 작성은 다음과 같이
B	6	–	
C	5	A, B	
D	7	A, B	
E	3	B	
F	4	B	
G	2	C, E	
H	4	C, D, E, F	

네트워크 작성은 다음과 같이

EST LST → 작업명 공사일수 → LFT EFT

$\text{(i)} \xrightarrow[\text{공사일수}]{\text{작업명}} \text{(j)}$

표기하고 주공정선은 굵은선으로 표기하시오.

① 공정표 작성　　　　　② 전체여유(TF)와 자유여유(FF)

정답 18

① 공정표 작성

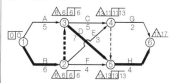

해설 네트워크 공정표 작성시 액티비티가 서로 교차되는 것을 가능한 피하여야 하지만 부득이한 경우는 서로 교차될 수도 있다.

② 전체여유(TF)와 자유여유(FF)

작업명	TF	FF
A	1	1
B	0	0
C	2	0
D	0	0
E	4	2
F	3	3
G	4	4
H	0	0

해설 DF와 CP 항목은 출제당시 제외시킨 채 각 작업의 TF와 FF만 구하라고 출제되었다.

19 PERT기법에 의한 기대시간(Expected Time)을 구하시오. (4점)

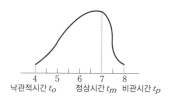

낙관적시간 t_o　　정상시간 t_m　비관시간 t_p

정답 19

$$T_e = \frac{t_o + 4t_m + t_p}{6} = \frac{4 + 4 \times 7 + 8}{6} = 6.67$$

20 그림과 같은 철근콘크리트 단순보에서 계수집중하중(P_u)의 최대값(kN)을 구하시오. (단, 보통중량콘크리트 $f_{ck}=28MPa$, $f_y=400MPa$, 인장철근 단면적 A_s $=1,500mm^2$, 휨에 대한 강도감소계수 $\phi=0.85$를 적용한다.) (4점)

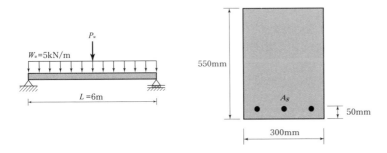

계산과정 :

정답 20

(1) $a = \dfrac{A_s \cdot f_y}{\eta(0.85f_{ck})b}$

$= \dfrac{(1,500)(400)}{(1.00)(0.85 \times 28)(300)} = 84.03mm$

(2) $\phi M_n = \phi A_s \cdot f_y \cdot \left(d - \dfrac{a}{2}\right)$

$= (0.85)(1,500)(400)\left(500 - \dfrac{(84.03)}{2}\right)$

$= 233,572,350 N \cdot mm = 233.572 kN \cdot m$

(3) $M_u = \dfrac{P_u \cdot L}{4} + \dfrac{w_u \cdot L^2}{8} = \dfrac{P_u(6)}{4} + \dfrac{(5)(6)^2}{8}$

(4) $M_u \leq \phi M_n$ 으로부터

$\dfrac{P_u(6)}{4} + \dfrac{(5)(6)^2}{8} \leq 233.572$ 이므로

$P_u \leq 140.715 kN$

21 그림과 같은 T형보의 중립축위치(c)를 구하시오. (단, 보통중량콘크리트 f_{ck} $=30MPa$, $f_y=400MPa$, 인장철근 단면적 $A_s=2,000mm^2$) (4점)

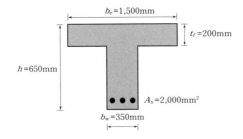

계산과정 :

정답 21

(1) $f_{ck} \leq 40MPa \rightarrow \eta = 1.00$, $\beta_1 = 0.80$

(2) $a = \dfrac{A_s \cdot f_y}{\eta(0.85f_{ck}) \cdot b}$

$= \dfrac{(2,000)(400)}{(1.00)(0.85 \times 30)(1,500)} = 20.92mm$

$c = \dfrac{a}{\beta_1} = \dfrac{(20.92)}{(0.80)} = 26.15mm$

22 그림과 같은 캔틸레버 보의 자유단 B점의 처짐이 0이 되기 위한 등분포하중 w (kN/m)의 크기를 구하시오. (단, 경간 전체의 휨강성 EI 는 일정) (3점)

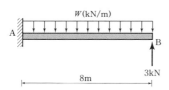

계산과정 : _____

23 보통골재를 사용한 f_{ck} =30MPa인 콘크리트의 탄성계수를 구하시오. (3점)

(1) _____

(2) _____

24 그림과 같은 용접부의 기호에 대해 기호의 수치를 모두 표기하여 제작 상세를 도시하시오. (단, 기호의 수치를 모두 표기해야 함) (4점)

정답 **22**

$\delta_B = \dfrac{wL^4}{8EI} - \dfrac{PL^3}{3EI} = 0$ 으로부터

$3wL^4 = 8PL^3$ 이므로

$w = \dfrac{8P}{3L} = \dfrac{8(3)}{3(8)} = 1\text{kN/m}$

정답 **23**

(1) $f_{ck} \leq 40\text{MPa} : \Delta f = 4\text{MPa}$

(2) $E_c = 8,500 \cdot \sqrt[3]{f_{ck} + \Delta f}$
$= 8500 (\sqrt[3]{30}) + (4)$
$= 27,536.7\text{MPa}$

정답 **24**

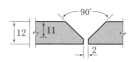

※ 보충설명
① v형 맞댄용접
(개선각:화살표쪽 90°)
② 목두께 12mm
③ 홈깊이(개선깊이) 11mm
④ Root 간격 2mm

25 고장력볼트로 접합된 큰보와 작은보의 접합부의 사용성한계상태에 대한 설계미끄럼강
도를 계산하여 V=450kN의 사용하중에 대해 볼트 개수가 적절한지 검토하시오. (단,
사용된 고력볼트는 M22(F10T), 필러를 사용하지 않는 경우이며, 표준구멍을 적용하
고, 설계볼트장력 T_o =200kN, 미끄럼계수 μ =0.5, 고장력볼트 설계미끄럼강도
$\phi R_n = \phi \cdot \mu \cdot h_f \cdot T_o \cdot N_s$ 식으로 검토한다.) (5점)

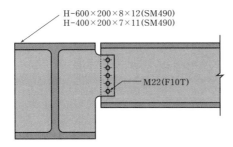

H-600×200×8×12(SM490)
H-400×200×7×11(SM490)

M22(F10T)

정답 **25**

(1) $\phi R_n = (1.0)(0.5)(1.0)(200)(1) = 100$

(2) 5개 ×100kN=500kN≥450kN
　　이므로 고장력볼트의 개수는
　　적절하다.

2014년 3회 출제문제

1 아래 그림에서 한 층 분의 콘크리트량과 거푸집량을 산출하시오. (10점)

① 부재치수 (단위 : mm)
② 전기둥(C_1) : 500×500, 슬래브두께(t) : 120
③ G_1, G_2 : 400×600(b×D), G_3 : 400×700, B_1 : 300×600
④ 층고 : 4,000

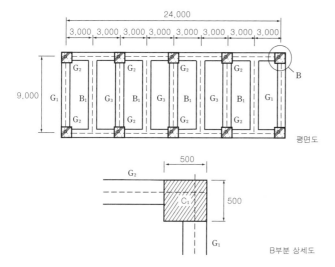

평면도

B부분 상세도

정답 ① 콘크리트량

1. 기둥 (C_1) : {(0.5×0.5×(4 − 0.12)}×10개 = 9.7m³

2. 보 (G_1) : {0.4×0.48×(9 − 0.6)}×2개 = 3.226m³

3. 보 (G_2) : (0.4×0.48×5.5×4) + (0.4×0.48×5.45×4) = 8.409m³

4. 보 (G_3) : (0.4×0.58×8.4)×3개 = 5.846m³

5. 보 (B_1) : (0.3×0.48×8.6)×4개 = 4.953m³

6. 슬라브 : 9.4×24.4×0.12 = 27.523m³

∴ 계 : 59.657

답 : 59.66m³

② 거푸집량

1. 기둥 (C_1) : {(0.5 + 0.5)×2×3.88}×10개 = 77.6m²

2. 보 (G_1) : (0.48×2×8.4)×2개 = 16.128m²

3. 보 (G_2) : (0.48×5.5×2×4) + (0.48×5.45×2×4) = 42.048m²

4. 보 (G_3) : 0.58×8.4×2×3 = 29.232m²

5. 보 (B_1) : 0.48×8.6×2×4 = 33.024m²

6. 슬라브 : 9.4×24.4 + (9.4 + 24.4)×2×0.12 = 237.47m²

∴ 계 : 435.502

답 : 435.50m²

2 TQC에 이용되는 도구 중 다음에 대하여 설명하시오. (2점)

(1) 특성요인도 : _____

(2) 산점도 : _____

3 VE의 사고방식에 대하여 4가지를 쓰시오. (4점)

① _____　② _____

③ _____　④ _____

4 커튼월 공사에서 구조체의 층간변위, 커튼월의 열팽창, 변위 등을 해결하는 긴결방법 3가지를 쓰시오. (3점)

① _____　② _____

③ _____

5 다음의 H형강 x축에 대한 단면2차모멘트를 계산하시오. (3점)

6 BOT(Build-Operate-Transfer contract)방식을 설명하시오. (3점)

_____

_____

7 주열식 지하 연속벽 공법의 특징(장점)을 4가지 쓰시오. (4점)

① _____　② _____

③ _____　④ _____

정답 **2**

(1) 결과에 원인이 어떻게 관계하고 있는가를 한 눈에 알 수 있도록 작성한 그림

(2) 대응되는 두 개의 짝으로 된 데이터를 그래프 용지 위에 점으로 나타낸 그림

정답 **3**

① 고정관념의 제거
② 사용자 중심의 사고(고객본위)
③ 기능중심의 접근(기능중심)
④ Team Design의 조직적 노력 (집단사고)

정답 **4**

① 회전방식(Locking Type)
② 슬라이드방식(Slide Type)
③ 고정방식(Fixed Type)

정답 **5**

$$I_x = \frac{(200)(16)^3}{12} + (200 \times 16)(592)^2 + $$

$$\frac{(10)(468)^3}{12} + (10 \times 468)(350)^2 + $$

$$\frac{(200)(16)^3}{12} + (200 \times 16)(108)^2$$

$$= 1.81767 \times 10^9 mm^4$$

정답 **6**

민간부분 수주측이 설계, 시공 후 일정기간 시설물을 운영하여 투자금을 회수하고 시설물과 운영권을 무상으로 발주측에 이전하는 방식

정답 **7**

① 무소음, 무진동 공법이다.
② 임의 형상, 칫수가 가능하다.
③ 지반조건에 좌우되지 않는다.
④ 차수성이 우수하다.

8 Pre-Stressed Concrete에서 Pre-Tension 공법과 Post-Tension 공법의 차이점을 시공순서를 바탕으로 쓰시오. (4점)

(가) 프리텐션(Pre-Tension) 방식 : _____

(나) 포스트텐션(Post-Tension) 방식 : _____

정답 **8**
(가) 강현재에 인장력을 가한 상태로 콘크리트를 부어 넣고 경화후 단부에서 인장력을 풀어주어 콘크리트에 압축력을 가한다.
(나) 쉬드를 설치하고 콘크리트를 경화시킨 뒤 쉬드 구멍에 강현재를 삽입, 긴장시키고, 시멘트 페이스트로 그라우팅 한후 인장력을 풀어준다.

9 다음 계측기의 종류에 맞는 용도를 골라 번호로 쓰시오. (6점)

종　류	용　도
가. Piezometer	① 하중 측정
나. Inclinometer	② 인접건물의 기울기도 측정
다. Load cell	③ Strut 변형 측정
라. Extensometer	④ 지중 수평 변위 측정
마. Strain gauge	⑤ 지중 수직 변위 측정
바. Tilt meter.	⑥ 간극수압의 변화 측정

(가) _____ (나) _____ (다) _____

(라) _____ (마) _____ (바) _____

정답 **9**
(가) - ⑥
(나) - ④
(다) - ①
(라) - ⑤
(마) - ③
(바) - ②

10 토질의 종류와 지반의 허용응력도에 관하여 (　　)안을 알맞은 내용으로 채우시오. (5점)

(1) 장기허용지내력도
　① 경암반 : (　　　　) KN/m²
　② 연암반 : (　　　　) KN/m²
　③ 자갈과 모래의 혼합물 : (　　　　) KN/m²
　④ 모래 : (　　　　) KN/m²

(2) 단기허용지내력도 = 장기허용지내력도 × (　　　　)

정답 **10**
(1) ① 4,000　② 2,000　③ 200
　④ 100
(2) 1.5

11 벽타일 붙이기 시공순서를 쓰시오. (4점)

(1) 바탕처리　(2) _____　(3) _____　(4) _____　(5) _____

정답 **11**
(1) 바탕처리　(2) 타일나누기
(3) 벽타일붙임　(4) 치장줄눈
(5) 보양

12 다음 거푸집 공법을 비교설명하시오. (6점)

(1) 슬라이딩폼 : _____

(2) 워플폼 : _____

(3) 터널폼 : _____

13 그림에서 제시하는 볼트의 전단파괴에 대한 명칭을 쓰시오. (4점)

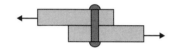 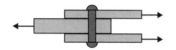

① _____　　② _____

정답 **13**

① 1면전단파괴

② 2면전단파괴

14 매스콘크리트의 수화열 저감을 위한 대책 3가지만 쓰기. (3점)

① _____　　② _____

③ _____

정답 **14**

① 단위시멘트 사용량을 가능한 작게 한다.

② 수화열이 낮은 시멘트를 사용

③ 프리쿨링, 파이프 쿨링 등에 의해 온도제어

※ ① 굵은 골재 칫수를 크게 하고, 잔골재율을 작게 한다.

② 골재나 물을 냉각시켜 사용한다.

15 철골 용접접합에서 발생하는 결함항목을 3가지만 쓰시오. (3점)

① _____　　② _____

③ _____

정답 **15**

① Slag 감싸들기

② Under Cut

③ Overlap　　④ Blow hole

⑤ Crack　　⑥ 용입불량

⑦ Crater　　⑧ 은정

16 다음의 철골접합부 그림은 보와 기둥의 모멘트 접합부 상세이다. 기호로 지적된 부분의 명칭을 적으시오. (3점)

(가) _____

(나) _____

(다) _____

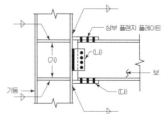

정답 **16**

(가) stiffener(스티프너, 보강스티프너, 수평스티프너)

(나) 전단 플레이트(plate)

(다) 하부 플랜지 플레이트 (flange plate)

17 그림과 같은 단순보의 C점에서의 최대 휨응력을 구하시오.(3점)

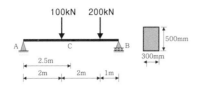

정답 **17**

(1) $\sum M_B = 0$: $+(V_A)(5) - (100)(3) -$
$$(200)(1) = 0$$
$$\therefore V_A = +100kN(\uparrow)$$

(2) $M_{C,Left} = +[+(100)(2.5) - (100)(0.5)]$:
$$= +200kN \cdot m$$

(3) $\sigma_C = \dfrac{M_{max}}{Z} = \dfrac{(200 \times 10^6)}{\dfrac{(300)(500)^2}{6}} = 16N/mm^2$
$$= 16MPa$$

18 그림과 같은 철근콘크리트 보의 강도감소계수를 산정하시오.
（단, $f_{ck} = 30MPa$, $f_y = 400MPa$, $A_g = 2,820mm^2$ ）(3점)

정답 **18**

(1) $f_{ck} \le 40MPa \rightarrow \eta = 1.00$, $\beta_1 = 0.80$

$a = \dfrac{A_s \cdot f_y}{\eta(0.85f_{ck}) \cdot b}$
$$= \dfrac{(2,820)(400)}{(1.00)(0.85 \times 30)(300)} = 147.45mm$$

$c = \dfrac{a}{\beta_1} = \dfrac{(147.45)}{(0.80)} = 184.31mm$

(2) $\varepsilon_t = \dfrac{d_t - c}{c} \cdot \varepsilon_{cu}$
$$= \dfrac{(500) - (184.31)}{(184.31)} \cdot (0.0033)$$
$$= 0.00565 \ge 0.005$$
$\therefore$ 인장지배단면 부재이며 $\phi = 0.85$

19 조적조를 바탕으로 하는 지상부 건축물의 외부벽면 방수방법의 내용을 3가지 쓰시오.
(3점)

① _____ ② _____

③ _____

정답 **19**

① 시멘트 액체 방수
② 수밀재 붙임 방법
③ 도막 방수 공법

20 다음 콘크리트 공사에 관한 용어에 대하여 간략하게 기술하시오. (4점)

(가) 블리딩 : _____

(나) 레이턴스(laitance) : _____

정답 **20**

(가) 아직 굳지 않은 시멘트풀, 몰탈 및 콘크리트에서 물이 윗면에 스며오르는 현상(일종의 재료 분리 현상)
(나) 콘크리트를 부어 넣은 후 블리딩수의 증발에 따라 그 표면에 나오는 백색의 미세한 물질

21 Sand drain 공법에 대하여 설명하시오. (3점)

_____

_____

정답 **21**

지름 40~60cm의 구멍을 뚫고 모래를 넣은 후, 성토 및 기타 하중을 가하여 점토질 지반을 압밀하여 탈수하는 공법

22 다음 설명에 해당하는 시멘트 종류를 고르시오. (3점)

── 〈보 기〉──────────────────

조강 시멘트, 실리카 시멘트, 내황산염 시멘트, 중용열 시멘트, 백색 시멘트,
콜로이드 시멘트, 고로슬래그 시멘트

(1) ① 특성 : 조기강도가 크고 수화열이 많으며 저온에서 강도의 저하율이 낮다.
　　 ② 용도 : 긴급공사, 한중공사
(2) ① 특성 : 석탄 대신 중유를 원료로 쓰며, 제조시 산화철분이 섞이지 않도록
　　　　　　 주의한다.
　　 ② 용도 : 미장재, 인조석 원료
(3) ① 특성 : 내식성이 좋으며 발열량 및 수축률이 작다.
　　 ② 용도 : 대단면 구조재, 방사성 차단물

(1) _____　　(2) _____　　(3) _____

23 다음 데이터를 네트워크공정표로 작성하고, 각 작업의 여유시간을 계산하시오. (10점)

작업명	작업일수	선행작업	비　　　　고
A	5	없음	결합점에서는 다음과 같이 표시한다.
B	2	없음	
C	4	없음	
D	4	A, B, C	
E	3	A, B, C	
F	2	A, B, C	주공정선은 굵은선으로 표시하시오.

① 네트워크 공정표 작성　　　　② 여유시간 산정

작업명	EST	EFT	LST	LFT	TF	FF	DF	CP
A								
B								
C								
D								
E								
F								

정답

② 여유시간 산정

작업명	EST	EFT	LST	LFT	TF	FF	DF	CP
A	0	5	0	5	0	0	0	＊
B	0	2	3	5	3	3	0	
C	0	4	1	5	1	1	0	
D	5	9	5	9	0	0	0	＊
E	5	8	6	9	1	1	0	
F	5	7	7	9	2	2	0	

24 플랫슬래브(플레이트)구조에서 2방향 전단에 대한 보강방법을 4가지 쓰시오. (4점)

① _____

② _____

③ _____

④ _____

정답 **24**

① 슬래브의 두께를 크게 한다.
② 지판 또는 기둥머리를 사용하여 위험단면의 면적을 늘린다.
③ 기둥을 중심으로 양 방향 기둥열 철근을 스터럽으로 보강
④ 기둥에 얹히는 슬래브를 C형강이나 H형강으로 전단머리 보강

2015년 1회 출제문제

1 세로 규준틀 설치와 관련된 다음 물음에 답하시오. (3점)

(1) 세로 규준틀을 설치하는 위치 1가지 : _____

(2) 세로 규준틀에 기입하는 항목 2가지 : _____

2 강관파이프 비계에 대한 다음 물음에 답하시오. (3점)

(1) 수직, 수평, 경사방향으로 연결 또는 이음 고정시킬 때 사용하는 클램프의 종류 2가지 : _____

(2) 지반이 미끄러지지 않도록 지지하거나 잡아주는 비계기둥의 맨 아래에 설치하는 철물 : _____

3 흙의 전단강도 식을 쓰고 각 기호가 나타내는 것을 쓰시오. (4점)

_____

_____

4 흙막이 버팀대(Strut)를 가설재로 사용하지 않고 굴토 중에는 토압을 지지하고, 슬래브 타설 후에는 수직하중을 지지하는 영구 구조물 흙막이 버팀대를 가리키는 용어를 쓰시오. (2점)

_____

5 기성콘크리트 말뚝을 기초로 사용하고자 할 때, 도심지에서 사용할 수 있는 무소음, 무진동 공법을 3가지 쓰시오. (3점)

(1) _____   (2) _____

(3) _____

정 답

정답 1
(1) 모서리(벽끝), 혹은 교차부
(2) 쌓기단수, 앵커 Bolt위치, 혹은 개구부 설치위치

정답 2
(1) 고정형 클램프, 자재형 클램프
(2) Base Plate 철물

정답 3

$\tau = C + \sigma \tan\phi$	τ : 전단강도 C : 점착력 $\tan\phi$: 마찰계수 ϕ : 내부마찰각 σ : 파괴면에 수직인 힘

정답 4
SPS(Strut as Permanent System) 공법

정답 5
(1) Preboring 공법
(2) 수사법(Water jet 공법)
(3) 중공굴삭(중굴)공법
※ 압입(회전압입)공법

6 기초 구조물의 부동침하 방지대책을 4가지를 쓰시오. (4점)

① _____ ② _____

③ _____ ④ _____

[정답] **6**
① 기초를 경질지반에 지지
② 마찰 말뚝을 사용할 것
　(지지말뚝과 혼용금지)
③ 지하실 설치(온통기초)
④ 복합기초 사용

7 지하구조물 축조 시 인접구조물의 피해를 막기 위해 실시하는 언더피닝(Under Pinning) 공법의 종류를 4가지 쓰시오. (4점)

① _____ ② _____

③ _____ ④ _____

[정답] **7**
① 이중 널말뚝 설치공법
② 현장타설콘크리트 말뚝설치보강
　공법
③ Mortar 및 약액주입법등 지반안
　정공법
④ 강재말뚝보강공법

8 콘크리트 헤드(Concrete Head)를 설명하시오. (3점)

_____

_____

[정답] **8**
타설된 콘크리트 윗면으로부터 최대
측압면까지의 거리

9 철근의 응력-변형률 곡선에서 해당하는 4개의 주요 영역과 5개의 주요 포인트에 관련된 용어를 쓰시오. (3점)

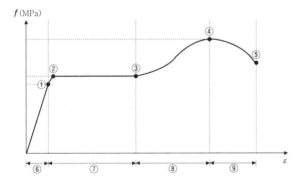

① _____ ② _____ ③ _____

④ _____ ⑤ _____ ⑥ _____

⑦ _____ ⑧ _____ ⑨ _____

[정답] **9**
① 비례한계점
② 항복강도점
③ 변형도경화점
④ 극한강도점
⑤ 파괴점
⑥ 탄성영역
⑦ 소성영역
⑧ 변형도경화영역
⑨ 파괴영역

10 다음의 건축공사 표준시방서에 관한 내용 중 빈칸을 적절히 채워 넣으시오. (2점)

(가) 기초, 보옆, 기둥 및 벽의 거푸집널 존치기간은 콘크리트의 압축강도가
　　　(　　　) 이상에 도달한 것이 확인될 때까지로 한다.

(나) 다만 거푸집널 존치기간 중의 평균기온이 10℃ 이상이고, 보통포틀랜드시멘
　　　트를 사용할 경우 재령 (　　　)일 이상이 경과하면 압축강도 시험을 행하지
　　　않고도 거푸집을 제거할 수 있다.

11 철골조에서의 칼럼 쇼트닝(Column Shortening)에 대하여 기술하시오. (3점)

_____

_____

12 대형 시스템거푸집 중에서 갱폼(Gang form)의 장·단점을 각각 2가지씩 쓰시오. (4점)

(가) 장　점 :

①　_____

②　_____

(나) 단　점 :

①　_____

②　_____

13 다음 도면과 같은 기둥 주근의 철근량을 산출하시오. (단, 층고는 3.6m, 주근의 이음길이는
25D로 하고, 철근의 중량은 D22=3.04kg/m, D19=2.25kg/m, D10=0.56kg/m로 한다.)
(4점)

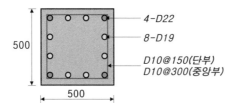

500	4-D22
	8-D19
	D10@150(단부)
	D10@300(중앙부)
500	

정답 10

(가) 5MPa (5N/mm²)
(나) 4

정답 11

철골조의 초고층 건물축조시 발생되는 기둥의 축소, 변위현상을 말한다.
발생이유 : 내·외부 기둥 구조의 차이, 재질이나 응력의 차이, 하중의 차이 때문

정답 12

(가) ① 조립과 해체작업이 생략되어 설치시간이 단축된다.
② 거푸집의 처짐량이 작고 외력에 대한 안정성이 높다.
(나) ① 중량물이므로 운반시 대형 양중장비가 필요하다.
② 거푸집 제작비용이 크므로 초기투자비용이 증가된다.

정답 13

(1) 주근(D22) :
$[3.6+(25+10.3\times2)\times0.022]\times4$개
$=18.412m$
(2) 주근(D19) :
$[3.6+(25+10.3\times2)\times0.019]\times8$개
$=35.731m$
(3) 합계
① D22: $18.412\times3.04=55.972kg$
② D19: $35.731\times2.25=80.394kg$
∴ $55.972+80.394=136.366kg$

14 목재에 가능한 방부제 처리법을 4가지 쓰시오. (4점)

① _____ ② _____

③ _____ ④ _____

정답 **14**

① 침지법
② 주입법(가압주입법)
③ 표면탄화법
④ 도포법(방부제칠)

15 그림과 같이 단순지지된 철근콘크리트 보의 중앙에 집중하중이 작용할 때 이 보에서의 휨에 대한 강도감소계수를 구하시오. (단, $E_s = 200,000 MPa$, $f_{ck} = 24MPa$, $f_y = 400MPa$, $A_s = 2,100mm^2$) (4점)

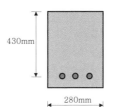

정답 **15**

(1) $f_{ck} \le 40MPa \;\to\; \eta = 1.00,\; \beta_1 = 0.80$

(2) $a = \dfrac{A_s \cdot f_y}{\eta(0.85 f_{ck}) \cdot b}$

$= \dfrac{(2,100)(400)}{(1.00)(0.85 \times 24)(280)} = 147.05mm$

$c = \dfrac{a}{\beta_1} = \dfrac{(147.05)}{(0.80)} = 183.81mm$

(3) $\varepsilon_t = \dfrac{d_t - c}{c} \cdot \varepsilon_c$

$= \dfrac{(430) - (184.31)}{(184.31)} \cdot (0.0033) = 0.00442$

(4) $0.0020 < \varepsilon_t (= 0.00442) < 0.005$ 이므로 변화구간단면의 부재이다.

(5) $\phi = 0.65 + (\varepsilon_t - 0.002) \times \dfrac{200}{3}$

$= 0.65 + [(0.00442) - 0.002] \times \dfrac{200}{3} = 0.811$

16 다음은 철골조 기둥공사의 작업 흐름도이다. 알맞은 번호를 보기에서 골라 (　　)를 채우시오. (4점)

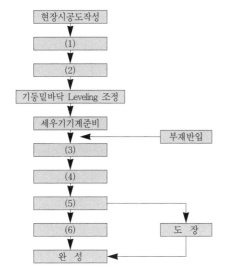

〈보 기〉

(가) 본접합
(나) 세우기 검사
(다) 앵커보울트 매립
(라) 세우기
(마) 중심내기
(바) 접합부의 검사

정답 **16**

(1) (마) 중심내기
(2) (다) 앵커보울트 매립
(3) (라) 세우기
(4) (나) 세우기 검사
(5) (가) 본접합
(6) (바) 접합부의 검사

17 타일공사에서 압착붙임공법의 단점인 오픈타임(Open Time) 문제를 해결하기 위해 개발된 공법으로, 압착붙임공법과는 달리 타일에도 붙임모르타르를 바르므로 편차가 작은 양호한 접착력을 얻을 수 있고 백화도 거의 발생하지 않는 타일붙임공법은? (2점)

_____

18 다음 용어를 설명하시오. (4점)

(1) 물시멘트비 : _____

(2) 아스팔트의 침입도 : _____

19 시이트(Sheet) 방수공법의 시공순서를 쓰시오. (3점)

바탕처리 → ((가)   ) → 접착제칠 → ((나)   ) → ((다)   )

(가) _____ (나) _____ (다) _____

20 다음 금속공사에 이용되는 철물이 뜻하는 용어설명을 보기에서 골라 번호로 쓰시오. (4점)

— 〈보 기〉 —
(1) 철선을 꼬아 만든 철망
(2) 얇은 철판에 각종 모양을 도려낸 것
(3) 벽, 기둥의 모서리에 대어 미장바름을 보호하는 철물
(4) 테라죠 현장갈기의 줄눈에 쓰이는 것
(5) 얇은 철판에 자름금을 내어 당겨 늘린 것
(6) 연강 철선을 직교시켜 전기 용접한 것
(7) 천정, 벽 등의 이음새를 감추고 누르는 것

(가) 와이어라스 : _____ (나) 메탈라스 : _____

(다) 와이어메쉬 : _____ (라) 펀칭메탈 : _____

정답 17

개량압착공법

정답 18

(1) 부어넣기 직후의 Mortar나 Concrete속에 포함된 시멘트 풀 속의 시멘트에 대한 물의 중량 백분율
(2) 아스팔트의 양부를 판별하는데 가장 중요한 경도시험으로 25℃에서 100g 추를 5초 동안 누를 때 침이 0.1mm 관입되는 것을 침입도 1로 한다.

정답 19

(가) 프라이머칠
(나) 시이트붙임
(다) 마무리(보호층 설치)

정답 20

(가) - (1)   (나) - (5)
(다) - (6)   (라) - (2)

정   답

21 다음 도면을 보고 옥상방수면적(m²), 누름콘크리트량(m³), 보호벽돌량(매)를 구하시오. (단, 벽돌의 규격은 190×90×57) (6점)

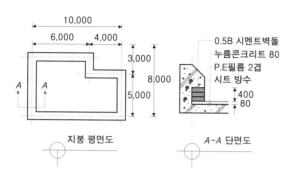

지붕 평면도   A-A 단면도

(1) 옥상방수 면적: _____

(2) 누름콘크리트량: _____

(3) 보호벽돌 정미량: _____

22 VE(Value Engineering) 기법을 설명하고, 가장 효과적인 적용단계를 쓰시오. (4점)

(1) VE기법 설명: _____

_____

(2) 적용단계: _____

23 다음 데이터를 네트워크 공정표로 작성하고, 각 작업의 여유시간을 구하시오. (10점)

작업명	작업일수	선행작업	비 고
A	5	없음	(1) 결합점에서는 다음과 같이 표시한다.
B	2	없음	
C	4	없음	EST｜LST LFT\EFT
D	4	A, B, C	ⓘ 작업명→ⓙ 소요일수
E	3	A, B, C	(2) 주공정선은 굵은 선으로 표시한다.
F	2	A, B, C	

① 네트워크 공정표

② 일정시간 및 여유시간 (CP는 ※ 표시를 할 것)

정답 21

(1) $(6×8)+(4×5)+\{(10+8)×2×0.48\}$
$=85.28m^2$

(2) $\{(6×8)+(4×5)\}×0.08=5.44m^3$

(3) $\{(10-0.09)+(8-0.09)\}×2×0.4×75$매
$=1,069.2$매 $→ 1,069$매

정답 22

(1) 산업생산 전반에 걸쳐서 최저의 총 Cost(Life Cycle Cost)로써 필요한 기능을 확실히 달성하기 위하여 제품이나 Service의 기능분석에 쏟는 조직적 노력이며, 대안창출을 통한 원가절감 기법이다.

(2) 설계단계 혹은 기획 및 설계단계

정답 23

① 공정표 작성

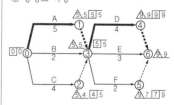

[정답]

② 여유시간 산정

작업명	EST	EFT	LST	LFT	TF	FF	DF	CP
A	0	5	0	5	0	0	0	※
B	0	2	3	5	3	3	0	
C	0	4	1	5	1	1	0	
D	5	9	5	9	0	0	0	※
E	5	8	6	9	1	1	0	
F	5	7	7	9	2	2	0	

24 철근의 인장강도(N/mm^2) 실험결과 DATA를 이용하여 다음이 요구하는 통계수치를 구하시오. (4점)

〈 DATA 〉   460, 540, 450, 490, 470, 500, 530, 480, 490

(1) 표본 산술평균:

(2) 표본 분산:

25 그림과 같은 장방형 단면에서 각 축에 대한 단면2차모멘트의 비 I_x / I_y 를 구하시오. (2점)

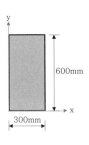

600mm

300mm

[정답] 24

(1) $\bar{x} = \dfrac{\sum x_i}{n} = \dfrac{4,410}{9} = 490$

(2) ① $S = \sum (x_i - \bar{x})^2$

$= (460-490)^2 + (540-490)^2 +$
$(450-490)^2 + (490-490)^2 +$
$(470-490)^2 + (500-490)^2 +$
$(530-490)^2 + (480-490)^2 +$
$(490-490)^2 = 7,200$

② $s^2 = \dfrac{S}{n-1} = \dfrac{7,200}{9-1} = 900$

[정답] 25

$\dfrac{I_x}{I_y} = \dfrac{\dfrac{(300)(600)^3}{12} + (300 \times 600)(300)^2}{\dfrac{(600)(300)^3}{12} + (600 \times 300)(150)^2} = 4$

26 그림과 같은 단순보에서 A점으로부터 최대 휨모멘트가 발생되는 위치까지의 거리를 구하시오. (3점)

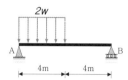

정답 26

(1) $\sum M_B = 0 : \; +(V_A)(8) - (2w \times 4)(6) = 0$

$\therefore V_A = +6w \,(\uparrow)$

(2) A지점에서 위치의 휨모멘트:

$M_x = +(6w)(x) - (2w \cdot x)\left(\dfrac{x}{2}\right)$

$\quad = +6w \cdot x - w \cdot x^2$

(3) A지점에서 전단력이 0인 위치:

$V_x = \dfrac{dM_x}{dx} = +6w - 2w \cdot x = 0$

$\therefore x = 3m$

27 강도설계법으로 설계된 보에서 스터럽이 부담하는 전단력이 $V_s = 265kN$ 일 경우 수직 스터럽의 간격을 구하시오. (단, $f_{yt} = 350MPa$) (4점)

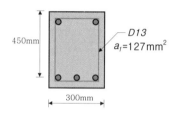

정답 27

$V_s = \dfrac{A_v \cdot f_{yt} \cdot d}{s}$ 에서

$s = \dfrac{A_v \cdot f_{yt} \cdot d}{V_s} = \dfrac{(2 \times 127)(350)(450)}{(265 \times 10^3)}$

$\quad = 150.962mm$

2015년 2회 출제문제

1 그림과 같은 라멘에 있어서 A점의 전달모멘트를 구하시오. (단, k 는 강비이다.) (3점)

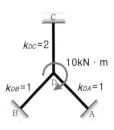

2 표준형벽돌 1,000장으로 1.5B 두께로 쌓을 수 있는 벽면적은? (단, 할증률은 고려하지 않는다.) (3점)

3 파워쇼벨의 1시간당 추정 굴착작업량을 산출하시오. (4점)

• $q = 0.8m^3$	• $k = 0.8$	• $f = 0.7$
• $E = 0.83$	• $Cm = 40\sec$	

4 재령 28일 콘크리트 표준공시체($\phi 150mm \times 300mm$)에 대한 압축강도시험 결과 파괴하중이 450kN일 때 압축강도 $f_c(MPa)$ 를 구하시오. (3점)

5 인장철근비 $\rho = 0.025$, 압축철근비 $\rho' = 0.016$ 의 철근콘크리트 직사각형 단면의 보에 하중이 작용하여 순간처짐이 2cm 발생하였다. 3년의 지속하중이 작용할 경우 총처짐량(순간처짐+장기처짐)을 구하시오. (단, 시간경과계수 ξ 는 다음의 표를 참조한다.) (4점)

기간(월)	1	3	6	12	18	24	36	48	60 이상
ξ	0.5	1.0	1.2	1.4	1.6	1.7	1.8	1.9	2.0

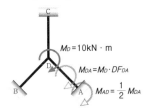

6 그림과 같은 원형 단면에서 폭 b, 높이 $h=2b$ 의 직사각형 단면을 얻기 위한 단면계수 Z 를 직경 D 의 함수로 표현하시오. (4점)

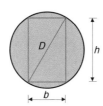

정답 **6**

(1) 직각 삼각형에서

$D^2 = b^2 + h^2 = b^2 + (2b)^2 = 5b^2$ 이므로

$b = \dfrac{D}{\sqrt{5}}$

(2) $Z = \dfrac{bh^2}{6} = \dfrac{b(2b)^2}{6} = \dfrac{4b^3}{6} = \dfrac{4\left(\dfrac{D}{\sqrt{5}}\right)^3}{6}$

    $= 0.059D^3$

7 1단 자유, 타단 고정인 길이 2.5m인 압축력을 받는 강구조 기둥의 탄성좌굴하중을 구하시오. (단, 단면2차모멘트 $I = 798,000mm^4$, $E = 210,000MPa$) (4점)

정답 **7**

$P_{cr} = \dfrac{\pi^2 (210,000)(798,000)}{[(2.0)(2,500)]^2} = 66,157N$

    $= 66.157kN$

8 그림과 같은 인장부재의 순단면적을 구하시오. (단, 판재의 두께는 10mm이며, 구멍크기는 22mm이다.) (4점)

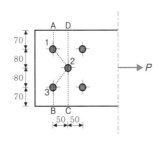

정답 **8**

(1) 파단선: A-1-3-B

$A_n = A_g - n \cdot d \cdot t = (10 \times 300) - (2)(22)(10)$

    $= 2,560mm^2$

(2) 파단선: A-1-2-3-B

$A_n = A_g - n \cdot d \cdot t + \sum \dfrac{S^2}{4g} \cdot t$

    $= (10)(300) - (3)(22)(10) + \dfrac{(50)^2}{4(80)} \cdot (10)$

    $+ \dfrac{(50)^2}{4(80)} \cdot (10) = 2,496.25mm^2$

$\therefore A_n = 2,496.25mm^2$

9 히스토그램(Histogram)의 작성순서를 보기에서 골라 번호 순서대로 쓰시오. (3점)

> ① 히스토그램을 규격값과 대조하여 안정상태인지 검토한다.
> ② 히스토그램을 작성한다.
> ③ 도수분포도를 작성한다.
> ④ 데이터에서 최소값과 최대값을 구하여 범위를 구한다.
> ⑤ 구간폭을 정한다.
> ⑥ 데이터를 수집한다.

정답 **9**

⑥ → ④ → ⑤ → ③ → ② → ①

10 다음 데이터를 이용하여 Normal Time 네트워크 공정표를 작성하고, 아울러 3일 공기 단축한 네트워크 공정표 및 총공사금액을 산출하시오. (10점)

Activity	Normal		Crash		비　고
	Time	Cost(원)	Time	Cost(원)	
A(0 → 1)	3	20,000	2	26,000	표준 공정표에서의 일정은 다음과 같이 표시하고, 주공정선은 굵은 선으로 표시한다.
B(0 → 2)	7	40,000	5	50,000	
C(1 → 2)	5	45,000	3	59,000	
D(1 → 4)	8	50,000	7	60,000	
E(2 → 3)	5	35,000	4	44,000	
F(2 → 4)	4	15,000	3	20,000	
G(3 → 5)	3	15,000	3	15,000	
H(4 → 5)	7	60,000	7	60,000	

(1) 표준(Normal) Network를 작성하시오. (결합점에서 EST, LST, LFT, EFT를 표시할 것)

(2) 공기를 3일 단축한 Network를 작성하시오. (결합점에서 EST, LST, LFT, EFT 표시하지 않을 것)

(3) 3일 공기단축된 총공사비를 산출하시오.

정답 **10**

(1) Normal time 네트워크 공정표 작성

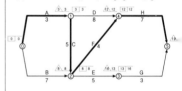

(2) 3일 공기단축한 네트워크 공정표

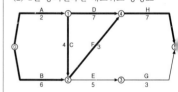

(3) 총공사비 = 19일 표준공사비 + 3일 단축시 추가공사비
= 280,000 + 33,000 = 313,000원

	단축대상	추가비용
18일	F	5,000
17일	A	6,000
16일	B+C+D	22,000

해설

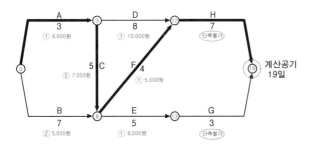

고려되어야 할 CP 및 보조CP		단축대상	추가비용
19일 ☞ 18일	A-C-F-H̶	F	5,000
18일 ☞ 17일	A-C-F̶-H̶, A-D-H̶	A	6,000
17일 ☞ 16일	A̶-C-F̶-H̶, A̶-D-H̶, B-F̶-H̶	B+C+D	22,000

11 다음의 용어를 설명하시오. (4점)

(1) 슬럼프 플로(Slump Flow) : _____

_____

(2) 조립률 : _____

_____

12 다음의 거푸집 공법을 설명하시오. (4점)

(1) 슬립폼(Slip Form) : _____

(2) 트래블링폼(Traveling Form) : _____

13 입찰방식 중 대안입찰제도에 대하여 설명하시오. (3점)

_____

_____

14 지내력을 시험방법 방법을 2가지만 적으시오. (2점)

① _____　　　② _____

정답 **11**

(1) 아직 굳지 않은 콘크리트의 유동성을 나타내는 지표. 시험규정에 따라 슬럼프 콘을 들어올린 후 원형으로 퍼진 콘크리트의 직경을 측정하여 나타냄.

(2) 80, 40, 20, 10, 5, 2.5, 1.2, 0.6, 0.3, 0.15mm 10개체를 1조로 체가름시험을 하였을 때 각체에 남는 누적중량백분율의 합을 100으로 나눈값을 말한다.

※ 골재의 10개 체가름시험을 통한 골재입도를 파악하기 위한 시험

$$조립률 = \frac{각체에 남는 양의 총 누계율}{100}$$

정답 **12**

(1) 시공 이음없이 연속으로 콘크리트를 타설하기 위한 수직활동 거푸집공법으로 곡물 창고(Silo) 등의 시공에 사용된다.

(2) System 거푸집으로 한구간의 Concrete를 타설 후 다음 구간으로 수평이동이 가능한 거푸집 공법을 말한다.

정답 **13**

처음 설계된 내용보다 기본방침의 변경없이 공사비를 낮추면서 동등 이상의 기능과 효과를 갖는 방안을 시공자가 제시할 경우 이를 검토하여 채택하는 입찰제도

정답 **14**

① 평판재하시험
　(P.B.T : Plate Bearing Test)
② 말뚝의 재하시험

15 토질과 관련된 다음 용어를 간단히 설명하시오. (4점)

① 압밀: _____

② 예민비: _____

① 압력을 받은 흙의 내부 간극에 물이 빠져나가면서 흙입자의 간격이 좁아지는 현상

② 점토에 있어서 함수율을 변화시키지않고 이기면 약해지는데 그 정도를 나타내는 것이 예민비이다. (압축강도의 감소비이다.)

16 다음 유리를 설명하시오. (4점)

(가) 접합 유리(Laminated Glass): _____

(나) Low-E(로이) 유리: _____

(가) 합판유리, 합유리라고도 하며, 두 장 이상의 판유리 사이에 합성수지를 겹붙여 댄 것

(나) Low-Emissivity Glass의 약칭으로 유리의 한쪽 표면에 얇은 은박(Ag)을 입힌 일종의 열선 반사유리를 말한다. 가시광선 투과율이 높고 열선의 투과율은 낮은 에너지 절약형 유리이다.

17 가설공사에서 사용되는 슈평규준틀 설치목적을 2가지 쓰시오. (2점)

① _____   ② _____

① 건물의 각부 위치를 정확하게 표시

② 건물의 높이, 기초너비, 길이 등을 정확하게 결정

18 옥상 8층 아스팔트 방수공사의 표준 시공순서에 맞게 적당한 용어를 쓰시오. (4점)

바탕처리 - (　①　) - (　②　) - (　③　) - (　④　) - (　⑤　)
- (　⑥　) - (　⑦　) - (　⑧　) - 방수층누름

(1) 아스팔트 프라이머
(2) 아스팔트
(3) 아스팔트 루핑
(4) 아스팔트
(5) 아스팔트 루핑
(6) 아스팔트
(7) 아스팔트 루핑
(8) 아스팔트

19 흙의 함수량 변화와 관련하여 (　　　) 안을 적당한 용어로 채우시오. (2점)

흙이 소성상태에서 반고체상태로 옮겨지는 경계의 함수비를 (　①　)라 하고, 액성상태에서 소성상태로 옮겨지는 함수비를 (　②　)라고 한다.

① 소성한계
　(塑性限界: Plastic Limit)
② 액성한계
　(液性限界: Liquid Limit)

20 지하연속벽(Slurry wall) 공법에서 사용되는 가이드월(Guide Wall)을 개략적으로 스케치하고, 그 설치 이유를 2가지 쓰시오. (4점)

(1) 형태:

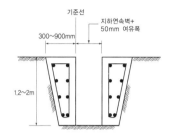

(2) Guide Wall 설치이유: _____

_____

정답 **20**

(1)

21 강구조 접합부에서 전단접합과 강접합을 도식하고 설명하시오. (4점)

전단접합	모멘트접합

정답

정답 20

(1) ※ 상단이나 하단 그림 중 하나를 도시하면 정답임.
문제에서 개략적인 형태를 요구했으므로 개략적 형태와 철근배근 상황을 스케치하면 득점이 될 것으로 판단됨.

(2) ① 굴착공이나 인접지반의 붕괴방지(자체토류벽기능)
② 굴착기계의 이동, 철근망거치등 중량물의 지지 역할

※ 기타 : 기준면의 역할(굴착심도, 철근망심도, 파악의 기준면 역할) 저수조 기능(안정액 수위유지 및 유출방지)

정답 21

전단접합	모멘트접합
웨브만 접합한 형태로서 휨모멘트에 대한 저항력이 없어 접합부가 자유로이 회전하며 기둥에는 전단력만 전달	웨브와 플랜지를 접합한 형태로서 휨모멘트에 대한 저항능력을 가지고 있어 보와 기둥의 휨모멘트가 강성에 따라 분배됨

22 온도조절 철근(Temperature Bar)의 배근목적에 대하여 간단히 설명하시오. (2점)

_____

_____

정답 **22**

온도변화와 콘크리트 수축에 의한 균열을 줄이기 위하여 배근하는 보강철근

23 다음이 설명하는 콘크리트의 줄눈 명칭을 쓰시오. (2점)

> 콘크리트 경화 시 수축에 의한 균열을 방지하고 바닥판에서 발생하는 수평 움직임을 조절하기 위하여 설치한다. 벽과 슬래브 등 균열이 예상되는 위치에 인위적으로 약한 단면 결손부분을 만들어 타부분의 균열을 억제하는 역할을 수행한다.

_____

정답 **23**

조절줄눈(Control Joint)

24 철골공사의 절단가공에서 절단방법의 종류를 3가지 쓰시오. (3점)

① _____ ② _____

③ _____

정답 **24**

① 전단절단
② 톱절단
③ 가스절단

25 파이프 구조에서 파이프 절단면 단부는 녹막이를 고려하여 밀폐하여야 하는데, 이때 실시하는 밀폐 방법에 대하여 3가지만 쓰시오. (3점)

① _____ ② _____

③ _____

정답 **25**

① 스피닝(Spinning)에 의한 방법
② 가열하여 구형으로 가공
③ 원판, 반구형판을 용접
④ 관끝을 압착하여 용접밀폐 시키는 방법

26 조적블록벽체의 결함 중 습기, 빗물 침투의 원인을 4가지만 적으시오. (4점)

① _____ ② _____

③ _____ ④ _____

정답 **26**

① 줄눈의 시공 불량 및 균열
② 재료자체의 방수성 결여 및 보양불량
③ 물흘림, 물끊기, 비막이 미설치
④ 개구부 창호재 접합부의 시공 불량

27 철골공사의 용접결함 중 슬래그(Slag) 혼입의 원인 및 방지대책을 각각 2가지씩 쓰시오. (4점)

(1) 원인: _____

(2) 방지대책: _____

28 트럭 적재한도의 중량이 6t일 때 비중 0.6, 부피 300,000(才)의 목재 운반 트럭 대수를 구하시오. (단, 6t 트럭의 적재가능 중량은 6ton, 부피는 8.3m³, 최종답은 정수로 표기하시오.) (3점)

_____

_____

정답 27
(1) 원인
  ① 운봉속도 너무 느림.
    (용접속도 너무 느림)
  ② 전류의 과소
(2) 방지대책
  ① 용접속도를 상승시킴.
  ② 전류를 약간 세게 유지
    (용접 전류 상승)

정답 28
(1) 목재 전체의 체적: 목재 300才
  를 1m³으로 계산하므로
  $300,000 \div 300 = 1,000m^3$
(2) 목재 전체의 중량:
  $1,000m^3 \times 0.6t/m^3 = 600t$
(3) 6t 트럭 1대 적재량:
  $8.3m^3 \times 0.6t/m^3 = 4.98t$
∴ $600t \div 4.98t = 120.48$대 ⇒ 121대

2015년 3회 출제문제

1 보통골재를 사용한 콘크리트 설계기준강도 $f_{ck} = 24MPa$, 철근의 탄성계수 $E_s = 200,000MPa$ 일 때 콘크리트 탄성계수 및 탄성계수비를 구하시오. (4점)

(1) 콘크리트 탄성계수: _____

(2) 탄성계수비: _____

2 바닥 미장면적이 1,000m²일 때, 1일 10인 작업 시 작업소요일을 구하시오. (단, 아래와 같은 품셈을 기준으로 하며 계산과정을 쓰시오.) (3점)

바닥미장 품셈(m²)

구 분	단 위	수 량
미장공	인	0.05

3 TQC에 이용되는 7가지 도구 중 4가지를 쓰시오. (4점)

① _____   ② _____

③ _____   ④ _____

4 다음 항목에 알맞는 흙막이벽의 계측에 필요한 측정기기를 쓰시오. (4점)

(1) 토압: _____   (2) 수압: _____

(3) 휨변형: _____   (4) 수평변위: _____

5 콘크리트를 타설할 때 거푸집의 측압에 영향을 주는 요인을 4가지 쓰시오. (4점)

① _____   ② _____

③ _____   ④ _____

6 철골공사에 사용되는 용어를 설명하였다. 알맞은 용어를 쓰시오. (3점)

(가) 철골부재 용접시 이음 및 접합부위의 용접선이 교차되어 재용접된 부위가 열영향을 받아 취약해지기 때문에 모재에 부채꼴 모양의 모따기를 한 것 :

_____

(나) 철골기둥의 이음부를 가공하여 상하부 기둥 밀착을 좋게 하며 축력의 50% 까지 하부 기둥 밀착면에 직접 전달시키는 이음방법 :

_____

(다) Blow hole, crater등의 용접결함이 생기기 쉬운 용접 bead의 시작과 끝 지점에 용접을 하기 위해 용접 접합하는 모재의 양단에 부착하는 보조강판 :

_____

정답 **6**
(가) 스캘럽(Scallop)
(나) Metal Touch(메탈터치가공)
(다) 엔드탭
    (End Tab=Run Off Tab)

---

7 건축생산을 비롯한 공업생산의 원가관리 수법 가운데 하나인 VE(Value Engineering) 수법에서 개념에서 $V = \dfrac{F}{C}$ 식의 각 기호를 설명하시오. (3점)

(1) V: _____   (2) C: _____

(3) F: _____

정답 **7**
(1) V: 가치(Value)
(2) C: 비용(Cost)
※ Life Cycle Cost: 수명주기비용
(3) F: 기능(Function)

---

8 조적후 벽돌벽에 발생되는 백화현상 방지대책을 4가지 쓰시오. (4점)

① _____   ② _____

③ _____   ④ _____

정답 **8**
① 줄눈시공시 방수제 사용, 사춤철저
② 시공후 표면에 실리콘 뿜칠(방수제 뿜칠)
③ 우중 시공을 철저히 금지시킴.
④ 소성이 잘된 벽돌 사용

---

9 시공자가 공사 착수전 제출하여야 하는 품질관리 계획서에 필수적으로 기입하여야 하는 항목을 3가지 적으시오. (3점)

① _____   ② _____

③ _____

정답 **9**
① 품질방침 및 목표
② 현장조직관리
③ 데이터의 분석관리
※ 기타: 2014년 1회 9번 정답 및 해설 참조

10 다음 데이터를 네트워크 공정표로 작성하고, 각 작업의 여유시간을 구하시오. (10점)

작업명	작업일수	선행작업	비　고
A	3	없음	(1) 결합점에서는 다음과 같이 표시한다.
B	4	없음	
C	5	없음	
D	6	A, B	EST LST　　　　　　LFT EFT
E	7	B	①ⓧ작업명ⓧ→ⓧ
F	4	D	소요일수
G	5	D, E	
H	6	C, F, G	(2) 주공정선은 굵은 선으로 표시한다.
I	7	F, G	

① 네트워크 공정표 작성　　　② 여유시간 산정

정답 **10**

① 공정표 작성

② 여유계산

작업명	TF	FF	DF	CP
A	2	1	1	
B	0	0	0	※
C	12	11	1	
D	1	0	1	
E	0	0	0	※
F	2	2	0	
G	0	0	0	※
H	1	1	0	
I	0	0	0	※

11 다음 설명이 뜻하는 콘크리트의 명칭을 써 넣으시오. (3점)

1) 콘크리트면에 미장등을 하지 않고, 직접 노출시켜 마무리한 콘크리트?

2) 부재 단면치수 80cm 이상, 콘크리트 내외부 온도차가 25℃ 이상으로 예상되는 콘크리트?

3) 콘크리트 설계 기준 강도가 일반 40MPa 이상, 경량콘크리트는 27MPa 이상인 콘크리트?

정답 **11**

1) 외장용 노출콘크리트
   (Exposed Concrete)
2) 매스콘크리트(Mass Concrete)
3) 고강도콘크리트(High Strength Concrete)

12 Remicon(20-30-150)은 Ready Mixed Concrete의 규격에 대한 수치이다. 3가지의 수치가 뜻하는 바를 간단히 쓰시오. (※ 단, 단위도 정답에 표시하시오.) (3점)

(가) 20 : _____ (나) 30 : _____ (다) 150 : _____

정답 **12**
(가) 굵은골재 최대 크기(20mm)
(나) 콘크리트의 호칭강도(30Mpa)
(다) 슬럼프 값(150mm)

13 콘크리트의 크리프(Creep) 현상에 대하여 쓰시오. (3점)

_____

_____

정답 **13**
Creep 현상 : Concrete에 일정하중을 계속주면 하중의 증가없이도 시간의 경과에 따라 변형이 증가하는 소성변형 현상

14 시공된 콘크리트 구조물에서 경화 콘크리트의 강도추정을 위해 이용되고 있는 비파괴 시험방법의 명칭을 3가지 쓰시오. (3점)

① _____ ② _____

③ _____

정답 **14**
① 슈미트 해머법(반발경도법)
② 공진법
③ 음속법(초음파 속도법)
④ 복합법(반발경도법+음속법)

15 BTO(Build-Transfer-Operate) 방식을 설명하시오. (3점)

_____

_____

정답 **15**
사회간접시설물을 민간 주도하에 설계, 시공 후 소유권을 공공부분에 먼저 이양하고, 약정기간 동안 그 시설물을 운영하여 투자금액을 회수하는 방식

16 알카리 골재반응의 정의를 설명하고, 방지대책을 3가지 적으시오. (5점)

(1) 정의:

_____

_____

(2) 방지대책:

① _____ ② _____

③ _____

정답 **16**
(1) 정의: 시멘트의 알칼리금속이온(Na^+, K^+)과 수산화이온(OH^-)이 실리카 사이에서 Silica Gel이 형성되어 수분을 계속 흡수 팽창하는 현상으로 균열발생, 조직 붕괴현상을 일으킨다.
(2) 방지대책:
① 저알카리시멘트 사용(알카리함량 0.6% 이하)
② Fly Ash 사용(양질의 포졸란이 반응억제)
③ 방수제를 사용, 수분을 억제한다.

17 강재의 종류 중 SM355에서 SM의 의미와 355가 의미하는 바를 각각 쓰시오. (2점)

(1) SM: _____

(2) 355 : _____

정답 **17**
(1) Steel Marine
    (용접구조용 압연강재)
(2) 항복강도 $F_y = 355 MPa$

18 어떤 골재의 비중이 2.65, 단위체적질량 1,800kg/m³이라면 이 골재의 실적률을 구하시오. (3점)

_____

_____

정답 **18**
$$\frac{1.8}{2.65} \times 100 = 67.92\%$$

19 철골구조공사에 있어서 철골 습식 내화피복공법의 종류를 4가지 쓰시오. (4점)

① _____ ② _____ ③ _____

정답 **19**
① 뿜칠공법
② 미장공법
③ 타설공법
④ 조적공법

20 철골 용접접합에서 발생하는 결함항목을 3가지만 쓰시오. (3점)

① _____ ② _____

③ _____

정답 **20**
① Slag 감싸들기
② Under Cut
③ Overlap   ④ Blow hole
⑤ Crack   ⑥ 용입불량
⑦ Crater   ⑧ 은정

21 흐트러진 상태의 흙 30m³를 이용하여 30m²의 면적에 다짐 상태로 60cm 두께를 터돋우기 할 때 시공완료된 다음의 흐트러진 상태의 토량을 산출하시오. (단, 이 흙의 $L = 1.2$, $C = 0.9$ 이다.) (3점)

_____

_____

정답 **21**
(1) 다져진 상태의 토량
$$= 30 \times \frac{0.9}{1.2} = 22.5$$
(2) 다져진 상태의 남는 토량
$$= 22.5 - (30 \times 0.6) = 4.5$$
(3) 흐트러진 상태의 토량
$$= 4.5 \times \frac{1.2}{0.9} = 6$$
$\therefore$ 6m³

22 다음 괄호 내에 각 재료의 할증률을 쓰시오. (4점)

> ① 유리 : (　　)%　　　　　　② 단열재 : (　　)%
> ③ 시멘트벽돌 : (　　)%　　　④ 붉은 벽돌 : (　　)%

정답 **22**
① 1
② 10
③ 5
④ 3

23 가설공사 중 Jack Support의 정의를 설명하고, 설치위치를 2군데 쓰시오. (4점)

(1) 정의: _____

_____

(2) 설치위치:

① _____　　　② _____

정답 **23**
(1) 정의 : 공사 중 설계기준을 초과
　하는 과다 하중 또는 장비 사용
　시 진동, 충격이 예상되는 부위에
　임시로 보강하는 하부에 Jack을
　장착한 대형 가설 지주(Support)
(2) 설치위치:
① 보의 중앙부
② 장비 진입시 바닥판 하부
※ 기타 : 지하주차장의 상부, 공사
　차량 통로 등

24 철근콘크리트 기초판 크기가 2m×4m일 때 단변방향으로의 소요전체철근량이 2,400mm²이다. 유효폭 내에 배근하여야 할 철근량을 구하시오. (3점)

_____

_____

정답 **24**
$$A_s' = A_s \times \frac{2}{\beta+1} = (2,400) \cdot \frac{2}{\left(\frac{4}{2}\right)+1} = 1,600mm^2$$

$$A_s' = 1,600mm^2$$

25 그림과 같은 철근콘크리트보를 보고 물음에 답하시오. (5점)

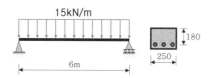

(1) 전단위험단면 위치에서의 계수전단력을 구하시오.

(2) 전단설계를 하고자 할 때, 경간길이 내에서 스터럽 배치가 필요하지 않은 구간의 길이를 산정하시오. (단, 지점 외부로 내민 부재길이는 무시, 보통중량 콘크리트 $f_{ck} = 21MPa$)

정답 **25**

(1) $\dfrac{V_u}{45} = \dfrac{2.82}{3}$ 으로부터

$$V_u = 45 \times \frac{2.82}{3} = 42.3kN$$

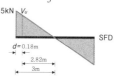

(2) $0.5\phi V_c = 0.5\phi\left(\dfrac{1}{6}\lambda\sqrt{f_{ck}} \cdot b_w \cdot d\right)$

$= 0.5(0.75)\left(\dfrac{1}{6}(1.0)\sqrt{21}(250)(180)\right)$

$= 12,888N = 12.888kN$

$\dfrac{x}{3} = \dfrac{12.888}{45}$ 으로부터 $x = 3 \times \dfrac{12.888}{45} = 0.859m$

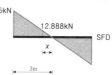

26 단순 인장접합부의 사용성한계상태에 대한 고장력볼트의 설계미끄럼강도를 구하시오. (단, 강재는 SS275, 고장력볼트는 M22(F10T 표준구멍), 필러를 사용하지 않는 경우이며, 설계볼트장력 200kN, 설계미끄럼강도 식 $\phi R_n = \phi \cdot \mu \cdot h_f \cdot T_o \cdot N_s$ 을 적용, 미끄럼계수=0.5) (4점)

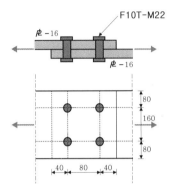

F10T-M22

정답 **26**

(1) $\phi R_n = (1.0)(0.5)(1.0)(200)(1) = 100kN$

(2) 4 개×$100kN = 400kN$

27 다음의 주의사항을 통해 그림상에 용접기호를 도식화하시오. (4점)

─── 〈주의사항〉 ───

① 모살 용접
② 현장 용접
③ 필렛 치수 3mm

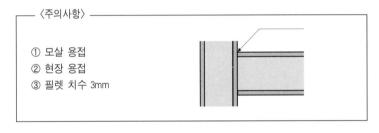

정답 **27**

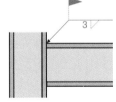

2016년 1회 출제문제

1 지반조사시 실시하는 보링(Boring)의 종류를 3가지만 쓰시오. (3점)

① ______________________ ② ______________________

③ ______________________

정　　답

정답 **1**

① Auger Boring
② 수세식 보오링(Wash Boring)
③ 충격식 보오링(Percussion Boring)
④ 회전식 보오링(Rotary Boring)

2 수평버팀대식 흙막이에 작용하는 응력이 아래의 그림과 같을 때 (　　)안에 알맞은 말을 보기에서 골라 기호로 쓰시오. (3점)

〈보 기〉

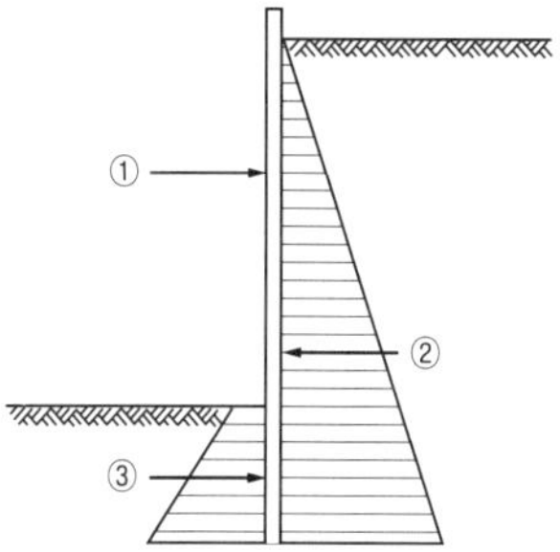

㉮ 수동토압
㉯ 정지토압
㉰ 주동토압
㉱ 버팀대의 하중
㉲ 버팀대의 반력
㉳ 지하수압

① ______________ ② ______________ ③ ______________

정답 **2**

① ㉲
② ㉰
③ ㉮

3 다음 (　) 안에 알맞은 숫자를 기입하시오. (2점)

기성콘크리트 말뚝을 타설할 때 그 중심간격은 말뚝지름의 (　　)배 이상 또한 (　　)mm 이상으로 한다.

정답 **3**

2.5, 750

4 프리팩트 콘크리트 말뚝의 종류를 3가지만 쓰시오. (3점)

① ______________________ ② ______________________

③ ______________________

정답 **4**

① CIP(Cast In Place) 말뚝
② PIP(Packed In Place) 말뚝
③ MIP(Mixed In Place) 말뚝

5 샌드드레인(Sand drain) 공법에 대하여 설명하시오. (3점)

정답 5
지름 40~60cm의 구멍을 뚫고 모래를 넣은 후, 성토 및 기타 하중을 가하여 점토질 지반을 압밀하여 탈수하는 공법

6 철근배근시 철근이음방식의 종류를 3가지 쓰시오. (3점)

①

②

③

정답 6
① 겹친 이음
② 용접 이음
③ 기계적 이음
※ 가스압접 이음

7 다음의 용어를 설명하시오. (3점)

• 콘크리트 헤드(Concrete Head)

정답 7
타설된 콘크리트 윗면으로부터 최대 측압면까지의 거리

8 다음 물음에 답하시오. (2점)

• 전기로에서 페로 실리콘 등 규소합금의 제조시에 발생하는 폐가스를 집진하여 얻어지는 부산물의 일종으로써 이산화규소(SiO_2)를 주성분으로 하는 초미립자

정답 8
Silica Fume (실리카 흄)

9 AE감수제와 쉬링크믹스트 콘크리트에 대해 설명하시오. (4점)

(1) AE감수제:

(2) 쉬링크믹스트 콘크리트:

정답 9
(1) 단위수량을 감소시키는 동시에 미세기포를 연행하여 콘크리트의 워커빌리티 및 내구성을 향상시키기 위하여 사용하는 혼화제. (표준형, 지연형 및 촉진형의 3종류가 있음.)
(2) 공장 고정믹서에서 반비빈 것을 트럭믹서에 실어 운반중에 완전히 비벼서 공급하는 레미콘

10 프리스트레스트 콘크리트에 이용되는 긴장재의 종류를 3가지 쓰시오. (3점)

①

②

③

정답 10
① PC 강선(PC 鋼線)
  (high strength steel wire, prestressing steel wire)
② PC 강봉(PC 鋼奉)
  (high strength steel Bar)
③ PC 강연선(PC 꼬은선)
  (high strength steel strand, prestressing wire strand)

11 폭 b=500mm, 유효깊이 d=750mm인 철근콘크리트 단철근 직사각형 보의 균형철근비 및 최대철근량을 계산하시오. (단, $f_{ck}=27MPa$, $f_y=300MPa$) (4점)

12 그림과 같은 용접부의 설계강도를 구하시오. (단, 모재는 SM275, 용접재(KS D7004 연강용 피복아크 용접봉)의 인장강도 $F_{uw}=420N/mm^2$, 모재의 강도는 용접재의 강도보다 크다.) (4점)

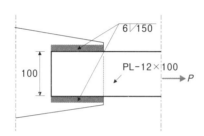

13 콘크리트 충전강관(CFT) 구조를 설명하고 장·단점을 각각 2가지씩 쓰시오. (5점)

(1) 설명

(2) 장점

①

②

(3) 단점

①

②

정답 **11**

(1) $f_{ck} \leq 40MPa \rightarrow \eta = 1.00$, $\beta_1 = 0.80$

(2) $\rho_b = \dfrac{\eta(0.85f_{ck})}{f_y} \cdot \beta_1 \cdot \dfrac{660}{660+f_y}$

$= \dfrac{(1.00)(0.85 \times 27)}{(300)} \cdot (0.80) \cdot$

$\dfrac{(660)}{(660)+(300)} = 0.04207$

(3) $\rho_{max} = 0.658\rho_b = 0.658(0.04207)$

$= 0.02768$

(4) $A_{s,max} = \rho_{max} \cdot b \cdot d = (0.02768)(500)(750)$

$= 10,380mm^2$

정답 **12**

$\phi R_n = \phi \cdot 0.6F_{uw} \cdot 0.7S \cdot (L-2S)$

$= (0.75) \cdot 0.6(420) \cdot 0.7(6) \cdot$

$(150 - 2 \times 6) \times 2$ 면

$= 219,089N = 219.089kN$

정답 **13**

(1) 원형 또는 각형강관 내부에 콘크리트를 충전함으로써 강관이 콘크리트를 구속하는 특성에 의해 강성, 내력, 변형, 시공 등의 여러 면에서 뛰어난 특성을 발휘하는 공법

(2) ① 에너지 흡수 능력이 뛰어나 초고층 구조물의 내진성 유리

② 기둥 시공시 거푸집 불필요

③ 인건비절감 및 시공속도 향상

(3) ① 강관의 공장, 제작 규격에 의해 선택에 제약

② 보와 기둥의 연속접합 시공 곤란

③ 콘크리트의 충전성 품질검사 곤란

14 목재의 방화성능 향상을 위한 난연처리 방법을 3가지 쓰시오. (3점)

① _____

② _____

③ _____

[정답] **14**

① 방화도료를 칠하는 방법
   (난연도료 도포법)
② 방화재료를 주입하는 방법
   (난연재료 주입법)
③ 금속판으로 피복하는 방법
   (금속판을 붙이는 방법)

15 벽타일 붙이기공법의 종류를 4가지 적으시오. (4점)

① _____ ② _____

③ _____ ④ _____

[정답] **15**

① 떠붙임공법
② 압착공법
③ 개량압착공법
④ 밀착공법(동시줄눈공법)

16 대표적인 고층건물의 비내력벽 구조로써 사용이 증가되고 있는 커튼월공법은 재료에 의한 분류, 구조형식, 조립방식별 분류 등 다양한 분류방식이 존재한다. 이중 구조형식과 조립방식에 의한 커튼월공법을 각각 2가지씩 쓰시오. (4점)

(1) 구조형식에 따른 분류 2가지:

① _____ ② _____

(2) 조립방식에 의한 분류 2가지:

① _____ ② _____

[정답] **16**

(1) ① 패널방식
    ② 샛기둥방식
(2) ① Unit-Wall 방식
    ② Stick-Wall 방식

17 L.C.C (Life Cycle Cost)에 대하여 설명하시오. (3점)

_____

_____

[정답] **17**

건축물의 기획, 설계, 시공, 유지관리, 해체의 전과정에 필요한 제비용을 합한 전생애주기비용을 말함.

18 다음 용어를 설명하시오. (4점)

(가) BOT(Build-Operate-Transfer contract) 방식

_____

(나) 파트너링(Partnering Agreement)방식 계약제도

_____

[정답] **18**

(가) 민간부분 수주측이 설계, 시공 후 일정기간 시설물을 운영하여 투자금을 회수하고 시설물과 운영권을 무상으로 발주측에 이전하는 방식
(나) 발주자가 직접 설계, 시공에 참여하고 사업관련자들이 상호신뢰를 바탕으로 Team을 구성하여 사업성공과 상호이익 확보를 공동목표로 사업을 집행·관리하는 새로운 방식

19 다음 데이터를 이용하여 표준네트워크 공정표를 작성하고, 7일 공기단축한 상태의 네트워크 공정표를 작성하시오. (10점)

작업명	작업일수	선행작업	비용구배 (천원)	비 고
A(①→②)	2	없음	50	(1) 결합점에서는 다음과 같이 표시한다.
B(①→③)	3	없음	40	
C(①→④)	4	없음	30	
D(②→⑤)	5	A, B, C	20	
E(②→⑥)	6	A, B, C	10	
F(③→⑤)	4	B, C	15	
G(④→⑥)	3	C	23	(2) 공기단축은 작업일 수의 1/2을 초과
H(⑤→⑦)	6	D, F	37	할 수 없다.
I(⑥→⑦)	7	E, G	45	

(1) 표준 Network 공정표

(2) 7일 공기단축한 Network 공정표

정답 **19**

(1) 표준 Network 공정표

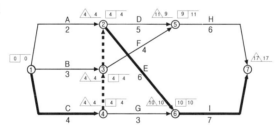

(2) 7일 공기단축한 Network 공정표

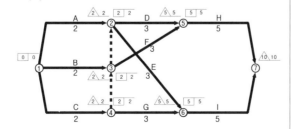

20 다음 구조물의 전단력도와 휨모멘트도를 그리고, 최대전단력과 최대휨모멘트값을 구하시오. (4점)

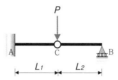

(1) ●——○—— SFD   최대전단력 : _____

(2) ●——○—— BMD   최대휨모멘트 : _____

정답 **20**

(1)

최대전단력 : P

(2) PL_1 　

최대휨모멘트 : PL_1

21 콘크리트용 골재가 갖추어야 하는 품질 요구사항을 4가지 쓰시오. (4점)

① _____　② _____

③ _____　④ _____

정답 **21**

① 표면이 거칠고 둥근모양일 것
② 견고하고 강도가 클 것
③ 실적율이 클 것
④ 입도가 적당하고 좋을 것

22 사질지반의 상대밀도는 현장에서 표준관입시험으로 추정가능하다. 다음에 측정된 표준관입시험 N값에 따른 지반의 상태를 간략히 적으시오. (4점)

타격회수 N값	모래밀도
5이하	(1)
5~10	(2)
10~30	(3)
30~50 이상	(4)

정답 **22**

(1) 아주 느슨한 모래
　　(Very Loose)
(2) 느슨한 모래 (Loose)
(3) 보통(중정도) 모래 (Medium)
(4) 밀실한(조밀한) 모래 (Dense)

23 건축물의 형태가 결정된 후 이를 구성하는 콘크리트 대형구조물들이 주문 제작되어 건설되는 프리캐스트(Pre-Cast) 생산방식을 쓰시오. (2점)

_____

_____

정답 **23**

클로즈 시스템 (Close System)
※ 해설 PC생산방식
(1) Open System : 공업화 건축에서 부품생산을 불특정다수의 건물에 사용할 수 있도록 생산하는 방식
(2) Close System : 특정건물성격에 맞추어 부재를 생산하는 방식

24 그림과 같은 보의 단면에서 휨균열을 제어하기 위한 인장철근의 간격을 구하고 적합여부를 판단하시오. (단, $f_y = 400 MPa$ 이며 사용철근의 응력은 $f_s = \dfrac{2}{3} f_y$ 근사식을 적용한다.) (4점)

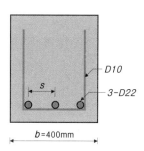

D10

3-D22

b=400mm

25 그림과 같은 구조물에서 OA부재의 분배율을 모멘트 분배법으로 계산하시오. (3점)

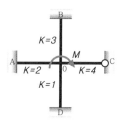

B

K=3

A　　M　　C

K=2　0　K=4

K=1

D

26 건설현장에서 가설건축물 축조시 제출하여야 하는 구비서류를 3가지 적으시오. (3점)

① _____　　② _____

③ _____

정답 **24**

(1) 순피복두께 : $C_c = 40 + 10 = 50mm$

(2) $f_s = \dfrac{2}{3} f_y = \dfrac{2}{3}(400) = 267 MPa$

(3) ① $s = 375\left(\dfrac{210}{f_y}\right) - 2.5C_c$

$= 375\left(\dfrac{210}{(267)}\right) - 2.5(50) = 170mm$

② $s = 300\left(\dfrac{210}{f_y}\right) = 300\left(\dfrac{210}{(267)}\right)$

$= 236mm$

∴ ①, ② 중 작은 값이므로

$s_{max} = 170mm$

(4) 주어진 간격

$= \dfrac{1}{2}\left[400 - 2\left(40 + 10 + \dfrac{22}{2}\right)\right] = 139mm < s_{max}$

정답 **25**

$$DF_{OA} = \dfrac{2}{2 + 3 + 4 \times \dfrac{3}{4} + 1} = \dfrac{2}{9}$$

정답 **26**

① 가설건축물축조신고서
② 가설건축물 배치도
③ 가설건축물 평면도
※ 기타 구비서류
① 가설계획 Fence
② 건축허가서, 시공자 각서
③ 토지사용 허가서

27 터파기한 흙이 12,000m³(자연상태 토량, L=1.25), 되메우기를 5,000m³으로 하고 잔토처리를 8톤 트럭으로 운반시 트럭에 적재할 수 있는 운반토량과 차량 대수를 구하시오. (단, 암반부피에 대한 중량은 1,800kg/m³)

(1) 8t 덤프트럭에 적재할 수 있는 운반토량(3점)

(2) 8t 덤프트럭의 대수(3점)

정답 27

(1) $\dfrac{8t}{1.8t/m^3} = 4.444$

$\therefore\ 4.44m^3$

(2) $\dfrac{(12{,}000-5{,}000)m^3 \times 1.25 \times 1.8t/m^3}{8t}$

$= 1{,}968.75 \quad \therefore\ 1{,}969$대

또는 $\dfrac{(12{,}000-5{,}000)m^3 \times 1.25}{4.444m^3}$

$= 1{,}968.95 \quad \therefore\ 1{,}969$대

2016년 2회 출제문제

1 다음 평면도에서 평규준틀과 귀규준틀의 개수를 구하시오. (4점)

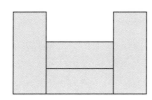

2 역타설 공법(Top-Down Method)의 장점을 4가지 쓰시오. (4점)

① _____ ② _____

③ _____ ④ _____

3 토량 2,000m³, 2대의 불도저가 삽날용량 0.6m³, 토량환산계수 0.7, 작업효율 0.9, 1회 사이클 시간 15분일 때 작업완료시간을 계산하시오. (4점)

_____

_____

4 점토지반 개량공법 중 두가지를 제시하고 그 중 한가지를 선택하여 간단히 설명하시오. (4점)

_____

_____

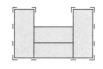

5 KDS 구조설계기준에서 규정하고 있는 철근 간격결정 원칙 중 보기의 ( )안에 들어갈 알맞는 수치를 쓰시오. (2점)

─〈보 기〉─

철근과 철근의 순간격은 굵은골재 최대치수의 (   )배 이상, (   )mm 이상, 이형철근 공칭직경의 1배 이상으로 한다.

정답 **5**

$\dfrac{4}{3}$, 25

6 다음의 거푸집 공법을 간단히 설명하시오. (4점)

(1) 슬라이딩 폼(Sliding Form):
_____

(2) 터널폼(Tunnel Form):
_____

정답 **6**

(1) 높이 1~1.2m 정도의 조립된 거푸집을 Yoke (요오크)로 끌어올리면서 연속타설하는 수직활동 거푸집공법으로 곡물창고(Silo) 등의 시공에 적합하다.
(2) 대형 형틀로서 슬래브와 벽체의 콘크리트 타설을 일체화하기 위한 것으로 한 구획 전체의 벽판과 바닥판을 ㄱ자형 또는 ㄷ자형으로 짜서 아파트 공사 등에 사용하는 거푸집

7 주어진 색에 알맞은 콘크리트용 착색제를 보기에서 골라 번호로 쓰시오. (4점)

─〈보 기〉─

① 카본블랙   ② 군청   ③ 크롬산 바륨
④ 산화크롬   ⑤ 산화제2철   ⑥ 이산화망간

(1) 초록색 - (   )   (2) 빨강색 - (   )
(3) 노랑색 - (   )   (4) 갈 색 - (   )

정답 **7**

(1) 초록색 - (④)
(2) 빨강색 - (⑤)
(3) 노랑색 - (③)
(4) 갈 색 - (⑥)

8 콘크리트 펌프에서 실린더의 안지름 18cm, 스트로크 길이 1m, 스트로크수 24회/분, 효율 90% 조건으로 7m³의 콘크리트를 타설할 때 레미콘 차량의 배차시간(분)을 구하시오. (3점)

_____

정답 **8**

(1) $\dfrac{\pi \times (0.18)^2}{4} \times 1 \times 24 \times 0.9$
$= 0.549\text{m}^3/\text{분}$

(2) $\dfrac{7}{0.549} = 12.75$분

9 경화되지 않은 콘크리트에서 건조수축균열 감소를 목적으로 구조체 일부를 남겨두고, 콘크리트를 타설한 후 초기 건조수축이 끝난 후 나머지 부분을 타설할 때 설치되는 줄눈의 명칭을 적으시오. (3점)

Delay Joint (지연줄눈)

10 건축공사표준시방서에서 한중기 콘크리트에 관한 내용 중 (   )을 적절한 숫자로 채우시오. (4점)

(1) 한중기 콘크리트는 초기동해 피해를 입지 않도록 압축강도 (   )MPa 이상이 초기 양생기간 동안 얻어지며, 소정의 설계기준 강도를 만족하도록 배합해야 한다.

(2) 한중콘크리트 물시멘트비(W/C)는 (   )% 이하로 하며, 단위수량은 가능한 작게 하여야 한다.

정답 10
(1) 5
(2) 60

11 폴리머시멘트콘크리트의 특성을 보통시멘트콘크리트와 비교하여 4가지 서술하시오. (4점)

① _____ ② _____

③ _____ ④ _____

정답 11
① 워커빌리티가 우수하다.
② 다른 재료와의 접착력이 우수하다.
③ 휨강도, 인장강도 및 신장성능이 증대된다.(우수하다)
④ 내 충격성이 우수하고 동결융해에 대한 저항성이 크다.
※ 기타 - ① 내식성, 내수성 내마모성이 우수하다.
② 내화성능이 저하된다.

12 다음 그림을 보고 물음에 답하시오. (5점)

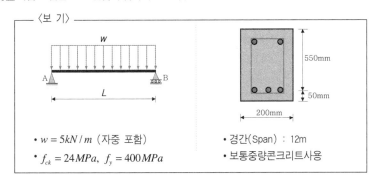

〈보 기〉

- $w = 5kN/m$ (자중 포함)
- $f_{ck} = 24MPa$, $f_y = 400MPa$
- 경간(Span) : 12m
- 보통중량콘크리트사용

(1) 최대휨모멘트를 구하시오.

(2) 균열모멘트를 구하고 균열발생 여부를 판정하시오.

정답 12
(1) $M_{max} = \dfrac{wL^2}{8} = \dfrac{(5)(12)^2}{8} = 90kN \cdot m$

(2) $M_{cr} = 0.63\lambda\sqrt{f_{ck}} \cdot \dfrac{bh^2}{6}$
$= 0.63(1.0)\sqrt{(24)} \cdot \dfrac{(200)(600)^2}{6}$
$= 37,036,284N \cdot mm = 37.036kN \cdot m$

$M_{max} > M_{cr}$ 이므로 균열이 발생됨.

13 철골공사 부재용접에 관한 다음 용어를 설명하시오. (4점)

(1) 엔드탭(End Tab):

(2) 스캘럽(Scallop):

14 철골구조공사에 있어서 철골 습식 내화피복공법의 종류를 3가지 쓰시오. (3점)

① ② ③

15 트럭 적재한도의 중량이 6t일 때 비중 0.8, 부피 30,000(才)의 목재 운반 트럭대수를 구하시오. (단, 6t 트럭의 적재가능 중량은 6t, 부피는 9.5m³, 최종답은 정수로 표기하시오. (4점)

16 금속재 바탕처리법 중 화학적 방법을 3가지를 쓰시오. (3점)

① ②

③

17 목재면 바니쉬칠 공정의 작업순서를 보기에서 골라 기호로 쓰시오. (4점)

── 〈보기〉 ──
(1) 색올림 (2) 왁스문지름 (3) 바탕처리 (4) 눈먹임

18 건축공사 표준시방서에서 정한 방수층 표기 중 최초의 문자는 방수층의 종류에 따라 달라지는데 다음의 영문 알파벳이 의미하는 것을 쓰시오. (4점)

• A: • S:

• M: • L:

정답 13
(1) 용접결함이 생기기 쉬운 용접 bead의 시작과 끝 지점에 용접을 하기 위해 용접 접합하는 모재의 양단에 부착하는 보조 강판
(2) 철골부재 용접시 이음 및 접합 부위의 용접선이 교차되어 재 용접된 부위가 열영향을 받아 취약해지기 때문에 모재에 부채꼴 모양의 모따기를 한 것

정답 14
① 뿜칠공법
② 미장공법
③ 타설공법
④ 조적공법

정답 15
(1) 목재 전체의 체적 : 목재 300 才를 1m³으로 계산하므로
30,000÷300=100m³
(2) 목재 전체의 중량 :
100m³×0.8t/m³=80t
(3) 6t 트럭 1대 적재량 :
① 9.5m³×0.8t/m³=7.6t≒N.G
② 6t 트럭의 적재가능 중량은 6t을 적용
∴ 80t÷6t=13.333대 ≒14대

정답 16
① 용제에 의한 방법
② 인산피막법
(파커라이징법, 본더라이징법)
③ 워시프라이머법
(에칭프라이머법)
※ 산처리법, 알카리처리법

정답 17
(3)
(4)
(1)
(2)

정답 18
A : 아스팔트 방수층(Asphalt)
M : 개량 아스팔트 방수층
(Modified Asphalt)
S : 합성고분자 시트 방수층
(Sheet)
L : 도막 방수층(Liquid)

19 건축공사 벽단열공법의 종류를 쓰시오. (3점)

① _____   ② _____

③ _____

20 건축공사 표준시방서에 따른 금속재 커튼월과 관련된 Mock-up Test(실물대 모형시험)의 시험항목을 4가지 쓰시오. (4점)

① _____   ② _____

③ _____   ④ _____

21 주어진 자료(DATA)에 의하여 다음 물음에 답하시오. (10점)

작업명	선행작업	표준(Normal)		급속(Crash)		비 고
		공기(일)	공비(원)	공기(일)	공비(원)	
A	없음	5	170,000	4	210,000	결합점에서의 일정은 다음 과 같이 표시하고, 주공정 선은 굵은선으로 표시한다.
B	없음	18	300,000	13	450,000	
C	없음	16	320,000	12	480,000	
D	A	8	200,000	6	260,000	
E	A	7	110,000	6	140,000	
F	A	6	120,000	4	200,000	
G	D, E, F	7	150,000	5	220,000	

비고란 그림:
EST LST / LFT EFT

ⓘ —작업명/소요일수→ ⓙ

(1) 표준(Normal) Network를 작성하시오.

(2) 표준공기 시 총공사비를 산출하시오.

(3) 4일 공기단축된 총공사비를 산출하시오.

정답 영역:

정답 **19**
① 외벽(외부) 단열공법
② 내벽(내부) 단열공법
③ 중공벽 단열공법

정답 **20**
① 예비시험
② 기밀시험
③ 정압수밀시험
④ 동압수밀시험
※ 구조시험

정답 **21**
(1) 표준(Normal) Network

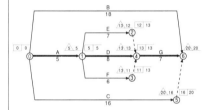

(2) 표준공기 시 총공사비:
170,000+300,000+320,000+200,000
+110,000+120,000+150,000
=1,370,000원

(3) 4일 공기단축된 총공사비
= 20일 표준공사비 + 4일 단축시 추가공사비
= 1,370,000 + 200,000 = 1,570,000원

	단축대상	추가비용
19일	D	30,000
18일	G	35,000
17일	B+G	65,000
16일	A+B	70,000

22 히스토그램(Histogram)의 작성순서를 보기에서 골라 번호 순서대로 쓰시오. (3점)

① 히스토그램을 규격값과 대조하여 안정상태인지 검토한다.
② 히스토그램을 작성한다.
③ 도수분포도를 작성한다.
④ 데이터에서 최소값과 최대값을 구하여 범위를 구한다.
⑤ 구간폭을 정한다.
⑥ 데이터를 수집한다.

23 통합공정관리(EVMS: Earned Value Management System) 용어를 설명한 것 중 맞는 것을 보기에서 선택하여 번호로 쓰시오. (3점)

── 〈보 기〉──
① 프로젝트의 모든 작업내용을 계층적으로 분류한 것으로 가계도와 유사한 형성을 나타낸다.
② 성과측정시점까지 투입예정된 공사비
③ 공사착수일로부터 추정준공일까지의 실투입비에 대한 추정치
④ 성과측정시점까지 지불된 공사비(BCWP)에서 성과측정시점까지 투입예정된 공사비를 제외한 비용
⑤ 성과측정시점까지 실제로 투입된 금액
⑥ 성과측정시점까지 지불된 공사비(BCWP)에서 성과측정시점까지 실제로 투입된 금액을 제외한 비용
⑦ 공정·공사비 통합 성과측정 분석의 기본단위

(1) CA(Control Account): _____

(2) CV(Cost Variance): _____

(3) ACWP(Actual Cost for Work Performed): _____

24 그림과 같은 구조물에서 T 부재에 발생하는 부재력을 구하시오. (단, 인장은 +, 압축은 －로 표시한다.) (3점)

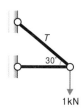

1kN

25 다음 그림을 보고 물음에 답하시오. (단, 축하중 P＝1,000kN) (3점)

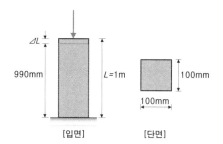

[입면]　　　　[단면]

(1) 압축응력:

(2) 길이방향 변형률:

(3) 탄성계수:

26 다음이 설명하는 구조의 명칭을 쓰시오. (2점)

> 건축물의 기초 부분 등에 적층고무 또는 미끄럼받이 등을 넣어서 지진에 대한
> 건축물의 흔들림을 감소시키는 구조

정답 **24**

$$\sum V = 0: \quad -(1) + (F_T \cdot \sin 30°) = 0$$

$$\therefore F_T = +2kN \, (인장)$$

1kN

정답 **25**

(1) $\sigma_c = \dfrac{P}{A} = \dfrac{(1,000 \times 10^3)}{(100 \times 100)} = 100 N/mm^2$

　　 $= 100 MPa$

(2) $\varepsilon = \dfrac{\Delta L}{L} = \dfrac{(10)}{(1 \times 10^3)} = 0.01$

(3) $E = \dfrac{\sigma}{\varepsilon} = \dfrac{(100)}{(0.01)} = 10,000 MPa$

정답 **26**

면진구조

27 H형강을 사용한 그림과 같은 단순지지 철골보의 최대 처짐(mm)을 구하시오. (단, 철골보의 자중은 무시한다.) (3점)

┌─ 〈보 기〉 ─────────────────────────────

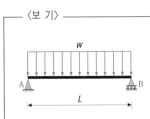

- $H - 500 \times 200 \times 10 \times 16$ (SS275)
- 탄성단면계수 $S_x = 1,910 cm^3$
- 단면2차모멘트 $I = 4,780 cm^4$
- 탄성계수 $E = 210,000 MPa$
- $L = 7m$
- 고정하중: $10kN/m$, 활하중: $18kN/m$

정답 **27**

(1) $w = 1.0 w_D + 1.0 W_L = 1.0(10) + 1.0(18)$
    $= 28 kN/m = 28 N/mm$

(2) $\delta_{max} = \dfrac{5}{384} \cdot \dfrac{wL^4}{EI}$

   $= \dfrac{5}{384} \cdot \dfrac{(28)(7 \times 10^3)^4}{(210,000)(4,780 \times 10^4)}$

   $= 87.21 mm$

2016년 3회 출제문제

1 제자리 콘크리트 말뚝시공 종류명을 3가지만 쓰시오. (3점)

(1) _____ (2) _____

(3) _____

2 시멘트 주요화합물을 4가지 쓰고, 그 중 28일 이후 장기강도에 관여하는 화합물을 쓰시오. (5점)

가. 주요화합물

① _____ ② _____

③ _____ ④ _____

나. 콘크리트의 28일 이후의 장기강도에 관여하는 화합물

_____

3 다음 용어를 설명하시오. (4점)

(가) BOT(Build-Operate-Transfer contract)방식 : _____

_____

(나) 파트너링(Partnering Agreement)방식 계약제도 : _____

_____

4 타일의 탈락(박락) 원인에 대해 4가지를 적으시오. (4점)

① _____ ② _____

③ _____ ④ _____

5 다음 용어를 설명하시오. (6점)

  (1) 데크 플레이트(Deck Plate): _____

  _____

  (2) 가셋 플레이트(Gusset Plate): _____

  _____

  (3) 쉬어 커넥터(Shear Connector): _____

6 목재의 섬유포화점을 설명하고 함수율 증가에 따른 목재의 강도 변화에 대하여 설명하시오. (3점)

  _____

  _____

7 다음 보기는 용접부의 검사 항목이다. 보기에서 골라 알맞는 공정에 해당번호를 써 넣으시오. (3점)

  ┌─ 〈보 기〉 ─────────────────────────┐
  │ ① 아크전압   ② 용접속도   ③ 청소상태   │
  │ ④ 홈의각도, 간격 및 치수   ⑤ 부재의 밀착   ⑥ 필렛의 크기 │
  │ ⑦ 균열, 언더컷 유무   ⑧ 밑면파내기   │
  └─────────────────────────────────────┘

  (1) 용접 착수전 : _____

  (2) 용접 작업중 : _____

  (3) 용접 완료후 : _____

8 세로 규준틀에 기입해야 할 사항을 4가지 쓰시오. (4점)

  ① _____ ② _____

  ③ _____ ④ _____

정답 **5**
(1) 구조용 강판을 절곡해서 만든 바닥판 하부 거푸집 용도의 골 철판
※ 철골·철근콘크리트구조에서 철골보에 걸어서 지주없이 사용
(2) 철골구조의 기둥과 보, 트러스 절점 부위 등에 사용되는 부재 접합, 연결용 강판을 말함.
(3) 합성구조에서 양재간에 발생하는 전단력의 전달, 보강 및 일체성 확보를 위해 설치하는 연결재료

정답 **6**
생나무가 건조하여 함수율이 30%가 된 상태로서 이 점을 경계로 수축, 팽창, 강도의 변화가 현저해진다.
※ 섬유포화점 이상의 함수율에서는 목재의 강도는 변함이 없고 그 이하에서는 함수율이 감소함에 따라 목재의 강도는 증가된다.

정답 **7**
(1) ③, ④, ⑤
(2) ①, ②, ⑧
(3) ⑥, ⑦

정답 **8**
(1) 쌓기단수 및 줄눈 표시
(2) 창문틀의 위치, 칫수 표시
(3) 앵카볼트 및 매립철물 위치 표시
(4) 테두리보(인방보) 설치위치 표시

9 다음은 지반 조사법 중 보오링에 대한 설명이다. 알맞은 용어를 쓰시오. (3점)

① 비교적 연약한 토지에 수압을 이용하여 탐사하는 방식

② 경질층을 깊이 파는데 이용하는 방식

③ 지층의 변화를 연속적으로 비교적 정확히 알고자할 때 사용하는 방식

① _____ ② _____ ③ _____

정답 **9**

① 수세식 보링
② 충격식 보링
③ 회전식 보링

10 철골공사 고력볼트의 마찰접합 및 인장접합에서는 설계볼트장력 및 표준볼트장력과 미끄럼계수의 확보가 반드시 보장되어야 한다. 이에 대하여 다음 물음에 답하시오. (4점)

(1) 설계 Bolt장력과 표준 Bolt장력 : _____

_____

(2) 미끄럼계수의 확보를 위한 마찰면 처리방법 : _____

_____

정답 **10**

(1) 설계볼트장력은 고장력볼트 설계미끄럼강도를 구하기 위한 값이며, 현장시공에서의 표준볼트장력은 설계볼트장력에 10%를 할증한 값으로 한다.
(2) 칠, 기름, 오물제거, 들뜬녹은 와이어 브러쉬로 제거. 볼트지름 2배 이상의 녹, 흑피 등은 샌드블라스트 등으로 제거. 미끄럼계수가 0.5 이상 확보되도록 표면처리

11 목재에 가능한 방부제 처리법을 3가지 쓰시오. (3점)

① _____ ② _____ ③ _____

정답 **11**

① 도포법
② 표면탄화법
③ 침지법

12 건축공사에서 기준점(Bench Mark)을 설명하시오. (3점)

_____

_____

정답 **12**

건축물 시공시 기준위치를 정하는 원점으로 공사중 높이의 기준을 정하고자 설치한다.

13 목공사의 마무리 중 모접기(면접기)의 종류를 3가지만 쓰시오. (3점)

(1) _____ (2) _____ (3) _____

정답 **13**

(1) 실모접기   (2) 둥근모접기
(3) 쌍사모접기   (4) 게눈모접기
(5) 큰모접기

정답 **14**

① 시공연도가 개선된다.
② 수화발열량이 적어서 초기강도는 작아지며 장기강도가 증대된다.
③ 화학적 저항성을 증진시킨다.
※ 기타사항 : 수밀성이 향상된다. 알칼리골재반응을 억제하는 효과가 있다.

14 혼합시멘트 중 플라이애쉬 시멘트의 특징을 3가지 쓰시오. (3점)

① _____ ② _____

③ _____

15 금속재료의 녹을 방지하는 방청도장 재료의 종류를 2가지만 적으시오. (2점)

· _____　　　· _____

정답 15
① 광명단
② 방청 산화철 도료
③ 알루미늄 도료
④ 이온교환 수지 등

16 다음 용어를 설명하시오. (2점)

(1) 이음: _____

(2) 맞춤: _____

정답 16
(1) 두 부재를 재의 길이방향으로 길게 접합하는 것
(2) 두 부재를 서로 직각 또는 일정한 각도로 접합하는 것

17 천장이나 벽체에 주로 사용되는 일반 석고보드의 장·단점을 각각 2가지씩 나열하시오. (4점)

가. 장점: _____

_____

나. 단점: _____

정답 17
가. 장점
· 방화성능, 단열성능 우수
· 시공이 용이함, 공기단축이 가능
나. 단점
· 습기에 취약, 지하공사나 덕트주위에 사용금지
· 접착제 시공시 온도, 습도변화에 민감하여 동절기 사용이 어려움
※ 기타 : 못사용시 녹막이 필요, 충격강도에 취약 등

18 슬러리 월(Slurry Wall) 공법에 대한 보기의 설명 중 빈칸에 들어갈 알맞은 말을 쓰시오. (3점)

┌─ 〈보 기〉 ─
│ 지하연속벽 공법인 슬러리 월은 먼저 안내벽(Guide Wall)을 설치한 후 (①)
│ 을(를) 사용하여 지반을 굴착한 후 (②)을 일으켜 세워서 설치한 후 (③)
│ 를 타설하여 지중에 연속벽체를 형성하는 공법으로 흙막이의 안정성이 뛰어나
│ 며, 차수성능이 우수하다.

정답 18
① 안정액(Bentonite)
② 철근망
③ 콘크리트

19 다음 콘크리트의 균열보수법에 대하여 설명하시오. (4점)

가. 표면처리법: _____

나. 주입공법: _____

정답 19
가. 표면처리법 : 보통 진행정지된 0.2mm 이하의 미세 균열에 폴리머시멘트나 Mortar로 보수하는 방법
나. 주입공법 : 주입구멍을 천공하고 주입 파이프를 5~30cm 간격으로 설치하여 깊이 20mm 정도로 저점도의 에폭시 수지를 밀봉재로 주입하는 공법이다.

정   답

20 콘크리트 타설시 현장 가수로 인한 문제점을 3가지 쓰시오. (3점)

① _____   ② _____

③ _____

① Concrete의 강도 저하
② 재료분리 및 Bleeding 현상 증가
③ 건조수축 및 침강균열 증가
④ 내구성, 수밀성 저하

21 다음 조건으로 요구하는 산출량을 구하시오. (단, $L=1.3$, $C=0.9$) (9점)

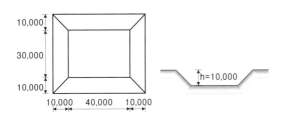

① 터파기량을 산출하시오.

② 운반대수를 산출하시오. (운반대수는 1대, 적재량은 12m³)

③ 5,000m²의 면적을 가진 성토장에 성토하여 다짐할 때 표고는 몇 m인지 구하시오. (비탈면은 수직으로 가정한다.)

정답 **21**

(1) 20,333.33m³
$$V = \frac{10}{6}[(2 \times 60 + 40) \times 50 + (2 \times 40 + 60) \times 30]$$
$$= 20,333.333$$

(2) 2,203대
$$\frac{20,333.33 \times 1.3}{12} = 2,202.777$$

(3) 3.66m
$$\frac{20,333.33 \times 0.9}{5,000} = 3.659$$

22 휨부재의 공칭강도에서 최외단 인장철근의 순인장변형률 $\varepsilon_t = 0.004$ 일 경우 강도감소계수 ϕ 를 구하시오. (3점)

정답 **22**

$$\phi = 0.783$$
$$\phi = 0.65 + [(0.004) - 0.002] \times \frac{200}{3} = 0.783$$

23 다음 데이터를 이용하여 정상공기를 산출한 결과 지정공기보다 3일이 지연되는 결과이었다. 공기를 조정하여 3일의 공기를 단축한 네트워크 공정표를 작성하고 아울러 총공사금액을 산출하시오. (10점)

작업명	선행작업	정상(Normal) 공기(일)	정상(Normal) 공비(원)	특급(Crash) 공기(일)	특급(Crash) 공비(원)	비 고
A	없음	3	7,000	3	7,000	단, 단축된 공정표에서 CP는 굵은선으로 표시하고, 결합점에서는 다음과 같이 표시한다.
B	A	5	5,000	3	7,000	
C	A	6	9,000	4	12,000	
D	A	7	6,000	4	15,000	
E	B	4	8,000	3	8,500	
F	B	10	15,000	6	19,000	
G	C, E	8	6,000	5	12,000	
H	D	9	10,000	7	18,000	
I	F, G, H	2	3,000	2	3,000	

비고란 그림: EST|LST   LFT\EFT   ①—작업명/소요일수→ⓙ

(1) 3일 공기단축한 공정표

(2) 총공사금액

(2) 22일 표준공사비 + 3일 단축 시 추가공사비
= 69,000 + 8,500 = 77,500원

	단축대상	추가비용
21일	E	500
20일	B+D	4,000
19일	B+D	4,000

정답 23

(1)

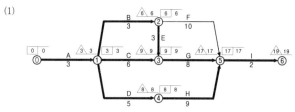

24 다음과 같은 조건을 갖는 철근콘크리트 보의 총처짐(mm)을 구하시오. (3점)

- 즉시처짐 20mm
- 지속하중에 따른 시간경과계수: $\xi = 2.0$
- 단면: $b \times d = 400mm \times 500mm$
- 압축철근량 $A_s' = 1,000mm^2$

정답 24

(1) $\lambda_\Delta = \dfrac{(2.0)}{1 + 50\left(\dfrac{1,000}{400 \times 500}\right)} = 1.6$

(2) 장기처짐 = 탄성처짐 $\times \lambda_\Delta$
$\qquad = (20)(1.6) = 32mm$

(3) 총처짐 = $(20) + (32) = 52mm$

25 그림과 같은 단순보의 최대 전단응력을 구하시오. (3점)

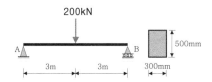

정답 25

(1) $V_{max} = V_A = V_B = +\dfrac{P}{2} = +\dfrac{(200)}{2} = 100kN$

(2) $\tau_{max} = \left(\dfrac{3}{2}\right) \cdot \dfrac{(100 \times 10^3)}{(300 \times 500)} = 1N/mm^2 = 1MPa$

26 그림과 같은 라멘구조의 A지점 반력을 구하시오. (단, 반력의 방향을 화살표로 반드시 표현하시오.) (3점)

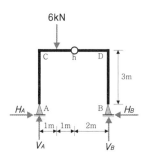

정답 26

(1) $\sum H = 0 : \ +(H_A) + (H_B) = 0$

(2) $\sum M_B = 0 : \ +(V_A)(4) - (6)(3) = 0$
$\qquad \therefore V_A = +4.5kN(\uparrow)$

(3) $M_{h,Left} = 0 :$
$\qquad +(V_A)(2) - (H_A)(3) - (6)(1) = 0$
$\qquad \therefore H_A = +1kN(\rightarrow)$

(4) $R_A = \sqrt{V_A{}^2 + H_A{}^2} = \sqrt{(4.5)^2 + (1)^2}$
$\qquad = 4.61kN(\nearrow)$

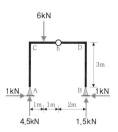

2017년 1회 출제문제

1 기준점(Bench Mark)을 설정할 때 주의사항을 2가지 쓰시오. (2점)

① _____ ② _____

2 흙막이벽에 발생하는 히빙(Heaving) 파괴 방지대책을 3가지 쓰시오. (3점)

① _____ ② _____

③ _____

3 다음은 건축공사표준시방서에 따른 거푸집널 존치기간 중의 평균기온이 10℃ 이상인 경우에 콘크리트의 압축강도 시험을 하지 않고 거푸집을 떼어 낼 수 있는 콘크리트의 재령(일)을 나타낸 표이다. 빈 칸에 알맞은 날수를 표기하시오. (4점)

기초, 보옆, 기둥 및 벽의 거푸집널 존치기간을 정하기 위한 콘크리트의 재령

시멘트의 종류 / 평균기온	조강포틀랜드 시멘트	보통포틀랜드 시멘트 고로슬래그 시멘트 1종	고로슬래그 시멘트 2종 포틀랜드포졸란시멘트 2종
20℃ 이상	①	③	5일
20℃ 미만 10℃ 이상	②	6일	④

① _____ ② _____

③ _____ ④ _____

4 AE제에 의해 생성된 Entrained Air의 사용목적을 4가지 쓰시오. (4점)

(1) _____ (2) _____

(3) _____ (4) _____

정 답

정답 1
① 이동의 염려가 없는 곳에 설치한다.
② 공사에 지장이 없는 곳에 2곳 이상 설치한다.

정답 2
① 강성이 큰 흙막이 벽을 양질지반(경질지반)까지 깊숙히 박는다. (※ 흙막이 벽의 근입장을 증가시킨다.)
② 토질치환
③ 흙파기시 Island 공법 채택
④ 지반개량으로 보강

정답 3
① 2일
② 3일
③ 4일
④ 8일

정답 4
(1) 시공연도 증진(개선)
(2) 재료분리 감소
(3) 내동해성 개선 (동결융해 저항성 증대)
(4) 수밀성 증진(개선)

5 철근콘크리트 공사에서의 헛응결(false set)에 대하여 기술하시오. (3점)

가수한 시멘트풀이 10~20분내에 발열하지 않고 퍼 굳어졌다가 이후 순조롭게 경화가 진행되는 현상을 말한다. (위응결, 이중응결 이라고도 하며, 시멘트 성분중 석고에 기인하여 이런 현상이 생긴다.)

6 다음 설명한 콘크리트의 종류를 쓰시오. (3점)

(가) 콘크리트 제작시 골재는 전혀 사용하지 않고 물, 시멘트, 발포제만으로 만든 경량 콘크리트 : _____

(나) 콘크리트 타설 후 mat, Vaccum pump 등을 이용하여 콘크리트 속에 잔류해 있는 잉여수 및 기포 등을 제거함을 목적으로 하는 콘크리트 :

_____

(다) 거푸집 안에 미리 굵은 골재를 채워 넣은 후 그 공극 속으로 특수한 모르타르를 주입하여 만든 콘크리트 : _____

(가) : 서모콘(Thermo-con)
(나) : 진공 콘크리트 혹은 Vaccum Dewatering Concrete(진공탈수콘크리트)
(다) 프리팩트 콘크리트

7 콘크리트 구조물의 균열 발생 시 실시하는 보강방법을 3가지 쓰시오. (3점)

① _____   ② _____

③ _____

① 강판접착(접합)공법
② 앵카접착(접합)공법
③ 탄소섬유판 접착(접합)공법

8 PERT 기법에 의한 기대시간(Expected Time)을 구하시오. (4점)

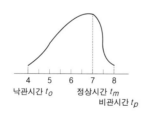

4　5　6　7　8
낙관시간 t_o 정상시간 t_m
비관시간 t_p

$$T_e = \frac{4 + 4 \times 7 + 8}{6} = 6.67$$

9 다음 데이터를 네트워크 공정표로 작성하시오. (8점)

작업명	작업일수	선행작업	비 고
A	5	없음	(1) 결합점에서는 다음과 같이 표시한다.
B	2	없음	
C	4	없음	
D	5	A, B, C	
E	3	A, B, C	
F	2	A, B, C	(2) 주공정선은 굵은 선으로 표시한다.
G	2	D, E	
H	5	D, E, F	
I	4	D, F	

(1) 결합점에서는 다음과 같이 표시한다.

ET | LT   ET | LT

① $\xrightarrow[\text{소요일수}]{\text{작업명}}$ ①

(2) 주공정선은 굵은 선으로 표시한다.

정답 **9**

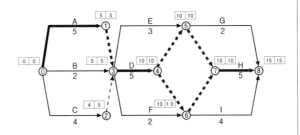

10 철골공사에서 사용되는 맞댄용접과 필릿용접을 개략적으로 도시하고 설명하시오. (6점)

(1) 맞댄용접 : _____

(2) 필릿용접(Fillet 용접) : _____

정답 **10**

(1)
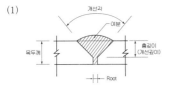

(2)
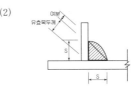

※ 두 부재 사이에 개선(홈)을 두고 그 사 이에 용접살을 채워 결합하는 용접방법

※ 부재에 개선을 두지 않고 두 부재 교차 선을 따라서 삼각형 모양으로 용접살을 덧붙여 용접   *S : 용접치수

11 보기에 주어진 철골공사에서의 용접결함 종류 중 과대전류에 의한 결함을 보기에서 모두 골라 기호로 적으시오. (3점)

┌─── 〈보 기〉
│ ① 슬래그 감싸들기　　② 언더컷　　　　③ 오버랩
│ ④ 블로홀　　　　　　　⑤ 크랙　　　　　⑥ 피트
│ ⑦ 용입부족　　　　　　⑧ 크레이터　　　⑨ 피시아이
└─────────────────────────

정답 11

②, ⑤, ⑧

12 철근콘크리트구조 휨부재에서 압축철근의 역할과 특징을 3가지 쓰시오. (3점)

①＿＿＿＿＿＿＿＿＿　　②＿＿＿＿＿＿＿＿＿

③＿＿＿＿＿＿＿＿＿

정답 12

① 설계휨강도 증가
② 장기처짐감소
③ 연성 증진

13 품질관리 도구 중 특성요인도(Characteristics Diagram)에 대해 설명하시오. (3점)

정답 13

결과에 어떤 원인이 관계하는지를 알 수 있도록 작성한 그림

14 철근콘크리트슬래브와 강재 보의 전단력을 전달하도록 강재에 용접되고 콘크리트 속에 매입된 시어커넥터(Shear Connector)에 사용되는 볼트의 명칭을 쓰시오. (3점)

정답 14

강재 앵커

정답 15

영식쌓기 : 가장 튼튼한 쌓기 형식으로 내력벽에 이용되며 한켜는 길이, 다음켜는 마구리 쌓기로 하며, 모서리벽 끝에 이오토막 또는 반절을 마구리켜에 사용하여 통줄눈을 방지한다.

15 벽돌쌓기 방식 중 영식쌓기 특성을 간단히 설명하시오. (4점)

정답 16

(2)
(1)
(8)
(3)
(5)
(6)
(4)
(7)

16 지하실 바깥방수 시공순서를 보기에서 골라 번호를 쓰시오. (5점)

┌─── 〈보 기〉
│ (1) 밑창(버림)콘크리트　　(2) 잡석다짐　　　　(3) 바닥콘크리트
│ (4) 보호누름 벽돌쌓기　　　(5) 외벽콘크리트　　(6) 외벽방수
│ (7) 되메우기　　　　　　　(8) 바닥방수층 시공
└─────────────────────────

17 커튼월 조립방식에 의한 분류에서 각 설명에 해당하는 방식을 번호로 쓰시오. (3점)

─── 〈보 기〉 ───
① Stick Wall 방식   ② Window Wall 방식   ③ Unit Wall 방식

(1) 구성 부재 모두가 공장에서 조립된 프리패브(Pre-fab)형식으로 창호와 유리, 패널의 일괄발주 방식임. 이 방식은 업체의 의존도가 높아서 현장상황에 융통성을 발휘하기가 어려움 : _____

(2) 구성 부재를 현장에서 조립·연결하여 창틀이 구성되는 형식으로 유리는 현장에서 주로 끼운다. 현장 적응력이 우수하여 공기조절이 가능 : _____

(3) 창호와 유리, 패널의 개별발주 방식으로 창호 주변이 패널로 구성됨으로써 창호의 구조가 패널 트러스에 연결할 수 있어서 재료의 사용 효율이 높아 비교적 경제적인 시스템 구성이 가능한 방식 : _____

18 BOT(Build-Operate-Transfer contract)방식을 설명하시오. (3점)

_____

19 $f_{ck} = 30MPa$,, $f_y = 400MPa$, D22(공칭지름 22.2mm) 인장이형철근의 기본정착길이를 구하시오. (단, 경량 콘크리트계수 $\lambda = 1$) (3점)

_____

20 철근콘크리트 벽체의 설계축하중(ϕP_{nw})을 계산하시오. (4점)

- 유효벽길이 $b_e = 2,000mm$, 벽두께 $h = 200mm$, 벽높이 $l_c = 3,200mm$
- $0.55\phi \cdot f_{ck} \cdot A_g \left[1 - \left(\dfrac{k \cdot l_c}{32h} \right)^2 \right]$ 식을 적용하고, $\phi = 0.65$, $k = 0.8$, $f_{ck} = 24MPa$, $f_y = 400MPa$ 을 적용한다.

정답 17
(1) ③
(2) ①
(3) ②

정답 18
민간부분 수주측이 설계, 시공 후 일정기간 시설물을 운영하여 투자금을 회수하고 시설물과 운영권을 무상으로 발주측에 이전하는 방식

정답 19
$$L_{db} = \frac{0.6(22.2)(400)}{(1.0)\sqrt{30}} = 972.755mm$$

정답 20
$$\phi P_{nw} = 0.55(0.65)(24)(2,000 \times 200)$$
$$\left[1 - \left(\frac{(0.8)(3,200)}{32(200)} \right)^2 \right]$$
$$= 2,882,880N = 2,882.880kN$$

21 다음 조건에서 콘크리트 1m³를 생산하는데 필요한 시멘트, 모래, 자갈의 중량을 산출하시오. (6점)

① 단위수량 : 160kg/m³	② 물시멘트비 : 50%
③ 잔골재율 : 40%	④ 시멘트 비중 : 3.15
⑤ 잔골재 비중 : 2.6	⑥ 굵은골재 비중 : 2.6
⑦ 공기량 : 1%	

(1) 단위시멘트량 : _____

(2) 시멘트의 체적 : _____

(3) 물의 체적 : _____

(4) 전체 골재의 체적 : _____

(5) 잔골재의 체적 : _____

(6) 잔골재량 : _____

(7) 굵은골재량 : _____

22 통합공정관리(EVMS : Earned Value Management System) 용어 중 WBS(Work Breakdown Structure)의 정의를 쓰시오. (3점)

_____

23 토공사 현장에서 되메우기(Back Filling) 할 때의 규정을 ( ) 안에 알맞게 쓰시오. (4점)

※ 흙되메우기시 일반흙으로 되메우기 할 경우는 (①)cm 마다 적절한 기구로 다짐하며 다짐밀도 (②)% 이상으로 다진다.

① _____   ② _____

정답 21

(1) 단위시멘트량 :
$160 \div 0.5 = 320 kg/m^3$

(2) 시멘트의 체적 :
$\dfrac{320kg}{3.15 \times 1,000l} = 0.012m^3$

(3) 물의 체적 : $\dfrac{160kg}{1 \times 1,000l} = 0.16m^3$

(4) 전체 골재의 체적
$= 1m^3 - ($시멘트의 체적 + 물의 체적 + 공기량의 체적$)$
$= 1 - (0.102 + 0.16 + 0.01) = 0.728m^3$

(5) 잔골재의 체적
$=$ 전체 골재의 체적 × 잔골재율
$= 0.728 \times 0.4 = 0.291m^3$

(6) 잔골재량 :
$0.291 \times 2.6 \times 1,000 = 756.6kg$

(7) 굵은골재량 :
$0.728 \times 0.6 \times 2.6 \times 1,000 = 1,135.68kg$

정답 22

공사 내용을 작업의 공종별로 분류한 작업분류체계

정답 23

① 30
② 95

24 비산먼지 발생 억제를 위한 방진시설을 설치할 때 야적(분체상 물질을 야적하는 경우에 한함)시 조치사항 3가지를 쓰시오. (3점)

　(1) _____

　(2) _____

　(3) _____

정답 24
(1) 야적 물질을 1일 이상 보관하는 경우 방진덮개로 덮을 것
(2) 공사장 경계에는 높이 1.8m 이상의 방진벽 설치
(3) 비산먼지 발생 억제를 위하여 살수시설 설치

25 단순 인장접합부의 강도한계상태에 따른 고장력볼트의 설계전단강도를 구하시오. (4점)
　(단, 강재의 재질은 SS275, 고장력볼트 F10T-M22, 공칭전단강도 $F_{nv}=450N/mm^2$)

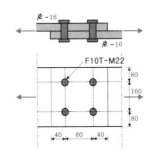

정답 25
$$\phi \cdot R_n = (0.75)(450)\left(\frac{\pi(22)^2}{4}\right)(1) \times 4개$$
$$= 513,179N = 513.179kN$$

26 $H-400 \times 200 \times 8 \times 13$ (필릿반지름 $r=16mm$) 형강의 플랜지와 웨브의 판폭두께비를 구하시오. (4점)

　(1) 플랜지 : _____

　(2) 웨브 : _____

정답 26
(1) 플랜지 :
$$\lambda_f = \frac{(200)/2}{(13)} = 7.69$$

(2) 웨브 :
$$\lambda_w = \frac{(400)-2(13)-2(16)}{(8)} = 42.75$$

2017년 2회 출제문제

1 자연상태의 압축강도를 시험한 결과 8MPa이었고, 그 시료를 이긴시료로 하여 압축강도를 시험한 결과는 5MPa이었다면 이 흙의 예민비를 구하시오. (3점)

_____

2 토공장비 선정시 고려해야 할 기본적인 요소를 3가지 적으시오. (3점)

(1) _____ (2) _____

(3) _____

3 아일랜드 컷(Island Cut) 공법을 설명하시오. (3점)

_____

_____

4 흙막이 공사에 사용하는 어스앵커공법의 특징을 4가지 쓰시오. (4점)

① _____

② _____

③ _____

④ _____

5 탑다운공법(Top-Down Method)은 지상이 협소한 대지에서 작업공간이 부족하여도 공간을 활용하여 작업을 행할 수 있는데 그 이유를 기술하시오. (3점)

_____

_____

정   답

정답 1

$$예민비 = \frac{자연시료강도}{이긴시료강도} = \frac{8}{5} = 1.6$$

정답 2

(1) 굴착깊이에 따른 장비의 규모
(2) 굴착된 흙의 반출거리
(3) 흙의 종류에 따른 능률성 고려
(4) 토공사기간에 따른 장비의 유형 및 갯수

정답 3

터파기 공사시 중앙부분을 먼저 파고, 기초를 축조한 다음, 버팀대로 지지하여 주변흙을 파내고, 지하구조물을 완성하는 터파기 공법

정답 4

① 버팀대가 불필요하여 깊은 굴착시 버팀대공법보다 경제적이다.
② 넓은 작업장 확보가 가능하다.
③ 부분굴착이 가능하고, 공구분할이 용이하다.
④ 지반변화에 따른 설계변경이 용이하다.
※ 굴착공간이 넓어 기계화 시공이 가능하다. 정착부위의 토질이 불확실할 경우 위험하다.

정답 5

역타공법은 1층 바닥판을 선시공하여서 이것을 작업장으로 활용하므로 협소한 대지에서도 효율적인 공간 활용이 가능한 공법이다.

6 건물의 부동침하를 방지하기 위한 대책 중 기초구조부에서 처리할 수 있는 방법을 4가지 적으시오. (4점)

① _____   ② _____

③ _____   ④ _____

정답 **6**

① 기초를 경질지층(경질지반)에 지지시킬 것
② 마찰말뚝을 사용하여 보강 할 것(지지말뚝과 혼용금지)
③ 복합기초 사용, 지하실 설치
④ 언더피닝 공법을 적용하여 기 초를 보강
※ 기초를 상호 연결

7 KSL 5201에서 규정하는 정한 포틀랜드 시멘트의 종류를 5가지 쓰시오. (5점)

① _____   ② _____

③ _____   ④ _____

⑤ _____

정답 **7**

① 1종 : 보통 포틀랜드 시멘트
② 2종 : 종용열 포틀랜드 시멘트
③ 3종 : 조강 포틀랜드 시멘트
④ 4종 : 저열 포틀랜드 시멘트
⑤ 5종 : 내황산염 포틀랜드 시멘트

8 굵은골재의 최대치수 25mm, 4kg을 물속에서 채취하여 표면건조내부포수상태의 질량이 3.95kg, 절대건조질량이 3.60kg, 수중에서의 질량이 2.45kg일 때 흡수율과 비중을 구하시오.

(1) 흡수율 : _____

(2) 표건비중 : _____

(3) 절건비중 : _____

(4) 겉보기비중 : _____

정답 **8**

(1) $\dfrac{3.95-3.60}{3.60} \times 100 = 9.72\%$

(2) $\dfrac{3.95}{3.95-2.45} = 2.63$

(3) $\dfrac{3.60}{3.95-2.45} = 2.40$

(4) $\dfrac{3.60}{3.60-2.45} = 3.13$

9 다음 용어에 대해 기술하시오. (4점)

(가) 인트랩트 에어 (Entraped Air) : _____

_____

(나) 인트레인드 에어 (Entrained Air) : _____

_____

정답 **9**

(가) 일반 콘크리트에 자연적으로 형성되는 부정형의 상호연속된 기포로 1~2% 정도 함유하게 된다.
(나) AE제에 의하여 발생하는 독립된 균질한 미세 기포로 볼 베어링 역할을 하여 시공연도를 증진시킨다.(적당한 공기량은 3~5%)

10 다음 측정기별 용도를 쓰시오. (4점)

(가) Washington Meter :

(나) Earth Pressure Meter :

(다) Piezo Meter :

(라) Dispenser :

11 프리스트레스트 콘크리트(Pre-Stressed Concrete) 공법에서 프리텐션(Pre-Tension)방식과 포스트텐션(Post-Tension) 방식에 대하여 설명하시오. (4점)

(1) Pre-Tension :

(2) Post-Tension :

12 보통골재를 사용한 $f_{ck} = 30MPa$ 인 콘크리트의 탄성계수를 구하시오. (3점)

13 그림과 같은 독립기초의 2방향 전단(Punching Shear) 응력산정을 위한 저항면적 (cm²)을 구하시오. (4점)

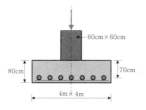

정답 10

(가) 콘크리트내의 공기량 측정기구
(나) 토압측정기구
(다) 간극수압 측정기구
(라) AE제의 계량장치

정답 11

(가) 강현재에 인장력을 가한 상태로 콘크리트를 부어 넣고 경화후 단부에서 인장력을 풀어주어 콘크리트에 압축력을 가한다.
(나) 쉬드를 설치하고 콘크리트를 경화시킨 뒤 쉬드 구멍에 강현재를 삽입, 긴장시키고, 시멘트 페이스트로 그라우팅 한 후 인장력을 풀어준다.

정답 12

(1) $f_{ck} \leq 40MPa : \Delta f = 4MPa$

(2) $E_c = 8500 \cdot \sqrt[3]{(30) + (4)} = 27,536.7MPa$

정답 13

(1) 위험단면의 둘레길이 :
$b_o = [(35 + 60 + 35) \times 4] = 520cm$

(2) 저항면적 :
$A = b_o \cdot d = (520)(70) = 36,400cm^2$

14 철골 내화피복 공법의 종류에 따른 재료를 각각 2가지 쓰기 (3점)

공　법	재　료
타설공법	
조적공법	
미장공법	

15 철골공사의 기초 Anchor bolt는 구조물 전체의 집중하중을 지탱하는 중요한 부분이다. 이 Anchor bolt의 매입공법 3가지를 쓰시오. (3점)

① _____　② _____

③ _____

16 다음에 표시된 T/S 고력볼트의 부위별 명칭을 쓰시오. (5점)

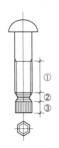

① _____

② _____

③ _____

17 다음 조건에서의 용접유효길이(L_e)를 산출하시오. (4점)

- 모재는 SM355($F_u = 490MPa$),
  용접재(KS D7004 연강용 피복아크 용접봉)의
  인장강도 $F_{uw} = 420N/mm^2$
- 필릿치수 $S = 5mm$
- 하중: 고정하중 20kN , 활하중 30kN

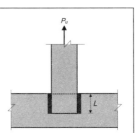

18 타일의 탈락(박락) 원인에 대해 2가지를 적으시오. (2점)

① _____　② _____

　타설공법 : 콘크리트
　　　　　　경량콘크리트
　조적공법 : 콘크리트 Block
　　　　　　ALC Block
　미장공법 : 철망 Mortar
　　　　　　펄라이트 Mortar

정답 **15**

① 고정 매입법
② 가동 매입법
③ 나중 매입법

정답 **16**

① 나사부
② Notch부(파단부)
③ Pintail부 (핀테일부, 꼬리부)

정답 **17**

(1) $P_U = 1.2P_D + 1.6P_L = 1.2(20) + 1.6(30)$
　　　$= 72kN \geq 1.4P = 1.4(20) = 28kN$

(2) $a = 0.7S = 0.7(5) = 3.5mm$
　　$A_w = a \times 1 = 3.5 \times 1 = 3.5mm^2$
　　$\phi R_n = \phi F_w \cdot A_w = \phi(0.6F_{uw}) \cdot A_w$
　　　　$= (0.75)(0.6 \times 420)(3.5)$
　　　　$= 661.5N/mm$

(3) $L_e = \dfrac{P_U}{\phi P_w}$

　　　$= \dfrac{(72 \times 10^3)}{(661.5)} = 108.844mm$

정답 **18**

① 붙임 Mortar의 접착강도부족
② 붙임시간(Open Time)의 불이행
③ 바탕재와 Tile의 신축, 변형도
　차이
④ 붙임후 양생, 경화 불량
　(진동, 충격 등)
※ Mortar 충전 불충분 등

19 시트(Sheet) 방수공법의 시공순서를 쓰시오. (3점)

바탕처리 → ((가)   ) → 접착제칠 → ((나)   ) → ((다)   )

(가)_____ (나)_____ (다)_____

[정답] 19
(가) 프라이머칠
(나) 시이트붙임
(다) 마무리(보호층 설치)

20 다음 용어를 설명하시오. (6점)

(1) 복층 유리 : _____
_____

(2) 배강도 유리 : _____
_____

[정답] 20
(1) 복층 유리 : 2개의 판유리 중 간에 건조공기를 봉입한 것(단 열, 방음, 결로방지 우수)
(2) 배강도 유리 : 유리를 연화점 이하로 가열 후 찬공기를 약하 게 불어주어 냉각시켜 만든 건 축용 유리(반강화유리)

21 커튼월 공법에서 스팬드럴(Spandrel) 방식을 설명하시오. (4점)

[정답] 21
수평선을 강조하는 창과 스팬드럴 조합으로 이루어지는 방식

22 민간 주도하에 Project(시설물) 완공 후 발주처(정부)에게 소유권을 양도하고 발주처 의 시설물 임대료를 통하여 투자비가 회수하는 민간투자사업 계약방식의 명칭은 무엇인 가? (2점)

[정답] 22
BTL(Build-Transfer-Lease) 계약 방식

23 공개경쟁입찰의 순서를 보기에서 골라 번호로 쓰시오. (4점)

── 〈보 기〉──
① 입찰   ② 현장설명   ③ 낙찰   ④ 계약
⑤ 견적   ⑥ 입찰등록   ⑦ 입찰공고

[정답] 23
⑦-②-⑤-⑥-①-③-④

24 특명입찰(수의계약)의 장·단점을 2가지씩 쓰시오. (4점)

장 점 :   단 점 :

① _____   ① _____

② _____   ② _____

25 지름이 D 인 원형의 단면계수를 Z_A, 한변의 길이가 a 인 정사각형의 단면계수를 Z_B 라고 할 때 $Z_A : Z_B$ 를 구하시오. (단, 두 재료의 단면적은 같고, Z_A 를 1로 환산한 Z_B 의 값으로 표현하시오.) (4점)

_____

26 다음 데이터를 이용하여 물음에 답하시오. (10점)

작업명	선행작업	작업일수	비용구배(원)	비 고
A	없음	5	10,000	(1) 결합점에서의 일정은 다음과 같이 표시하고, 주공정선은 굵은 선으로 표시한다.
B	없음	8	15,000	
C	없음	15	9,000	
D	A	3	공기단축불가	
E	A	6	25,000	
F	B, D	7	30,000	
G	B, D	9	21,000	(2) 공기단축은
H	C, E	10	8,500	Activity I에서 2일,
I	H, F	4	9,500	Activity H에서 3일,
J	G	3	공기단축불가	Activity C에서 5일
K	I, J	2	공기단축불가	(3) 표준공기 시 총공사비는 1,000,000원이다.

(1) 표준(Normal) Network를 작성하시오.

정답 24

장 점	단 점
① 공사기밀 유지 가능	① 공사비 상승 우려
② 우량공사 기대 가능	② 공사금액 결정 의 불투명성

정답 25

(1) $\dfrac{\pi D^2}{4} = a^2$ 으로부터

$$D = \sqrt{\dfrac{4a^2}{\pi}} = 1.128a$$

(2) $Z_A = \dfrac{\pi}{32} D^3 = \dfrac{\pi}{32}(1.128a)^3 = 0.141a^3$,

$Z_B = \dfrac{1}{6}a^3$ 이므로 $Z_A : Z_B = 1 : 1.182$

(2) 공기를 10일 단축한 Network를 작성하시오.

(3) 공기단축된 총공사비를 산출하시오.

정답 26

(1)

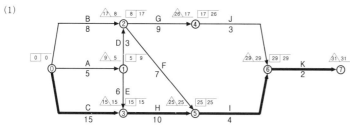

(2)

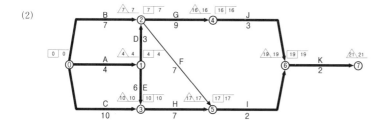

(3) 31일 표준공사비 + 10일 단축 시 추가공사비 = 1,000,000 + 114,500 = 1,114,500원

	단축대상	추가비용
30일	H	8,500
29일	H	8,500
28일	H	8,500
27일	C	9,000
26일	C	9,000
25일	C	9,000
24일	C	9,000
23일	I	9,500
22일	I	9,500
21일	A+B+C	34,000

2017년 3회 출제문제

1 그림과 같은 용접부의 설계강도를 구하시오. (단, 모재는 SM275, 용접재(KS D7004 연강용 피복아크 용접봉)의 인장강도 F_{uw}=420N/mm², 모재의 강도는 용접재의 강도보다 크다.) (5점)

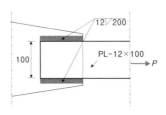

2 민간 주도하에 Project(시설물) 완공 후 발주처(정부)에게 소유권을 양도하고 발주처의 시설물 임대료를 통하여서 투자비가 회수되는 민간투자사업 계약방식의 명칭은 무엇인가? (2점)

_____

3 다음의 콘크리트 용어에 대해 간단히 설명하시오. (6점)

(가) 알카리골재반응 : _____

(나) 인트랩트 에어(entraped air) : _____

(다) 배쳐플랜트(batcher plant) : _____

4 다음 평면의 건물높이가 13.5m일 때 비계면적을 산출하시오. (단, 도면 단위는 mm이며, 비계형태는 쌍줄비계로 한다.) (5점)

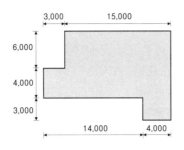

정 답

정답 **1**

$$\phi R_n = \phi \cdot 0.6 F_{uw} \cdot 0.7S \cdot (L-2S)$$
$$= (0.75) \cdot 0.6(420) \cdot 0.7(12) \cdot$$
$$(200 - 2 \times 12) \times 2면$$
$$= 558,835N = 558.835kN$$

정답 **2**

BTL(Build-Transfer-Lease)
계약방식

정답 **3**

(가) 알카리 골재반응 : 포틀랜드 시멘트중의 알카리 성분과 골재 등의 실리카질 광물이 화학반응을 일으켜 팽창을 유발시키는 반응

(나) 일반 콘크리트에 자연적으로 형성되는 부정형의 상호연속된 기포로 1~2% 정도 함유하게 된다.

(다) 배쳐플랜트 : 물, 시멘트, 골재 등을 정확하고 능률적으로 자동 중량 계량하여 혼합하여 주는 콘크리트 생산, 기계설비

정답 **4**

$$A = 13.5 \times \{(18+13) \times 2 + 8 \times 0.9\}$$
$$= 934.2m^2$$

---

5 $L-100 \times 100 \times 7$ 인장재의 순단면적(mm^2)을 구하시오. (4점)

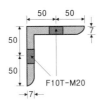

정답 5

$$A_n = A_g - n \cdot d \cdot t$$
$$= [(7)(200-7)] - (2)(20+2)(7)$$
$$= 1,043mm^2$$

6 역타설 공법(Top-Down Method)의 장점을 3가지 쓰시오. (3점)

① _____　② _____

③ _____

정답 6

① 주변지반과 건물에 영향이 없는 안정적공법이다.
② 지상, 지하 동시작업으로 공기가 단축된다.
③ 1층 바닥판을 작업장으로 활용이 가능하다.

7 콘크리트의 반죽질기의 측정방법 종류를 3가지를 쓰시오. (3점)

① _____　② _____

③ _____

정답 7

① Slump 시험　② Flow 시험
③ Vee-Bee 시험　④ 구관입시험
⑤ 리몰딩 시험
※ Slump Flow 시험

8 다음 설명이 뜻하는 용어를 쓰시오. (4점)

(1) 보링 구멍을 이용하여 +자 날개를 지반에 때려 박고 회전시켜서 그 회전력에 의하여 지반의 점착력을 판별하는 지반조사 시험 _____

(2) 블로운 아스팔트에 광물성, 동식물섬유, 광물질가루, 섬유 등을 혼입하여 유동성을 부여한 아스팔트 방수재료 _____

정답 8

(1) 베인시험(Vane Test)
(2) 아스팔트 콤파운드
　　(Asphalt Compound)

9 아래 보기에서 가치공학(Value Engineering)의 기본추진절차를 순서대로 나열하시오. (4점)

┌─── 〈보 기〉 ───
(가) 정보수집　　(나) 기능정리　　(다) 아이디어 발상
(라) 기능정의　　(마) 대상선정　　(바) 제안
(사) 기능평가　　(아) 평가　　　　(자) 실시

정답 9

(마)
(가)
(라)
(나)
(사)
(다)
(아)
(바)
(자)

10 철골공사에서 용접부의 비파괴 시험방법의 종류를 3가지 쓰시오. (3점)

① _____ 　② _____

③ _____

정답 10
① 방사선 투과시험
② 초음파 탐상법
③ 자기분말 탐상법

11 Network 공정표에서 작업상호간의 연관 관계만을 나타내는 명목상의 작업인 더미 (Dummy)의 종류를 3가지 쓰시오. (3점)

① _____ 　② _____

③ _____

정답 11
① Numbering Dummy
② Logical Dummy
③ Time-Lag Dummy

12 Sand drain 공법에 대하여 설명하시오. (3점)

_____

_____

정답 12
지름 40~60cm의 구멍을 뚫고 모래를 넣은 후, 성토 및 기타 하중을 가하여 점토질 지반을 압밀하여 탈수하는 공법

13 PERT에 의한 공정관리 방법에서 낙관시간이 4일, 정상시간이 5일, 비관시간이 6일일 때, 공정상의 기대시간(T_e)을 구하시오. (4점)

_____

정답 13

$$T_e = \frac{4 + 4 \times 5 + 6}{6} = 5\,일$$

14 비철금속 중 건축재료로써의 알루미늄의 장점을 2가지 쓰시오. (4점)

① _____ 　② _____

정답 14
① 비중이 철의 1/3정도로 가볍다.
② 녹슬지 않고, 사용연한이 길다.

15 다음 콘크리트의 줄눈을 간단히 쓰시오. (4점)

(1) 콜드죠인트(Cold Joint) : _____

(2) 조절줄눈(Control Joint) : _____

정답 15
(1) 콘크리트 시공과정 중 휴식시간 등으로 응결하기 시작한 콘크리트에 새로운 콘크리트를 이어칠 때 일체화가 저해되어 생기게 되는 줄눈.
(2) 벽, 바닥판의 수축에 의한 표면균열을 방지하기 위해 설치하는 균열유도 줄눈이다.

16 강관틀비계의 설치에 관한 다음 설명 중 (   )안에 적합한 숫자를 적으시오. (단, 건물의 높이는 15m이다.) (3점)

세로틀은 수직방향((가))m, 수평방향((나))m 내외의 간격으로 건축물의 구조체에 견고하게 긴결해야 한다.

(가) _____   (나) _____

정답 **16**
(가) 6
(나) 8

17 시멘트 분말도 시험법을 2가지 쓰시오. (4점)

① _____   ② _____

정답 **17**
① 표준체에 의한 방법
② 블레인 공기투과장치에 의한 방법

18 다음 설명이 의미하는 거푸집 관련 용어를 쓰시오. (4점)

(1) 철근의 피복두께를 유지하기 위해 벽이나 바닥 철근에 대어주는 것

_____

(2) 벽 거푸집 간격을 일정하게 유지하여 격리와 긴장재 역할을 하는 것

_____

(3) 기둥 거푸집의 고정 및 측압 버팀용으로 주로 합판 거푸집에서 사용되는 것

_____

(4) 거푸집의 탈형과 청소를 용이하게 만들기 위해 합판 거푸집 표면에 미리 바르는 것

_____

정답 **18**
(1) 스페이서(Spacer)
(2) 세퍼레이터(Separater)
(3) 칼럼밴드(Column Band)
(4) 박리제

19 그림과 같은 캔틸레버 보의 A점의 반력을 구하시오. (4점)

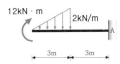

정답 **19**
(1) $\sum H = 0 : H_A = 0$

(2) $\sum V = 0 : -\left(\dfrac{1}{2} \times 2 \times 3\right) + (V_A) = 0$

$\therefore V_A = +3kN(\uparrow)$

(3) $\sum M_A = 0 : +(M_A) + (12)$

$-\left(\dfrac{1}{2} \times 2 \times 3\right)\left(3 + 3 \times \dfrac{1}{3}\right) = 0$

$\therefore M_A = 0$

20 다음에 제시된 화살표형 네트워크 공정표를 통해 일정계산 및 여유시간, 주공정선 (CP)과 관련된 빈칸을 모두 채우시오. (단, CP에 해당하는 작업은 표시를 하시오.) (10점)

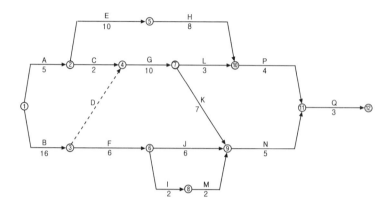

작업명	EST	EFT	LST	LFT	TF	FF	DF	CP
A								
B								
C								
D								
E								
F								
G								
H								
I								
J								
K								
L								
M								
N								
P								
Q								

정답 20

작업명	EST	EFT	LST	LFT	TF	FF	DF	CP
A	0	5	9	14	9	0	9	
B	0	16	0	16	0	0	0	※
C	5	7	14	16	9	9	0	
D	16	16	16	16	0	0	0	※
E	5	15	16	26	11	0	11	
F	16	22	21	27	5	0	5	
G	16	26	16	26	0	0	0	※
H	15	23	26	34	11	6	5	
I	22	24	29	31	7	0	7	
J	22	28	27	33	5	5	0	
K	26	33	26	33	0	0	0	※
L	26	29	31	34	5	0	5	
M	24	26	31	33	7	7	0	
N	33	38	33	38	0	0	0	※
P	29	33	34	38	5	5	0	
Q	38	41	38	41	0	0	0	※

21 CFT의 정의를 간단히 설명하시오. (3점)

_____

_____

22 철근콘크리트 공사에서 철근이음을 하는 방법으로 가스압접이 있는데 가스압접으로 이음할 수 없는 경우를 3가지 쓰시오. (3점)

(가) _____　　(나) _____

(다) _____

23 다음 용어를 설명하시오. (4점)

(1) 복층 유리 : _____

_____

(2) 강화 유리 : _____

_____

정답 21

원형 또는 각형강관 내부에 콘크리트를 충전함으로써 강관이 콘크리트를 구속하는 특성에 의해 강성, 내력, 변형, 시공 등의 여러 면에서 뛰어난 특성을 발휘하는 공법

정답 22

(가) 철근의 지름차이가 6mm를 초과할 때
(나) 철근의 재질이 상이할 때 (항복점 강도나 성질이 다를 때)
(다) 0℃이하의 낮은 온도에서 작업할 때

정답 23

(1) 복층 유리 : 2개의 판유리 중간에 건조공기를 봉입한 것 (단열, 방음, 결로방지 우수)
(2) 강화유리 : 평면 및 곡면, 판유리를 600℃ 정도 가열하여 급냉시킨 안전유리 (강도가 크고, 200℃ 이상 고온에도 견딘다.)

24 고강도 콘크리트의 폭렬현상에 대하여 설명하시오. (3점)

_____

_____

25 콘크리트를 타설할 때 거푸집의 측압에 영향을 주는 요인을 3가지 쓰시오. (3점)

(1) _____ (2) _____

(3) _____

26 그림과 같은 단면의 단면2차모멘트 $I = 64,000cm^4$, 단면2차반경 $r = \dfrac{20}{\sqrt{3}} cm$ 일 때 폭 b 와 높이 h 를 구하시오. (4점)

정답 24

내·외부의 조직이 치밀한 고강도 콘크리트에서 화재발생시 고압의 수증기가 외부로 분출되지 못하여 콘크리트가 폭파되듯이 터지는 현상

정답 25

(1) 콘크리트 타설속도
(2) 콘크리트의 비중
(3) 콘크리트의 슬럼프 값
※ 기타: 거푸집의 강성, 철근, 철골 사용량, 부재의 크기 등

정답 26

(1) $r = \sqrt{\dfrac{1}{A}}$ 로부터

$A = \dfrac{1}{r^2} = \dfrac{(64,000)}{\left(\dfrac{20}{\sqrt{3}}\right)^2} = 480cm^2$

(2) $I = \dfrac{bh^3}{12} = \dfrac{A \cdot h^2}{12}$ 으로부터

$h = \sqrt{\dfrac{12I}{A}} = \sqrt{\dfrac{12(64,000)}{(480)}} = 40cm$

(3) $A = bh$ 로부터

$b = \dfrac{A}{h} = \dfrac{(480)}{(40)} = 12cm$

2018년 1회 출제문제

1 기준점(Bench Mark)의 정의 및 설치 시 주의사항을 2가지 쓰시오. (4점)

(1) 정의 : _____

(2) 설치 시 주의사항 : _____

2 보링(Boring)의 목적을 3가지 쓰시오. (3점)

① _____ ② _____

③ _____

3 아일랜드 컷 공법의 시공을 위한 (   ) 안에 들어갈 알맞는 내용을 순서별로 적으시오. (3점)

흙막이 설치 - (   ) - (   ) - (   ) - 주변부 흙파기 - 지하구조물 완성

4 흙막이벽의 계측에 필요한 기기류를 3가지 쓰시오. (3점)

① _____ ② _____

③ _____

5 흐트러진 상태의 흙 10m³를 이용하여 10m²의 면적에 다짐 상태로 50cm 두께를 터돋우기 할 때 시공완료된 다음의 흐트러진 상태의 토량을 산출하시오. (단, 이 흙의 L=1.2, C=0.9이다.) (3점)

(1) 다져진 상태의 토량 : _____

(2) 다져진 상태의 남는 토량 : _____

(3) 흐트러진 상태의 토량 : _____

정   답

정답 **1**

(1) 건축물 시공시 기준위치를 정하는 원점으로 공사중 높이의 기준을 정하고자 설치한다.
(2) ① 이동의 염려가 없는 곳에 설치한다.
　　② 2개소 이상 설치한다.

정답 **2**

① 시료 채취(Sampling, 샘플링)
② 지하수위 측정
③ 토질의 주상도 작성
※ Boring 공내의 원위치시험

정답 **3**

중앙부 굴착, 중앙부 기초구조물 축조, 버팀대 설치

정답 **4**

① 하중계(Load Cell)
② 변형계, 변형률계(Strain Gauge)
③ 경사계(Tilt Meter)

정답 **5**

(1) $10 \times \dfrac{0.9}{1.2} = 7.5$
(2) $7.5 - (10 \times 0.5) = 2.5$
(3) $2.5 \times \dfrac{1.2}{0.9} = 3.33 m^3$

---

6 언더피닝 공법을 적용해야 하는 경우를 2가지 쓰시오. (4점)

① _____

② _____

① 기존 건축물의 기초 보강이 필요한 경우
② 인접 건물의 침하나 이동 방지상 필요한 경우

7 다음 용어를 설명하시오. (4점)

(1) 이형철근 : _____

(2) 배력근 : _____

(1) 표면에 리브나 마디 등의 돌기가 있는 콘크리트 보강용 봉강
(2) 응력분포나 균열방지를 목적으로 주근과 직각 방향으로 배치된 보조근
※ 배력근＝온도철근
※ 온도철근을 설명해도 됨

8 다음 설명과 같은 거푸집을 아래의 보기에서 골라 번호로 쓰시오. (4점)

───── 〈보 기〉 ─────
① 슬라이딩폼(Sliding Form)   ② 데크플레이트(Deck Plate)
③ 트래블링폼(Traveling Form)   ④ 와플폼(Waffle Form)

(1) ④
(2) ③
(3) ①
(4) ②

(1) 무량판 구조에서 2방향 장선 바닥판 구조가 가능하도록 된 특수상자 모양의 기성재 거푸집 : _____

(2) 대형 시스템화 거푸집으로서 한 구간 콘크리트 타설 후 다음 구간으로 수평 이동이 가능한 거푸집 : _____

(3) 유닛(Unit) 거푸집을 설치하여 요크(York)로 거푸집을 끌어올리면서 연속해서 콘크리트를 타설가능한 수직활동 거푸집 : _____

(4) 아연도 철판을 절곡 제작하여 거푸집으로 사용하며, 콘크리트 타설 후 마감재로 사용하는 철판 : _____

9 건축공사표준시방서에 따른 거푸집널 존치기간 중의 평균기온이 10℃ 이상인 경우에 콘크리트의 압축강도 시험을 하지 않고 거푸집을 떼어 낼 수 있는 콘크리트의 재령(일)을 나타낸 표이다. 빈 칸에 알맞은 날수를 표기하시오. (4점)

① 2일
② 3일
③ 4일
④ 8일

기초, 보옆, 기둥 및 벽의 거푸집널 존치기간을 정하기 위한 콘크리트의 재령

시멘트의 종류 / 평균기온	조강포틀랜드 시멘트	보통포틀랜드 시멘트 고로슬래그 시멘트 1종	고로슬래그 시멘트 2종 포틀랜드포졸란 시멘트 2종
20℃ 이상	①	③	5일
20℃ 미만 10℃ 이상	②	6일	④

① _____ ② _____

③ _____ ④ _____

10 다음 그림을 보고 해당되는 줄눈의 명칭을 적으시오. (4점)

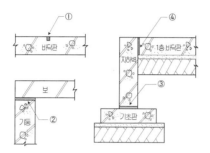

① _____ ② _____

③ _____ ④ _____

11 고강도 콘크리트의 폭렬현상에 대하여 설명하시오. (3점)

_____

12 그림과 같은 독립기초의 2방향 전단(Punching Shear) 위험단면 둘레길이(mm)를 구하시오. (단, 위험단면의 위치는 기둥면에서 0.75d 위치를 적용한다.) (3점)

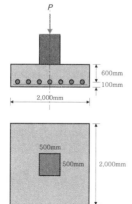

13 H-400×300×9×14 형강의 플랜지의 판폭두께비를 구하시오. (4점)

정답 13

$$\lambda_f = \frac{(300)/2}{(14)} = 10.71$$

14 그림과 같은 맞댐용접(Groove Welding)을 용접기호를 사용하여 표현하시오. (4점)

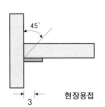 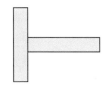

현장용접

정답 14

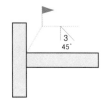

15 철골 주각부(Pedestal)는 고정주각, 핀주각, 매립형주각 3가지로 구분된다. 다음 그림과 적합한 주각부의 명칭을 쓰시오. (6점)

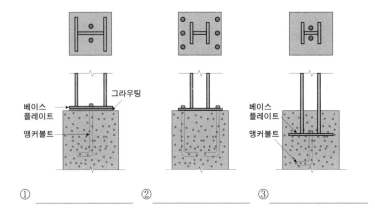

① _____   ② _____   ③ _____

정답 15
① 핀주각
② 고정주각
③ 매입형주각

16 벽면적 100m²에 표준형벽돌 1.5B 쌓기 시 붉은벽돌 소요량을 산출하시오. (4점)

정답 16
$$100 \times 149 \times 1.03 = 23,072매$$

17 목재의 방부처리방법을 3가지 쓰시오. (3점)

(1) ＿＿＿＿＿＿＿＿＿＿＿＿＿　　(2) ＿＿＿＿＿＿＿＿＿＿＿＿＿

(3) ＿＿＿＿＿＿＿＿＿＿＿＿＿

18 콘크리트 블록의 압축강도가 8N/mm² 이상으로 규정되어 있다. 390×190×190mm 블록의 압축강도를 시험한 결과 600,000N, 500,000N, 550,000N에서 파괴되었을 때 합격 및 불합격을 판정하시오. (4점)

＿＿＿＿＿＿＿＿＿＿＿＿＿＿＿＿＿＿＿＿＿＿＿＿＿＿＿＿＿＿＿＿＿

＿＿＿＿＿＿＿＿＿＿＿＿＿＿＿＿＿＿＿＿＿＿＿＿＿＿＿＿＿＿＿＿＿

19 바닥 미장면적이 1,000m²일 때, 1일 10인 작업 시 작업소요일을 구하시오. (단, 아래와 같은 품셈을 기준으로 하며 계산과정을 쓰시오.) (3점)

바닥미장 품셈(m²)

구 분	단 위	수 량
미장공	인	0.05

(1) 미장공 1인당 1일 품셈 : ＿＿＿＿＿＿＿＿＿＿＿＿＿＿＿＿＿＿＿＿＿

(2) 작업소요일 : ＿＿＿＿＿＿＿＿＿＿＿＿＿＿＿＿＿＿＿＿＿＿＿＿＿＿

20 금속공사에서 사용되는 다음 철물이 뜻하는 용어를 설명하시오. (4점)

(1) Metal Lath : ＿＿＿＿＿＿＿＿＿＿＿＿＿＿＿＿＿＿＿＿＿＿＿＿

(2) Punching Metal : ＿＿＿＿＿＿＿＿＿＿＿＿＿＿＿＿＿＿＿＿＿＿

21 다음이 설명하는 용어를 쓰시오. (3점)

> (1) 드라이비트라는 일종의 못박기총을 사용하여 콘크리트나 강재 등에 박는 특수못
> (2) 머리가 달린 것을 H형, 나사로 된 것을 T형이라고 한다.

＿＿＿＿＿＿＿＿＿＿＿＿＿＿＿＿＿＿＿＿＿＿＿＿＿＿＿＿＿＿＿＿＿

＿＿＿＿＿＿＿＿＿＿＿＿＿＿＿＿＿＿＿＿＿＿＿＿＿＿＿＿＿＿＿＿＿

정　답

정답 17
(1) 도포법(방부제칠)
(2) 주입법(기압주입법)
(3) 침지법

정답 18
(1) $f_1 = \dfrac{600,000}{390 \times 190} = 8.097$,

$f_2 = \dfrac{500,000}{390 \times 190} = 6.747$,

$f_3 = \dfrac{550,000}{390 \times 190} = 7.422$,

(2) $f = \dfrac{8.097 + 6.747 + 7.422}{3}$

$= 7.42 \, N/mm^2 < 8.0 N/mm^2$
이므로 불합격

정답 19
(1) 0.05m²
(2) $1,000 \times 0.05 \div 10 = 5$일

정답 20
(1) 얇은 철판에 자름금을 내어서 당겨 만든 것으로 벽, 천장의 미장 바름에 사용되는 철물
(2) 판두께 1.2mm 이하의 얇은 판에 각종 무늬의 구멍을 천공한 것으로 장식용 라디에이터 커버 등에 사용되는 철물

정답 21
드라이브 핀(Drive Pin)

22 열가소성 수지와 열경화성 수지의 종류를 각각 2가지씩 쓰시오. (4점)

(1) 열가소성 수지 : _____

(2) 열경화성 수지 : _____

정답 22
(1) 아크릴 수지, 염화비닐 수지
※ 폴리스틸렌 수지
(2) 에폭시 수지, 페놀 수지
※ 실리콘 수지

23 공동도급(Joint Venture)의 운영방식 종류를 3가지 쓰시오. (3점)

① _____　② _____

③ _____

정답 23
① 공동이행방식
② 분담이행방식
③ 주계약자형 공동도급방식

24 그림과 같은 캔틸레버 보의 A점으로부터 우측으로 4m 위치인 C점의 전단력과 휨모멘트를 구하시오. (3점)

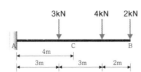

정답 24
(1) $V_{C,Right} = -[-(2)-(4)] = +6kN(\uparrow\downarrow)$
(2) $M_{C,Right} = -[+(4)(2)+(2)(4)]$
$\qquad = -16kN \cdot m(\cap)$

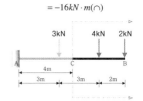

25 그림과 같은 구조물에서 부재에 발생하는 부재력을 구하시오. (3점)

정답 25
(1) $\Sigma V = 0 : -(5)-(F_C \cdot \sin 30°) = 0$
$\qquad \therefore F_C = -10kN$ (압축)
(2) $\Sigma H = 0 : +(F_T)+(F_C \cdot \sin 30°) = 0$
$\qquad \therefore F_T = +8.66kN$ (인장)

26 다음 데이터를 네트워크공정표로 작성하고, 각 작업의 여유시간을 구하시오. (10점)

작업명	작업일수	선행작업	비 고
A	5	없음	(1) 결합점에서는 다음과 같이 표시한다.
B	8	A	
C	4	A	
D	6	A	
E	7	B	
F	8	B, C, D	
G	4	D	
H	6	E	
I	4	E, F	
J	8	E, F, G	
K	4	H, I, J	(2) 주공정선은 굵은 선으로 표시한다.

① 네트워크 공정표   ② 여유시간 산정

[정답] **26**

① 네트워크 공정표

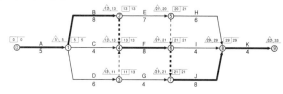

② 여유시간 산정

작업명	TF	FF	DF	CP
A	0	0	0	※
B	0	0	0	※
C	4	4	0	
D	2	0	2	
E	1	0	1	
F	0	0	0	※
G	6	6	0	
H	3	3	0	
I	4	4	0	
J	0	0	0	※
K	0	0	0	※

2018년 2회 출제문제

1 예민비(Sensitivity Ratio)의 식을 쓰고 간단히 설명하시오. (4점)

  (1) 식 : _____

  (2) 설명 : _____

2 다음이 설명하는 시공기계를 쓰시오. (4점)

> (1) 사질지반의 굴착이나 지하연속벽, 케이슨 기초 같은 좁은 곳의 수직굴착에 사용되며, 토사채취에도 사용된다. 최대 18m 정도 깊이까지 굴착이 가능하다.
> (2) 지반보다 높은 곳(기계의 위치보다 높은 곳)의 굴착에 적합한 토공장비

  (1) _____   (2) _____

3 그림과 같은 줄기초를 터파기 할 때 필요한 6톤 트럭의 필요 대수를 구하시오. (단, 흙의 1,600kg/m³이며, 흙의 할증 25%를 고려한다.) (4점)

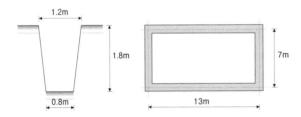

  (1) 토량 : _____

  (2) 운반대수 : _____

4 철근의 인장강도가 240MPa 이상으로 규정되어 있다고 할 때, 현장에 반입된 철근(중앙부 지름 14mm, 표점거리 50mm)의 인장강도를 시험 파괴하중이 37.20kN, 40.57kN, 38.15kN 이었다. 평균인장강도를 구하고 합격여부를 판정하시오. (5점)

  (1) 평균인장강도 : _____

  (2) 판정 : _____

5 System 거푸집 중 터널폼(Tunnel Form)을 설명하시오. (3점)

_____

_____

6 일반적인 RC건축물의 철근 조립순서를 보기에서 골라 쓰시오. (3점)

> ─────〈보 기〉─────
> ① 기둥철근   ② 기초철근   ③ 보철근
> ④ 바닥철근   ⑤ 벽철근

_____

7 콘크리트 슬럼프손실(Slump Loss)의 원인을 2가지 쓰시오. (4점)

  ① _____

  ② _____

8 다음 용어를 간단히 설명하시오. (6점)

  (1) 콜드죠인트(Cold Joint) : _____

  (2) 조절줄눈(Control Joint) : _____

  (3) 신축줄눈(Expansion Joint) : _____

정답 4

(1)
$$f_t = \frac{\frac{P_1}{A} + \frac{P_2}{A} + \frac{P_3}{A}}{3} :$$

$$= \frac{\frac{37.20 \times 10^3 + 40.57 \times 10^3 + 38.15 \times 10^3}{\frac{\pi \times 14^2}{4}}}{3}$$

$$= 251.01 MPa$$

(2) 251.01MPa ≥ 240MPa이므로 합격

정답 5

대형 형틀로서 슬래브와 벽체의 콘크리트 타설을 일체화하기 위한 것으로 한 구획 전체의 벽판과 바닥판을 ㄱ자형 또는 ㄷ자형으로 짜서 아파트 공사 등에 사용하는 거푸집

정답 6

② → ① → ⑤ → ③ → ④

정답 7

① 수화작용
② 운반시간 과다
※ 기타 : 증발에 의한 자유수 감소, 비빔과다 등

정답 8

(1) 콘크리트 시공과정 중 휴식시간 등으로 응결하기 시작한 콘크리트에 새로운 콘크리트를 이어칠 때 일체화가 저해되어 생기게 되는 줄눈
(2) 벽, 바닥판의 수축에 의한 표면균열을 방지하기 위해 설치하는 균열유도 줄눈이다.
(3) 건축물의 온도에 의한 신축팽창, 부동침하 등에 의하여 발생하는 건축의 전체적인 불규칙 균열을 한 곳에 집중시키도록 설계 및 시공시 고려되는 줄눈으로 응력해제 줄눈이다.

9 섬유보강 콘크리트에 사용되는 섬유의 종류를 3가지 쓰시오. (3점)

① _____

② _____

③ _____

정답 9
① 강섬유
② 유리섬유
③ 탄소섬유

10 다음 보기 중 매스콘크리트의 온도균열을 방지할 수 있는 기본적인 대책을 모두 골라 쓰시오. (3점)

> ─── 〈보 기〉 ───
> ㉮ 응결촉진제 사용　　　　　㉯ 중용열시멘트 사용
> ㉰ Pre-Cooling 방법 사용　　㉱ 단위시멘트량 감소
> ㉲ 잔골재율 증가　　　　　　㉳ 물시멘트비 증가

정답 10
㉯, ㉰, ㉱

11 다음이 설명하는 용어를 쓰시오. (2점)

> 콘크리트 설계기준압축강도 f_{ck} 가 40MPa 이하의 압축연단 콘크리트가 가정된 극한변형률 0.0033에 도달할 때 최외단 인장철근의 순인장변형률 ε_t 가 0.005 이상인 단면

정답 11
인장지배단면

12 인장이형철근의 정착길이를 다음과 같은 정밀식으로 계산할 때 α , β , γ , λ 가 의미하는 바를 쓰시오. (4점)

$$l_d = \frac{0.9d_b \cdot f_y}{\lambda\sqrt{f_{ck}}} \cdot \frac{\alpha \cdot \beta \cdot \gamma}{\left(\dfrac{c + K_{tr}}{d_b}\right)}$$

① α _____

② β _____

③ γ _____

④ λ _____

정답 12
① α : 철근배치 위치계수
② β : 철근 도막계수
③ γ : 철근 또는 철선의 크기계수
④ λ : 경량콘크리트계수

13 철골구조 내화피복 공법 중 습식공법을 설명하고 습식공법의 종류 2가지와 사용되는 재료를 적으시오. (4점)

(1) 습식공법 : _____

_____

(2) 공법의 종류와 사용 재료 : _____

_____

정답 **13**

(1) 철골부재의 내화성능 향상을 위하여 콘크리트 타설, 미장, 조적, 뿜칠 등 물을 사용하여 내화재료를 피복(시공)하는 방법
(2) ① 타설 공법: 콘크리트, 경량 콘크리트
② 조적 공법: 돌, 벽돌

14 그림과 같은 인장부재의 순단면적을 구하시오. (단, 판재의 두께는 10mm이며, 구멍 크기는 22mm) (4점)

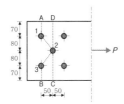

정답 **14**

(1) 파단선: A-1-3-B:
$A_n = A_g - n \cdot d \cdot t = (10 \times 300) -$
$(2)(22)(10) = 2,560 mm^2$
(2) 파단선: A-1-2-3-B:
$A_n = (10 \times 300) - (3)(22)(10) +$
$\dfrac{(50)^2}{4(80)} \cdot (10) + \dfrac{(50)^2}{4(80)} \cdot (10)$
$= 2,496.25 mm^2$
(1), (2) 중 작은값이므로 $2,496.25 mm^2$

15 재질과 단면적 및 길이가 같은 다음 4개의 장주에 대해 유효좌굴길이가 가장 큰 기둥을 순서대로 쓰시오. (3점)

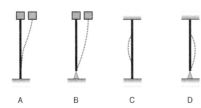

정답 **15**
B → A → D → C

16 다음 괄호 안에 알맞은 숫자를 쓰시오. (4점)

> 보강콘크리트블록조의 세로철근은 기초보 하단에서 윗층까지 잇지 않고 철근지름의 (①)배 이상 정착시키고, 피복두께는 (②)mm 이상으로 한다.

① _____ ② _____

정답 **16**

① : 40
② : 20

17 조적조 블록벽체의 습기침투의 원인을 4가지 쓰시오. (4점)

① _____

② _____

③ _____

④ _____

정답 **17**

① 줄눈의 시공 불량 및 균열
② 재료자체의 방수성 결여 및 보양불량
③ 물흘림, 물끊기, 비막이 미설치
④ 개구부 창호재 접합부의 시공 불량

18 목재의 인공건조법의 종류를 3가지 쓰시오. (3점)

① _____ ② _____

③ _____

정답 **18**

① 대류법(증기법)
② 송풍법
③ 고주파법(진공법)

19 깨진 석재를 붙일 수 있는 접착제를 1가지 쓰시오. (3점)

_____

정답 **19**

에폭시(Epoxy) 수지 접착제

20 다음이 설명하는 용어를 쓰시오. (3점)

> 특수화학제를 첨가한 레디믹스트몰탈(Ready Mixed Mortar)에 대리석분말이나 세라믹분말제를 혼합한 재료를 물과 혼합하여 1~3mm 두께로 바르는 것

_____

정답 **20**

수지미장 혹은 수지 플라스터 바름

21 다음이 설명하는 용어를 쓰시오. (2점)

수장공사 시 바닥에서 1m~1.5m 정도의 높이까지 널을 댄 것

징두리벽 혹은 징두리 판벽

22 다음이 설명하는 용어를 쓰시오. (3점)

건축주와 시공자가 공사실비를 확인정산하고 정해진 보수율에 따라 시공자에게 지급하는 방식

실비청산(정산) 보수 가산방식 혹은 실비청산(정산) 비율보수 가산방식

23 다음의 입찰 방법을 간단히 설명하시오. (6점)

(1) 공개경쟁입찰 : _____

(2) 지명경쟁입찰 : _____

(3) 특명입찰 : _____

(1) 참가자를 공모하여 유자격자를 모두 입찰에 참여시키는 방식이다.
(2) 공사에 적격한 3~7개 업자를 선정하여 입찰에 참여시키는 방법
(3) 건축주가 시공에 적합하다고 인정하는 단일 업자를 선정 발주하는 방식

24 다음 데이터를 네트워크공정표로 작성하시오. (8점)

작업명	작업일수	선행작업	비 고
A	2	없음	(1) 결합점에서는 다음과 같이 표시한다.
B	3	없음	
C	5	A	EST|LST LFT|EFT
D	5	A, B	①—작업명/소요일수→ⓙ
E	2	A, B	
F	3	C, D, E	(2) 주공정선은 굵은 선으로 표시한다.
G	5	E	

정답 24

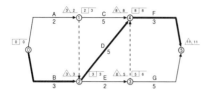

25 단면2차모멘트의 비 I_x / I_y를 구하시오. (4점)

정답 25

$$\frac{I_x}{I_y} = \frac{\dfrac{(300)(600)^3}{12} + (300 \times 600)(300)^3}{\dfrac{(600)(300)^3}{12} + (600 \times 300)(150)^3} = 4$$

26 다음 그림과 같은 독립기초에 발생하는 최대압축응력[MPa]을 구하시오. (4점)

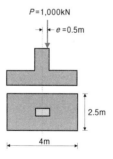

정답 26

$$\sigma_{max} = -\frac{P}{A} - \frac{M}{Z} = -\frac{(1,000 \times 10^3)}{(2,500 \times 4,000)}$$
$$- \frac{(1,000 \times 10^3)(500)}{\dfrac{(2,500)(4,000)^2}{6}} = -0.175N/mm^2$$
$$= -0.175MPa \ (압축)$$

2018년 3회 출제문제

1 언더피닝공법을 설명하고, 그 공법의 종류를 2가지 쓰시오. (4점)

  (1) 공법의 설명 : _____

  _____

  (2) 공법의 종류 : _____

  _____

2 염분을 포함한 바다모래를 골재로 사용하는 경우 철근 부식에 대한 방청상 유효한 조치를 4가지 쓰시오. (4점)

  ① _____   ② _____

  ③ _____   ④ _____

3 다음의 거푸집 공법을 설명하시오. (4점)

  (1) 슬립폼(Slip Form) : _____

  (2) 트래블링폼(Traveling Form) : _____

4 다음은 거푸집공사에 관계되는 용어 설명이다. 알맞은 용어를 쓰시오.

  (1) 슬래브에 배근되는 철근이 거푸집에 밀착되는 것을 방지하기 위한 간격재(굄재)

  _____

  (2) 벽거푸집이 오므라드는 것을 방지하고 간격을 유지하기 위한 격리재

  _____

  (3) 콘크리트에 달대와 같은 설치물을 고정하기 위하여 매입하는 철물

  _____

  (4) 거푸집의 간격을 유지하며 벌어지는 것을 막는 긴장제

  _____

정 답

정답 1

(1) 인접한 건물 또는 구조물의 지반이나 기초를 보강하는 공법을 말한다.

(2) ① 이중널말뚝 설치공법
    ② 현장타설 콘크리트 말뚝설치보강법
    ③ Mortar 및 약액주입법

정답 2

① 철근 표면에 아연도금 처리
② 콘크리트에 방청제 혼입
③ 에폭시 코팅 철근사용
④ 골재에 제염제 혼합사용
⑤ W/C비 적게, 철근피복두께 확보

정답 3

(1) 시공 이음없이 연속으로 콘크리트를 타설하기 위한 수직활동 거푸집공법으로 곡물 창고(Silo) 등의 시공에 사용된다.

(2) System 거푸집으로 한구간의 Concrete를 타설 후 다음 구간으로 수평이동이 가능한 거푸집 공법을 말한다.

정답 4

(1) 스페이서(Spacer)
(2) 세퍼레이터(Separater)
(3) 인서트(Insert)
(4) 폼타이(Form Tie : 긴결재)

---

5 시멘트의 응결시간에 영향을 미치는 요소를 3가지 설명하시오. (3점)

> 온도가 낮고 습도가 높을수록 응결이 느리다.
> (※ 단, 예시는 정답을 쓸 때 참고로 하되 예시와 동일하게 답을 기재
> 　하는 경우는 정답처리 안함)

①　_____

②　_____

③　_____

6 콘크리트공사와 관련된 다음 용어를 간단히 설명하시오. (4점)

가. 콜드조인트(Cold Joint) :　_____

_____

나. 블리딩(Bleeding) :　_____

_____

7 프리스트레스트 콘크리트(Pre-Stressed Concrete) 공법에서 프리텐션(Pre-Tension)방식과 포스트텐션(Post-Tension) 방식에 대하여 설명하시오. (4점)

(1) Pre-Tension :　_____

(2) Post-Tension :　_____

8 다음 조건의 철근콘크리트 부재의 부피와 중량을 구하시오. (4점)

(1) 보 : 단면 300mm×400mm, 길이 1m, 150개

① 부피 :　_____　② 중량 :　_____

(2) 둥 : 단면 450mm×600mm, 길이 4m, 50개

① 부피 :　_____　② 중량 :　_____

정답 5

① 시멘트의 분말도가 크면 응결이 빠르다.

② 시멘트의 화학성분중 알민산 3석회가 많을수록 응결이 빠르다.

④ 물시멘트비가 클수록 응결이 느리다.

⑤ 풍화된 시멘트일수록 응결이 느리다.

※ 온도가 높고, 습도가 낮을수록 응결이 빠르다.

정답 6

가. 콘크리트 시공과정 중 휴식시간 등으로 응결하기 시작한 콘크리트에 새로운 콘크리트를 이어칠때 일체화가 저해되어 생기게 되는 줄눈

나. 아직 굳지 않은 시멘트풀, 몰탈 및 콘크리트에서 물이 윗면에 스며오르는 현상 (일종의 재료분리 현상)

정답 7

(가) 강현재에 인장력을 가한 상태로 콘크리트를 부어 넣고 경화후 단부에서 인장력을 풀어주어 콘크리트에 압축력을 가한다.

(나) 쉬드를 설치하고 콘크리트를 경화시킨 뒤 쉬드 구멍에 강현재를 삽입, 긴장시키고, 시멘트 페이스트로 그라우팅 한 후 인장력을 풀어준다.

정답 8

(1) ① $0.3 \times 0.4 \times 1 \times 150 = 18m^3$
　　② $1.8 \times 2,400 = 43,200kg$

(2) ① $0.45 \times 0.6 \times 4 \times 50 = 54m^3$
　　② $54 \times 2,400 = 129,600kg$

9 두께 0.15m, 너비 6m, 길이 100m 도로를 6m³ 레미콘을 이용하여 하루 8시간 작업시 레미콘 배차간격은 몇 분(min)인가? (3점)

(1) 소요 콘크리트량 :
$$0.15 \times 6 \times 100 = 90m^3$$

(2) 7m³ 레미콘 차량대수 : $\dfrac{90}{6} = 15$ 대

(3) 배차간격 : $\dfrac{8 \times 60}{15} = 32$ 분

---

10 그림과 같은 RC보에서 최외단 인장철근의 순인장변형률(ε_t)를 산정하고, 지배단(인장지배단면, 압축지배단면, 변화구간단면)을 구분하시오. (단, $A_s = 1,927mm^2$, $f_{ck} = 24MPa$, $f_y = 400MPa$, $E_s = 200,000MPa$) (4점)

(1) $f_{ck} \leq 40MPa \rightarrow \eta = 1.00$, $\beta_1 = 0.80$

(2) $a = \dfrac{A_s \cdot f_y}{\eta(0.85f_{ck}) \cdot b}$

$\quad = \dfrac{(1,927)(400)}{(1.00)(0.85 \times 24)(250)} = 151.13mm$,

$\quad c = \dfrac{a}{\beta_1} = \dfrac{(151.13)}{(0.80)} = 188.91mm$

(3) $\varepsilon_t = \dfrac{d_t - c}{c} \cdot \varepsilon_c$

$\quad = \dfrac{(450) - (188.91)}{(188.91)} \cdot (0.0033) = 0.00456$

(4) $0.0020 < \varepsilon_t (= 0.00456) < 0.005$
$\quad \rightarrow$ 변화구간단면

---

11 인장철근만 배근된 철근콘크리트 직사각형 단순보에 하중이 작용하여 순간처짐이 5mm 발생하였다. 5년 이상 지속하중이 작용할 경우 총처짐량(순간처짐＋장기처짐)을 구하시오. (단, 장기처짐계수 $\lambda_\Delta \dfrac{\xi}{1 + 50\rho©}$ 을 적용하며 시간경과계수는 2.0으로 한다.) (4점)

(1) $\lambda_\Delta \dfrac{(2.0)}{1 + 50(0)} = 2$

(2) 장기처짐 ＝ 탄성처짐×λ_Δ ＝ (5)(2)
$\quad = 10mm$

(3) 총처짐 ＝ (5) ＋ (10) ＝ 15mm

---

12 그림과 같은 콘크리트 기둥이 양단힌지로 지지되었을 때 약축에 대한 세장비가 1500이 되기 위한 기둥의 길이(m)를 구하시오. (3점)

$\lambda = \dfrac{(1.0)L}{\sqrt{\dfrac{(200)(150)^3}{12}}{(200 \times 150)}} = 150$ 으로부터

$L = 6,495mm = 6.495m$

13 철골세우기용 기계설비를 3가지만 쓰시오. (3점)

① _____　　　② _____

③ _____

① 가이데릭
② 스티프 레그데릭
③ 트럭 크레인
④ 타워 크레인

14 철골공사에서 철골에 녹막이칠을 하지 않는 부분 3가지만 쓰시오. (3점)

① _____

② _____

③ _____

① 고력Bolt 접합부의 마찰면
② 콘크리트에 매립되는 부분
③ 기계 절삭 마무리면
④ 용접부위 인접 100mm 부분과 초음파 탐상검사에 영향을 미치는 범위

15 조적조를 바탕으로 하는 지상부 건축물의 외부벽면 방수방법의 내용을 3가지 쓰시오. (3점)

① _____　　　② _____

③ _____

① 시멘트 액체 방수
② 수밀재 붙임 방법
③ 도막 방수 공법

16 조적구조의 안전규정에 대한 다음 문장중 (　　)안에 적당한 내용을 쓰시오. (4점)

• 조적조 대린벽으로 구획된 벽길이는 (　①　) 이하이어야 하며, 내력벽으로 둘러싸인 바닥면적은 (　②　) 이하이어야 한다.

① _____　　　② _____

① 10m
② 80m²

17 목재의 방부처리방법을 세가지 쓰고, 그 내용을 설명하시오. (3점)

① _____

② _____

③ _____

① 주입법 : 방부제를 상압주입이나 가압하여 나무깊이 주입하는 방법
② 도포법 : 방부제칠이나 유성페인트, 아스팔트재료 등을 칠하는 방법
③ 침지법 : 방부액이나 물에 담가두는 방법

18 공사 현장에서 가공, 절단이 불가능하여 사용치수로 주문 제작해야 하는 유리의 명칭 3 가지를 쓰시오. (3점)

① _____ ② _____

③ _____

정답 18
① 강화유리
② 복층유리(Pair Glass)
③ 스테인드 글라스
④ 유리블록(Glass Block)

참고사항
■ 망입유리, 접합유리는 현장절단 가능

19 건축공사표준시방서에 따른 금속재 커튼월과 관련된 Mock-up Test(실물대 모형시험)의 시험 항목을 4가지 쓰시오. (4점)

① _____ ② _____

③ _____ ④ _____

정답 19
① 예비시험
② 기밀시험
③ 정압수밀시험
④ 동압수밀시험
※ 구조시험

20 공동도급(Joint Venture Contract)의 장점을 4가지만 쓰시오. (4점)

① _____ ② _____

③ _____ ④ _____

정답 20
① 위험의 분산
② 자본력, 신용도의 증대
③ 공사이행의 확실성 보장
④ 공사도급경쟁의 완화수단이 된다.

21 다음 용어를 설명하시오. (4점)

(1) 적산(積算) : _____

(2) 견적(見積) : _____

정답 21
(1) 재료 및 품의 수량과 같은 공사량을 산출하는 기술활동
(2) 공사량에 단가를 곱하여 공사비를 산출하는 기술활동

22 공사를 수행할 때 시공자는 환경관리와 친환경시공과 관련된 환경관리 계획서를 발주자 또는 담당원에게 제출을 하여 승인을 받아야 하는데 이 환경관리 계획서에 포함될 항목을 4가지 서술하시오. (4점)

(1) _____ (2) _____

(3) _____ (4) _____

정답 22
(1) 건설폐기물 저감 및 재활용 계획
(2) 산업부산물 재활용계획
(3) 작업장, 대지 및 대지 주변의 환경관리계획
(4) 온실가스 배출 저감 계획
(5) 천연자원 사용 저감 계획
(6) 수자원 활용 계획

23 건설산업 중 종합건설업(General construction)에 대하여 설명하시오. (3점)

정답 **23**
사업의 발굴에서 기획·설계·시공·인도 및 유지관리에 이르기까지 사업전과정의 업무수행능력을 갖춘 종합건설업체를 말한다. (EC 화된 업체로 제네콘이라고도 함)

24 다음 데이터를 네트워크공정표로 작성하고, 각 작업의 여유시간을 구하시오. (10점)

작업명	작업일수	선행작업	비　　고
A	2	없음	(1) 결합점에서는 다음과 같이 표시한다.
B	3	없음	
C	5	없음	
D	4	없음	
E	7	A, B, C	(2) 주공정선은 굵은 선으로 표시한다.
F	4	B, C, D	

① 네트워크 공정표　　　　　　② 여유시간 산정

정답 **24**

① 네트워크 공정표

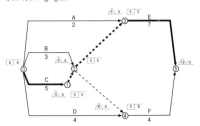

② 여유시간 산정

작업명	TF	FF	DF	CP
A	3	3	0	
B	2	2	0	
C	0	0	0	※
D	4	1	3	
E	0	0	0	※
F	3	3	0	

25 단순보의 전단력도가 그림과 같을 때 보의 최대 휨모멘트를 구하시오. (4점)

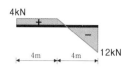

정답 **25**

(1) 전단력이 0인 곳에서 휨모멘트 가 최대가 된다. 따라서, B점 에서 전단력이 0인 위치까지의 거리를 x라 하면 삼각형 닮음 비 $12 : x = (12+4) : 4$ 이므로
$$\therefore x = 3m$$

(2) 임의 위치에서의 휨모멘트는 그 위치의 좌측 또는 우측 한 쪽의 전단력도 면적과 같다.
$$\therefore M_{max} = \frac{1}{2} \times 12 \times 3 = 18 kN \cdot m$$

26 그림과 같은 트러스의 V_2, U_2, L_2의 부재력(kN)을 절단법으로 구하시오. (단, $-$는 압축력, $+$는 인장력으로 부호를 반드시 표시하시오.) (6점)

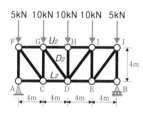

정답 26

(1) 하중과 경간이 좌우 대칭이므로 ∴ $V_A = +20kN(\uparrow)$

(2) V_2 부재의 부재력을 구하기 위해 트러스구조는 전단력이 생기지 않는다는 조건을 적용한다.

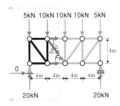

$$V = 0 : +(20) - (5) - (10) - \left(F_{V_2} \frac{1}{\sqrt{2}}\right) = 0 \qquad \therefore F_{V_2} = +5\sqrt{2}kN \,(\text{인장})$$

(3) U_2 부재의 부재력을 구하기 위해 하현 절점D에서 모멘트를 계산한다.

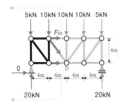

$$M_{D,Left} = 0 : +(20)(8) - (5)(8) - (10)(4) + (F_{U_2})(4) = 0 \qquad \therefore F_{U_2} = -20kN \,(\text{압축})$$

(4) L_2 부재의 부재력을 구하기 위해 상현 절점G에서 모멘트를 계산한다.

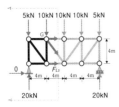

$$M_{G,Left} = 0 : +(20)(4) - (5)(4) - (F_{L_2})(4) = 0 \qquad \therefore F_{L_2} = +15kN \,(\text{인장})$$

2019년 1회 출제문제

1 목재를 천연건조(자연건조)시 장점에 대하여 2가지를 쓰시오. (4점)

① _____

② _____

2 고강도 콘크리트 화재 시 발생하는 폭렬현상의 방지책 2가지를 쓰시오. (4점)

① _____

② _____

3 굳지않은 콘크리트의 시공연도(Workability)를 측정하는 시험 종류를 3가지 쓰시오. (3점)

① _____ ② _____

③ _____

4 흙막이 공법 중 어스 앵커(Earth Anchor) 공법에 대하여 설명하시오. (3점)

_____

_____

5 다음 [보기]에서 설명하는 구조의 명칭을 쓰시오. (3점)

> 강구조물 주위에 철근배근을 하고 그 위에 콘크리트가 타설되어 일체가 되도록
> 한 것으로서, 초고층 구조물 하층부의 복합구조로 많이 채택되는 구조

_____

정 답

정답 **1**
① 특별한 건조장치가 필요없다.
② 다량의 목재를 일시에 건조가능
③ 재질의 강도 저하가 적게 발생함

참고 단점
① 건조시간이 길며 넓은 장소가 필요함
② 변색, 부패 등 손상을 입기 쉬운 결점

정답 **2**
① 합성섬유(유기섬유)를 혼입
② 콘크리트 피복두께의 증가
③ 단위수량을 줄이는 배합
④ 내화피복을 하거나 단열시공

정답 **3**
① Slump 시험
② Flow 시험
③ Vee-Bee 시험
④ 구관입 시험
⑤ 리몰딩 시험
※ Slump Flow 시험

정답 **4**
흙막이 설치후 흙막이 배면을 Earth Drill로 천공하여 인장재와 Mortar를 주입. 경화시킨 후 강재의 인장력에 의해서 토압을 지지하게 하는 흙막이 공법

정답 **5**
매입형 합성기둥
(Composite Column)

6 다음 설명에 해당되는 용접결함의 용어를 쓰시오. (4점)

(가) 용접금속과 모재가 융합되지 않고 단순히 겹쳐지는 것

(나) 용접상부에 모재가 녹아 용착금속이 채워지지않고 흠으로 남게 된 부분

(다) 용접봉의 피복재 용해물인 회분이 용착금속내에 혼입된 것

(라) 용융금속이 응고할 때 방출되었어야 할 가스가 남아서 생기는 용접부의 빈 자리

(가) _____   (나) _____

(다) _____   (라) _____

[정답] **6**
(가) Overlap
(나) Under Cut
(다) Slag 감싸들기
(라) Blow hole

---

7 커튼월과 관련된 Mock-up Test(실물대 모형시험)의 시험 항목을 4가지 쓰시오. (단, 건축공사표준시방서(KCS) 규정에 따라서 답하시오.) (4점)

① _____   ② _____

③ _____   ④ _____

[정답] **7**
① 예비시험
② 기밀시험
③ 정압수밀시험
④ 동압수밀시험
※ 구조시험

---

8 철골 공사에서 사용되는 다음 용어를 간단히 설명하시오. (4점)

(가) 밀시트 : _____

_____

(나) 뒷댐재 : _____

_____

[정답] **8**
(가) 철강제품의 품질보증을 위해 공인된 시험기관에서 발급하는 제조업체의 품질보증서
(나) 한면 맞댄용접시 용융금속의 녹아 떨어짐(용락)을 방지하기 위해 루트(Root) 간격 하부에 대어 주는 받침쇠를 말함.

---

9 멤브레인 방수공법의 하나인 시트 방수의 장, 단점을 각각 2가지씩 기재하시오. (4점)

가. 장점 ① _____

② _____

나. 단점 ① _____

② _____

[정답] **9**
가. 장점
① 제품의 규격화로 방수층 두께가 균일하다.
② 상온에서 시공하므로 시공이 빠르고, 공기가 단축된다.
나. 단점
① 온도에 민감하여, 동절기나 하절기에 작업이 제한된다.
② 복잡한 시공부위에 작업이 곤란한다.
※ ① 누수시 국부적인 보수가 곤란하다.

정　답

10 다음이 설명하는 구조의 명칭을 쓰시오. (2점)

> 건축물의 기초 부분 등에 적층고무 또는 미끄럼받이 등을 넣어서 지진에 대한 건축물의 흔들림을 감소시키는 구조

정답 **10**
면진구조

11 숏 크리트(Shot Crete)를 설명하고, 장·단점을 2가지씩 쓰시오. (6점)

(가) 숏 크리트 : _____

_____

(나) 장점 :

　① _____　② _____

(다) 단점 :

　① _____　② _____

정답 **11**
(가) 모르타르를 압축공기로 분사하여 바르는 것으로 Sprayed Concrete라고도 한다.
(나)
① 표면의 경도, 강도 증진
② 수밀성, 내구성 증진(보강)
③ 밀폐된 공간의 충전성 우수
(다)
① 다공질이고 외관이 거칠다.
② 수축이 크고, 균열발생 우려
③ 분진 발생, 재료낭비가 심함.

12 다음 조건하에서 파워쇼벨의 1시간당 추정 굴착작업량을 산출하시오. (4점)

> - $q = 0.8 m^3$　　　- $k = 0.8$　　　- $f = 0.7$
> - $E = 0.83$　　　- $Cm = 40\,sec$

정답 **12**
$$Q = \frac{3,600 \times 0.8 \times 0.8 \times 0.7 \times 0.83}{40}$$
$$= 33.47 m^3$$

13 다음과 같은 조건의 철근콘크리트 띠철근 기둥의 설계축하중　$\phi P_n (kN)$ 을 구하시오.
　(조건 : $f_{ck} = 24MPa$, $f_y = 400MPa$, $8 - HD22$, $HD22$ 한 개의 단면적은 387mm², 강도감소계수 $\phi = 0.65$) (3점)

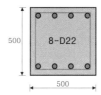

500

8-D22

500

정답 **13**
$$\phi P_n = (0.65)(0.80)[0.85(24) \cdot \{(500 \times 500)$$
$$- (8 \times 387)\} + (400)(8 \times 387)]$$
$$= 3,263,125N = 3,263.125kN$$

14 커튼월 알루미늄바 설치시 절단면이나 이음, 연결부에서 발생가능한 누수 방지 대책을 시공적 측면에서 4가지를 기재하시오. (4점)

(가) _____

(나) _____

(다) _____

(라) _____

정답 14

(가) 알루미늄바 접합부나 연결부 위에 실런트(방수, 코킹) 처리
(나) Frame 내외부 노출부 볼트, 스크류 접합부에 실런트(방수, 코킹) 처리
(다) 알루미늄 바에 Gasket이나 단열재료를 처리
(라) 알루미늄 바에 물받이 설치
※ 기타
① Weep Hole 설치로 외부로 결로수 배출
② 알루미늄 바와 Fastener를 절연시킴

15 그림과 같은 3-Hinge 라멘에서 A지점의 수평반력을 구하시오. (3점)

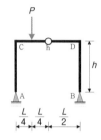

정답 15

(1) $\sum M_B = 0 : +(V_A)(L) - (P)\left(\dfrac{3L}{4}\right) = 0$

$\therefore V_A = +\dfrac{3P}{4}(\uparrow)$

(2) $M_{h,Left} = 0 : +\left(\dfrac{3P}{4}\right)\left(\dfrac{L}{2}\right) - (P)\left(\dfrac{L}{4}\right)$

$\qquad\qquad - (H_A)(h) = 0$

$\therefore H_A = +\dfrac{PL}{8h}(\rightarrow)$

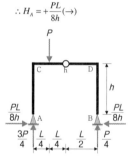

16 다음은 건축공사표준시방서에 따른 거푸집널 존치기간 중의 평균기온이 10℃ 이상인 경우에 콘크리트의 압축강도 시험을 하지 않고 거푸집을 떼어 낼 수 있는 콘크리트의 재령(일)을 나타낸 표이다. 빈 칸에 알맞은 날수를 표기하시오. (단, 기초, 보, 기둥 및 벽의 측면의 경우) (4점)

평균기온 \ 시멘트의 종류	조강포틀랜드시멘트	보통포틀랜드 시멘트
20℃ 이상	(가)	(다)
20℃ 미만 10℃ 이상	(나)	(라)

정답 16

(가) 2일
(나) 3일
(다) 4일
(라) 6일

17 아래 설명에 맞는 용어를 기재하시오. (3점)

> 철골부재의 접합에 사용되는 고장력볼트 중 볼트의 장력 관리를 손쉽게 하기 위한 목적으로 개발된 것으로 본조임 시 전용조임기를 사용하며, 나사부 선단에 6각형 단면의 브레이크 넥이 설치된 볼트로 조임토크가 일정한 값이 되었을 때 브레이크 넥이 파단되는 고력볼트

[정답] **17**
볼트축전단형 고력볼트
※ Torque Shear Type의 고력 Bolt (T/S 고력Bolt)

18 다음이 설명하는 콘크리트의 줄눈 명칭을 쓰시오. (2점)

> 콘크리트 경화 시 수축에 의한 균열을 방지하고 바닥판에서 발생하는 수평 움직임을 조절하기 위하여 설치한다. 벽과 슬래브 등 균열이 예상되는 위치에 인위적으로 약한 단면 결손부분을 만들어 타부분의 균열을 억제하는 역할을 수행한다.

[정답] **18**
조절줄눈(Control Joint)

19 지반조사 방법 중 사운딩의 정의와 종류를 2가지 쓰시오. (4점)

(1) 사운딩 : _____

(2) 종류 :

　　① _____　② _____

[정답] **19**
(1) 사운딩 : 저항체를 땅속(지중)에 삽입하여 관입, 회전, 인발 저항으로 지층을 탐사하는 원위치 시험을 말한다.
(2) ① 표준관입시험 (Standard Penetration Test)
② Vane Test
③ 스웨덴식 사운딩
④ 화란식 사운딩

20 다음 데이터를 네트워크공정표로 작성하고, 각 작업의 여유시간을 구하시오. (10점)

작업명	작업일수	선행작업	비　　고
A	3	없음	(1) 결합점에서는 다음과 같이 표시한다.
B	2	없음	
C	4	없음	EST LST　　　　　LFT EFT
D	5	C	①　작업명→ⓙ
E	2	B	소요일수
F	3	A	(2) 주공정선은 굵은 선으로 표시한다.
G	3	A, C, E	
H	4	D, F, G	

① 네트워크 공정표　　　　　　　② 여유시간 산정

정답 **20**

① 네트워크 공정표

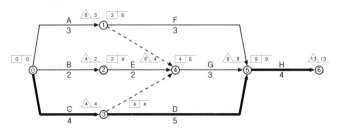

② 여유시간 산정

작업명	TF	FF	DF	CP
A	3	0	3	
B	2	0	2	
C	0	0	0	※
D	0	0	0	※
E	2	0	2	
F	3	3	0	
G	2	2	0	
H	0	0	0	※

21 기초와 기정의 차이점을 기술하시오. (4점)

(1) 기초 : _____

(2) 지정 : _____

정답 **21**

(1) 건축물의 최하부에서 상부구조의 하중을 받아서 지반에 안전하게 전달시키는 구조부분

(2) 기초밑면을 보강하거나 지반의 지지력을 보강해주기 위한 부분

22 콘크리트 응결 경화시 콘크리트 온도 상승 후 냉각하면서 발생하는 온도균열방지 대책 3가지를 쓰시오. (3점)

(1) _____

(2) _____

(3) _____

정답 **22**

(1) 단위시멘트 사용량을 가능한 작게 한다.

(2) 수화열이 낮은 시멘트를 사용

(3) 프리쿨링, 파이프 쿨링 등에 의해 온도제어

(4) 콘크리트 타설 온도를 낮출 것

(5) 내·외부의 온도차이를 작게 할 것

23 다음 유리를 설명하시오. (4점)

(가) 접합 유리(Laminated Glass) : _____

_____

(나) Low-E(로이) 유리 : _____

_____

정답 23

(가) 합판유리, 합유리라고도 하며, 두 장 이상의 판유리 사이에 합성수지를 겹붙여 댄 것

(나) Low-Emissivity Glass의 약칭으로 유리의 한쪽 표면에 얇은 은박(Ag)을 입힌 일종의 열선 반사유리를 말한다. 가시광선 투과율이 높고 열선의 투과율은 낮은 에너지 절약형 유리이다.

24 철근콘크리트 보의 춤이 700mm이고, 부모멘트를 받는 상부단면에 HD25철근이 배근되어 있을 때, 철근의 인장정착길이(l_d)를 구하시오. (단, $f_{ck} = 25 MPa$, $f_y = 400 MPa$, 철근의 순간격과 피복두께는 철근직경 이상이고, 상부철근 보정계수는 1.3을 적용하며, 도막되지 않은 철근, 보통중량콘크리트를 사용) (3점)

_____

_____

정답 24

$$l_d = \frac{0.6(25)(400)}{(1.0)\sqrt{25}} \times 1.3 \times 1.0 = 1,560\,mm$$

25 큰 처짐에 의하여 손상되기 쉬운 칸막이벽이나 기타 구조물을 지지 또는 부착하지 않은 부재의 경우, 다음 표에서 정한 최소두께를 적용하여야 한다. 표의 ( )안에 알맞은 숫자를 써 넣으시오. (단, 표의 값은 보통중량콘크리트와 설계기준항복강도 400MPa 철근을 사용한 부재에 대한 값임) (3점)

【처짐을 계산하지 않는 경우의 보 또는 1방향 슬래브의 최소 두께기준】

단순지지된 1방향 슬래브	L / ( )
1단연속된 보	L / ( )
양단연속된 리브가 있는 1방향 슬래브	L / ( )

정답 25

20, 18.5, 21

26 강구조 부재에서 비틀림이 생기지 않고 휨변형만 유발하는 위치를 전단중심(Shear Center)이라 한다. 다음 형강들에 대하여 전단중심의 위치를 각 단면에 표기하시오. (5점)

정답 26

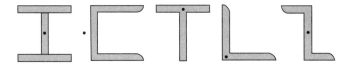

2019년 2회 출제문제

1 다음 설명에 알맞은 계약방식을 쓰시오. (4점)

(1) (   ) : 발주측이 프로젝트 공사비를 부담하는 것이 아니라 민간부분 수주측이 설계, 시공 후 일정기간 시설물을 운영하여 투자금을 회수하고 시설물과 운영권을 무상으로 발주측에 이전하는 방식

(2) (   ) : 사회간접시설물을 민간부분 주도하에 설계, 시공 후 소유권을 공공부분에 먼저 이양하고, 약정기간 동안 그 시설물을 운영하여 투자금액을 회수하는 방식

(3) (   ) : 민간부분이 설계, 시공 주도 후 그 시설물의 운영과 함께 소유권도 민간에 이전되는 방식

(4) (   ) : 건축주는 발주시에 설계도서를 사용하지 않고 요구성능만을 표시하고 시공자는 거기에 맞는 시공법, 재료 등을 자유로이 선택할 수 있게 하는 일종의 특명입찰방식

2 칸막이벽 면적 20m²를 표준형벽돌 1.5B 두께로 쌓고자 한다. 이 때 현장에 반입하여야 하는 벽돌의 수량(소요량)을 산출하시오. (단, 줄눈두께 10mm) (3점)

_____

_____

3 한중기 콘크리트의 초기 동해를 방지할 수 있는 대책을 2가지만 쓰시오. (4점)

① _____

② _____

4 기둥의 재질과 단면 크기가 모두 같은 그림과 같은 4개의 장주의 좌굴길이를 쓰시오. (4점)

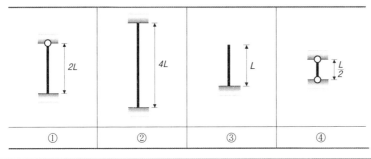

| ① | ② | ③ | ④ |

---

5 역타설 공법(Top-Down Method)의 장점을 4가지 쓰시오. (4점)

① _____

② _____

③ _____

④ _____

6 커튼월 공사 시 누수방지대책과 관련된 다음 용어에 대해 설명하시오. (4점)

(1) Closed Joint : _____

(2) Open Joint : _____

7 금속판 지붕공사에서 금속기와의 설치순서를 번호로 나열하시오. (4점)

〈보기〉
① 서까래 설치(방부처리를 할 것)
② 금속기와 Size에 맞는 간격으로 기와걸이 미송각재 설치
③ 경량철골 설치
④ Purlin 설치(지붕 레벨 고려)
⑤ 부식방지를 위한 철골 용접부위 방청도장 실시
⑥ 금속기와 설치

_____

8 슬러리월(Slurry Wall) 공법에 대한 다음 보기의 설명 중 빈칸에 들어갈 알맞은 말을 쓰시오. (3점)

〈보기〉
지하연속벽 공법인 슬러리월은 먼저 안내벽(Guide Wall)을 설치한 후 (①)을 (를) 사용하여 지반을 굴착하고 (②)을(를) 일으켜 세워서 설치한 후 (③)을 (를) 타설하여 지중에 연속벽체를 형성하는 공법으로 흙막이의 안정성이 뛰어나 며, 차수성능이 우수하다.

① _____   ② _____

③ _____

정답 **5**
① 주변지반과 건물에 악영향이 없는 안정적공법이다.
② 지상, 지하 동시작업으로 공기가 단축된다.
③ 1층 바닥판을 작업장으로 활용이 가능하다.
④ 천후와 무관한 전천후 작업이 가능하다.

정답 **6**
(1) 이음부(Joint)를 완전 밀폐시켜 홈을 밀봉시키는 방식으로 고층건물에 사용
(2) 등압이론에 따라 내·외부면 사이에 공기층을 만들어서 배수하는 방식. 주로 초고층 건물에 적용

정답 **7**
③ → ④ → ⑤ → ① → ② → ⑥

정답 **8**
① 안정액(Bentonite)
② 철근망
③ 콘크리트

9 콘크리트 온도균열을 제어하는 방법으로 널리 사용되는 Pre-Cooling 방법과 Pipe-Cooling 방법을 설명하시오. (4점)

(1) Pre-Cooling : _____

(2) Pipe-Cooling : _____

10 기둥축소(Column Shortening) 현상에 대한 다음 항목을 기술하시오. (5점)

(1) 원인 : _____

(2) 기둥축소에 따른 영향 3가지 :

① _____　② _____

③ _____

11 철근콘크리트구조에서 균열모멘트를 구하기 위한 콘크리트의 파괴계수 f_r 을 구하시오. (단, 모래경량콘크리트 사용, $f_{ck} = 21MPa$) (4점)

_____

_____

12 그림과 같은 단순보의 최대 휨응력을 구하시오. (단, 보의 자중은 무시한다.) (3점)

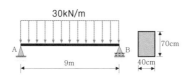

_____

_____

정답 9

(1) 콘크리트 재료의 일부 또는 전부를 냉각시키거나, 냉각수 등을 사용하여 콘크리트의 온도를 낮추는 방법

(2) 콘크리트 타설 전에 파이프를 배관하고 파이프 내로 냉각수나 찬공기를 순환시켜 콘크리트의 온도를 낮추는 방법

정답 10

가. 구조의 차이, 재료의 재질에 따른 응력차이, Creep 변형 등

나. ① 슬래브의 처짐
　　② 창호의 개폐불량

※ 수직 배관의 손상, 커튼월의 손상

정답 11

$f_r = 0.63\lambda\sqrt{f_{ck}} = 0.63(0.85)\sqrt{(21)}$
　 $= 2.45MPa$

정답 12

$\sigma_{max} = \dfrac{M_{max}}{Z} = \dfrac{\dfrac{wL^2}{8}}{\dfrac{bh^2}{6}} = \dfrac{\dfrac{(30)(9\times10^3)^2}{8}}{\dfrac{(400)(700)^2}{6}}$

$= 9.30N/mm^2 = 9.30MPa$

13 아래 그림에서와 같이 터파기를 했을 경우, 인접 건물의 주위 지반이 침하할 수 있는 원인을 3가지만 쓰시오. (단, 일반적으로 인접하는 건물보다 깊게 파는 경우) (3점)

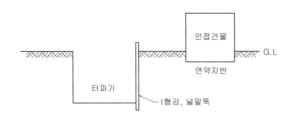

① _____   ② _____

③ _____

14 다음 데이터를 네트워크공정표로 작성하고, 각 작업의 여유시간을 구하시오. (10점)

작업명	작업일수	선행작업	비 고
A	5	없음	(1) 결합점에서는 다음과 같이 표시한다.
B	6	없음	
C	5	A	$\boxed{EST \mid LST}$ $\triangle LFT \mid EFT$
D	2	A, B	작업명
E	3	A	①── ──②
F	4	C, E	소요일수
G	2	D	(2) 주공정선은 굵은 선으로 표시한다.
H	3	F, G	

① 네트워크 공정표   ② 여유시간 산정

제6편 부 록 ──────── **6-526**

정답 13
① 히이빙 파괴에 의한 경우
② 보일링 현상에 의한 경우
③ 파이핑에 의한 침하
※ 기타 정답
① 널말뚝의 저면타입 깊이를 작게 했을 경우
② 널말뚝 이동에 따른 침하
③ 뒷채움 불량에 의한 침하
④ 연약지반의 보강공사를 하지 않은 경우 부동침하

정답 14
① 네트워크 공정표

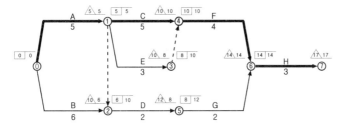

② 여유시간 산정

작업명	TF	FF	DF	CP
A	0	0	0	※
B	4	0	4	
C	0	0	0	※
D	4	0	4	
E	2	2	0	
F	0	0	0	※
G	4	4	0	
H	0	0	0	※

15 다음 그림과 같은 철근콘크리트조 건물에서 기둥과 벽체의 거푸집량을 산출하시오. (6점)

- 기둥 : 400mm × 400mm
- 벽두께 : 200mm
- 높이 : 3m
- 치수는 바깥치수 : 8,000mm × 5,000mm
- 콘크리트 타설은 기둥과 벽을 별도로 타설한다.

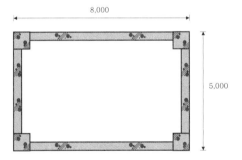

8,000

5,000

(1) 기둥 : _____

(2) 벽 : _____

16 대형 시스템 거푸집 중에서 갱폼(Gang Form)의 장 · 단점을 각각 2가지씩 쓰시오. (4점)

장 점 :   단 점 :

① _____   ① _____

② _____   ② _____

정답 **15**
(1) 기둥 : $(0.4 \times 4 \times 3) \times 4$개
          $= 19.2 \text{m}^2$
(2) 벽 : $(4.2 \times 3 \times 2) \times 2 + (7.2 \times 3 \times 2)$
          $\times 2 = 136.8 \text{m}^2$

정답 **16**
(1) 장점
    ① 조립 및 해체작업이 생략되
       어 설치시간이 단축된다.
    ② 거푸집의 처짐량이 작고 외
       력에 대한 안정성이 높다.
(2) 단점
    ① 중량물이므로 운반시 대형양
       중장비가 필요하다.
    ② 거푸집 제작비용이 크므로
       초기투자비용이 증가된다.

17 그림과 같은 연속보의 지점반력 V_A, V_B, V_C를 구하시오. (4점)

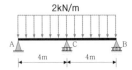

2kN/m

A   C   B

4m   4m

18 Sheet 방수공법의 단점을 2가지 쓰시오. (4점)

① _____

② _____

19 철근콘크리트 벽체의 설계축하중(ϕP_{nw})을 계산하시오. (4점)

- 유효벽길이 $b_e = 2,000mm$
- 벽두께 $h = 200mm$
- 벽높이 $l_c = 3,200mm$
- $0.55\phi \cdot f_{ck} \cdot A_g \left[1 - \left(\dfrac{k \cdot l_c}{32h} \right)^2 \right]$ 식을 적용하고, $\phi = 0.65$, $k = 0.8$, $f_{ck} = 24MPa$, $f_y = 400MPa$ 을 적용한다.

20 T/S(Torque Shear)형 고력볼트의 시공순서를 번호로 나열하시오. (3점)

〈보기〉
① 팁 레버를 잡아당겨 내측 소켓에 들어있는 핀테일을 제거
② 렌치의 스위치를 켜 외측 소켓이 회전하며 볼트를 체결
③ 핀테일이 절단되었을 때 외측 소켓이 너트로부터 분리되도록 렌치를 잡아당김
④ 핀테일에 내측 소켓을 끼우고 렌치를 살짝 걸어 너트에 외측 소켓이 맞춰지도록 함

정답 17

(1) 적합조건 :

$\delta_C = \dfrac{5wL^4}{384EI} - \dfrac{V_C \cdot L^3}{48EI} = 0$ 으로부터

$V_C = +\dfrac{5}{8}wL = +\dfrac{5}{8}(2)(8) = +10kN(\uparrow)$

(2) 평형조건 :

$V_A = V_B = +\dfrac{1.5}{8}wL = +\dfrac{1.5}{8}(2)(8)$

$= +3kN(\uparrow)$

정답 18

① 온도에 민감하여, 동절기나 하절기에 작업이 제한된다.
② 복잡한 시공부위에 작업이 곤란하다.
※ 기타 정답
① 누수 시 국부적인 보수가 곤란하다.
② Sheet 상호간 이음부의 결함 우려, 외상에 의한 파손 우려

정답 19

$\phi P_{nw} = (0.55)(0.65)(24)(2,000 \times 200)$

$\left[1 - \left(\dfrac{(0.8)(3,200)}{32(200)} \right)^2 \right]$

$= 2,882,880N = 2,882.880kN$

정답 20

④ → ② → ③ → ①

21 철골구조공사에 있어서 철골 습식 내화피복공법의 종류를 3가지 쓰시오. (3점)

① _____ ② _____

③ _____

정답 **21**
① 뿜칠 공법
② 미장 공법
③ 타설 공법
※ 기타 정답
① 조적 공법

22 철근콘크리트구조에서 탄성계수비 $n = \dfrac{E_s}{E_c} = \dfrac{200,000}{8,500 \cdot \sqrt[3]{f_{cm}}} = \dfrac{200,000}{8,500 \cdot \sqrt[3]{f_{ck} + \Delta f}}$ 식으로

표현할 수 있다. 다음 빈칸에 들어갈 수치를 쓰시오. (4점)

$f_{ck} \leq 40MPa$	$40MPa < f_{ck} < 60MPa$	$f_{ck} \geq 60MPa$
$\Delta f = ($ ① $)$	$\Delta f = $ 직선 보간	$\Delta f = ($ ② $)$

정답 **22**
① 4MPa
② 6MPa

23 수중에 있는 골재의 중량이 1,300g이고, 표면건조내부포화상태의 중량은 2,000g이며, 이 시료를 완전히 건조시켰을 때의 중량이 1,992일 때 흡수율을 구하시오. (4점)

_____

_____

정답 **23**
$\dfrac{2,000 - 1,992}{1,992} \times 100 = 0.40(\%)$

24 다음 형강을 단면 형상의 표시방법에 따라 표시하시오. (2점)

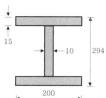

_____

_____

정답 **24**
$H - 294 \times 200 \times 10 \times 15$

25 콘크리트의 알칼리 골재반응을 방지하기 위한 대책을 3가지 쓰시오. (3점)

① _____　② _____

③ _____

26 강재의 항복비(Yield Strength Ratio)를 설명하시오. (2점)

_____

_____

_____

[정답] 25
① 저알칼리시멘트 사용
　(알칼리 함량 0.6% 이하)
② Fly Ash 사용
　(양질의 포졸란이 반응 억제)
③ 방수제를 사용, 수분을 억제한다.
※ 기타 정답
① 반응성 골재 사용 금지

[정답] 26
강재가 항복에서 파단에 이르기까지를
나타내는 지표로서, 인장강도에 대한
항복강도의 비

2019년 3회 출제문제

1 다음의 용어를 설명하시오. (4점)

(1) 예민비 : _____

(2) 지내력시험 : _____

2 시험에 관계되는 것을 보기에서 골라 번호를 쓰시오. (4점)

──〈보 기〉──
(1) 신월 샘플링(Thin wall sampling)
(2) 베인시험(Vane test)
(3) 표준관입시험
(4) 정량분석시험

(가) 진흙의 점착력　　(나) 지내력　　(다) 연한 점토　　(라) 염분

_____

3 히빙 현상(히빙 파괴) 현상을 설명하고, 그 형상을 그림으로 도해하시오. (5점)

(1) 설명 : _____

_____

(2) 그림도해 :

정　　답

정답 **1**
(1) 점토에서 함수율을 변화시키
　　지 않고 이기면 강도가 약해지
　　는 정도를 나타낸 것
(2) 재하시험이라고도 하며, 기초
　　지반저면에 직접 하중을 가하
　　여 지반의 허용지내력을 구하
　　는 시험

정답 **2**
(가) (2)　　(나) (3)
(다) (1)　　(라) (4)

정답 **3**
(1) 흙막이벽 좌측과 우측의 토압
　　차로써 흙막이 일부의 흙이 재
　　하하중 등의 영향으로 기초파
　　기하는 공사장 안으로 흙막이
　　벽 밑을 돌아서 미끄러져 올라
　　오는 현상
(2)

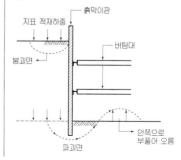

4 연약지반 개량공법을 3가지만 쓰시오. (3점)

(1) _____　　(2) _____

(3) _____

정답 **4**
(1) 치환법　　(2) 다짐법
(3) 탈수법　　(4) 약액주입법
(5) 재하공법

5 언더피닝 공법을 시행하는 이유(목적)과 그 공법의 종류를 2가지 쓰시오. (4점)

(1) 공법의 목적 : _____

_____

(2) 공법의 종류 : _____

_____

정답 **5**
(1) 인접건물이나 구조물의 침하, 균열, 이동 등의 피해를 예방하기 위한 목적
(2) ① 이중널말뚝 설치공법
　② 현장타설 콘크리트 말뚝설치보강법
　③ Mortar 및 약액주입법

6 철근의 응력-변형도 곡선과 관련하여 각각이 의미하는 용어를 보기에서 골라 번호로 쓰시오. (3점)

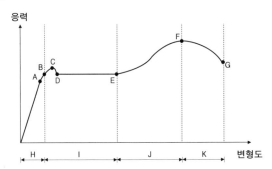

〈보 기〉
① 네킹영역　　② 하위항복점　　③ 극한강도점
④ 변형도경화점　⑤ 소성영역　　⑥ 비례한계점
⑦ 상위항복점　　⑧ 탄성한계점　⑨ 파괴점
⑩ 탄성영역　　⑪ 변형도경화영역

정답 **6**
A : ⑥　　B : ⑧　　C : ⑦
D : ②　　E : ④　　F : ③
G : ⑨　　H : ⑩　　I : ⑤
J : ⑪　　K : ①

7 다음 설명이 뜻하는 거푸집 명칭을 적으시오. (2점)

> 조립, 분해를 반복하지 않고 대형틀을 단순화하여 한번에 연결하고, 해체할 수 있는 판중, 장선, 멍에, 서포트 등을 일체로 제작하여 부재화한 바닥판 전용 거푸집의 명칭은?

8 골재의 상태는 절대건조상태, 기건상태, 표면건조내부포화상태, 습윤상태가 있는데 이것과 관련있는 골재의 흡수량과 함수량에 간단히 설명하시오. (4점)

(1) 흡수량 : _____

(2) 함수량 : _____

9 건축공사 표준시방서에 명시된 이어치기 시간한도 중 (   ) 안에 알맞는 시간을 써 넣으시오. (4점)

이어치기 시간간격	
(1) 외기온이 25℃ 이상	( ) 이내
(2) 외기온이 25℃ 미만	( ) 이내

10 Remicon(20-30-180)은 Ready Mixed Concrete의 규격에 대한 수치이다. 3가지의 수치가 뜻하는 바를 간단히 쓰시오. (※ 단, 단위도 정답에 표시하시오.) (3점)

(가) 20 : _____   (나) 30 : _____   (다) 180 : _____

정답

정답 7

Table Form(Flying Form)

정답 8

(1) 표면건조내부포수상태의 골재 중에 포함되는 물의 양
(2) 습윤상태의 골재 내외부에 함유된 전체 물의 양

정답 9

(1) 2시간
(2) 2.5시간(2시간 30분)

정답 10

(가) 굵은골재 최대 크기(20mm)
(나) 콘크리트의 호칭강도(30Mpa)
(다) 슬럼프 값(180mm)

11 다음 그림에서 한 층 분의 콘크리트량을 산출하시오. (단, 기둥은 층고를 물량에 반영 한다.) (8점)

> 단, 1) 부재치수(단위 : mm)
> 2) 전 기둥(G_1) : 500 500, 슬래브 두께(t) : 120
> 3) G_1, G_2 : 400×600(b×D), G_3 : 400×700, B_1 : 300×600
> 4) 층고 : 3,600

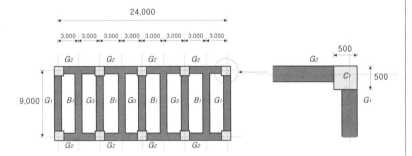

정답 11

① 기둥(G_1) : [0.5×0.5×3.6]×10 개 = $9m^3$
② 보(G_1) : [0.4×0.48×(9 − 0.6)]×2 개
　　　　 = $3.226m^3$
③ 보(G_2) : [(0.4×0.48×5.45)×4개]
　　　　 + [(0.4×0.48×5.5)×4개] = $8.409m^3$
④ 보(G_3) : (0.4×0.58×8.4)×3개 = $5.846m^3$
⑤ 보(B_1) : (0.3×0.48×8.6)×4 개 = $4.953m^3$
⑥ 슬래브 : 9.4×24.4×0.12 = $27.523m^3$
⑦ 합계 :
　9 + 3.226 + 8.409 + 5.846 + 4.953 + 273.523
　= 58.957 $\Rightarrow 58.96m^3$

12 전단철근의 전단강도 V_s 값의 산정결과, $V_s > \dfrac{1}{3}\lambda\sqrt{f_{ck}} \cdot b_w \cdot d$ 로 검토되었다. 전단보 강철근을 배치하여야 되는 구간 내에서 배근되어야 할 수직스터럽(Stirrup)의 최대간격 을 구하시오. (단, 보의 유효깊이 $d = 550mm$ 이다.) (4점)

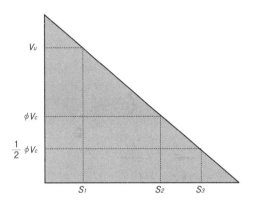

정답 12

① $\dfrac{d}{4} = \dfrac{(550)}{4} = 137.5mm$ 이하
② 300mm 이하
①, ② 중 작은값이므로 137.5mm

13 철근콘크리트 구조의 1방향 슬래브와 2방향 슬래브를 구분하는 기준에 대해 설명하시오. (3점)

_____

_____

정답 **13**
(1) 1방향 슬래브(1-Way Slab) :

　　변장비 $= \dfrac{\text{장변 경간}}{\text{단변 경간}} > 2$

(2) 2방향 슬래브(2-Way Slab) :

　　변장비 $= \dfrac{\text{장변 경간}}{\text{단변 경간}} \le 2$

14 철강제품의 품질보증을 위한 밀 시트(Mill Sheet)에서 확인할 수 있는 사항을 한가지만 적으시오. (2점)

_____

정답 **14**
① 강재의 KS규격
　(강재의 식별·규격확인)
② 강재시험(항복강도, 인장강도) 수치 등을 확인할 수 있다.
※ Mill Sheet란
철강제품의 품질보증을 위해 공인된 시험기관에서 인증한 제조업체의 품질보증서를 말한다.

15 철골공사에서 철골에 녹막이칠을 하지 않는 부분을 3가지 쓰시오. (3점)

①　_____　②　_____

③　_____

정답 **15**
① 고력Bolt 접합부의 마찰면
② 콘크리트에 매립되는 부분
③ 기계 절삭 마무리면
④ 용접부위 인접 100mm 부분과 초음파 탐상검사에 영향을 미치는 범위

16 철골공사 부재용접에 관한 다음 용어를 설명하시오. (4점)

(1) 엔드탭(End Tab) : _____

(2) 스캘럽(Scallop) : _____

_____

정답 **16**
(1) 용접결함이 생기기 쉬운 용접 bead의 시작과 끝 지점에 용접을 하기 위해 용접 접합하는 모재의 양단에 부착하는 보조 강판
(2) 철골부재 용접시 이음 및 접합 부위의 용접선이 교차되어 재용접된 부위가 열영향을 받아 취약해지기 때문에 모재에 부채꼴 모양의 모따기를 한 것

17 사용성한계상태(Serviceability Limit State)를 간단히 설명하시오. (3점)

_____

_____

정답 **17**
구조체가 붕괴되지는 않더라도 구조기능이 저하되어 외관, 유지관리, 내구성 및 사용에 매우 부적합하게 되는 상태

18 다음 설명이 뜻하는 용어를 쓰시오. (2점)

> 벽에 침투하는 빗물에 의해서 Mortar 중의 석회분이 공기중의 탄산가스(CO_2)와 결합하여 벽돌이나 조적 벽면에 흰기루가 돋는 현상

19 목재의 방부처리방법을 세가지 쓰고, 그 내용을 설명하시오. (3점)

① _____　　② _____

③ _____

20 안방수공법과 바깥방수 공법의 특징을 우측 보기에서 골라 번호로 표기하시오. (4점)

비교항목	안방수	바깥방수	보　기
(1) 사용환경			① 수압적은 얕은지하　② 수압이큰 깊은지하
(2) 바탕만들기			① 만들필요 없음　② 따로 만들어야 함.
(3) 공사용이성			① 간단하다.　② 상당한 난점이 있다.
(4) 본공사추진			① 자유롭다.　② 본공사에 선행
(5) 경제성			① 비교적 싸다.　② 비교적 고가이다.
(6) 보호누름			① 필요하다.　② 없어도 무방하다.

21 다음 용어를 설명하시오. (4점)

(1) 코너비드(Corner Bead) _____

_____

(2) 차폐용 콘크리트 _____

_____

정답 18
백화현상

정답 19
① 주입법 : 방부제를 상압주입이나 가압하여 나무깊이 주입하는 방법
② 도포법 : 방부제칠이나 유성페인트, 아스팔트재료 등을 칠하는 방법
③ 표면탄화법 : 목재표면 3~4mm 정도를 태워 수분을 제거하는 방법

정답 20

비교항목	안방수	바깥방수
(1)	①	②
(2)	①	②
(3)	①	②
(4)	①	②
(5)	①	②
(6)	①	②

정답 21
(1) 코너비드 : 기둥, 벽 등의 모서리에 대어 미장 바름을 보호하는 철물
(2) 차폐용 콘크리트 : 중량 2.5t/m³ 이상의 방사선 차폐를 위한 콘크리트

22 다음의 공사 관리 계약 방식에 대하여 설명하시오. (4점)

가. CM for fee 방식 : _____

_____

나. CM at Risk 방식 : _____

_____

정답 **22**

가. 대리인형 CM으로써, CM조직은 프로젝트 전반에 걸쳐 컨설턴트 역할만 수행하고, 보수를 받으며 공사결과에 대한 책임은 없는 수행 형태이다.

나. 시공자형 CM으로써, CM이 직접공사를 수행하거나 전문시공업자와 직접계약을 맺어 공사 전반을 책임지는 형태이다.

23 L.C.C (Life Cycle Cost)에 대하여 설명하시오. (2점)

_____

_____

정답 **23**

건축물의 기획, 설계, 시공, 유지관리, 해체의 전과정에 필요한 제비용을 합한 전생애 주기비용을 말함.

24 인텔리전트 빌딩의 access 바닥에 관하여 서술하시오. (4점)

_____

_____

_____

정답 **24**

정방형의 Floor panel을 Pedestal(받침대)로 지지시켜 만든 2중바닥 구조로써 공조설비, 배관설비, 전기, 전자, computer설비 등의 설치와 유지관리, 보수의 편리성과 용량 조정 등을 위하여 사용된다.

25 다음 데이터를 네트워크공정표로 작성하고, 각 작업의 여유시간을 구하시오. (10점)

작업명	작업일수	선행작업	비 고
A	5	없음	(1) 결합점에서는 다음과 같이 표시한다.
B	3	없음	
C	2	없음	EST LST LFT EFT
D	2	A, B	① →작업명 소요일수→ ①
E	5	A, B, C	
F	4	A, C	(2) 주공정선은 굵은 선으로 표시한다.

① 네트워크 공정표   ② 여유시간 산정

정답 25

① 네트워크 공정표

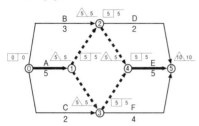

② 여유시간 산정

작업명	TF	FF	DF	CP
A	0	0	0	※
B	2	2	0	
C	3	3	0	
D	3	3	0	
E	0	0	0	※
F	1	1	0	

26 그림과 같은 내민보의 전단력도(SFD)와 휨모멘트도(BMD)를 그리시오. (4점)

정답 26

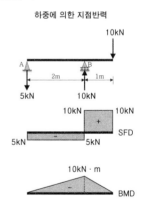

2020년 1회 출제문제

1 BOT(Build-Operate-Transfer Contract)방식을 설명하고 이와 유사한 방식을 2가지 쓰시오. (4점)

(1) BOT 방식 : _____

(2) 유사한 방식 : _____

정답 1

(1) 민간 수주측이 시설물 완공 후 일정기간 시설물을 운영하여 투자금을 회수하고 시설물과 운영권을 무상으로 발주측에 이전하는 방식

(2) BTO방식, BOO방식
※ BTL방식

2 부력에 의한 건축물의 부상(浮上)방지 대책을 2가지 쓰시오. (2점)

① _____

② _____

정답 2

① Rock Anchor 공법 등 지반정착 공법 사용

② 배수공법이나 차수공법을 사용

3 다음 용어를 간단히 설명하시오. (4점)

(1) 레이턴스(laitance) : _____

(2) 크리프(creep) : _____

정답 3

(1) 콘크리트를 부어 넣은 후 블리딩수의 증발에 따라 그 표면에 나오는 백색의 미세한 물질

(2) 콘크리트에 일정하중을 계속 주면 하중의 증가 없이도 시간의 경과에 따라 변형이 증가하는 소성변형 현상

4 다음 설명에 알맞은 용어를 쓰시오. (2점)

> 벽, 기둥 등의 모서리는 손상되기 쉬우므로 별도의 마감재를 감아 대거나 미장면의 모서리를 보호하면서 벽, 기둥을 마무림 하는 보호용 재료를 무엇이라고 하는가?

_____

정답 4

코너비드(Corner Bead) : 모서리쇠

5 다음 조건에서 콘크리트 1m³를 생산하는데 필요한 시멘트, 모래, 자갈의 중량을 산출하시오. (8점)

> ① 단위수량 : 160kg/m³   ② 물시멘트비 : 50%   ③ 잔골재율 : 40%
>
> ④ 시멘트 비중 : 3.15   ⑤ 잔골재 비중 : 2.6   ⑥ 굵은골재 비중 : 2.6
>
> ⑦ 공기량 : 1%

(1) 단위시멘트량: _____

(2) 시멘트의 체적: _____

(3) 물의 체적: _____

(4) 전체 골재의 체적: _____

(5) 잔골재의 체적: _____

(6) 잔골재량: _____

(7) 굵은골재량: _____

6 ALC(Autoclaved Light Weight Concrete) 경량기포 Concrete를 제조하는데 필요한 재료를 2가지 쓰시오. (4점)

① _____

② _____

7 다짐(Compaction)과 압밀(Consolidation)의 차이점을 비교하여 설명하시오. (3점)

_____

정답 5

(1) 단위시멘트량:
$$160 \div 0.50 = 320 kg/m^3$$

(2) 시멘트의 체적:
$$\frac{320kg}{3.15 \times 1,000 l} = 0.102 m^3$$

(3) 물의 체적: $\dfrac{160kg}{1 \times 1,000 l} = 0.16 m^3$

(4) 전체 골재의 체적
= 1m³ − (시멘트의 체적 + 물의 체적 + 공기량의 체적)
$$= 1 - (0.102 + 0.16 + 0.01) = 0.728 m^3$$

(5) 잔골재의 체적
= 전체 골재의 체적 × 잔골재율
$$= 0.728 \times 0.4 = 0.291 m^3$$

(6) 잔골재량:
$$= 0.291 \times 2.6 \times 1,000 = 756.6 kg$$

(7) 굵은골재량:
$$= 0.728 \times 0.6 \times 2.6 \times 1,000 = 1,135.68 kg$$

정답 6
① 규사(규산질 재료)
② 생석회(석회질 재료)
※ 시멘트, 발포제

정답 7
다짐이란 사질지반에서 외력작용에 의해 공기가 빠지면서 압축되는 현상을 말하며 압밀이란 점토지반에서 하중을 가하여 흙 속의 간극수를 제거하는 것을 말한다.

8 목구조의 횡력 보강부재를 3가지 적으시오. (3점)

① _____　　② _____

③ _____

9 다음 데이터를 네트워크공정표로 작성하고, 각 작업의 여유시간을 구하시오. (10점)

작업명	작업일수	선행작업	비　　고
A	5	없음	(1) 결합점에서는 다음과 같이 표시한다.
B	2	없음	
C	4	없음	EST LST　　　　LFT EFT
D	4	A, B, C	① ──작업명──→ ①
E	3	A, B, C	소요일수
F	2	A, B, C	(2) 주공정선은 굵은 선으로 표시한다.

① 네트워크 공정표　　　　　　　② 여유시간 산정

작업명	TF	FF	DF	CP
A				
B				
C				
D				
E				
F				

정답 **9**

① 네트워크 공정표　　　　　　　　② 여유시간 산정

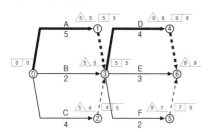

작업명	TF	FF	DF	CP
A	0	0	0	※
B	3	3	0	
C	1	1	0	
D	0	0	0	※
E	1	1	0	
F	2	2	0	

10 영구버팀대공법 SPS(Strut as Permanent System)공법의 특징을 4가지 쓰시오.

(4점)

① _____

② _____

③ _____

④ _____

① 지하구조물시공과 지상작업을 병행가능하므로 공기가 단축된다.
② 공정간섭이 작고, 장비의 작업 효율화로 원가절감
③ 지하구조물과 가설 post pile의 간섭 배제로 시공성이 향상됨
④ 가설재의 폐기물 발생이 저감된다.
※ 기타 :
① 가설지지체의 설치 및 해체 공정이 없어 작업능률 향상
② 채광, 환기 등 별도시설이 불필요

11 매스콘크리트의 수화열 저감을 위한 대책 3가지만 쓰시오. (3점)

① _____

② _____

③ _____

정답 **11**
① 단위시멘트 사용량을 가능한 작게 한다.
② 수화열이 낮은 시멘트를 사용
③ 프리쿨링, 파이프 쿨링 등에 의해 온도제어
※ ① 굵은 골재 칫수를 크게 하고, 잔골재율을 작게 한다.
② 골재나 물을 냉각시켜 사용한다.

12 다음 콘크리트의 줄눈을 간단히 쓰시오. (4점)

(가) 시공줄눈(Construction Joint)

_____

(나) 신축줄눈(Expansion Joint)

_____

정답 **12**
(가) 콘크리트를 한번에 붓지 못할 때 생기는 줄눈으로 계획된 줄눈이다.
(나) 건축물의 온도에 의한 신축 팽창, 부동침하 등에 의하여 발생하는 건축의 전체적인 불규칙 균열을 한 곳에 집중시키도록 설계 및 시공시 고려되는 줄눈이다.(응력해제 줄눈이다.)

13 철골공사에서 용접부의 비파괴 시험방법의 종류를 3가지 쓰시오. (3점)

① _____　　② _____

③ _____

정답 **13**
① 방사선 투과시험
② 초음파 탐상법
③ 자기분말 탐상법

14 커튼월 조립방식에 의한 분류에서 각 설명에 해당하는 방식을 번호로 쓰시오. (3점)

① Stick Wall 방식	② Window Wall 방식	③ Unit Wall 방식

(1) 구성 부재 모두가 공장에서 조립된 프리패브(Pre-fab)형식으로 창호와 유리, 패널의 일괄발주 방식임. 이 방식은 업체의 의존도가 높아서 현장상황에 융통성을 발휘하기가 어려움 : _____

(2) 구성 부재를 현장에서 조립·연결하여 창틀이 구성되는 형식으로 유리는 현장에서 주로 끼운다. 현장 적응력이 우수하여 공기조절이 가능 : _____

(3) 창호와 유리, 패널의 개별발주 방식으로 창호 주변이 패널로 구성됨으로써 창호의 구조가 패널 트러스에 연결할 수 있어서 재료의 사용 효율이 높아 비교적 경제적인 시스템 구성이 가능한 방식 : _____

(1) _____   (2) _____

(3) _____

정답 **14**
(1) ③
(2) ①
(3) ②

15 다음 용어를 간단히 설명하시오. (3점)

메탈 터치(Metal Touch) : _____

정답 **15**
철골 부위의 부재간을 정밀가공하여 밀착시키는 것을 말한다. 메탈 터치 가공하면 축력의 50%까지 하부기둥에 직접 전달 가능하다.

16 건물의 부동침하를 방지하기 위한 대책 중 기초구조부에서 처리할 수 있는 방법을 2가지 적으시오. (4점)

① _____

② _____

정답 **16**
① 기초를 경질지층(경질지반)에 지지시킬 것
② 마찰말뚝을 사용하여 보강 할 것(지지말뚝과 혼용금지)
※ 언더피닝 공법을 적용하여 기초를 보강

17 입찰제도 중 적격낙찰제도에 대하여 간단히 설명하시오. (2점)

_____

정답 **17**
입찰에서 제시한 가격과 기술능력, 공사경험, 경영상태 등 계약 수행 능력을 종합 평가하여 낙찰자를 결정하는 제도

18 다음 그림은 철근콘크리트조 경비실 건물이다. 주어진 평면도 및 단면도를 보고 C_1, G_1, G_2, S_1에 해당되는 부분의 1층과 2층 콘크리트량과 거푸집량을 산출하시오. (8점)

> 단, 1) 기둥 단면 (C_1) : 30cm×30cm　2) 보 단면(G_1, G_2) : 30cm×60cm
> 　　3) 슬래브 두께(S_1) :13cm　　　4) 층고 : 단면도 참조
> 단, 단면도에 표기된 1층 바닥선 이하는 계산하지 않는다.

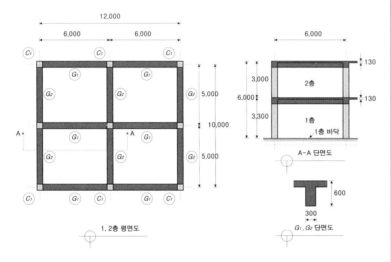

1, 2층 평면도　　　　　　　　　A-A 단면도　　　　　G_1, G_2 단면도

(1) 콘크리트량

(2) 거푸집량

정답 18

(1) 콘크리트량
　① 기둥(C_1)
　　1층: $(0.3 \times 0.3 \times 3.17) \times 9$개 $= 2.567$m³
　　2층: $(0.3 \times 0.3 \times 2.87) \times 9$개 $= 2.324$m³
　② 보(G_1) : 1층+2층:
　　$(0.3 \times 0.47 \times 5.7) \times 12$개 $= 9.644$m³
　　보(G_2) : 1층+2층:
　　$(0.3 \times 0.47 \times 4.7) \times 12$개 $= 7.952$m³
　③ 슬래브(S_1):
　　1층+2층: $(12.3 \times 10.3 \times 0.13) \times 2$개
　　　　　$= 32.939$m³
　④ 합계:
　　$2.567 + 2.324 + 9.644 + 7.952 + 32.939$
　　$= 55.426$m³ $\Rightarrow 55.43$m³
(2) 거푸집량
　① 기둥(C_1)
　　1층: $(0.3 + 0.3) \times 2 \times 3.17 \times 9$개
　　　　$= 34.236$m²
　　2층: $(0.3 + 0.3) \times 2 \times 2.87 \times 9$개
　　　　$= 30.996$m²
　② 보(G_1) 1층+2층:
　　$(0.47 \times 5.7 \times 2) \times 12$개 $= 64.296$m²
　　보(G_2) 1층+2층:
　　$(0.47 \times 4.7 \times 2) \times 12$개 $= 53.016$m²
　③ 슬래브(S_1) 1층+2층:
　　$[(12.3 \times 10.3) + (12.3 + 10.3) \times 2 \times 0.13]$
　　$\times 2$개 $= 265.132$m²
　④ 합계:
　　$34.236 + 30.996 + 64.296 + 53.016$
　　$+ 265.132 = 447.676$m² $\Rightarrow 447.68$m²

19 다음에 해당되는 콘크리트에 사용되는 굵은골재의 최대칫수를 기재하시오. (3점)

(가) 일반콘크리트 ⋯⋯⋯⋯(　　)mm

(나) 무근콘크리트 ⋯⋯⋯⋯(　　)mm

(다) 단면이 큰 콘크리트 ⋯(　　)mm

정답 19

(가) 20 혹은 25
(나) 40
(다) 40

20 품질관리 도구 중 특성요인도(Characteristics Diagram)에 대해 설명하시오. (3점)

[정답] **20**

결과에 어떤 원인이 관계하는지를 알 수 있도록 작성한 그림

21 재령 28일 콘크리트 표준공시체(ϕ 150mm×300mm)에 대한 압축강도시험 결과 파괴하중이 450kN일 때 압축강도 f_c(MPa)를 구하시오. (3점)

[정답] **21**

$$f_c = \frac{P}{A} = \frac{P}{\frac{\pi D^2}{4}} = \frac{(450 \times 10^3)}{\frac{\pi (150)^2}{4}}$$

$$= 25.464 N/mm^2 = 25.464 MPa$$

22 H형강을 사용한 그림과 같은 단순지지 철골보의 최대 처짐(mm)을 구하시오. (단, 철골보의 자중은 무시한다.) (3점)

〈보 기〉

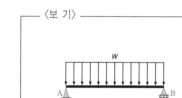

- H-$500 \times 200 \times 10 \times 16$(SS275)
- 탄성단면계수 $S_x = 1{,}910 cm^3$
- 단면2차모멘트 $I = 4{,}780 cm^4$
- 탄성계수 $E = 210{,}000 MPa$
- $L = 7m$
- 고정하중: 10kN/m, 활하중: 18kN/m

[정답] **22**

(1) $w = 1.0 w_D + 1.0 w_L = 1.0(10) + 1.0(18)$
$= 28 kN/m = 28 N/mm$

(2) $\delta_{max} = \frac{5}{384} \cdot \frac{wL^4}{EI}$

$= \frac{5}{384} \cdot \frac{(28)(7 \times 10^3)^4}{(210{,}000)(4{,}780 \times 10^4)}$

$= 87.21 mm$

23 다음 강재의 구조적 특성을 간단히 설명하시오. (4점)

(1) SN강: _____

(2) TMCP강: _____

[정답] **23**

(1) 건축물의 내진성능을 확보하기 위한 건축구조용압연강

(2) 두께 40mm 이상, 80mm 이하의 후판에서도 항복강도가 저하하지 않는 강

24 그림과 같은 캔틸레버 보의 A점의 반력을 구하시오. (3점)

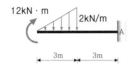

정답 **24**

(1) $\sum H = 0 : H_A = 0$

(2) $\sum V = 0 : -\left(\dfrac{1}{2} \times 2 \times 3\right) + (V_A) = 0$

$\therefore V_A = +3kN(\uparrow)$

(3) $\sum M_A = 0 : +(M_A) + (12) \cdot$

$\qquad - \left(\dfrac{1}{2} \times 2 \times 3\right)\left(3 + 3 \times \dfrac{1}{3}\right) = 0$

$\therefore M_A = 0$

25 인장력을 받는 이형철근 및 이형철선의 겹침이음길이는 A급과 B급으로 분류되며, 다음 값 이상, 또한 300mm 이상이어야 한다. 괄호안에 알맞은 수치를 쓰시오. (단, l_d 는 인장이형철근의 정착길이) (3점)

(1) A급 이음: (   ) l_d (2) B급 이음: (   ) l_d

정답 **25**

(1) 1.0

(2) 1.3

26 다음 그림을 보고 물음에 답하시오. (4점)

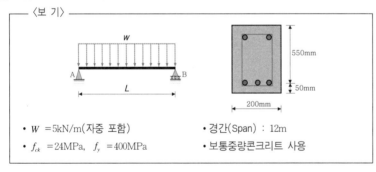

〈보 기〉

- W = 5kN/m (자중 포함)
- f_{ck} = 24MPa, f_y = 400MPa
- 경간(Span) : 12m
- 보통중량콘크리트 사용

(1) 최대휨모멘트:

(2) 균열모멘트를 구하고 균열발생 여부를 판정하시오.

정답 **26**

(1) $M_{max} = \dfrac{WL^2}{8} = \dfrac{(5)(12)^2}{8} = 90 kN \cdot m$

(2) $M_{cr} = 0.63(1.0)\sqrt{24} \cdot \dfrac{(200)(600)^2}{6}$

$\qquad = 37,036,284 N \cdot mm = 37.036 kN \cdot m$

$\therefore M_{max} > M_{cr}$ 이므로 균열이 발생됨

2020년 2회 출제문제

1 슬러리월(Slurry wall) 공법의 장점과 단점을 각각 2가지씩 쓰시오. (4점)

(1) 장점

① _____

② _____

(2) 단점

① _____

② _____

2 강관말뚝 지정의 특징을 3가지만 쓰시오. (3점)

① _____

② _____

③ _____

3 Sand drain 공법에 대하여 설명하시오. (3점)

_____

4 콘크리트를 타설할 때 거푸집의 측압이 증가되는 요인을 4가지 쓰시오. (4점)

① _____

② _____

③ _____

④ _____

5 목재의 섬유포화점을 설명하고 함수율 증가에 따른 목재의 강도 변화에 대하여 설명하시오. (3점)

_____

6 고강도 콘크리트의 폭렬현상에 대하여 설명하시오. (3점)

_____

7 다음 용어를 간단히 설명하시오. (4점)

① 부대입찰제도 : _____

② 대안입찰제도 : _____

8 다음은 건축공사표준시방서에 따른 거푸집널 존치기간 중의 평균기온이 10℃ 이상인 경우에 콘크리트의 압축강도 시험을 하지 않고 거푸집을 떼어 낼 수 있는 콘크리트의 재령(일)을 나타낸 표이다. 빈 칸에 알맞은 날수를 표기하시오. (4점)

【기초, 보옆, 기둥 및 벽의 거푸집널 존치기간을 정하기 위한 콘크리트의 재령】

평균기온 \ 시멘트의 종류	조강포틀랜드 시멘트	보통포틀랜드 시멘트 고로슬래그 시멘트 1종	고로슬래그 시멘트 2종 포틀랜드포졸란 시멘트 2종
20℃ 이상	①	③	5일
20℃ 미만 10℃ 이상	②	6일	④

① _____   ② _____

③ _____   ④ _____

정답 5

목재의 섬유포화점은 생(生)나무가 건조하여 함수율이 30%가 된 상태로서 이 점을 경계로 수축, 팽창, 강도의 변화가 현저해진다.

※ 섬유포화점 이상의 함수율에서는 목재의 수축, 팽창과 강도는 변함이 없고 그 이하에서는 함수율이 감소함에 따라 목재의 강도는 증가되며, 수축도 증가된다.

정답 6

내·외부의 조직이 치밀한 고강도 콘크리트에서 화재발생시 고압의 수증기가 외부로 분출되지 못하여 콘크리트가 폭파되듯이 터지는 현상

정답 7

① 하도급업체의 보호육성 차원에서 입찰자에게 하도급의 계약서를 입찰서에 첨부하도록 하여 하도급의 계열화를 유도하는 입찰방식

② 처음 설계된 내용보다 기본방침의 변경없이 공사비를 낮추면서 동등 이상의 기능과 효과를 갖는 방안을 시공자가 제시할 경우 이를 검토하여 채택하는 입찰방식

정답 8

① 2일

② 3일

③ 4일

④ 8일

9 프리스트레스트 콘크리트(Prestressed Concrete)에서 다음 항에 대해서 간단하게 기술하시오. (4점)

(가) 프리텐션(Pre-Tension) 방식 : _____

(나) 포스트텐션(Post-Tension) 방식 : _____

10 열가소성 수지와 열경화성 수지의 종류를 각각 2가지씩 쓰시오. (4점)

(1) 열가소성수지 :

① _____   ② _____

(2) 열경화성수지 :

① _____   ② _____

11 다음에서 설명하는 용어를 쓰시오. (2점)

> ── 〈보 기〉 ──
> 드라이비트라는 일종의 못박기총을 사용하여 콘크리트나 강재 등에 박는 특수못.
> 머리가 달린 것을 H형, 나사로 된 것을 T형이라고 한다.

_____

12 한국산업규격(KS)에 명시된 속빈블록의 치수를 3가지 쓰시오. (3점)

① _____   ② _____

③ _____

정답 **9**

(가) 강현재에 인장력을 가한 상태로 콘크리트를 부어 넣고 경화후 단부에서 인장력을 풀어주어 콘크리트에 압축력을 가한다.

(나) 쉬드를 설치하고 콘크리트를 경화시킨 뒤 쉬드 구멍에 강현재를 삽입, 긴장시키고, 시멘트 페이스트로 그라우팅한 후 인장력을 풀어준다.

정답 **10**

(1) 열가소성수지
  ① 염화비닐수지(pvc수지)
  ② 아크릴수지
  ※ 폴리에틸렌수지
(2) 열경화성수지
  ① 페놀수지
  ② 에폭시수지
    ※ 멜라민수지

정답 **11**

드라이브 핀(Drive Pin)

정답 **12**

① 390(길이)×190(높이)×100(두께)
② 390(길이)×190(높이)×150(두께)
③ 390(길이)×190(높이)×190(두께)

13 철골 내화피복 공법의 종류에 따른 재료를 각각 2가지씩 쓰시오. (3점)

공　법	재　료
타설공법	
조적공법	
미장공법	

정답 13
• 타설공법 : 콘크리트,
　　　　　　 경량콘크리트
• 조적공법 : 콘크리트 Block,
　　　　　　 ALC Block
• 미장공법 : 철망 Mortar, 철망
　　　　　　 펄라이트 Mortar

14 다음 보기는 용접부의 검사 항목이다. 보기에서 알맞은 공정에 해당번호를 써 넣으시오. (6점)

〈보 기〉

① 아크전압　　　　② 용접속도　　　　③ 청소상태
④ 홈의각도, 간격 및 치수　⑤ 부재의 밀착　⑥ 필렛의 크기
⑦ 균열, 언더컷 유무　⑧ 밑면파내기

(1) 용접 착수전 : _____

(2) 용접 작업중 : _____

(3) 용접 완료후 : _____

정답 14
(1) ③, ④, ⑤
(2) ①, ②, ⑧
(3) ⑥, ⑦

15 보의 단면으로 늑근(stirrup 철근)과 주근(인장철근)까지 그림으로 도시한 후 피복두께의 정의와 철근 피복두께의 유지목적을 2가지 적으시오. (5점)

【도해】

(1) 피복두께의 정의 : _____

(2) 피복두께 유지목적 :

① _____

② _____

정답 15

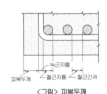

〈그림〉 피복두께

(1) 철근 가장외측 표면에서 이를
　　감싸고 있는 콘크리트 표면까
　　지의 최단거리
(2) ① 소요의 내구성 확보
　　② 소요의 내화성 확보
　　※ 콘크리트와의 부착력 확보

16 시스템(system) 비계에 설치하는 일체형 작업 발판의 장점을 3가지만 적으시오.

(3점)

① _____

② _____

③ _____

17 그림과 같은 용접 표시에서 알 수 있는 사항을 기입하시오. (3점)

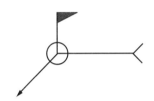

18 다음 그림과 같은 온통기초에서 터파기량, 되메우기량, 잔토처리량을 산출하시오.
(단, 토량환산계수 $L = 1.3$으로 한다.) (9점)

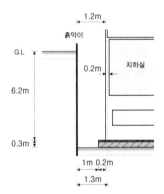

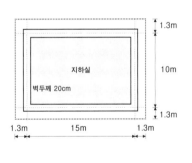

(1) 터파기량:

정답 **16**

① 부재(수직, 수평, 계단 등)의 공장 제작으로 균일품질 확보
② 일체화 조립으로 안정성 증가
③ 넓은 작업 공간 확보로 작업능률 향상

정답 **17**

전체둘레(全周, 전주) 현장용접

정답 **18**

(1) 1,441.44m³
(2) 430.58m³
(3) 1,314.12m³
(1) V = (15+1.3×2) × (10+1.3×2)
　　　× 6.5 = 1,441.44
(2) ① GL 이하의 구조부체적
　　[0.3 × (15+0.3×2) × (10+0.3×2)]
　　+[6.2 × (15+0.1×2) × (10+0.1×2)]
　　= 1,010.86
② 되메우기량 : 1,441.44-1,010.86
　　　　　　　= 430.58
(3) 1,010.86 × 1.3 = 1,314.12

(2) 되메우기량:

(3) 잔토처리량:

19 공기단축 기법에서 MCX(Minimum Cost eXpediting) 기법의 순서를 보기에서 골라 기호로 쓰시오. (4점)

── 〈보 기〉 ──────────────────────

가. 주공정선상의 작업 선택
나. 비용구배가 최소인 작업을 단축
다. 보조주공정선의 확인
라. 단축한계까지 단축
마. 보조주공정선의 동시 단축경로의 고려

정답 **19**
가 → 나 → 라 → 다 → 마

20 다음 데이터를 네트워크공정표로 작성하고, 각 작업의 여유시간을 구하시오. (10점)

작업명	작업일수	선행작업	비　　고
A	5	없음	(1) 결합점에서는 다음과 같이 표시한다.
B	2	없음	
C	4	없음	
D	4	A, B, C	
E	3	A, B, C	
F	2	A, B, C	(2) 주공정선은 굵은 선으로 표시한다.

(1) 결합점에서는 다음과 같이 표시한다.

$\boxed{\text{EST}|\text{LST}}$　　　$\triangle\text{LFT}\backslash\text{EFT}$

$(i) \xrightarrow[\text{소요일수}]{\text{작업명}} (j)$

(2) 주공정선은 굵은 선으로 표시한다.

(1) 네트워크공정표

(2) 일정 및 여유시간 산정

작업명	EST	EFT	LST	LFT	TF	FF	DF	CP
A								
B								
C								
D								
E								
F								

정답 20

① 네트워크 공정표

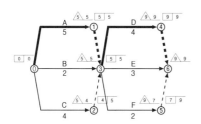

② 여유시간 산정

작업명	EST	EFT	LST	LFT	TF	FF	DF	CP
A	0	5	0	5	0	0	0	
B	0	2	3	5	3	3	0	※
C	0	4	1	5	1	1	0	
D	5	9	5	9	0	0	0	※
E	5	8	6	9	1	1	0	
F	5	7	7	9	2	2	0	

21 그림과 같은 3-Hinge 라멘에서 A지점의 반력을 구하시오. (단, $P=6$kN , $L=4$m, $h=3$m 이고, 반력의 방향을 화살표로 반드시 표현하시오.) (3점)

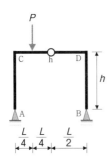

(1) $\sum M_B = 0 : +(V_A)(L) - (P)\left(\dfrac{3L}{4}\right) = 0$

$\therefore V_A = +\dfrac{3P}{4} = +\dfrac{3(6)}{4} = +4.5kN(\uparrow)$

(2) $M_{h,Left}$

$= 0 : +\left(\dfrac{3P}{4}\right)\left(\dfrac{L}{2}\right) - (P)\left(\dfrac{L}{4}\right) - (H_A)(h) = 0$

$\therefore H_A = +\dfrac{PL}{8h} = +\dfrac{(6)(4)}{8(3)} = +1kN(\rightarrow)$

(3) $R_A = \sqrt{V^2_A + H^2_A} = \sqrt{(4.5^2)+(1)^2}$

$= 4.61kN(\nearrow)$

22 $L-100\times100\times7$ 인장재의 순단면적(mm²)을 구하시오. (3점)

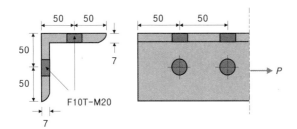

F10T-M20

$A_n = A_g - n \cdot d \cdot t$

$= [(7)(200-7)] - (2)(20+2)(7)$

$= 1,043 \text{mm}^2$

23 그림과 같은 단순보의 A지점의 처짐각, 보의 중앙 C점의 최대처짐량을 계산하시오. (단, $E=206$GPa, $I=1.6\times10^8$mm⁴) (4점)

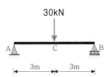

30kN

3m   3m

(1) $\theta_A = +\dfrac{1}{16} \cdot \dfrac{PL^2}{EI}$

$= +\dfrac{1}{16} \cdot \dfrac{(30\times10^3)(6\times10^3)^2}{(206\times10^3)(1.6\times10^8)}$

$= +0.00204 \text{ rad}$

(2) $\delta_C = +\dfrac{1}{48} \cdot \dfrac{PL^3}{EI}$

$= +\dfrac{1}{48} \cdot \dfrac{(30\times10^3)(6\times10^3)^3}{(206\times10^3)(1.6\times10^8)}$

$= +4.095 \text{mm}$

24 그림과 같은 150mm×150mm 단면을 갖는 무근콘크리트 보가 경간길이가 450mm로 단순지지되어 있다. 3등분점에서 2점 재하 하였을 때 하중 $P=12kN$에서 균열이 발생함과 동시에 파괴되었다. 이때 무근콘크리트의 휨균열강도(휨파괴계수)를 구하시오. (4점)

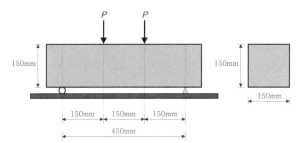

정답 24

$$f_r = \frac{PL}{bh^2} = \frac{(12 \times 10^3)(450)}{(150)(150)^2} = 1.6 \, N/mm^2$$

$$= 1.6 MPa$$

25 다음 괄호 안에 알맞은 수치를 쓰시오. (2점)

> 벽체 또는 슬래브에서 휨주철근의 간격은 벽체나 슬래브 두께의 (①)배 이하로 하여야 하고, 또한 (②)mm 이하로 하여야 한다. 다만, 콘크리트 장선구조의 경우 이 규정이 적용되지 않는다.

① _____   ② _____

정답 25

① 3
② 450

26 철근콘크리트구조에서 최대철근비 규정은 철근의 항복강도 를 기준으로 두 가지로 구분된다. 다음 표의 빈칸을 최외단 인장철근의 순인장변형률 ϵ_t , 항복변형률 ϵ_y 로 표현하시오. (2점)

$f_y \leq 400MPa$	$f_y > 400MPa$

정답 26

$f_y \leq 400MPa$	$f_y > 400MPa$
$\epsilon_t = 0.004$	$\epsilon_t = 2 \cdot \epsilon_y$

2020년 3회 출제문제

1 가설공사 중 기준점(Bench Mark)의 정의를 간단히 설명하시오. (3점)

_____

_____

2 히빙파괴와 보일링파괴의 방지 대책을 쓰시오. (4점)

① 히빙파괴 방지대책 : _____

② 보일링파괴 방지대책 : _____

3 탈수공법 중 다음 공법에 대하여 기술하시오. (4점)

• 페이퍼 드레인(paper drain) 공법 : _____

• 생석회 말뚝(chemico pile) 공법 : _____

4 철근의 인장강도가 240MPa 이상으로 규정되어 있다고 할 때, 현장에 반입된 철근(중앙부 지름 14mm, 표점거리 50mm)의 인장강도를 시험 파괴하중이 37.20kN, 40.57kN, 38.15kN이었다. 평균인장강도를 구하고 합격여부를 판정하시오. (5점)

(1) 평균인장강도

(2) 판정

정답 **1**

건축물 시공시 기준위치를 정하는 원점으로 공사중 높이의 기준을 정하고자 설치한다.
※ 건물의 높이 및 위치측정의 기준 표식

정답 **2**

① 흙막이벽체를 견고한 지반까지 시공한다.(흙막이 벽체의 근입장을 증가시킨다)
② 배수공법으로 지하수위를 저하시킨다.

정답 **3**

• 페이퍼 드레인(paper drain)공법 : 모래 대신 합성수지로 된 카드보드를 지반에 삽입하여 점토지반의 배수를 촉진하는지반개량 압밀공법
• 생석회 말뚝(chemico pile)공법 : 모래 대신 석회를 넣어 탈수 및 지반압밀을 증진시키는 점토지반 개량공법

정답 **4**

(1) 평균인장강도

• 계산과정 : $f_t = \dfrac{\dfrac{P_1}{A} + \dfrac{P_2}{A} + \dfrac{P_3}{A}}{3}$

$= \dfrac{\dfrac{37.20 \times 10^3 + 40.57 \times 10^3 + 38.15 \times 10^3}{\dfrac{\pi \times 14^2}{4}}}{3}$

$= 251.01 MPa$

• 답 : $251.01 MPa$

(2) 판정

$251.01 MPa \geq 240 MPa$ 이므로 합격

5 밀도 2.65g/cm³, 단위용적질량이 1,600kg/m³인 골재가 있다. 이 골재의 공극률(%)을 구하시오. (4점)

정답 **5**

$$100 - \left[\frac{1.6}{2.65} \times 100 \right] = 39.62\%$$

6 ALC(Autoclaved Light Weight Concrete) 경량기포 Concrete를 제조하는데 필요한 재료를 2가지 쓰고, 기포제조방법을 쓰시오. (3점)

(1) 주재료 : _____

(2) 기포제조방법 : _____

정답 **6**

(1) 주재료 :
  ① 규사(규산질 재료)
  ② 생석회(석회질 재료)
  ※ 시멘트
(2) 기포제조방법 : 발포제인 알미늄 분말과 기포안정제를 넣어서 제조함

7 콘크리트 구조물의 균열 발생시 보강방법은 표면복구방법과 구조적 보강방법으로 구분가능한데, 구조적 보강방법을 3가지 쓰시오. (3점)

① _____ ② _____

③ _____

정답 **7**

① 강판접착(접합)공법
② 앵카접착(접합)공법
③ 탄소섬유판 접착(접합)공법
※ 단면증가법

8 그림과 같은 헌치 보에 대하여, 콘크리트량과 거푸집 면적을 구하시오. (단, 거푸집 면적은 보의 하부면도 산출할 것) (6점)

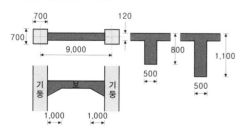

(1) 콘크리트

(2) 거푸집 면적

정답 **8**

(1) 콘크리트
• 계산과정 :
  ① 보 부분 : $0.5 \times 0.8 \times 8.3 = 3.32$m³
  ② 헌치 부분 :
    $\left(\frac{1}{2} \times 0.5 \times 0.3 \times 1 \right) \times 2$면 $= 0.15$m³
  ③ $3.32 + 0.15 = 3.47$
• 답 : 3.47[m³]
(2) 거푸집 면적
• 계산과정 :
  ① 보 옆 : $0.68 \times 8.3 \times 2$면 $= 11.288$m²
  ② 헌치 옆 :
    $\left[\left(\frac{1}{2} \times 0.3 \times 1 \right) \times 2$면$\right] \times 2$면 $= 0.15$m³
  ③ 보 밑 : $0.5 \times 8.3 = 4.15$m²
  ④ $11.288 + 0.6 + 4.15 = 16.038$
• 답 : 16.04[m²]

9 그림과 같은 철근콘크리트 보에서 중립축거리(c)가 250mm일 때 강도감소계수 ϕ 를 산정하시오. (단, ϕ 의 계산값은 소수셋째자리에서 반올림하여 소수 둘째자리까지 표현하시오.) (4점)

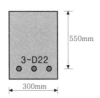

550mm

3-D22

300mm

정답 **9**

(1) $f_{ck} \leq 40MPa \rightarrow \varepsilon_{cu} = 0.0033$

(2) $\varepsilon_t = \dfrac{d_t - c}{c} \cdot \varepsilon_{cu}$

$= \dfrac{(550) - (250)}{(250)} \cdot (0.0033) = 0.00396$

$0.002 < \varepsilon_t (= 0.00396) < 0.005$

이므로 변화구간 단면의 부재이다.

(3) $\phi = 0.65 + (\varepsilon_t - 0.002) \times \dfrac{200}{3}$

$= 0.65 + [(0.00396) - 0.002] \times \dfrac{200}{3}$

$= 0.78$

10 철골의 내화피복 공법 중 습식공법을 설명하고 습식공법의 종류 2가지와 사용되는 재료 1가지를 적으시오. (4점)

(1) 습식공법 : _____

(2) 공법의 재료 : _____

(3) 사용재료 : _____

정답 **10**

(1) 습식공법 : 화재발생시 강재의 온도상승에 따른 강도저하를 방지하기 위하여 강재주위를 물을 혼합 사용하는 내화재료로 피복하는 공법

(2) 종류 : 타설공법, 조적공법

(3) 경량 콘크리트, 시멘트 벽돌(콘크리트 벽돌)

11 $H\text{-}400 \times 200 \times 8 \times 13$(필릿반지름 $r = 16mm$) 형강의 플랜지와 웨브의 판폭두께비를 구하시오. (4점)

(1) 플랜지

(2) 웨브

정답 **11**

(1) 플랜지
  • 계산과정 : $\dfrac{(200)/2}{(13)} = 7.69$

  • 답 : 7.69

(2) 웨브
  • 계산과정 : $\dfrac{(400) - 2(13) - 2(16)}{(8)}$

    $= 42.75$

  • 답 : 42.75

12 철근콘크리트슬래브와 강재 보의 전단력을 전달하도록 강재에 용접되고 콘크리트 속에 매입된 시어커넥터(Shear Connector)에 사용되는 볼트의 명칭을 쓰시오. (3점)

_____

정답 **12**

강재 앵커(Steel Anchor)

13 조적후 벽돌벽에 발생되는 백화현상 방지법을 3가지만 쓰시오. (3점)

① _____   ② _____

③ _____

[정답] 13
① 우중시공을 철저히 금지시킨다.
② 시공후 벽표면에 실리콘 뿜칠을 한다.
③ 줄눈시공시 방수제 사용, 사춤을 철저히 할 것
④ 소성이 잘된 벽돌을 사용한다.

14 석재공사 진행중 석재가 깨진 경우 이것을 접착할 수 있는 대표적인 접착제(재료)의 종류를 쓰시오. (3점)

_____

[정답] 14
에폭시(Epoxy) 수지 접착제 혹은 에폭시
※ 에폭시 수지

15 표준형벽돌 1,000장으로 1.5B 두께로 쌓을 수 있는 벽면적은? (단, 할증률은 고려하지 않는다.) (4점)

_____

[정답] 15
• 계산과정 : $1,000 \div 224 = 4,464$
• 답 : $4.46 m^2$

16 다음 금속공사에서 사용되는 철물이 뜻하는 용어를 설명하시오. (4점)

(가) Metal Lath : _____

(나) Punching Metal : _____

[정답] 16
(가) 얇은 철판에 자름금을 내어서 당겨 만든 것으로 벽, 천장의 미장 바름에 사용되는 철물
(나) 판두께 1.2mm 이하의 얇은 판에 각종 무늬의 구멍을 천공한 것으로 장식용, 라지에이터 커버 등에 사용되는 철물

17 VE의 사고방식에 대하여 4가지를 쓰시오. (4점)

① _____   ② _____

③ _____   ④ _____

[정답] 17
① 고정관념의 제거
② 사용자 중심의 사고(고객본위)
③ 기능중심의 접근(기능중심)
④ Team Design의 조직적 노력(집단사고)

18 다음 용어를 설명하시오. (4점)

(가) LCC(Life Cycle Cost) : _____

(나) VE(Value Engineering) : _____

19 그림과 같은 구조물에서 T부재에 발생하는 부재력을 구하시오. (단, 인장은 +, 압축은 -로 표시한다.) (3점)

1kN

20 x축에 대한 단면2차모멘트를 계산하시오. (3점)

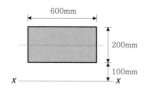

600mm

200mm

100mm

x ——————— x

21 다음 데이터를 네트워크공정표로 작성하시오. (6점)

작업명	작업일수	선행작업	비 고
A	5	없음	(1) 결합점에서는 다음과 같이 표시한다.
B	4	A	
C	2	없음	
D	4	없음	
E	3	C, D	(2) 주공정선은 굵은 선으로 표시한다.

정답 18

(가) 건축물의 기획, 설계, 시공, 유지관리, 해체의 전과정에 필요한 제비용을 합한 전생애 주기비용을 말함.

(나) 발주자가 요구하는 기능, 성능을 보장하면서 가장 저렴한 비용으로 공사를 수행하는 대안창출을 통한 원가절감기법(가치공학).

정답 19

$$\sum V = 0 : -(1) + (F_T \sin 30°) = 0$$

$$\therefore F_T = +2\text{kN}(인장)$$

정답 20

$$I_x = \frac{(600)(200)^3}{12} + (600 \times 200)(200)^2$$

$$= 5.2 \times 10^9 mm^4$$

정답 21

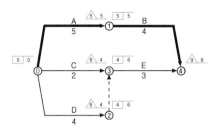

22 레미콘 공장을 현장에서 선정할 때 고려해야 할 유의사항을 3가지 쓰시오. (3점)

(1) _____   (2) _____

(3) _____

정답 22
(1) 콘크리트의 제조능력(공급능력)
(2) 품질관리 상태(품질관리 방법, 조직)
(3) 제조설비, 재료보관상태
※ 현장과의 거리(운반시간)

23 1방향슬래브의 두께가 250mm일 때 단위폭 1m에 대한 수축온도철근량과 D13($a_1 = 127\text{mm}^2$) 철근을 배근할 때 요구되는 배근개수를 구하시오. (단, $f_y = 400\text{MPa}$) (4점)

정답 23

• 계산과정 :
① $f_y = 400\text{MPa}$ 이하이므로 철근비 $\rho = 0.0020$

② $\rho = \dfrac{A_s}{bd}$ 로부터 $A_s = \rho \cdot bd = (0.0020)(1.000)(250) = 500mm^2$

③ 배근개수 $n = \dfrac{A_s}{a_1} = \dfrac{500}{127} = 3.937 \Rightarrow 4$개

$f_y = 400MPa$ 이하	$f_y = 400MPa$ 초과
$\rho = 0.0020$	$\rho = 0.0020 \times \dfrac{400}{f_y} \geq 0.0014$

• 답 : 4개

24 철골공사에서 다음 상황에 맞는 용접기호를 완성하시오. (6점)

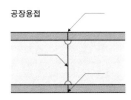
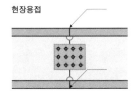

공장용접   현장용접

정답 **24**

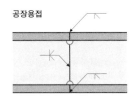
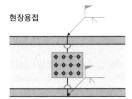

공장용접   현장용접

25 콘크리트 바탕 슬래브 위에 보기에 있는 항목을 이용하여 작업을 수행할 때 가장 적합한 시공순서대로 번호로 나열하시오. (4점)

| ① 무근콘크리트 | ② 고름모르타르 | ③ 목재데크 |
| ④ 보호모르타르 | ⑤ 시트방수 | |

정답 **25**

②-⑤-④-①-③

26 도장공사에서 유성니스(Vanish)에 사용되는 재료를 2가지 쓰시오. (2점)

① _____

② _____

정답 **26**

Vanish의 재료
① 유용성 수지
② 건성유
③ 희석제(미네랄 스프릿)
※ 혹은 휘발성 용제
④ 착색제(유성색 올림)

2020년 4회 출제문제

1 다음 평면도에서 평규준틀과 귀규준틀의 개수를 구하시오. (4점)

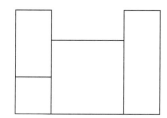

(1) 귀규준틀 : (   )개소

(2) 평규준틀 : (   )개소

2 지반조사시 실시하는 보링(Boring)의 종류를 3가지만 쓰시오. (3점)

① _____ ② _____

③ _____

3 슬러리 월(Slurry wall) 공사에서 사용되는 벤토나이트 용액의 사용목적(기능)에 대하여 2가지를 쓰시오. (4점)

① _____ ② _____

4 흙막이의 계측관리시 계측에 사용되는 측정기 중 3가지를 쓰시오. (3점)

(1) _____ (2) _____

(3) _____

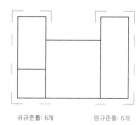

5 흐트러진 상태의 흙 10m³를 이용하여 10m²의 면적에 다짐 상태로 50두께를 터돋우기 할 때 시공완료된 다음의 흐트러진 상태의 토량을 산출하시오. (단, 이 흙의 $L=1.2$, $C=0.9$ 이다.) (3점)

정답 **5**

(1) 다져진 상태의 토량
$$= 10 \times \frac{0.9}{1.2} = 7.5$$

(2) 다져진 상태의 남는 토량
$$= 7.5 - (10 \times 0.5) = 2.5$$

(3) 흐트러진 상태의 토량
$$= 2.5 \times \frac{1.2}{0.9} = 3.333 \Rightarrow 3.33m^3$$

6 기초와 지정의 차이점을 기술하시오. (4점)

(1) 기초 : _____

(2) 지정 : _____

정답 **6**

(1) 건축물의 최하부에서 상부구조의 하중을 받아서 지반에 안전하게 전달시키는 구조부분
(2) 기초밑면을 보강하거나 지반의 지지력을 보강해주기 위한 부분

7 철근배근시 철근이음방식의 종류를 2가지 쓰시오. (4점)

(1) _____ (2) _____

정답 **7**

(1) 겹친이음
(2) 용접이음(가스압접이음)
(3) 기계식이음(Sleeve 압착이음)

8 콘크리트 배합시 잔골재를 세척해사로 사용했을 때 콘크리트의 염화물 함량을 측정한 결과 염소이온량이 0.3kg/m³∼0.6kg/m³이었다. 이때 철근콘크리트의 철근부식방지에 따른 유효한 대책을 3가지 쓰시오. (3점)

① _____ ② _____

③ _____

정답 **8**

① 콘크리트에 방청제 혼입
② 에폭시 코팅 철근사용
③ 골재에 제염제 혼합사용
④ 물시멘트비를 작게 한다.

9 섬유보강 콘크리트에 사용되는 섬유의 종류를 3가지 쓰시오. (3점)

① _____ ② _____

③ _____

정답 **9**

① 강섬유
② 유리섬유
③ 탄소섬유

10 매스콘크리트에서 콘크리트 재료의 일부나 전부를 미리 냉각시켜서 콘크리트 온도를 저온화 시키는 방법을 무엇이라고 하는가? (3점)

11 지름 300mm, 길이 500mm의 콘크리트 시험체의 쪼갬인장강도 시험에서 최대하중이 100kN으로 나타났다면 이 시험체의 인장강도를 구하시오. (3점)

12 철근콘크리트로 설계된 보에서 압축을 받는 D22 철근의 기본정착길이를 구하시오.(단, 경량콘크리트계수 $\lambda = 1$, $f_{ck} = 24MPa$, $f_y = 400MPa$) (3점)

13 철근콘크리트 기초판의 크기가 2m×4m일 때 단변방향으로의 소요전체철근량이 4,800mm²이다. 유효폭 내에 배근하여야 할 철근량을 구하시오. (3점)

14 철골공사 용접 중 다음에 설명하는 용접방법을 기재하시오. (4점)

(가) 한쪽 또는 양쪽부재의 끝을 용접이 양호하게 되도록 끝 단면을 비스듬히 절단하여 홈(개선)을 두고 그 사이에 용착금속을 채워서 용접하는 방법 :

_____

(나) 두 부재를 일정한 각도로 접합하는 방식으로 2개 이상의 판재를 겹치거나 T자형 +자형에서 삼각형 모양으로 접합부를 용접하는 방법 :

_____

정답 **10**

Pre Cooling 방법

정답 **11**

$$f_{sp} = \frac{2(100 \times 10^3)}{\pi(300)(500)} = 0.424 \Rightarrow 0.42 MPa$$

정답 **12**

$$l_{db} = \frac{0.25(22)(400)}{(1.0)\sqrt{(24)}} = 449.07$$

$$l_{db} = 0.043(22)(400) = 378.40$$

∴ 둘 중의 큰값이므로 449.07mm

정답 **13**

$$A_{s1} = A_{sL} \times \frac{2}{\beta + 1}$$

$$= (4,800) \cdot \frac{2}{\left(\dfrac{4}{2}\right) + 1} = 3,200 \Rightarrow 3,200 mm^2$$

정답 **14**

(가) 그루브(Groove) 용접
 ※ 맞댄용접
(나) 필릿(Fillet) 용접

15 철골부재 용접시 이음 및 접합부위의 용접선이 교차되어 재용접된 부위가 열영향을 받아 취약해지기 때문에 모재에 부채꼴 모양의 모따기를 한 것을 무엇이라 하며, 간단히 그 모양을 그림으로 도시하시오. (5점)

정답 **15**
(1) 스캘럽(Scallop)
(2) 그림 도시

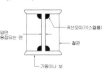

16 구조용(합성) 데크플레이트(Deck Plate) 구조에서 사용되는 쉬어 커넥터(Shear Connector)의 역할에 대하여 설명하시오. (3점)

정답 **16**
합성구조에서 양재간에 발생하는 전단력의 전달, 보강 및 일체성 확보 역할

17 철골조에서의 칼럼 쇼트닝(Column Shortening)에 대하여 기술하시오. (3점)

정답 **17**
철골조의 초고층 건물축조시 발생되는 기둥의 축소, 변위현상을 말한다.
• 발생이유 : 내 · 외부 기둥 구조의 차이, 재질이나 응력의 차이, 하중의 차이 때문

18 철골 주각부(Pedestal)는 고정주각, 핀주각, 매립형주각 3가지로 구분된다. 그림과 적합한 주각부의 명칭을 쓰시오. (6점)

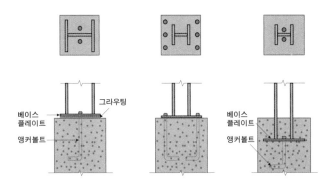

① _____   ② _____

③ _____

정답 **18**
① 핀주각
② 고정주각
③ 매입형주각

19 조적 블록벽체의 결함 중 습기, 빗물침투의 원인을 4가지만 적으시오. (4점)

① _____   ② _____

③ _____   ④ _____

[정답] **19**
① 줄눈의 시공 불량 및 균열
② 재료자체의 방수성 결여 및 보양불량
③ 물흘림, 물끊기, 비막이 미설치
④ 개구부 창호재 접합부의 시공불량

20 방수공법 중 콘크리트에 방수제를 직접 넣어서 방수하는 공법을 무엇이라고 하는가? (3점)

[정답] **20**
콘크리트 구체방수 공법

[보충설명] 콘크리트 구체방수 공법
(1) 콘크리트 제조시 Batcher plant나 운반트럭에 구체분말 방수재를 투입, 혼합하여서 콘크리트 자체의 방수성능을 극대화 하고, 또한 콘크리트에 유해성분 침투시 방청성능을 발휘하여 내구성 높은 고품질의 구조물을 얻을 수 있는 방수 시공법이다.
(2) 최근 공법으로 콘크리트용 구체 방수재와 액상형 침투성 방수재를 2차로 사용하여 방수성 등을 강화한 공법도 있다.

21 두꺼운 유리나 색유리에서 많이 발생하는 유리의 열파(열파손) 현상을 설명하시오. (4점)

[정답] **21**
유리의 중앙부와 유리 Frame이 면하는 주변부와의 온도차로 인한 팽창, 수축 차이 때문에 응력이 생겨서 유리가 파손되는 현상
※ 유리가 높은 열이나 급냉등 급격한 온도차이로 인한 팽창, 수축으로 파손되는 현상(깨지는 현상)

22 다음의 공사 관리 계약 방식에 대하여 설명하시오. (4점)

가. CM for Fee 방식 : _____

나. CM at Risk 방식 : _____

[정답] **22**
가. 대리인형 CM으로써, CM조직은 프로젝트 전반에 걸쳐 컨설턴트 역할만 수행하고, 보수를 받으며 공사결과에 대한 책임은 없는 수행 형태이다.
나. 시공자형 CM으로써, CM이 직접공사를 수행하거나 전문시공업자와 직접계약을 맺어 공사전반을 책임지는 형태이다.

23 민간 주도하에 Project(시설물) 완공 후 발주처(정부)에게 소유권을 양도하고 발주처의 시설물 임대료를 통하여서 투자비가 회수되는 민간투자사업 계약방식의 명칭은 무엇인가? (2점)

[정답] **23**
BTL(Build-Transfer-Lease)방식

24 히스토그램(Histogram)의 작성순서를 보기에서 골라 번호 순서대로 쓰시오. (3점)

    ―― 〈보 기〉――

   ① 히스토그램을 규격값과 대조하여 안정상태인지 검토한다.
   ② 히스토그램을 작성한다.
   ③ 도수분포도를 작성한다.
   ④ 데이터에서 최소값과 최대값을 구하여 범위를 구한다.
   ⑤ 구간폭을 정한다.
   ⑥ 데이터를 수집한다.

정답 **24**
⑥ → ④ → ⑤ → ③ → ② → ①

25 다음 데이터를 이용하여 정상공기를 산출한 결과 지정공기보다 3일이 지연되는 결과였다. 공기를 조정하여 3일의 공기를 단축한 네트워크공정표를 작성하고 아울러 총공사금액을 산출하시오. (10점)

작업명	선행작업	정상(Normal)		특급(Crash)		비　　고
		공기(일)	공비(원)	공기(일)	공비(원)	
A	없음	3	7,000	3	7,000	(1) 단축된 공정표에서 CP
B	A	5	5,000	3	7,000	는 굵은선으로 표시하
C	A	6	9,000	4	12,000	고, 결합점에서는 다음
D	A	7	6,000	4	15,000	과 같이 표시한다.
E	B	4	8,000	3	8,500	
F	B	10	15,000	6	19,000	
G	C, E	8	6,000	5	12,000	(2) 정상공기는 답지에 표기
H	D	9	10,000	7	18,000	하지 않고 시험지 여백
I	F, G, H	2	3,000	2	3,000	을 이용할 것

(1) 네트워크공정표

(2) 총공사금액 산정

정답 25

(1)

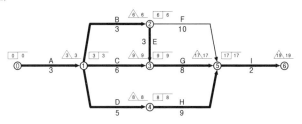

(2) 22일 표준공사비 + 3일 단축 시 추가공사비 = 69,000 + 8,500 = 77,500원

	단축대상	추가비용
21일	E	500
20일	B+D	4,000
19일	B+D	4,000

26 그림과 같은 캔틸레버 보의 A점으로부터 우측으로 4m 위치인 C점의 전단력과 휨모멘트를 구하시오. (4점)

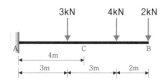

정답 26

$$V_{C,Right} = -[-(2) - (4)] = +6kN(↑↓)$$

$$M_{C,Right} = -[+(4)(2) + (2)(4)] = -16kN \cdot m(\cap)$$

2020년 5회 출제문제

1 공사를 수행할 때 시공자는 환경관리와 친환경시공과 관련된 환경관리 계획서를 발주자 또는 담당원에게 제출을 하여 승인을 받아야 하는데, 이 환경관리 계획서에 포함될 항목을 4가지 서술하시오. (4점)

(1) _____ (2) _____

(3) _____ (4) _____

2 다음이 설명하는 시공기계를 쓰시오. (4점)

> (1) 사질지반의 굴착이나 지하연속벽, 케이슨 기초 같은 좁은 곳의 수직굴착에 사용되며, 토사채취에도 사용된다. 최대 18m 정도 깊이까지 굴착이 가능하다.
> (2) 지반보다 높은 곳(기계의 위치보다 높은 곳)의 굴착에 적합한 토공장비

(1) _____ (2) _____

3 어떤 골재의 비중이 2.65, 단위체적질량 1,800kg/m³이라면 이 골재의 실적률을 구하시오. (3점)

_____

4 수중콘크리트 타설 시 콘크리트 피복두께를 얼마 이상으로 하여야 하는가? (2점)

_____

5 미장공사와 관련된 다음 용어 설명. (4점)

손질 바름 : _____

실러 바름 : _____

정답 **5**

- 손질 바름 : 콘크리트, 콘크리트 블록 바탕에서 초벌바름 전에 마감두께를 균등하게 할 목적으로 모르타르 등으로 미리 요철을 조정하는 것
- 실러 바름 : 바탕의 흡수 조정, 바름재와 바탕과의 접착력 증진 등을 위하여 합성수지 에멀션 희석액 등을 바탕에 바르는 것

6 다음과 같은 연속 대칭 T형보의 유효폭(b_e)을 구하시오. (단, 보 경간(Span): 6,000mm, 복부폭(b_w): 300mm) (4점)

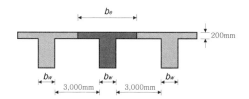

정답 **6**

① $16t_f + b_w = 16(200) + 300 = 3,500mm$

② 양쪽 슬래브 중심간 거리

$$= \frac{\left(\dfrac{300}{2} + 3,000 + \dfrac{300}{2}\right)}{2}$$

$$+ \frac{\left(\dfrac{300}{2} + 3,000 + \dfrac{300}{2}\right)}{2} = 3,300mm$$

③ 보 경간(Span)의 $\dfrac{1}{4}$

$$= 6,000 \times \frac{1}{4} = 1,500mm \Leftarrow 지배$$

7 조적조 벽면에 나타나는 백화현상에 대하여 설명하시오. (4점)

_____

정답 **7**

Mortar 중의 석회분이 공기중 CO_2 가스와 결합하여 탄산석회로 유출되어 조적 벽면에 흰가루가 돋는 현상

8 목재를 건조하기 위해 사용되는 인공건조법을 3가지 쓰시오. (3점)

① _____ ② _____

③ _____

정답 **8**

① 대류법(증기법)
② 송풍법
③ 고주파법(진공법)

9 다음이 설명하는 용어를 쓰시오. (3점)

> 특수화학제를 첨가한 레디믹스트몰탈(Ready Mixed Mortar)에 대리석분말이나 세라믹분말제를 혼합한 재료를 물과 혼합하여 1~3mm 두께로 바르는 것

[정답] **9**
수지미장 혹은 수지 플라스터 바름

10 탑다운공법(Top-Down Method)은 지상이 협소한 대지에서 작업공간이 부족하여도 공간을 활용하여 작업을 행할 수 있는데 그 이유를 기술하시오. (3점)

[정답] **10**
역타공법은 1층 바닥판을 선시공하여서 이것을 작업장으로 활용하므로 협소한 대지에서도 효율적인 공간 활용이 가능한 공법이다.

11 마이크로 말뚝(Micro Pile)의 정의와 장점을 2가지 기술하시오. (4점)

(1) 정의 : _____

(2) 장점 :

　① _____ ② _____

[정답] **11**
(1) 소구경 천공장비로 천공 후 철근이나 강봉을 삽입하여 시멘트 밀크를 주입해 조성하는 300mm 이하의 소구경 말뚝을 말함.
(2) 장점
　① 협소한 작업공간에서 작업이 가능하다.
　② 길이 제한이 없다.
※ 기타
① 확실한 지지력이 확보된다.
② 시공시 주변 이완이 없다.
③ 소음, 진동 최소화로 도심지 공사에 적합하다.

12 다음 보기의 미장재료에서 기경성과 수경성 재료를 구분하여 쓰시오. (4점)

> 회반죽, 돌로마이트 플라스터, 순석고 플라스터, 진흙, 시멘트 모르타르, 석고 플라스터

(가) 기경성 미장재료 : _____

(나) 수경성 미장재료 : _____

[정답] **12**
가. 기경성 : 회반죽, 돌로마이트 플라스터, 진흙
나. 수경성 : 순석고 플라스터, 시멘트 모르타르, 석고 플라스터

13 다음 데이터를 네트워크공정표로 작성하시오.(8점)

작업명	작업일수	선행작업	비 고
A	5	없음	
B	2	없음	
C	4	없음	(1) 결합점에서는 다음과 같이 표시한다.
D	5	A, B, C	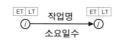
E	3	A, B, C	
F	2	A, B, C	
G	2	D, E	(2) 주공정선은 굵은 선으로 표시한다.
H	5	D, E, F	
I	4	D, F	

정답 **13**

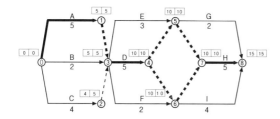

14 다음 용어를 간단히 설명하시오. (4점)

가. Low-E(로이) 유리(저방사유리) : _____

나. 단열 간봉 : _____

정답 **14**

가. Low-Emissivity Glass의 약칭으로 유리의 한쪽 표면에 얇은 은막(Ag)을 입힌 일종의 열선 반사유리를 말한다. 가시광선 투과율이 높고 열선의 투과율은 낮은 에너지절약형 유리이다.

나. 복층유리에서 유리간격을 일정하게 유지하며, 유리 단부의 결로를 방지하고 단열성능을 향상 시켜주는 재료(Spacer)

※ 단열강봉의 기능
① 유리간격 유지 및 고정
② 흡습제 저장기능
③ 유리내부 가스유출 및 수분침투 방지

15 민간 주도하에 Project(시설물) 완공 후 발주처(정부)에게 소유권을 양도하고 발주처의 시설물 임대료를 통하여서 투자비가 회수되는 민간투자사업 계약방식의 명칭은 무엇인가? (3점)

정답 **15**
BTL(Build-Transfer-Lease) 방식

16 철골공사 중 사용되는 용접접합의 단점을 2가지 기술하시오. (4점)

(1) _____   (2) _____

정답 **16**
(1) 용접의 숙련공이 필요하다.
(2) 용접부 결함 검사가 어렵다.
※ 기타
① 용접열에 의한 변형 발생이 우려된다.
② 수정, 재시공이 어렵다.

17 철골공사의 절단가공에서 절단방법의 종류를 3가지 쓰시오. (3점)

① _____   ② _____

③ _____

정답 **17**
① 전단절단
② 톱절단
③ 가스절단

18 온도조절 철근(Temperature Bar)의 배근목적에 대하여 간단히 설명하시오. (2점)

_____

정답 **18**
온도변화와 콘크리트 수축에 의한 균열을 줄이기 위하여 배근하는 보강철근

19 보통골재를 사용한 콘크리트 설계기준강도 $f_{ck} = 24MPa$, 철근의 탄성계수 $E_S = 200,000MPa$ 일 때 콘크리트 탄성계수 및 탄성계수비를 구하시오. (4점)

(1) 콘크리트 탄성계수: _____

(2) 탄성계수비: _____

정답 **19**
(1) $E_c = 8,500 \cdot 3\sqrt{(24)+(4)} = 25,811MPa$

(2) $n = \dfrac{E_S}{E_c} = \dfrac{(200,000)}{(25,811)} = 7.74863 \Rightarrow n = 7.75$

20 그림과 같은 창고를 시멘트벽돌로 신축하고자 할 때 벽돌쌓기량(매), 내외벽 시멘트 미 장할 때 미장면적을 구하시오. (10점)

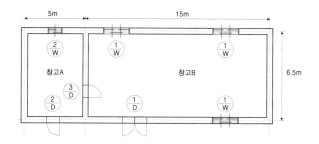

단, 1) 벽두께는 외벽 1.5B 쌓기, 칸막이벽 1.0B 쌓기로 하고 벽높이는 안팎 3.6m 로 가정하며, 벽돌은 표준형(190×90×57)으로 할증률은 5%.

    2) 창문틀 규격: $\dfrac{1}{D}$: 2.2×2.4m $\dfrac{2}{D}$: 0.9×2.4m $\dfrac{3}{D}$: 0.9×2.1m

                          $\dfrac{1}{W}$: 1.8×1.2m $\dfrac{2}{W}$: 1.2×1.2m

(1) 벽돌량:

(2) 미장면적:

21 다음의 거푸집 공법을 간단히 설명하시오. (4점)

(1) 슬라이딩 폼(Sliding Form) : _____

(2) 터널폼(Tunnel Form) : _____

정답 **20**

(1) 벽돌량:

① 1.5B : [{(20+6.5)×2×3.6}-{(1.8×1.2×3 개)+(1.2×1.2)+(2.2×2.4)+(0.9 ×2.4)}]×224＝39,298.51

② 1.0B : {(6.5-0.29)×3.6-(0.9×2.1)}×149 ＝3,049.4

③ 소요 벽돌량 : (39,298.5+3,049.4)×1.05 ＝44,465.2⇒ 44,466매

(2) 미장면적:

① 외부 : [{(20+0.29)+(6.5+0.29)}×2× 3.6]-{(1.8×1.2×3개)+(1.2× 1.2)+(2.2×2.4)+(0.9×2.4)} ＝179.616

② 내부 : {(14.76+6.21)×2+(4.76+6.21)× 2}×3.6-{(1.8×1.2×3개)+(1.2× 1.2)+(2.2×2.4)+ (0.9×2.1×2개)}＝210,828

③ 합계 : 179.616+210.828＝390.444 ⇒ 390.44mm²

정답 **21**

(1) 높이 1~1.2m 정도의 조립된 거푸집을 Yoke (요오크)로 끌 어올리면서 연속타설하는 수 직활동 거푸집공법으로 곡물 창고(Silo) 등의 시공에 적합 하다.

(2) 대형 형틀로서 슬래브와 벽체 의 콘크리트 타설을 일체화하 기 위한 것으로 한 구획 전체 의 벽판과 바닥판을 ㄱ자형 또 는 ㄷ자형으로 짜서 아파트 공 사 등에 사용하는 거푸집

22 수직 거푸집을 설치하고 콘크리트를 타설할 때 거푸집에 작용하는 측압을 도식화하시오. (4점)

(1) 1차 타설	(2) 2차 분할타설	(3) 2차 타설

정답 22

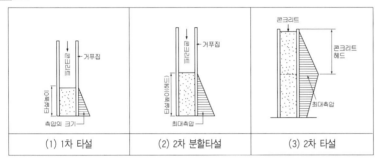

(1) 1차 타설	(2) 2차 분할타설	(3) 2차 타설

23 고강도 콘크리트의 폭렬현상에 대하여 설명하시오. (3점)

_____

정답 23

내·외부의 조직이 치밀한 고강도 콘크리트에서 화재발생시 고압의 수증기가 외부로 분출되지 못하여 콘크리트가 폭파되듯이 터지는 현상

24 다음 그림과 같은 트러스의 명칭을 쓰시오. (4점)

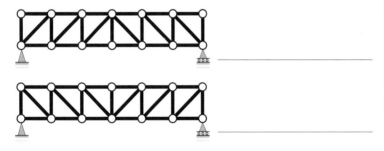

_____

_____

정답 24

하우(Howe) 트러스

프랫(Pratt) 트러스

25 부재 단면에 비틀림이 생기지 않고 휨변형만 유발하는 위치를 무엇이라 하는가? (2점)

26 다음과 같은 조건의 외력에 대한 **휨균열모멘트강도**(M_{cr})를 구하시오. (4점)

— 〈조 건〉 —

- 단면 크기 : $b \times h = 300\text{mm} \times 600\text{mm}$
- 보통중량콘크리트 설계기준 압축강도 $f_{ck} = 30MPa$,
  철근의 항복강도 $f_y = 400MPa$

2021년 1회 출제문제

1 다음 지반탈수공법의 명칭을 쓰시오. (4점)

(1) 점토질지반의 대표적인 탈수공법으로서 지반에 지름 40~60cm의 구멍을 뚫고 모래를 넣은 후, 성토 및 기타 하중을 가하여 점토질 지반을 압밀하므로써 탈수하는 공법을 무슨 공법이라고 하는가?

(2) 사질지반의 대표적인 탈수공법으로서 직경 약 20cm 특수파이프를 상호 2m 내외 간격으로 관입하여 모래를 투입한 후 진동다짐하여 탈수통로를 형성시켜서 탈수하는 공법을 무슨 공법이라고 하는가?

(1) _____ (2) _____

2 다음 용어를 설명하시오. (4점)

(1) 기준점 : _____

(2) 방호선반 : _____

3 콘크리트 구조물의 압축강도를 추정하고 내구성 진단, 균열의 위치, 철근의 위치 등을 파악하는데 있어서 구조체를 파괴하지 않고, 비파괴적인 방법으로 측정하는 검사방법을 3가지 쓰시오. (3점)

① _____ ② _____

③ _____

4 흙의 함수량 변화와 관련하여 ( ) 안을 적당한 용어로 채우시오. (2점)

흙이 소성 상태에서 반고체 상태로 옮겨지는 경계의 함수비를 (①)라 하고, 액성 상태에서 소성 상태로 옮겨지는 함수비를 (②)라고 한다.

① _____ ② _____

5 다음 조건으로 요구하는 산출량을 구하시오. (단, $L=1.3$, $C=0.9$) (9점)

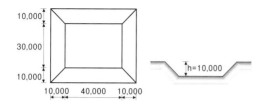

(1) 터파기량을 산출하시오.

(2) 운반대수를 산출하시오. (운반대수는 1대, 적재량은 12m³)

(3) 5,000m²의 면적을 가진 성토장에 성토하여 다짐할 때 표고는 몇 m인지 구하시오. (비탈면은 수직으로 가정한다.)

[정답] **5**

(1) $V = \dfrac{10}{6}[(2 \times 60 + 40) \times 50 +$
$(2 \times 40 + 60) \times 30] = 20,333.333$

(2) $\dfrac{20,333.33 \times 1.3}{12} = 2,202.777$

(3) $\dfrac{20,333.33 \times 0.9}{5,000} = 3.659$

6 다음이 설명하는 적당한 벽돌 쌓기 방법을 쓰시오. (2점)

(가) 담 또는 처마 부부에 내쌓기를 할 때 45도 각도로 모서리면이 돌출되어 나오도록 쌓는 방법 :

(나) 난간벽과 같이 상부 하중을 지지하지 않는 벽에 있어서 장식적인 효과를 기대하기 위하여 벽체에 구멍을 내어 쌓는 방법 :

[정답] **6**
(가) 엇모쌓기
(나) 영롱쌓기

7 다음 설명에 해당하는 흙파기공법의 명칭을 쓰시오. (4점)

(가) 구조물 측벽이나 주열선 부분만을 먼저 파내고 그 부분의 기초와 지하구조체를 축조한 다음 중앙부의 나머지 부분을 파내어 지하구조물을 완성하는 공법 :

(나) 중앙부의 흙을 먼저 파고, 그 부분에 기초 또는 지하구조체를 축조한 후, 이것을 지점으로 흙막이 버팀대를 경사지게 또는 수평으로 가설하여 널말뚝 부근의 흙을 파내고 지하 구조체를 완성하는 공법 :

[정답] **7**
(가) 트렌치컷 공법
(나) 아일랜드컷 공법

8 재령 28일 콘크리트 표준공시체(ϕ 150mm×300mm)에 대한 압축강도시험 결과 파괴 하중이 500kN일 때 압축강도 f_c(MPa)를 구하시오. (3점)

정답 **8**

$$f_c = \frac{P}{A} = \frac{P}{\dfrac{\pi D^2}{4}} = \frac{(500 \times 10^3)}{\dfrac{\pi (150)^2}{4}}$$

$$= 28.294 N/mm^2 = 28.294 MPa$$

9 굵은골재의 최대치수 25mm, 4kg을 물속에서 채취하여 표면건조내부포수상태의 질량이 3.95kg, 절대건조질량이 3.60kg, 수중에서의 질량이 2.45kg일 때 흡수율과 밀도를 구하시오. (단, 물의 밀도: 1g/cm³) (6점)

  (1) 흡수율 :

  (2) 표건상태 밀도 :

  (3) 겉보기 밀도 :

정답 **9**

(1) $\dfrac{3.95 - 3.60}{3.60} \times 100 = 9.72\%$

(2) $\dfrac{3.95}{3.95 - 2.45} = 2.63 g/cm^3$

(3) $\dfrac{3.60}{3.60 - 2.45} = 3.13 g/cm^3$

10 BOT(Build-Operate-Transfer contract)방식을 설명하시오. (3점)

정답 **10**

민간부분 수주측이 설계, 시공 후 일정기간 시설물을 운영하여 투자 금을 회수하고 시설물과 운영권을 무상으로 발주측에 이전하는 방식

11 알루미늄 거푸집을 일반합판 거푸집과 비교하여 골조품질과 거푸집 해체 작업시 발생 될 수 있는 장점에 대하여 설명하시오. (2점)

  (1) 골조품질 :

  (2) 해체작업 :

정답 **11**

(1) 골조의 수직, 수평의 정밀도가 우수하며, 면처리(견출) 작업 이 감소된다.
(2) 거푸집 해체시 소음이 감소되 고, 해체작업의 안정성이 향상 된다.

12 철근콘크리트공사에 이용되는 스페이서(Spacer)용도에 대하여 쓰시오. (2점)

_____

_____

13 안방수와 바깥방수의 차이점을 3가지 이상 설명하시오. (3점)

(1) _____

(2) _____

(3) _____

14 두꺼운 유리나 색유리에서 많이 발생하는 유리의 열파(열파손) 현상을 설명하시오.

_____

_____

15 목공사에서 방충 및 방부처리된 목재를 사용해야 하는 경우를 2가지 쓰시오. (4점)

(1) _____

(2) _____

16 TQC의 7도구에 대한 설명이다. 해당되는 도구명을 쓰시오. (3점)

(1) 계량치의 데이터가 어떠한 분포를 하고 있는지 알아보기 위하여 작성하는 그림

(2) 불량 등 발생건수를 분류항목별로 나누어 크기 순서대로 나열해 놓은 그림

(3) 결과에 원인이 어떻게 관계하고 있는가를 한 눈에 알 수 있도록 작성한 그림

정답 **12**
바닥이나 벽 철근이 거푸집에 밀착되는 것을 방지하는 간격재(굄재) 용도
※ 피복두께유지 및 철근간격 유지 용도

정답 **13**
(1) 안방수는 공사가 간단하나 바깥방수는 복잡하다.
(2) 안방수는 보호누름이 필요하나 바깥방수는 없어도 된다.
(3) 안방수는 비교적 저렴하고 바깥방수는 비교적 고가이다.

정답 **14**
유리의 중앙부와 유리 Frame이 면하는 주변부와의 온도차이로 인한 팽창, 수축 차이 때문에 응력이 생겨서 유리가 파손되는 현상

정답 **15**
(1) 외부의 버팀기둥을 구성하는 목재 부위면
(2) 급,배수시설에 인접한 목재로써 부식우려가 있는 부분
※ 납작마루틀의 멍에, 장선

정답 **16**
(1) 히스토그램
(2) 파레토도
(3) 특성요인도

17 다음 데이터를 네트워크공정표로 작성하고, 각 작업의 여유시간을 구하시오.(10점)

작업명	작업일수	선행작업	비 고
A	3	없음	
B	4	없음	
C	5	없음	(1) 결합점에서는 다음과 같이 표시한다.
D	6	A, B	
E	7	B	
F	4	D	
G	5	D, E	(2) 주공정선은 굵은 선으로 표시한다.
H	6	C, F, G	
I	7	F, G	

① 네트워크 공정표   ② 여유시간 산정

정답 **17**

① 네트워크 공정표

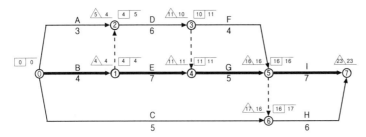

② 여유시간 산정

작업명	TF	FF	DF	CP
A	2	1	1	
B	0	0	0	※
C	12	11	1	
D	1	0	1	
E	0	0	0	※
F	2	2	0	
G	0	0	0	※
H	1	1	0	
I	0	0	0	※

18 경량 철골 칸막이 공사에 관한 내용이다. 보기의 항목을 이용하여 순서대로 번호로 나열하시오. (4점)

       ┌──── 〈보 기〉 ────
       ① 벽체틀 설치   ② 단열재 설치   ③ 바탕 처리
       ④ 석고보드 설치   ⑤ 마감(벽지마감)

정답 **18**

③ - ① - ② - ④ - ⑤

19 다음 용어를 간단히 설명하시오. (4점)

(1) 데크 플레이트 (Deck plate) :

(2) 쉬어 커넥터 (Shear Connector) :

정답 **19**

(1) 철골 철근콘크리트 구조에서 아연도철판을 절곡해서 만든 하부거푸집판 용도로써 사용되는 골철판을 말한다.
(2) 합성구조에서 양재간에 발생하는 전단력의 전달, 보강 및 일체성 확보를 위해 설치하는 연결재료

20 종합 심사낙찰제도에 관하여 간단히 설명하시오. (2점)

정답 **20**

사회적 책임점수를 포함한 공사수행 능력점수와 입찰금액 점수를 합산하여 가장 높은 점수를 획득한 입찰자를 낙찰시키는 제도

21 한중콘크리트 초기 양생 시 주의해야 할 점 3가지를 쓰시오. (3점)

(1) _____
(2) _____
(3) _____

정답 **21**

(1) 5℃ 이상 유지하여 초기양생한다.
(2) 초기강도 5MPa까지는 반드시 보양
(3) 초기 보호양생 종료시 급속한 온도 저하 방지
※ 평균기온이 연속 2일 이상 5℃ 미만인 경우는 가열보온 양생을 고려한다.

22 건축공사 표준시방서에 따른 금속재 커튼월과 관련된 Mock-up Test(실물대 모형시험)의 시험항목을 4가지 쓰시오. (4점)

① _____ ② _____
③ _____ ④ _____

정답 **22**

① 예비시험
② 기밀시험
③ 정압수밀시험
④ 동압수밀시험
※ 구조시험

23 굳지않는 콘크리트의 성질을 설명한 다음 내용에 적합한 용어를 쓰시오. (2점)

(1) 단위 물량 다소에 따르는 혼합물의 묽기정도 (   )

(2) 작업의 난이정도, 재료분리에 저항하는 정도 (   )

정답 **23**
(1) 반죽질기(Consistency)
(2) 시공연도(Workability)

24 강구조 접합부에서 전단접합과 강접합을 도식하고 설명하시오. (6점)

전단접합	모멘트접합

정답 **24**

전단접합	모멘트접합
웨브만 접합한 형태로서 휨모멘트에 대한 저항력이 없어 접합부가 자유로이 회전하며 기둥에는 전단력만 전달	웨브와 플랜지를 접합한 형태로서 휨모멘트에 대한 저항능력을 가지고 있어 보와 기둥의 휨모멘트가 강성에 따라 분배됨

25 그림과 같은 설계조건에서 플랫슬래브 지판(Drop Panel, 드롭 패널)의 최소두께를 산정하시오. (단, 슬래브 두께 t_f 는 200mm) (4점)

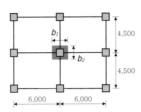

(1) 지판의 최소 크기 :

(2) 지판의 최소 두께 :

정답 **25**

(1) $b_1 = \dfrac{(6,000)}{6} + \dfrac{(6,000)}{6} = 2,000$,

    $b_2 = \dfrac{(4,500)}{6} + \dfrac{(4,500)}{6} = 1,500$

    $\therefore b_1 \times b_2 = 2,000mm \times 1,500mm$

(2) $h_{min} = \dfrac{t_f}{4} = \dfrac{(200)}{4} = 50mm$

26 그림과 같은 하중이 작용하는 3-Hinge 라멘구조물의 휨모멘트도를 그리시오.(3점)
(단, 라멘구조 바깥은 -, 안쪽은 +이며, 이를 그림에 표기할 것)

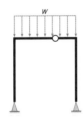

정답 **26**

2021년 2회 출제문제

1 시멘트 500포의 공사현장에서 필요한 시멘트 창고의 면적을 구하시오. (단, 쌓기 단수는 12단) (3점)

2 지반개량공법 중 Sand drain 공법에 대하여 설명하시오. (3점)

_____

_____

3 역타설 공법(Top-Down Method)의 장점을 3가지 쓰시오. (3점)

① _____   ② _____

③ _____

4 다음에 제시한 흙막이 구조물 계측기 종류에 적합한 설치 위치를 한가지씩 기입하시오. (4점)

① 하중계 : _____

② 토압계 : _____

③ 변형율계 : _____

④ 경사계 : _____

5 다음의 용어를 설명하시오. (4점)

(1) 슬럼프 플로(Slump flow) : _____

_____

(2) 조립률 : _____

정답 5

(1) 굳지 않은 콘크리트의 유동성을 나타내는 지표, 슬럼프 콘을 들어 올린 후 원형으로 퍼진 콘크리트의 직경을 측정

(2) 10개체를 1조로 체가름시험을 하였을 때 각체에 남는 누적중량백분율의 합을 100으로 나눈 값을 말한다.

6 고강도 콘크리트 화재 시 발생하는 폭렬현상의 방지책 2가지를 쓰시오. (4점)

① _____

② _____

정답 6

① 합성섬유(유기섬유)를 혼입 (섬유보강 콘크리트로 한다.)

② 콘크리트 피복두께의 증가

③ 내화피복을 하거나 단열시공

7 콘크리트 응결 경화시 콘크리트 온도 상승 후 냉각하면서 발생하는 온도균열방지 대책 3가지를 쓰시오. (3점)

① _____ ② _____

③ _____

정답 7

① 단위시멘트 사용량을 가능한 작게 한다.

② 수화열이 낮은 시멘트를 사용

③ 프리쿨링, 파이프 쿨링 등에 의해 온도제어

④ 골재나 물을 냉각시켜 사용한다.

⑤ 콘크리트 타설온도를 낮출 것

8 다음 ( ) 안에 알맞은 용어나 수치를 기재하시오. (3점)

• 높은 외부기온으로 인하여 콘크리트의 슬럼프 저하나 수분의 급격한 증발 등의 염려가 있을 경우에 시공되는 콘크리트로서 하루 평균 기온이 25℃를 초과하는 경우 (①) 콘크리트로 시공하여야 하며, 콘크리트는 비빈 후 즉시 타설하여야 하며, KS F 2560의 지연형 감수제를 사용하는 등의 일반적인 대책을 강구한 경우라도 (②)시간 이내에 타설하여야 한다. 또한 타설할 때의 콘크리트의 온도는 (③)℃ 이하이어야 한다.

정답 8

① 서중(하절기)

② 1.5

③ 35

9 철근콘크리트 보의 총처짐(mm)을 구하시오. (4점)

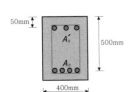

- 즉시처짐 20mm
- 지속하중에 따른 시간경과계수: $\xi = 2.0$
- 압축철근량 $A_s' = 1,000mm^2$

정답 **9**

(1) $\lambda_\Delta = \dfrac{(2.0)}{1 + 50\left(\dfrac{1,000}{400 \times 500}\right)} = 1.6$

(2) 장기처짐 = 탄성처짐 $\times \lambda_\Delta$
   $= (20)(1.6) = 32mm$

(3) 총처짐 = $(20) + (32) = 52mm$

---

10 그림과 같이 배근된 철근콘크리트 기둥에서 띠철근의 최대 수직간격을 구하시오. (3점)

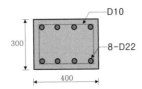

정답 **10**

(1) $22mm \times 16 = 352mm$

(2) $10mm \times 48 = 480mm$

(3) 기둥의 최소폭: $300mm \times \dfrac{1}{2}$
   $= 150mm$

(4) $200mm$ ← 지배

---

11 그림과 같은 용접부의 기호에 대해 기호의 수치를 모두 표기하여 제작 상세를 도시하시오. (단, 기호의 수치를 모두 표기해야 함) (4점)

정답 **11**

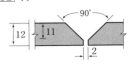

※ 보충설명
① v형 맞댄용접임
   (개선각 : 화살표쪽 90°)
② 목두께 12mm
③ 홈깊이(개선깊이) 11mm
④ Root 간격 2mm

12 용접결함의 종류 중 아래의 결함을 그림으로 도시하시오.

(1) 언더컷(Under Cut)   (2) 오버랩(Over Lap)

[정답] **12**

(1)
빈틈

(2)
겹침

13 강구조에서 메탈터치(Metal Touch)에 대한 개념을 간략하게 그림을 그려서 정의를 설명하시오. (4점)

[정답] **13**

강구조 기둥의 이음부를 가공하여 상하부 기둥 밀착을 좋게 하며 축력의 50%까지 하부 기둥 밀착면에 직접 전달시키는 이음방법

14 철골공사에서 앵커볼트 매입공법의 종류를 3가지 쓰시오. (3점)

① _____   ② _____

③ _____

[정답] **14**
① 고정 매입법
② 가동 매입법
③ 나중 매입법

15 1단 자유, 타단 고정, 길이 2.5m인 압축력을 받는 H-100×100×6×8 기둥의 탄성 좌굴하중을 구하시오. (단, $I_x = 383 \times 10^4 mm^4$, $I_y = 134 \times 10^4 mm^4$, $E = 205,000 MPa$) (4점)

[정답] **15**

$$P_{cr} = \frac{\pi^2 (205,000)(134 \times 10^4)}{[(2)(2,500)]^2}$$
$$= 108,447N = 108.447kN$$

16 다음 ( ) 안에 적당한 단어나 수치를 기재하시오. (5점)

- 벽돌쌓기시 가로 및 세로줄눈의 너비는 (가)mm를 표준으로 하고, 도면 또는 공사시방서에서 정한 바가 없을 때에는 영식 쌓기 또는 (나) 쌓기로 한다.

- 하루의 쌓기 높이는 (다)m를 표준으로 하고, 최대 (라)m 이하로 한다. 또한 벽돌벽이 블록벽과 서로 직각으로 만날 때에는 연결철물을 만들어 블록 (마)단마다 보강하여 쌓는다.

17 벽돌벽의 표면에 생기는 백화현상의 방지대책을 4가지 쓰시오. (4점)

① _____ ② _____

③ _____ ④ _____

18 목재의 방부처리방법을 세가지 쓰고, 그 내용을 간단히 설명하시오. (3점)

(1) _____

(2) _____

(3) _____

19 보기의 내용을 이용하여 목재 동바리 마루틀 설치 순서를 순서대로 쓰시오. (4점)

───〈보 기〉───
동바리, 장선, 멍에, 마룻널, 동바리돌

참고사항 1층 목재마룻널 설치순서

(1) 동바리마루	동바리돌 → 동바리 → 멍에 → 장선 → 마루널
(2) 납작마루	동바리돌 → 멍에 → 장선 → 마루널

정답 **16**
(가) 10
(나) 화란식
(다) 1.2
(라) 1.5
(마) 3

정답 **17**
① 우중시공을 철저히 금지시킨다.
② 시공후 벽표면에 실리콘 뿜칠을 한다.
③ 줄눈시공시 방수제 사용, 사춤을 철저히 할 것
④ 소성이 잘된 벽돌을 사용한다.

정답 **18**
(1) 주입법 : 방부제를 상압주입이나 가압하여 나무깊이 주입하는 방법
(2) 도포법 : 방부제칠이나 유성페인트, 아스팔트재료 등을 칠하는 방법
(3) 표면탄화법 : 목재표면 3~4mm정도를 태워 수분을 제거하는 방법

정답 **19**
동바리돌 - 동바리 - 멍에 - 장선 - 마룻널

20 다음 도면을 보고 옥상방수면적(m²), 누름콘크리트량(m³), 보호벽돌량(매)를 구하시오. (단, 벽돌의 규격은 190×90×57) (6점)

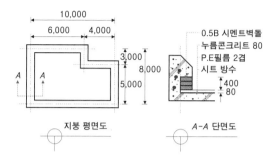

지붕 평면도　　　　　　　　A–A 단면도

(1) 옥상방수 면적:

(2) 누름콘크리트량:

(3) 보호벽돌 소요량:

21 수장공사와 관련된 다음 (　) 안에 적합한 수치를 써 넣으시오. (4점)

- 반자틀받이 행거를 고정하는 달대볼트는 천장재가 떨어지지 않도록 인서트, 용접 등의 적절한 공법으로 설치한다. 달대볼트는 주변부의 단부로부터 150mm 이내에 배치하고 간격은 900mm 정도로 한다. 천장 깊이가 1.5m 이상인 경우에는 가로, 세로 (　가　)m 정도의 간격으로 달대볼트의 흔들림방지용 보강재를 설치한다.

- 현장타설 콘크리트 및 프리캐스트 콘크리트 부재에 설치할 경우, 미리 설치한 강제 인서트나 앵커볼트에 달대볼트를 반자틀 받이에 대해 (　나　)mm 간격 이내로 설치하고, 또한 재하에 대해서 충분한 내력이 확보되도록 한다.

22 다음이 설명하는 용어를 쓰시오. (2점)

> 수장공사 시 바닥에서 1m~1.5m 정도의 높이까지 널을 댄 것

---

(1) 옥상방수 면적
$: (6\times8)+(4\times5)+\{(10+8)\times2\times$
$\quad 0.48\}=85.28\text{m}^2$

(2) 누름콘크리트량
$: \{(6\times8)+(4\times5)\}\times0.08=5.44\text{m}^3$

(3) 보호벽돌 소요량
$: \{(10-0.09)+(8-0.09)\}\times2\times0.4\times$
$\quad 75$매$=1,069.2 \Rightarrow 1,070$매

정답 **21**

(가) 1.8
(나) 1,600

정답 **22**

징두리벽 혹은 징두리 판벽

23 TQC에 이용되는 7가지 도구 중 3가지를 쓰시오. (3점)

① _____   ② _____

③ _____

24 다음 데이터를 네트워크공정표로 작성하고, 각 작업의 여유시간을 구하시오.(10점)

작업명	작업일수	선행작업	비 고
A	5	없음	
B	6	A	
C	5	A	(1) 결합점에서는 다음과 같이 표시한다.
D	4	A	
E	3	B	EST|LST LFT\EFT
F	7	B, C, D	①──작업명──②
G	8	D	소요일수
H	6	E	(2) 주공정선은 굵은 선으로 표시한다.
I	5	E, F	
J	8	E, F, G	
K	7	H, I, J	

① 네트워크 공정표   ② 여유시간 산정

[정답] **24**

① 네트워크 공정표

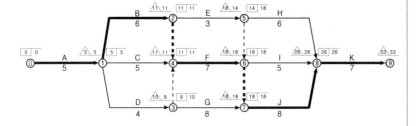

② 여유시간 산정

작업명	TF	FF	DF	CP
A	0	0	0	※
B	0	0	0	※
C	1	1	0	
D	1	0	1	
E	4	0	4	
F	0	0	0	※
G	1	1	0	
H	6	6	0	
I	3	3	0	
J	0	0	0	※
K	0	0	0	※

25 다음과 같은 작업 Data에서 비용경사(Cost Slope)가 가장 큰 작업부터 순서대로 작업명을 쓰시오. (3점)

작업명	정상계획		급속계획	
	공기(일)	비용(원)	공기(일)	비용(원)
A	2	2,000	1	3,000
B	4	3,000	2	6,000
C	8	5,000	3	8,000

정답 25

(1) $A = \dfrac{3,000 - 2,000}{2 - 1} = 1,000$ 원/일

(2) $B = \dfrac{6,000 - 3,000}{4 - 2} = 1,500$ 원/일

(3) $C = \dfrac{8,000 - 5,000}{8 - 3} = 600$ 원/일

$\therefore$ B - A - C

26 용수철에 단위하중이 작용할 때 용수철계수 k 를 구하시오. (단, 하중 P, 길이 L, 단면적 A, 탄성계수 E) (4점)

정답 26

(1) 힘(P), 변위(ΔL), 용수철계수(k)의 관계식: $P = k \cdot \Delta L$

(2) 변위 $\Delta L = \dfrac{PL}{EA}$ 을 대입하면

$P = k \cdot \Delta L = k \cdot \dfrac{PL}{EA}$ 으로부터

$k = \dfrac{EA}{L}$

2021년 3회 출제문제

1 철골구조공사에 있어서 철골 습식 내화피복공법의 종류를 4가지 쓰시오. (4점)

(1) _____   (2) _____

(3) _____   (4) _____

2 콘크리트의 알칼리 골재반응을 방지하기 위한 대책을 2가지 쓰시오. (4점)

① _____

② _____

3 멤브레인 방수공법의 하나인 시트방수의 단점을 2가지 쓰시오. (4점)

① _____

② _____

4 공사시공 현장에서 공사 중 환경관리와 민원예방을 위하여 설치하여 운영하는 비산먼지 방지시설의 종류를 2가지 쓰시오. (2점) (정답예시 : 방진막. 단, 예시를 정답란에 쓰면 채점대상에서 제외함.)

① _____   ② _____

5 KS 규격상 시멘트의 오토클레이브 팽창도는 0.80% 이하로 규정되어 있다. 반입된 시멘트의 안정성 시험결과가 다음과 같다고 할 때 팽창도 및 합격여부를 판정하시오. (4점)

> [안정성 시험결과]
> • 시험 전 시험체의 유효표점길이 254mm
> • 오토클레이브 시험 후 시험체의 길이 255.78mm

(1) 팽창도 :

(2) 판정 :

6 벽돌벽의 표면에 생기는 백화현상의 정의와 발생방지 대책을 2가지 쓰시오. (4점)

(가) 백화현상의 정의 :

(나) 방지대책 :

  ① _____   ② _____

7 목공사의 방부, 방충법 중 목재에 가능한 방부제 처리법을 3가지 쓰시오. (3점)

  ① _____   ② _____

  ③ _____

8 방수공법 중 콘크리트에 방수제를 직접 넣어서 방수하는 공법을 무엇이라고 하는가? (3점)

_____

9 철골공사에 사용되는 용어를 설명하였다. 알맞은 용어를 쓰시오. (3점)

  Blow hole, Crater등의 용접결함이 생기기 쉬운 용접 Bead의 시작과 끝 지점에
  용접을 하기 위해 용접 접합하는 모재의 양단에 부착하는 보조강판 :

10 흙막이 붕괴원인의 하나인 히빙 현상(히빙 파괴)에 대하여 간단히 설명하시오. (3점)

_____

_____

11 두께 0.15m, 폭 6m, 길이 100m 도로를 6m³ 레미콘을 이용하여 하루 8시간 작업 시 레미콘 배차간격은 몇 분(min)인가? (5점)

• 계산 :

• 답 :

정답 **11**

(1) 소요 콘크리트량 :

$0.15 \times 6 \times 100 = 90m^3$

(2) 6m 레미콘 차량대수 :

$\dfrac{90}{6} = 15$ 대

(3) 배차간격 : $\dfrac{8 \times 60}{15} = 32$ 분

---

12 BOT(Build-Operate-Transfer contract)방식을 간단히 설명하시오. (3점)

_____

_____

정답 **12**

민간부분 수주측이 설계, 시공 후 일정기간 시설물을 운영하여 투자 금을 회수하고 시설물과 운영권을 무상으로 발주측에 이전하는 방식

---

13 지반조사 방법 중 사운딩의 정의와 종류를 2가지 쓰시오. (4점)

① 사운딩 :

② 탐사방법(종류) :

정답 **13**

① 사운딩 : 저항체를 땅속(지중) 에 삽입하여 관입, 회전, 인발저 항으로 지층을 탐사하는 원위 치 시험을 말한다.
② 탐사방법
• 표준관입시험
  (Standard Penetration Test)
• Vane Test

---

14 기준점(Bench Mark)을 설정할 때 주의사항을 2가지 쓰시오. (4점)

① _____

② _____

정답 **14**

① 이동의 염려가 없는 곳에 설치 한다.
② 2개소 이상 설치한다.
※ 바라보기 좋고 공사에 지장이 없는 곳에 설치한다.

---

15 다음 용어를 간단히 설명하시오. (2점)

(1) 이음 : _____

(2) 맞춤 : _____

정답 **15**

(1) 두 부재를 재의 길이방향으로 길게 접합하는 것
(2) 두 부재를 서로 직각 또는 일 정한 각도로 접합하는 것

16 다음이 설명하는 적합한 입찰방식의 명칭을 쓰시오. (3점)

- 공사현장이 소재하는 지역(광역시, 도)에 주된 사무소를 두고 있는 건설업체만을 대상으로 경쟁입찰에 부치도록 함으로써 비교적 소규모 공사를 당해 지역업체가 수주토록 하는 제도

17 콘크리트 충전강관(Concrete Filled Tube) 구조에 대하여 간단히 설명하시오. (3점)

_____

_____

18 다음을 설명하시오. (4점)

(1) 수세식 보링(Wash Boring) :

_____

(2) 회전식 보링(Rotary Boring) :

_____

19 다음 보기의 내용을 읽고 ( ) 안에 적절한 단어나 수치(단위포함)를 써 넣으시오. (6점)

> 조적조의 기초는 일반적으로 (①)로 한다. 내력벽의 최소두께는 (②)mm 이상이어야 하고, 내력벽의 벽길이는 (③) 이하이어야 하며, 한 층에서 내력벽으로 둘러싸인 바닥면적은 (④) 이하이어야 한다.

① _____ ② _____

③ _____ ④ _____

정답

정답 **16**

지역제한 입찰제도 혹은 지역제한 경쟁입찰제도

정답 **17**

강관의 구속효과에 의해 충전콘크리트의 내력상승과 충전콘크리트에 의한 강관의 국부좌굴 보강효과에 의해 뛰어난 변형저항 능력을 발휘하는 구조

정답 **18**

(1) 비교적 연약한 토지에 수압을 이용하여 탐사하는 방식으로써 외경 50~60mm관을 이용, 천공하면서 흙과 물을 동시에 배출시키는 방법

(2) 충격날을 회전시켜 천공하므로 토층이 흐트러질 우려가 적은 방법으로써 지층의 변화를 연속적으로 비교적 정확히 알고자할 때 사용하는 방식

정답 **19**

① 연속기초(줄기초)

② 190

③ 10m

④ 80m²

20 다음 데이터를 이용하여 물음에 답하시오. (10점)

작업명	선행작업	작업일수	비용구배(원)	비　　고
A	없음	5	10,000	(1) 결합점에서의 일정은 다음과 같이 표시하고, 주공정선은 굵은선으로 표시한다.
B	없음	8	15,000	
C	없음	15	9,000	
D	A	3	공기단축불가	
E	A	6	25,000	
F	B, D	7	30,000	(2) 공기단축은
G	B, D	9	21,000	Activity I에서 2일,
H	C, E	10	8,500	Activity H에서 3일,
I	H, F	4	9,500	Activity C에서 5일
J	G	3	공기단축불가	(3) 표준공기 시 총공사비는
K	I, J	2	공기단축불가	1,000,000원이다.

비고란 그림:

EST|LST　　　　　　/LFT\EFT

ⓘ ──작업명/소요일수──> ⓙ

(1) 표준(Normal) Network를 작성하시오.

(2) 공기를 10일 단축한 Network를 작성하시오.

(3) 공기단축된 총공사비를 산출하시오.

정답 20

(1)

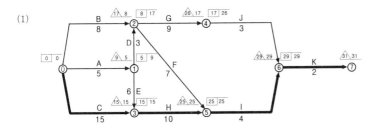

(2)

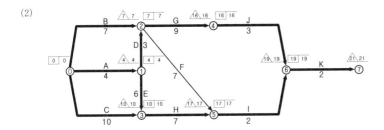

(3) 1일 표준공사비 + 10일 단축 시 추가공사비 = 1,000,000 + 114,500 = 1,114,500원

	단축대상	추가비용
30일	H	8,500
29일	H	8,500
28일	H	8,500
27일	C	9,000
26일	C	9,000
25일	C	9,000
24일	C	9,000
23일	I	9,500
22일	I	9,500
21일	A+B+C	34,000

21 인장지배단면의 정의에 대해 기술하시오. (3점)

정답 21

압축연단 콘크리트가 가정된 극한 변형률에 도달할 때 최외단 인장 철근의 순인장변형률 ε_t가 0.005 이상인 단면

22 다음이 설명하는 구조의 명칭을 쓰시오. (3점)

> 건축물의 기초 부분 등에 적층고무 또는 미끄럼받이 등을 넣어서 지진에 대한
> 건축물의 흔들림을 감소시키는 구조

23 다음 물음에 대해 답하시오. (6점)

(1) 큰보(Girder)와 작은보(Beam)를 간단히 설명하시오.

① 큰보(Girder) :

② 작은보(Beam) :

(2) 다음 그림의 (   )안을 큰보와 작은보 중에서 선택하여 채우시오.

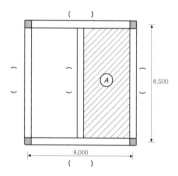

(3) 위의 그림의 빗금친 A부분의 변장비를 계산하고 1방향 슬래브인지 2방향슬
래브인지에 대해 동그라미를 치시오. (단, 기둥 500×500, 큰보 500×600, 작은
보 500×550이고, 변장비를 구할 때 기둥 중심치수를 적용한다.)

정답 **23**
(1) ① 큰보(Girder) : 기둥에 직접
연결된 보
② 작은보(Beam) : 기둥과 직접
접합되지 않은 보
(2)

정답 그림:
(큰보)
(큰보) (작은보) A (큰보) 8,500
8,000
(큰보)

(3) 변장비 $= \dfrac{8,500}{4,000} = 2.125 > 2$

　　→ 1방향슬래브

24 그림과 같은 원형 단면에서 폭 b, 높이 h=2b의 직사각형 단면을 얻기 위한 단면계수
Z를 직경 D의 함수로 표현하시오. (4점)

• 계산 :

• 답 :

정답 **24**
(1) $D^2 = b^2 + h^2 = b^2 + (2b)^2 = 5b^2$
이므로 $b = \dfrac{D}{\sqrt{5}}$

(2) $Z = \dfrac{bh^2}{6} = \dfrac{b(2b)^2}{6} = \dfrac{4b^3}{6} = \dfrac{4\left(\dfrac{D}{\sqrt{5}}\right)^3}{6} =$
$= 0.059D^3 \Rightarrow 0.06D^3$

25 강재의 종류 중 SM355에서 SM의 의미와 355가 의미하는 바를 각각 쓰시오. (4점)

(1) SM : _____

(2) 355 : _____

정답 **25**

  (1) SM : 용접구조용 압연강재

  (2) 355 : 항복강도 $F_y = 355MPa$

26 인장철근만 배근된 철근콘크리트 직사각형 단순보에 하중이 작용하여 순간처짐이 5mm 발생하였다. 5년 이상 지속하중이 작용할 경우 총처짐량(순간처짐＋장기처짐)을 구하시오. (단, 장기처짐계수 $\lambda_\Delta = \dfrac{\xi}{1+50\rho'}$ 을 적용하며 시간경과계수는 2.0으로 한다.) (4점)

• 계산 :

• 답 :

정답 **26**

  (1) $\lambda_\Delta = \dfrac{(2.0)}{1+50(0)} = 2$

  (2) 장기처짐 = 탄성처짐 $\times \lambda_\Delta$
              $= (5)(2) = 10mm$

  (3) 총처짐 = (5) + (10) = 15mm

2022년 1회 출제문제

1 수평버팀대식 흙막이에 작용하는 응력이 그림과 같을 때 각각의 번호가 의미하는 것을 보기에서 골라 기호로 쓰시오. (3점)

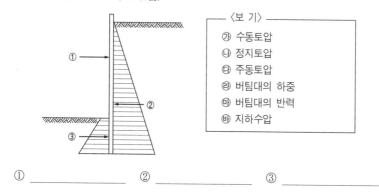

〈보 기〉
㉮ 수동토압
㉯ 정지토압
㉰ 주동토압
㉱ 버팀대의 하중
㉲ 버팀대의 반력
㉳ 지하수압

① _____ ② _____ ③ _____

정답 1
① ㉲
② ㉯
③ ㉮

2 철근의 응력-변형도 곡선과 관련하여 각각이 의미하는 용어를 보기에서 골라 번호로 쓰시오. (5점)

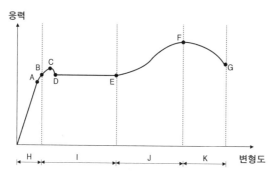

〈보 기〉
① 네킹영역
② 하위항복점
③ 극한강도점
④ 변형도경화점
⑤ 소성영역
⑥ 비례한계점
⑦ 상위항복점
⑧ 탄성한계점
⑨ 파괴점
⑩ 탄성영역
⑪ 변형도경화영역

A : _____ B : _____ C : _____ D : _____

E : _____ F : _____ G : _____ H : _____

I : _____ J : _____ K : _____

정답 2
A : ⑥   B : ⑧
C : ⑦   D : ②
E : ④   F : ③
G : ⑨   H : ⑩
I : ⑤   J : ⑪
K : ①

3 강재의 항복비(Yield Strength Ratio)를 설명하시오. (3점)

정답 **3**

강재가 항복에서 파단에 이르기까지를 나타내는 기계적 성질의 지표로서, 인장강도에 대한 항복강도의 비

4 수중에 있는 골재의 중량이 1,300g이고, 표면건조내부포화상태의 중량은 2,000g이며, 이 시료를 완전히 건조시켰을 때의 중량이 1,992g일 때 흡수율(%)을 구하시오. (4점)

정답 **4**

$$\frac{2,000-1,992}{1,992} \times 100 = 0.40(\%)$$

5 Ready Mixed Concrete가 현장에 도착하여 타설될 때 시공자가 현장에서 일반적으로 행하여야 하는 품질관리 항목을 [보기]에서 모두 골라 기호로 쓰시오. (3점)

┌─── 〈보 기〉 ───
│ ① Slump 시험   ② 물의 염소이온량 측정
│ ③ 골재의 반응성   ④ 공기량 시험
│ ⑤ 압축강도 측정용 공시체 제작   ⑥ 시멘트의 알칼리량
└───────────

정답 **5**

①, ④, ⑤

6 지름 300mm, 길이 500mm의 콘크리트 시험체의 쪼갬인장강도 시험에서 최대하중이 100kN으로 나타났다면 이 시험체의 인장강도는? (3점)

정답 **6**

$$f_{sp} = \frac{2(100 \times 10^3)}{\pi(300)(500)} = 0.42 MPa$$

7 콘크리트에서 크리프(Creep) 현상에 대하여 설명하시오. (3점)

정답 **7**

하중의 증가 없이도 시간경과 후 변형이 증가되는 굳은 콘크리트의 소성변형 현상

8 다음 그림과 같은 철근콘크리트조 건물에서 기둥과 벽체의 거푸집량을 산출하시오.(6점)

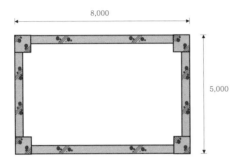

〈보 기〉

- 기둥 : 400mm×400mm
- 벽체 두께 : 200mm
- 높이 : 3m
- 치수는 바깥치수 : 8,000mm×5,000mm
- 기둥과 벽체는 콘크리트 타설작업 시 분리 타설함

(1) 기둥의 거푸집량 :

(2) 벽체의 거푸집량 :

9 중심축하중을 받는 단주의 최대 설계축하중을 구하시오.

(단, $f_{ck} = 27MPa$, $f_y = 400MPa$, $A_{st} = 3,096mm^2$) (3점)

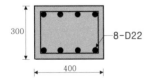

8-D22

정답 **8**

(1) $(0.4 \times 4 \times 3) \times 4$개 $= 19.2\text{m}^2$

(2) $(4.2 \times 3 \times 2) \times 2 + (7.2 \times 3 \times 2) \times 2$
$= 136.8\text{m}^2$

정답 **9**

$\phi P_n = (0.65)(0.80)[0.85(27)\{(300 \times 400)$
$- (3,096)\} + (400)(3,096)\}$
$= 2,039,100N = 2,039.1kN$

10 강구조공사에서 철골에 녹막이칠을 하지 않는 부분을 4가지 쓰시오. (4점)

① _____   ② _____

③ _____   ④ _____

[정답] **10**
① 콘크리트에 매립되는 부분
② 조립에 의해 면맞춤 되는 부분
③ 고장력Bolt 접합부의 마찰면
④ 용접부위 양측 100mm 이내

11 다음 그림은 강구조 보-기둥 접합부의 개략적인 그림이다. 각 번호에 해당하는 구성재의 명칭을 쓰고, (나) 부재의 용접방법을 쓰시오. (4점)

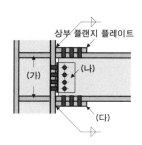

상부 플랜지 플레이트
(가)   (나)
(다)

(1) (가) _____   (나) _____   (다) _____

(2) (나) 부재의 용접방법 :

_____

[정답] **11**
(1) (가) 스티프너(Stiffener)
　　 (나) 전단 플레이트
　　 (다) 하부 플랜지 플레이트
(2) 필릿(Fillet) 용접

12 재질과 단면적 및 길이가 같은 다음 4개의 장주에 대해 유효좌굴길이가 가장 큰 기둥을 순서대로 쓰시오. (3점)

A   B   C   D

_____

[정답] **12**
$B \rightarrow A \rightarrow D \rightarrow C$

13 구조물을 안전하게 설계하고자 할 때 강도한계상태(Strength Limit State)에 대한 안전을 확보해야 한다. 뿐만 아니라 사용성한계상태(Serviceability Limit State)를 고려하여야 하는데 여기서 사용성한계상태란 무엇인지 간단히 설명하시오. (3점)

정답 **13**

구조체가 붕괴되지는 않더라도 구조기능이 저하되어 외관, 유지관리, 내구성 및 사용에 매우 부적합하게 되는 상태

14 다음 괄호 안에 알맞은 숫자를 쓰시오. (4점)

─〈보 기〉─

보강콘크리트블록조의 세로철근은 기초보 하단에서 윗층까지 잇지 않고 (①)D 이상 정착시키고, 피복두께는 (②)cm 이상으로 한다.

① _____ ② _____

정답 **14**
① 40 ② 2

15 벽면적 20m²에 표준형벽돌 1.5B 쌓기 시 붉은벽돌 소요량을 산출하시오. (3점)

정답 **15**
$20 \times 224 \times 1.03 = 4,614.4$
$= 4,615$매

16 다음 표에 제시된 창호재료의 종류 및 기호를 참고하여, 아래의 창호기호표를 표시하시오. (6점)

기호	창호틀 재료의 종류
A	알루미늄
G	유리
P	플라스틱
S	강철
SS	스테인리스
W	목재

기호	창호 구별
D	문
W	창
S	셔터

구분	문	창
목제	1	2
철제	3	4
알루미늄제	5	6

정답 **16**
① WD ② WW
③ SD ④ SW
⑤ AD ⑥ AW

17 LCC(Life Cycle Cost)에 대하여 설명하시오. (3점)

정답 **17**

건축물의 초기단계에서 설계, 시공, 유지관리, 해체에 이르는 일련의 과정과 제비용

18 다음이 설명하는 입찰방식(Bidding System)의 종류를 쓰시오. (3점)

(1) 입찰참가자를 공모하여 유자격자에게 모두 참가기회를 주는 방식 :

(2) 해당 공사에 가장 적격하다고 인정되는 3~7개 정도의 시공회사를 선정하여 입찰시키는 방식 :

(3) 건축주가 가장 적합한 1개의 시공회사를 선정하여 입찰시키는 방식 :

(1) _____ (2) _____ (3) _____

정답 **18**

(1) 공개경쟁입찰(Open Bid)
(2) 지명경쟁입찰(Limited Open Bid)
(3) 특명입찰
(Individual Negotiation, 수의계약)

19 Value Engineering 개념에서 $V = \dfrac{F}{C}$ 식의 각 기호를 설명하시오. (3점)

(1) V :

(2) C :

(3) F :

정답 **19**

(1) Value(가치)
(2) Cost(비용)
(3) Function(기능)

20 다음 데이터를 네트워크공정표로 작성하고, 각 작업의 여유시간을 구하시오. (10점)

작업명	작업일수	선행작업	비 고
A	3	없음	(1) 결합점에서는 다음과 같이 표시한다.
B	2	없음	
C	4	없음	
D	5	C	
E	2	B	
F	3	A	(2) 주공정선은 굵은 선으로 표시한다.
G	3	A, C, E	
H	4	D, F, G	

① 네트워크 공정표

② 여유시간 산정

작업명	TF	FF	DF	CP
A				
B				
C				
D				
E				
F				
G				
H				

정답 **20**

① 네트워크 공정표

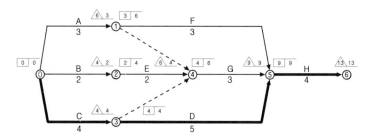

② 여유시간 산정

작업명	TF	FF	DF	CP
A	3	0	3	
B	2	0	2	
C	0	0	0	※
D	0	0	0	※
E	2	0	2	
F	3	3	0	
G	2	2	0	
H	0	0	0	※

21 WBS(Work Breakdown Structure)의 용어를 간단하게 기술하시오. (3점)

정답 **21**

프로젝트의 모든 작업내용을 계층적으로 분류한 작업분류체계

22 다음이 설명하는 용어를 쓰시오. (4점)

(1) 보나 트러스 등에서 그의 정상적 위치 또는 형상으로부터 상향으로 구부려 올리는 것이나 구부려 올린 크기 :

(2) 거푸집의 일부로 소정의 형상과 치수의 콘크리트가 되도록 고정 또는 지지 하기 위한 지주 :

(1) _____　　(2) _____

23 작업발판 일체형 거푸집의 종류를 3가지 쓰시오. (3점)

① _____　② _____　③ _____

24 조적공사의 인방보와 관련된 건축공사표준시방서 규정과 관련하여 다음 빈칸을 채우시 오. (3점)

───〈보 기〉───

인방보의 양 끝을 벽체의 블록에 (　①　)mm 이상 걸치고, 또한 위에서 오는 하중을 전달할 충분한 길이로 한다. 인방보 상부의 벽은 균열이 생기지 않도록 주변의 벽과 강하게 연결되도록 철근이나 (　②　)로 보강연결하거나 인방보 좌우단 상향으로 (　③　)를 둔다.

① _____　② _____　③ _____

25 다음 용어를 설명하시오. (4점)

(1) 공칭강도(Nominal Strength) :

(2) 설계강도(Design Strength) :

26 그림과 같은 단순보의 양 지점에 모멘트하중 M이 작용할 때 A지점의 처짐각을 구하시오. (단, 부재의 탄성계수 E, 단면2차모멘트 I이고, 가상력이 한 일은 내력이 한 일과 같음을 이용한 방식만 점수로 인정함) (4점)

정답 **26**

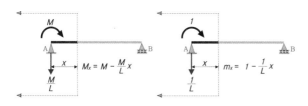

$$\theta_A = \int_0^L \frac{M \cdot m}{EI} dx = \frac{1}{EI} \int_0^L \left(M - \frac{M}{L} \cdot x \right) \left(1 - \frac{1}{L} \cdot x \right) dx = \frac{1}{3} \cdot \frac{ML}{EI}$$

2022년 2회 출제문제

1 기준점(Bench Mark)의 정의 및 설치 시 주의사항을 2가지 쓰시오. (4점)

(1) 정의 : _____

(2) 설치 시 주의사항 :

① _____ ② _____

2 흙은 흙입자, 물, 공기로 구성되며, 도식화하면 다음 그림과 같다. 그림에 주어진 기호로
아래의 용어를 표기하시오. (3점)

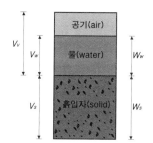

(1) 간극비 :

(2) 함수비 :

(3) 포화도 :

3 예민비(Sensitivity Ratio)의 식을 쓰고 간단히 설명하시오. (4점)

(1) 식 : _____

(2) 설명 : _____

---

4 역타설 공법(Top-Down Method)의 장점을 3가지 쓰시오. (3점)

① _____

② _____

③ _____

[정답] **4**

① 주변지반과 건물에 영향이 없는 안정적공법이다.
② 지상, 지하 동시작업으로 공기가 단축된다.
③ 1층 바닥판을 작업장으로 활용이 가능하다.

5 흐트러진 상태의 흙 30m³를 이용하여 30m²의 면적에 다짐 상태로 60cm 두께를 터돋우기 할 때 시공완료된 다음의 흐트러진 상태의 토량을 산출하시오. (단, 이 흙의 L=1.2, C=0.9 이다.) (4점)

[정답] **5**

1) 다져진 상태의 토량
$$= 30 \times \frac{0.9}{1.2} = 22.5$$

2) 다져진 상태의 남는 토량
$$= 22.5 - (30 \times 0.6) = 4.5$$

3) 흐트러진 상태의 토량
$$= 4.5 \times \frac{1.2}{0.9} = 6m^3$$

6 약액주입공법 등 지반개량 공법후에 주입재가 지반개량 효과를 주었는지를 확인하는 방법을 3가지 쓰시오. (3점)

① _____ ② _____

③ _____

[정답] **6**

① 확인 시추조사
② 표준관입시험 등의 현장시험
③ 물리적 탐사
※ 기타 : 시추코어 강도시험

7 철근콘크리트공사를 하면서 주철근간격을 일정하게 유지하는 목적을 3가지 쓰시오. (3점)

① _____ ② _____

③ _____

[정답] **7**

① 콘크리트의 유동성(시공성) 확보
② 재료분리 방지
③ 소요강도 확보

8 다음 거푸집을 설명하시오. (4점)

(1) 슬라이딩 폼(Sliding Form) :

(2) 위플 폼(Waffle Form) :

[정답] **8**

(1) 높이 1~1.2m 정도의 조립된 거푸집을 Yoke(요오크)로 끌어올리면서 연속타설하는 수직활동 거푸집공법
(2) 무량판 구조에서 2방향 장선 바닥판 구조가 가능하도록 된 특수상자 모양의 기성재 거푸집

9 골재의 흡수량과 함수량의 용어에 대해 기술하시오. (4점)

(1) 흡수량 :

(2) 함수량 :

(1) 표면건조내부포수상태의 골재 중에 포함되는 물의 양
(2) 습윤상태의 골재 내외부에 함유된 전체 물의 양

---

10 콘크리트의 소성수축균열(Plastic shrinkage crack)에 관하여 다음 물음에 답하시오. (4점)

(1) 정의 :

(2) 원인 2가지 :

① _____ ② _____

(1) 굳지 않은 콘크리트에서 발생되는 초기균열로서 콘크리트 타설 후 블리딩의 속도보다 표면의 증발속도가 빠른 경우 표면 수축에 의해 발생되는 불규칙 균열
(2) 원인
① 콘크리트 타설 표면의 노출 등 급격한 건조로 발생됨
② 습윤양생 불량으로 발생

---

11 철근콘크리트구조 압축부재의 철근량 제한에 관한 내용이다. 괄호 안에 적절한 수치를 기입하시오. (3점)

— 〈보 기〉 —

비합성 압축부재의 축방향주철근 단면적은 전체단면적 A_g 의 (①)배 이상, (②)배 이하로 하여야 한다. 축방향주철근이 겹침이음되는 경우의 철근비는 (③)를 초과하지 않도록 하여야 한다.

① _____ ② _____ ③ _____

① 0.01
② 0.08
③ 0.04

---

12 큰 처짐에 의하여 손상되기 쉬운 칸막이벽이나 기타 구조물을 지지 또는 부착하지 않은 부재의 경우, 다음 표에서 정한 최소두께를 적용하여야 한다. 표의 ( )안에 알맞은 숫자를 써 넣으시오. (단, 표의 값은 보통중량콘크리트와 설계기준항복강도 400MPa 철근을 사용한 부재에 대한 값임) (3점)

단순지지된 1방향 슬래브	l / (①)
1단연속된 보	l / (②)
양단연속된 리브가 있는 1방향 슬래브	l / (③)

① _____ ② _____ ③ _____

① 20
② 18.5
③ 21

13 철근콘크리트 보의 춤이 700mm이고, 부모멘트를 받는 상부단면에 HD25철근이 배근되어 있을 때, 철근의 인장정착길이(l_d)를 구하시오. (단, $f_{ck} = 25MPa$, $f_y = 400MPa$, 철근의 순간격과 피복두께는 철근직경 이상이고, 상부철근 보정계수는 1.3을 적용, 도막되지 않은 철근, 보통중량콘크리트를 사용) (3점)

정답 **13**

$l_d = l_{ab} \times$ 보정계수

$= \dfrac{0.6(25)(400)}{(1.0)\sqrt{25}} \times 1.3 \times 1.0 = 1,560mm$

14 아래 설명에 맞는 용어를 기재하시오. (3점)

―――― 〈보 기〉 ――――

철골부재의 접합에 사용되는 고장력볼트 중 볼트의 장력 관리를 손쉽게 하기 위한 목적으로 개발된 것으로 본조임 시 전용조임기를 사용하며, 볼트의 핀테일이 파단될 때까지 조임 시공하는 볼트

정답 **14**

볼트축전단형 고력볼트
※ Torque Shear Type의 고력Bolt
(T/S 고력Bolt)

15 고력 Bolt 조임의 금매김을 표시한 다음 3가지 그림을 보고 합격, 불합격을 판정하고 불합격 이유도 간단히 쓰시오. (6점)

(가) _____

(나) _____

(다) _____

정답 **15**

(가) 합격
(나) 불합격, 회전과다
(다) 불합격, 회전과소(회전부족)

16 철골공사의 용접결함 중 슬래그(Slag) 혼입의 원인 및 방지대책을 각각 2가지씩 쓰시오. (4점)

(1) 원인: ①

　　　　　②

(2) 방지대책: ①

　　　　　　②

정답 **16**

(1) 원인
① 운봉속도 너무 느림.
(용접속도 너무 느림)
② 전류의 과소
(2) 방지대책
① 용접속도를 상승시킴.
② 전류를 약간 세게 유지
(용접 전류 상승)

17 철골공사 부재용접에 관한 다음 용어를 설명하시오. (4점)

(1) 엔드탭(End Tab) :

(2) 스캘럽(Scallop) :

18 철강제품의 품질보증을 위한 밀 시트(Mill Sheet)에서 확인할 수 있는 사항을 한가지 만 적으시오. (3점)

_____

19 총단면적 $A_g = 5,624 mm^2$ 의 $H - 250 \times 175 \times 7 \times 11$ (SM355)의 설계인장강도(kN)를 한계상태설계법에 의해 산정하시오. (단, 설계저항계수 $\phi = 0.90$ 을 적용한다.) (3점)

20 세로 규준틀 설치와 관련된 다음 물음에 답하시오. (3점)

(1) 세로 규준틀을 설치하는 위치 1가지 :

(2) 세로 규준틀에 기입하는 항목 2가지 :

① _____   ② _____

21 목재를 천연건조(자연건조)시 장점에 대하여 2가지를 쓰시오. (4점)

① _____

② _____

정답 17

(1) 용접결함이 생기기 쉬운 용접 bead의 시작과 끝 지점에 용접을 하기 위해 용접 접합하는 모재의 양단에 부착하는 보조 강판

(2) 철골부재 용접시 이음 및 접합 부위의 용접선이 교차되어 재 용접된 부위가 열영향을 받아 취약해지기 때문에 모재에 부채꼴 모양의 모따기를 한 것

정답 18

① 강재의 KS규격(강재의 식별·규격확인)

② 강재시험(항복강도, 인장강도) 수치 등을 확인할 수 있다.

정답 19

$$\phi F_y \cdot A_g = (0.90)(355)(5,624) = 1,796,868N$$
$$= 1,796.868kN$$

정답 20

(1) 모서리(벽끝) 혹은 교차부

(2) 쌓기단수, 앵커 Bolt위치, 혹은 개구부 설치위치

정답 21

① 특별한 건조장치가 필요없다.

② 다량의 목재를 일시에 건조가능

③ 재질의 강도 저하가 적게 발생함

※ 단점

① 건조시간이 길며 넓은 장소가 필요함

② 변색, 부패 등 손상을 입기 쉬운 결점

22 시멘트계 바닥 바탕의 내마모성, 내화학성, 분진방진성을 증진시켜 주는 바닥강화제 (hardner) 중 침투식 액상하드너 시공시 유의사항 2가지를 쓰시오. (4점)

① _____

② _____

23 다음 용어를 설명하시오. (4점)

(1) 복층 유리 :

(2) 배강도 유리 :

24 다음에 제시된 화살표형 네트워크 공정표를 통해 일정계산 및 여유시간, 주공정선 (CP)과 관련된 빈칸을 모두 채우시오. (단, CP에 해당하는 작업은 표시를 하시오.) (10점)

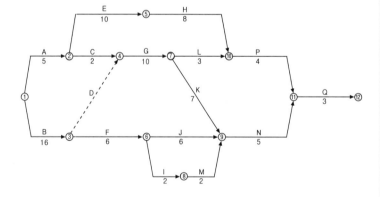

작업명	EST	EFT	LST	LFT	TF	FF	DF	CP
A								
B								
C								
D								
E								
F								
G								
H								
I								
J								
K								
L								
M								
N								
P								
Q								

정답 24

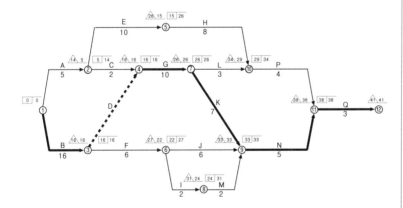

작업명	EST	EFT	LST	LFT	TF	FF	DF	CP
A	0	5	9	14	9	0	9	
B	0	16	0	16	0	0	0	※
C	5	7	14	16	9	9	0	
D	16	16	16	16	0	0	0	※
E	5	15	16	26	11	0	11	
F	16	22	21	27	5	0	5	
G	16	26	16	26	0	0	0	※
H	15	23	26	34	11	6	5	
I	22	24	29	31	7	0	7	
J	22	28	27	33	5	5	0	
K	26	33	26	33	0	0	0	※
L	26	29	31	34	5	0	5	
M	24	26	31	33	7	7	0	
N	33	38	33	38	0	0	0	※
P	29	33	34	38	5	5	0	
Q	38	41	38	41	0	0	0	※

25 그림과 같은 구조물에서 T부재에 발생하는 부재력을 구하시오. (3점)

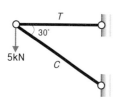
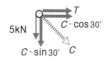

[정답] **25**

(1) $\sum V = 0 : \ -(5) - (F_C \cdot \sin 30°) = 0$

     $\therefore \ F_C = -10kN$

(2) $\sum H = 0 : \ +(F_T) + (F_C \cdot \cos 30°) = 0$

     $\therefore \ F_T = +8.66kN$

26 그림과 같은 부정정 라멘구조의 휨모멘트도(BMD)를 그리시오. (4점)

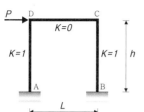

정답 26

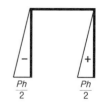

2022년 3회 출제문제

1 다음 설명에 해당하는 보링 방법을 쓰시오. (4점)

〈보 기〉

① 충격날을 60~70cm 정도 낙하시키고 그 낙하충격에 의해 파쇄된 토사를 퍼
   내어 지층상태를 판단하는 방법
② 충격날을 회전시켜 천공하므로 토층이 흐트러질 우려가 적은 방법
③ 오거를 회전시키면서 지중에 압입, 굴착하고 여러번 오거를 인발하여 교란
   시료를 채취하는 방법
④ 깊이 30m 정도의 연질층에 사용하며, 외경 50~60mm관을 이용, 천공하면서
   흙과 물을 동시에 배출시키는 방법

① _____   ② _____

③ _____   ④ _____

① 충격식 보링
② 회전식 보링
③ 오거 보링
④ 수세식 보링

2 언더피닝(Under Pinning) 공법을 적용해야 하는 경우를 3가지 쓰시오. (3점)

(1) _____

(2) _____

(3) _____

(1) 기존 건축물의 기초 보강이 필요한 경우
(2) 인접건물의 침하나 이동방지상 필요한 경우
(3) 새로운 기초를 추가하거나 삽입하는 경우

3 지하구조물은 지하수위에서 구조물 밑면까지의 깊이만큼 부력을 받아 건물이 부상하게
되는데, 이것에 대한 방지대책을 4가지 기술하시오. (4점)

(1) _____

(2) _____

(3) _____

(4) _____

(1) Rock Anchor공법을 사용하여 부상을 방지한다.
(2) 배수공법으로 지하수위를 낮춘다.
(3) 구조물의 단면을 확대하여 수압에 저항한다.
(4) 차수공법으로 물을 차단한다.

4 다음 기초에 소요되는 철근(kg), 콘크리트(m³), 거푸집(m²)의 정미량을 산출하시오.
(단, 이형철근 D16의 단위중량은 1.56kg/m, D13의 단위중량은 0.995kg/m) (6점)

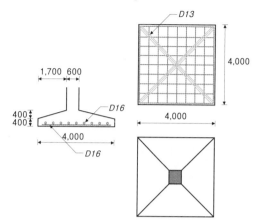

(1) 철근량 :

(2) 콘크리트량 :

(3) 거푸집량 :

5 다음 보기에서 설명하는 거푸집의 명칭을 쓰시오. (4점)

───〈보 기〉───

(1) 무량판 구조에서 2방향 장선 바닥판 구조가 가능하도록 된 특수상자 모양
    의 기성재 거푸집
(2) 대형 시스템화 거푸집으로서 한 구간 콘크리트 타설 후 다음 구간으로 수
    평이동이 가능한 거푸집
(3) 유닛(Unit) 거푸집을 설치하여 요크(York)로 거푸집을 끌어올리면서 연속해
    서 콘크리트를 타설가능한 수직활동 거푸집
(4) 아연도 철판을 절곡 제작하여 거푸집으로 사용하며, 콘크리트 타설 후 마
    감재로 사용하는 철판

(1) _____ (2) _____

(3) _____ (4) _____

정답 칸:

정답 **4**

(1) 철근량 :
① 주근(D16)
$$[(9개 \times 4m) + (9개 \times 4m)] \times 1.56$$
$$= 112.32$$
② 대각선근(D13)
$$[4\sqrt{2} \times 6개] \times 0.995 = 33.771$$
③ 총철근량
$$112.32 + 33.771 = 146.091$$
$$\rightarrow 146.09kg$$

(2) 콘크리트량 :
$$4 \times 4 \times 0.4 + \frac{0.4}{6}[(2 \times 4 + 0.6) \times 4 \cdot$$
$$+ (2 \times 0.6 + 4) \times 0.6] = 8.901 \rightarrow 8.90m^3$$

(3) 거푸집량 :
$$4 \times 0.4 \times 4 = 6.4 \rightarrow 6.4m^2$$

정답 **5**

(1) 와플폼(Waffle Form)
(2) 트래블링폼(Traveling Form)
(3) 슬라이딩폼(Sliding Form)
(4) 데크플레이트(Deck Plate)

6 KSL 5201에서 규정하는 정한 포틀랜드 시멘트의 종류를 5가지 쓰시오. (5점)

① _____ ② _____

③ _____ ④ _____

⑤ _____

정답 **6**

① 1종 : 보통 포틀랜드 시멘트
② 2종 : 중용열 포틀랜드 시멘트
③ 3종 : 조강 포틀랜드 시멘트
④ 4종 : 저열 포틀랜드 시멘트
⑤ 5종 : 내황산염 포틀랜드 시멘트

7 건설공사 현장에 시멘트가 반입되었다. 특기시방서에 시멘트 비중이 3.10 이상으로 규정되어 있다고 할 때, 루샤델리 비중병을 이용하여 KS 규격에 의거 시멘트 비중을 시험한 결과에 대해 시멘트의 비중을 구하고, 자재품질 관리상 합격여부를 판정하시오. (단, 시험결과 비중병에 광유를 채웠을 때 최초 눈금은 0.5cc, 실험에 사용한 시멘트량은 64g, 광유에 시멘트를 넣은 후의 눈금은 20.8cc였다.) (4점)

(1) 비중:

(2) 판정:

정답 **7**

(1) 비중 : $G = \dfrac{64}{20.8 - 0.5} = 3.15$

(2) 판정 : $3.15 \geq 3.10$ 이므로 합격

8 시멘트 분말도 시험법을 2가지 쓰시오. (2점)

① _____ ② _____

정답 **8**

① 표준체에 의한 방법
② 블레인 공기투과장치에 의한 방법

9 콘크리트 배합시 잔골재를 세척해사로 사용했을 때 콘크리트의 염화물 함량을 측정한 결과 염소이온량이 $0.3kg/m^3 \sim 0.6kg/m^3$이었다. 이때 철근콘크리트의 철근부식방지에 따른 유효한 대책을 3가지 쓰시오. (3점)

① _____ ② _____

③ _____

정답 **9**

① 콘크리트에 방청제 혼입
② 에폭시 코팅 철근사용
③ 골재에 제염제 혼합사용

10 다음 설명에 해당되는 알맞는 줄눈(Joint)을 적으시오. (2점)

— 〈보 기〉 —

> 콘크리트 시공과정 중 휴식시간 등으로 응결하기 시작한 콘크리트에 새로운 콘크리트를 이어칠 때 일체화가 저해되어 생기게 되는 줄눈

정답 **10**

콜드 죠인트(cold joint)

11 Remicon(보통-25-24-150)의 현장도착 시 송장 표기에 대해 각각 의미하는 내용을 간단히 쓰시오. (4점)

(1) 보통 : _____

(2) 25 : _____

(3) 24 : _____

(4) 150 : _____

정답 **11**

(1) 보통: 콘크리트의 종류에 따른 구분
(2) 25: 굵은골재 최대 크기
(3) 24: 콘크리트의 호칭강도
(4) 150: 슬럼프 값

12 다음 콘크리트의 균열보수법에 대하여 설명하시오. (4점)

가. 표면처리법 :

나. 주입공법 :

정답 **12**

가. 표면처리법 : 보통 진행정지된 0.2mm 이하의 미세 균열에 폴리머시멘트나 Mortar로 보수하는 방법(균열진행인 경우는 테이프 부착후 시일재를 도포하는 경우도 있음)
나. 주입공법 : 주입구멍을 천공하고 주입 파이프를 5 30cm 간격으로 설치하여 깊이 20mm 정도로 저점도의 에폭시 수지를 밀봉재로 주입하는 공법이다.

13 철골구조공사에 있어서 철골 습식 내화피복공법의 종류를 4가지 쓰시오. (4점)

① _____ ② _____

③ _____ ④ _____

정답 **13**

① 뿜칠공법
② 미장공법
③ 타설공법
④ 조적공법

14 고장력볼트 접합은 3가지(인장접합, 지압접합, 마찰접합)로 구분된다. 다음 그림을 보고 해당하는 접합명을 쓰시오. (3점)

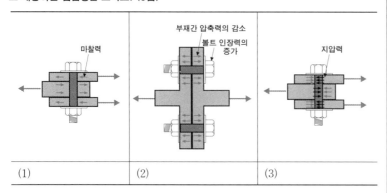

| (1) | (2) | (3) |

정답 **14**
(1) 마찰접합
(2) 인장접합
(3) 지압접합

15 다음 보기는 용접부의 검사 항목이다. 보기에서 골라 알맞는 공정에 해당번호를 써 넣으시오. (3점)

─── 〈보 기〉 ───
① 트임새 모양   ② 전류   ③ 침투수압
④ 운봉   ⑤ 모아대기법   ⑥ 외관판단
⑦ 구속   ⑧ 용접봉   ⑨ 초음파검사

(1) 용접 착수전 : _____

(2) 용접 작업중 : _____

(3) 용접 완료후 : _____

정답 **15**
(1) 용접착수전 : ①, ⑤, ⑦
(2) 용접작업중 : ②, ④, ⑧
(3) 용접완료후 : ③, ⑥, ⑨

16 철골공사 부재용접에 관한 다음 용어를 설명하시오. (4점)

(1) 엔드탭(End Tab) :

(2) 스캘럽(Scallop) :

정답 **16**
(1) 용접결함이 생기기 쉬운 용접 bead의 시작과 끝 지점에 용접을 하기 위해 용접 접합하는 모재의 양단에 부착하는 보조 강판
(2) 철골부재 용접시 이음 및 접합 부위의 용접선이 교차되어 재용접된 부위가 열영향을 받아 취약해지기 때문에 모재에 부채꼴 모양의 모따기를 한 것

17 철골공사 용접시 발생할 수 있는 라멜라 테어링(Lameller Tearing)에 대해 간단히 설명하시오. (3점)

18 조적조를 바탕으로 하는 지상부 건축물의 외부벽면 방수방법의 내용을 3가지 쓰시오. (3점)

① _____ ② _____ ③ _____

19 평지붕 외단열 시트(Sheet) 방수공법의 시공순서를 보기에서 골라 번호로 쓰시오. (4점)

```
────── 〈보 기〉 ──────
가. 누름콘크리트          나. PE필름          다. 단열재
라. 시트방수          마. 바탕콘크리트 타설
```

20 아래 보기에서 가치공학(Value Engineering)의 기본추진절차를 순서대로 나열하시오. (4점)

```
────── 〈보 기〉 ──────
(가) 정보수집          (나) 기능정리          (다) 아이디어 발상
(라) 기능정의          (마) 대상선정          (바) 제안
(사) 기능평가          (아) 평가          (자) 실시
```

21 로이(Low-E) 3중유리의 정의 및 특징을 간단히 설명하시오. (3점)

정답 **17**

용접에 의해 판 두께방향으로 강한 인장구속력이 발생하는데, 용접 금속의 국부적인 수축으로 강판의 층 사이에 계단모양의 박리균열이 생기는 현상
※ T형 이음, 구석이음에서 많이 발생

정답 **18**

① 시멘트 액체 방수
② 수밀재 붙임 방법
③ 도막 방수 공법

정답 **19**

마
라
다
나
가

정답 **20**

(마)
(가)
(라)
(나)
(사)
(다)
(아)
(바)
(자)

정답 **21**

3개의 판유리 사이에 공기막을 두고 적외선 반사율이 높은 은을 코팅한 유리로 열관류율을 낮추고, 가시광선 투과율을 높인 열이동을 극소화한 에너지 절약형 유리를 말한다.

22 다음 데이터를 네트워크공정표로 작성하고, 각 작업의 여유시간을 구하시오. (10점)

작업명	작업일수	선행작업	비　　고
A	5	없음	(1) 결합점에서는 다음과 같이 표시한다.
B	6	없음	
C	5	A, B	
D	7	A, B	
E	3	B	
F	4	B	(2) 주공정선은 굵은 선으로 표시한다.
G	2	C, E	
H	4	C, D, E, F	

① 네트워크 공정표

② 여유시간 산정

작업명	TF	FF	DF	CP
A				
B				
C				
D				
E				
F				
G				
H				

정답 **22**

① 네트워크 공정표

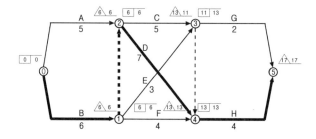

② 여유시간 산정

작업명	TF	FF	DF	CP
A	1	1	0	
B	0	0	0	※
C	2	0	2	
D	0	0	0	※
E	4	2	2	
F	3	3	0	
G	4	4	0	
H	0	0	0	※

23 그림과 같은 트러스의 U_2, L_2 부재의 부재력(kN)을 절단법으로 구하시오. (단, −는 압축력, +는 인장력으로 부호를 반드시 표시하시오.) (4점)

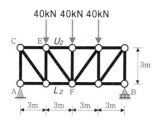

24 그림과 같은 단순보의 최대 전단응력을 구하시오. (3점)

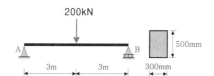

25 철근콘크리트 부재의 구조계산을 수행한 결과이다. 공칭휨강도와 공칭전단강도를 구하시오. (4점)

─── 〈보 기〉 ───

(1) 하중조건:

　① 고정하중: $M = 150kN \cdot m$, $V = 120kN$

　② 활하중: $M = 130kN \cdot m$, $V = 110kN$

(2) 강도감소계수:

　① 휨에 대한 강도감소계수: $\phi = 0.85$ 적용

　② 전단에 대한 강도감소계수: $\phi = 0.75$ 적용

정답 **23**

(1) $V_A = \dfrac{40 + 40 + 40}{2} = +60kN(\uparrow)$

(2) $M_F = 0 : \ +(60)(6) - (40)(3)$
　　　　　$+ (F_{U_2})(3) = 0$
　　$\therefore F_{U_2} = -80kN$

(3) $M_E = 0 : \ +(60)(3) - (F_{L_2})(3) = 0$
　　$\therefore F_{L_2} = +60kN$

정답 **24**

(1) $V_{max} = +\dfrac{P}{2} = +\dfrac{(200)}{2} = 100kN$

(2) $\tau_{max} = k \cdot \dfrac{V_{max}}{A} = \left(\dfrac{3}{2}\right) \cdot \dfrac{(100 \times 10^3)}{(300 \times 500)}$
　　　$= 1N / mm^2 = 1MPa$

정답 **25**

(1) 공칭휨강도 :
　$M_u = 1.2(150) + 1.6(130) = 388$
　$M_u \leq \phi M_n$ 에서
　$M_n \geq \dfrac{(388)}{(0.85)} = 456.471kN \cdot m$

(2) 공칭전단강도 :
　$V_u = 1.2(120) + 1.6(110) = 320$
　$V_u \leq \phi V_n$ 에서
　$V_n \geq \dfrac{(320)}{(0.75)} = 426.667kN$

26 그림과 같은 철근콘크리트 보 단면의 설계전단강도를 구하시오. (단, 보통중량콘크리트 사용, $f_{ck} = 24MPa$, $f_{yt} = 400MPa$) (4점)

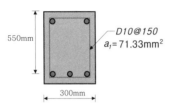

정답 **26**

(1) $V_c = \dfrac{1}{6}\lambda\sqrt{f_{ck}} \cdot b_w \cdot d$:

$\quad = \dfrac{1}{6}(1.0)\sqrt{(24)}(300)(550) = 134,722N$

(2) $V_s = \dfrac{A_v \cdot f_{yt} \cdot d}{s} = \dfrac{(2 \times 71.33)(400)(550)}{(150)}$

$\quad = 209,235N$

(3) $\phi V_n = \phi(V_c + V_s)$:

$\quad = (0.75)[(134,722) + (209,235)]$

$\quad = 257,968N = 257.968kN$

2023년 1회 출제문제

1 다음 내용을 읽고 ( ) 안에 알맞는 내용을 쓰시오. (4점)

- 콘크리트를 2층 이상으로 나누어 타설할 경우, 상층의 콘크리트 타설은 원칙적으로 하층의 콘크리트가 굳기 시작하기 전에 해야 하며, 상층과 하층이 일체가 되도록 시공구획의 면적, 콘크리트의 공급능력, 이어치기 허용 시간간격 등을 정하여야 한다. 이어치기 허용시간 간격은 외기기온이 25℃ 초과일 경우에는 (①), 25℃ 이하에서는 (②)으로 한다.

참고사항
지난 기출문제는 25℃ 이상, 25℃ 미만(건축공사 표준시방서 기준)으로 출제되었고, 이번 시험에서는 25℃ 초과, 25℃ 이하(콘크리트 표준시방서 기준)으로 출제되었다. 시간은 동일함.

2 현장에 납품된 콘크리트가 소요의 성능을 가지고, 이후 시공에 적용해도 좋은 지의 여부를 판정하기 위해 콘크리트가 타설되기 전에 여러가지 품질검사를 실시한다. 그중 콘크리트의 받아들이기 품질 검사 항목을 4가지 쓰시오. (단, 굳지않은 콘크리트의 상태에 관한 시험은 채점대상에서 제외된다.) (4점)

(1) _____ (2) _____

(3) _____ (4) _____

참고사항
기출문제로 출제되었던 레미콘 현장도착시 품질검사 항목을 시방서에서 규정된 콘크리트의 받아들이기 품질검사항목으로 바꾸어서 출제한 문제인데 ( ) 단서조항 때문에 수험생들이 혼돈을 일으켜서 이의신청이 있었던 문제이다.

3 Fast Track Method에 대해 간단히 설명하시오. (3점)

4 철골공사를 시공할 때 베이스 플레이트(Base Plate)의 시공시에 사용되는 충전재의 명칭을 쓰시오. (3점)

정 답
정답 **1**
① 2.0시간(120분)
② 2.5시간(150분)
정답 **2**
(1) 슬럼프 시험
(2) 슬럼프 플로 시험
(3) 공기량 시험
(4) 염화물 함유량 시험
※ 기타 : 온도시험
단위용적 질량시험
정답 **3**
설계가 일부 완성된 후 설계와 시공을 병행하는 방식으로 공기단축, 공사비 절감이 가능한 방식이다.
정답 **4**
무수축 Mortar

5 다음 괄호 안에 알맞은 숫자를 쓰시오. (3점)

> ─── 〈보 기〉 ───
>
> 강도설계 또는 한계상태설계를 수행할 경우에는 각 설계법에 적용하는 하중조합의 지진하중계수는 (　　　)으로 한다.

정답 **5**

1.0

6 고강도 콘크리트의 폭렬현상에 대하여 설명하시오. (3점)

정답 **6**

내·외부의 조직이 치밀한 고강도 콘크리트에서 화재발생시 고압의 수증기가 외부로 분출되지 못하여 콘크리트가 폭파되듯이 터지는 현상

7 다음이 설명하는 용어를 쓰시오. (3점)

> ─── 〈보 기〉 ───
>
> 드라이비트라는 일종의 못박기총을 사용하여 콘크리트나 강재 등에 박는 특수 못 머리가 달린 것을 H형, 나사로 된 것을 T형이라고 한다.

정답 **7**

드라이브 핀(Drive Pin)

8 철근콘크리트 T형보에서 압축을 받는 플랜지 부분의 유효폭을 결정할 때 세 가지 조건에 의하여 산출된 값 중 가장 작은값으로 유효폭을 결정하는데, 유효폭을 결정하는 3가지 기준을 쓰시오. (3점)

① _____ ② _____ ③ _____

정답 **8**

① $16t_f + b_w$

② 양쪽 슬래브 중심간 거리

③ 보 경간(Span)의 $\dfrac{1}{4}$

9 L-100×100×7인장재의 순단면적(mm²)을 구하시오. (3점)

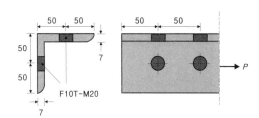

F10T-M20

정답 **9**

$A_n = A_g - n \cdot d \cdot t$

$= [(7)(200-7)] - (2)(20+2)(7) = 1,043$

$= 1,043mm^2$

10 지하구조물은 지하수위에서 구조물 밑면까지의 깊이만큼 부력을 받아 건물이 부상하게 되는데, 이것에 대한 방지대책을 4가지 기술하시오. (4점)

(1) _____

(2) _____

(3) _____

(4) _____

정답 **10**

(1) Rock Anchor공법을 사용하여 부상을 방지한다.
(2) 배수공법으로 지하수위를 낮춘다.
(3) 구조물의 단면을 확대하여 수압에 저항한다.
(4) 차수공법으로 물을 차단한다.
※ 기타
① 마찰말뚝을 사용하여 기초하부의 마찰력을 증진시킨다.
② 인접건물과 긴결하여 수압상승에 대처한다.

11 그림과 같은 트러스 구조의 부정정차수를 구하고, 안정구조인지 불안정구조인지를 판별하시오. (3점)

정답 **11**
$N = r + m + f - 2j = (2+1)+(8)+(0)-2(5)$
1차 부정정 → 안정

12 커튼월 공사에서 구조체의 층간변위, 커튼월의 열팽창, 변위 등을 해결하는 긴결방법 3가지를 쓰시오. (3점)

① _____   ② _____

③ _____

정답 **12**
① 회전방식(Locking Type)
② 슬라이드방식(Slide Type)
③ 고정방식(Fixed Type)

13 다음 데이터를 이용하여 Normal Time 네트워크 공정표를 작성하고, 아울러 3일 공기 단축한 네트워크 공정표 및 총공사금액을 산출하시오. (12점)

Activity	Normal		Crash		비 고
	Time	Cost(원)	Time	Cost(원)	
A(0→1)	3	20,000	2	26,000	표준 공정표에서의 일정은
B(0→2)	7	40,000	5	50,000	다음과 같이 표시하고,
C(1→2)	5	45,000	3	59,000	주공정선은 굵은선으로 표
D(1→4)	8	50,000	7	60,000	시한다.
E(2→3)	5	35,000	4	44,000	
F(2→4)	4	15,000	3	20,000	
G(3→5)	3	15,000	3	15,000	
H(4→5)	7	60,000	7	60,000	

(1) 표준(Normal) Network를 작성하시오.
   (결합점에서 EST, LST, LFT, EFT를 표시할 것)

(2) 공기를 3일 단축한 Network를 작성하시오.
   (결합점에서 EST, LST, LFT, EFT 표시하지 않을 것)

(3) 3일 공기단축된 총공사비를 산출하시오.

[정답] **13**

(1)

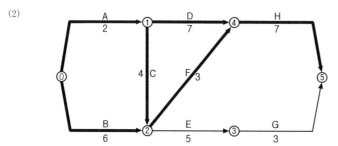

(2)

[정답] **13**

(3) 19일 표준공사비+3일 단축 시 추가공사비
   = 280,000+33,000 = 313,000원

	단축대상	추가비용
18일	F	5,000
17일	A	6,000
16일	B+C+D	22,000

14 지반조사 방법 중 보링(Boring)의 정의와 종류 3가지를 쓰기. (4점)

(가) 정의 : _____

(나) 종류 :

① _____   ② _____

③ _____   ④ _____

[정답] **14**

(가) 지반을 천공하고, 토질의 시료를 채취하여 지층상황을 판단하는 방법

(나)
① Auger Boring
② 수세식 보오링(Wash Boring)
③ 충격식 보오링 (Percussion Boring)
④ 회전식 보오링(Rotary Boring)

---

15 자연상태의 시료를 운반하여 압축강도를 시험한 결과 8MPa이었고 그 시료를 이긴시료로 하여 압축강도를 시험한 결과는 5MPa 이었다면 이 흙의 예민비를 구하시오. (3점)

[정답] **15**

$$예민비 = \frac{자연시료강도}{이긴시료강도} = \frac{8}{5} = 1.6$$

---

16 그림과 같은 단면의 단면2차모멘트 $I = 64.000cm^4$, 단면2차반경 $r = \frac{20}{\sqrt{3}}cm$ 일 때 폭 b와 높이 h를 구하시오. (4점)

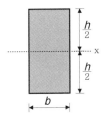

[정답] **16**

(1) $r = \sqrt{\frac{I}{A}}$ 로부터

$$A = \frac{I}{r^2} = \frac{(64,000)}{\left(\frac{20}{\sqrt{3}}\right)^2} = 480cm^2$$

(2) $I = \frac{bh^3}{12} = \frac{A \cdot h^2}{12}$ 으로부터

$$h = \sqrt{\frac{12I}{A}} = \sqrt{\frac{12(64,000)}{(480)}} = 40cm$$

(3) $A = bh$ 로부터

$$b = \frac{A}{h} = \frac{(480)}{(40)} = 12cm$$

---

17 콘크리트 블록의 압축강도가 6N/mm² 이상으로 규정되어 있다. 390×190×190mm 블록의 압축강도를 시험한 결과 600,000N, 500,000N, 550,000N에서 파괴되었을 때 합격 및 불합격 여부를 판정하시오. (3점)

[정답] **17**

$$f_1 = \frac{600,000}{390 \times 190} = 8.097, \quad f_2 = \frac{500,000}{390 \times 190} = 6.747,$$

$$f_3 = \frac{550,000}{390 \times 190} = 7.422$$

$$f = \frac{8.097 + 6.747 + 7.422}{3} = 7.42 N/mm^2$$

$$7.42 N/mm^2 \geq 6.0 N/mm^2$$

이므로 합격

18 석재공사 진행중 석재가 깨진 경우 이것을 접착할 수 있는 대표적인 접착제(재료)의 종류를 쓰시오. (2점)

정답 **18**

에폭시(Epoxy) 수지 접착제 혹은 에폭시

※ 에폭시 수지

19 다음 조건의 철근콘크리트 부재의 부피와 중량을 구하시오. (4점)

(1) 보: 단면 300mm×400mm, 길이 1m, 150개

① 부피:

② 중량:

(2) 기둥: 단면 450mm×600mm, 길이 4m, 50개

① 부피:

② 중량:

정답 **19**

(1) ① $0.3 \times 0.4 \times 1 \times 150 = 18m^3$
    ② $18 \times 2,400 = 43,200kg$
(2) ① $0.45 \times 0.6 \times 4 \times 50 = 54m^3$
    ② $54 \times 2,400 = 129,600kg$

20 다짐(Compaction)과 압밀(Consolidation)의 차이점을 비교하여 설명하시오. (4점)

정답 **20**

다짐이란 사질지반에서 외력작용에 의해 공기가 빠지면서 압축되는 현상을 말하며 압밀이란 점토지반에서 하중을 가하여 흙 속의 간극수를 제거하는 것을 말한다.

21 ALC(Autoclaved Light Weight Concrete) 경량기포 Concrete를 제조하는데 필요한 재료를 2가지 쓰고, 기포제조방법을 쓰시오. (3점)

(1) 주재료 : _____

(2) 기포제조방법 : _____

정답 **21**

(1) 주재료 :
   ① 규사(규산질 재료)
   ② 생석회(석회질 재료)
   ※ 시멘트
(2) 기포제조방법 : 발포제인 알미늄 분말과 기포안정제를 넣어서 제조함

22 그림과 같은 겔버보의 A, B, C의 지점반력을 구하시오. (3점)

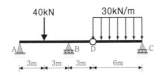

23 흙막이공사의 지하연속벽(Slurry Wall)공법에 사용되는 안정액의 기능 2가지만 쓰시오. (4점)

① _____   ② _____

24 LOB(Line Of Balance)에 대하여 간단히 설명하시오. (3점)

25 강구조 볼트접합과 관련하여 용어를 쓰시오. (3점)

① 볼트 중심 사이의 간격 : _____

② 볼트 중심 사이를 연결하는 선 : _____

③ 볼트 중심 사이를 연결하는 선 사이의 거리 : _____

26 Remicon(20-30-180)은 Ready Mixed Concrete의 규격에 대한 수치이다. 3가지의 수치가 뜻하는 바를 간단히 쓰시오. (※ 단, 단위도 정답에 표시하시오.) (3점)

(1) 25 :

(2) 30 :

(3) 180 :

정답 **22**

(1) DC 구간 :

$$V_C = V_D = +\frac{(30 \times 6)}{2} = +90kN(\uparrow)$$

(2) AD 내민보 구간 :

① $\sum H = 0 : \; H_A = 0$

② $\sum M_B = 0 : \; +(V_A)(6) - (40)(3) + (90)(3) = 0$

$$\therefore V_A = -25kN(\downarrow)$$

③ $\sum V = 0 : \; +(V_A) + (V_B) - (40) - (90) = 0$

$$\therefore V_B = +155kN(\uparrow)$$

정답 **23**

① 굴착공내의 붕괴 방지
② 지하수 유입방지(차수역할)
③ 굴착부의 마찰저항 감소
④ Slime 등의 부유물 배제, 방지 효과

정답 **24**

고층건축물 공사의 반복작업에서 각 작업조의 생산성을 기울기로 하는 직선으로 각 반복작업의 진행을 표시하여 전체공사를 도식화하는 기법

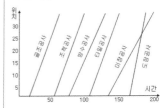

정답 **25**

① 피치(pitch)
② 게이지라인(gauge line)
③ 게이지(gauge)

정답 **26**

(가) 굵은골재 최대 크기(20mm)
(나) 콘크리트의 호칭강도(30Mpa)
(다) 슬럼프 값(180mm)

2023년 2회 출제문제

1 가설출입구 설치 시 고려사항을 3가지 작성하시오. (3점)

① ______

② ______

③ ______

2 다음 평면의 건물높이가 13.5m일 때 비계면적을 산출하시오. (단, 도면 단위는 mm이며, 비계형태는 쌍줄비계로 한다.) (5점)

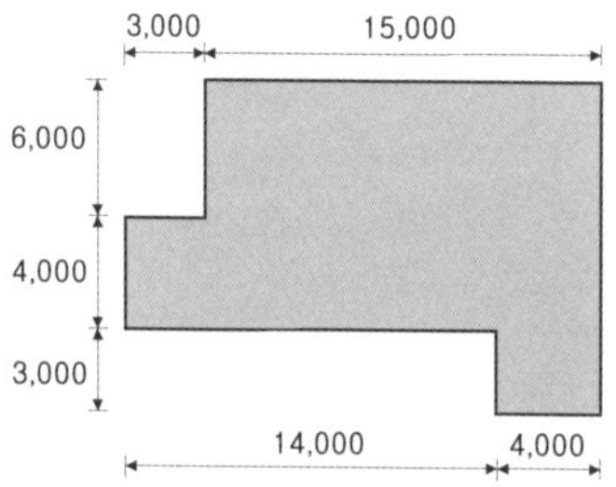

3 지반조사시 실시하는 보링(Boring)의 종류를 3가지만 쓰시오. (3점)

① ______ ② ______ ③ ______

4 연약지반 개량공법을 3가지만 쓰시오. (3점)

① ______ ② ______ ③ ______

정　답

정답 **1**

① 현장으로의 접근이 용이하고 자재 야적에 유리한 위치 선정
② 주변 교통상황과 도로에 영향을 주지 않는 위치 선정
③ 진입 유효폭과 전면 도로폭에 의한 충분한 진입각도를 고려

※ 기타
- 대규모현장은 입구와 출구를 따로 설치한다.
- 출입자재와 차량을 고려하여 출입구의 폭, 높이, 형식을 결정한다.
- 차량출입구와 인력출입구를 분리하여 설치한다.
  (보, 차를 분리하여 설치한다.)

정답 **2**

$A = 13.5 \times \{(18+13) \times 2 + 8 \times 0.9\}$
$= 934.2m^2$

정답 **3**

① Auger Boring
② 수세식 보링(Wash Boring)
③ 충격식 보링
(Percussion Boring)
④ 회전식 보링(Rotary Boring)

정답 **4**

(1) 치환법　(2) 다짐법
(3) 탈수법　(4) 약액주입법
(5) 재하공법

5 부력에 의한 건축물의 부상(浮上)방지 대책을 2가지 쓰시오. (2점)

① _____

② _____

정답 **5**

① Rock Anchor 공법 등 지반정착 공법 사용

② 배수공법이나 차수공법을 사용

6 건물의 부동침하를 방지하기 위한 대책 중 기초구조부에서 처리할 수 있는 방법을 4가지 적으시오. (4점)

① _____   ② _____

③ _____   ④ _____

정답 **6**

① 기초를 경질지층(경질지반)에 지지시킬 것

② 마찰말뚝을 사용하여 보강 할 것(지지말뚝과 혼용금지)

③ 복합기초 사용, 지하실 설치

④ 언더피닝 공법을 적용하여 기초를 보강

※ 기초를 상호 연결

7 다음 그림과 같은 온통기초에서 터파기량, 되메우기량, 잔토처리량을 산출하시오. (단, 토량환산계수 L = 1.3으로 한다.) (9점)

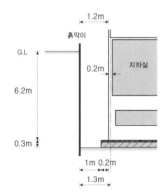
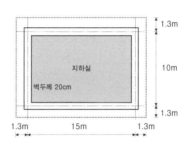

(1) 터파기량

(2) 되메우기량

(3) 잔토처리량

정답 **7**

(1) V = (15+1.3×2) × (10+1.3×2) ×6.5
= 1,441.44m³

(2) ① GL 이하의 구조부체적
[0.3 × (15+0.3×2) × (10+0.3×2)]
+[6.2×(15+0.1×2)×(10+0.1×2)]
= 1,010.86

② 되메우기량 :
1,441.44 - 1,010.86 = 430.58m³

(3) 1,010.86×1.3 = 1,314.12m³

8 건축공사표준시방서에서 규정하고 있는 철근 간격결정 원칙 중 보기의 (   ) 안에 들어 갈 알맞는 수치를 쓰시오. (3점)

> ─〈보 기〉────────────────────────
>
> 철근과 철근의 순간격은 굵은골재 최대치수의 (①)배 이상, (②)mm 이상, 이형철근 공칭직경의 (③)배 이상으로 한다.

① _____ ② _____ ③ _____

9 다음은 건축공사표준시방서에 따른 거푸집널 존치기간 중의 평균기온이 10℃ 이상인 경우에 콘크리트의 압축강도 시험을 하지 않고 거푸집을 떼어 낼 수 있는 콘크리트의 재령(일)을 나타낸 표이다. 빈 칸에 알맞은 날수를 표기하시오. (단, 기초, 보, 기둥 및 벽의 측면의 경우) (4점)

시멘트의 종류 / 평균기온	조강포틀랜드시멘트	보통포틀랜드 시멘트
20℃ 이상	(가)	(다)
20℃ 미만 10℃ 이상	(나)	(라)

10 다음의 용어를 설명하시오, 정의를 쓰시오. (3점)

• 콘크리트 헤드(Concrete Head) _____

_____

11 다음이 설명하는 콘크리트의 줄눈 명칭을 쓰시오. (2점)

> ─〈보 기〉────────────────────────
>
> 콘크리트 경화 시 수축에 의한 균열을 방지하고 바닥판에서 발생하는 수평 움직임을 조절하기 위하여 설치한다. 벽과 슬래브 등 균열이 예상되는 위치에 인위적으로 약한 단면 결손부분을 만들어 타부분의 균열을 억제하는 역할을 수행한다.

12 레디믹스트콘크리트 배합에 대한 내용 중 빈칸에 알맞은 용어를 쓰시오. (3점)

> 〈보 기〉
>
> 콘크리트 배합시. 레디믹스트콘크리트 배합표에 보통 골재는 (①)상태의 질량, 인공경량골재는 (②)상태의 질량을 표시한다. (③)의 경우는 혼화재를 사용할 때로 물에 대한 시멘트와 혼화재의 질량 백분율로 계산하여 고려한다.

① _____   ② _____   ③ _____

[정답] 12
① 표면건조내부포화
  (표면건조 포화)
② 절대건조
③ 물-결합재비

13 철골 주각부의 현장 시공 순서에 맞게 번호를 나열하시오. (2점)

> 〈보 기〉
>
> ① 기초 상부 고름질   ② 가조립   ③ 변형 바로잡기   ④ 앵커 볼트 설치
> ⑤ 철골 세우기   ⑥ 철골 도장

[정답] 13
④-①-⑤-②-③-⑥

14 다음 빈칸에 알맞은 용어 또는 숫자를 기입하시오. (4점)

> 〈보 기〉
>
> 설계볼트장력은 고장력볼트 설계미끄럼강도를 구하기 위한 값으로 미끄럼계수는 최소 (①) 이상으로 하고 현장시공에서의 (②)볼트장력은 (③) 볼트장력에 (④)%를 할증한 값으로 한다.

① _____   ② _____

③ _____   ④ _____

[정답] 14
① 0.5
② 표준
③ 설계
④ 10

15 다음 [보기]에서 설명하는 구조의 명칭을 쓰시오. (2점)

> 〈보 기〉
>
> 강구조물 주위에 철근배근을 하고 그 위에 콘크리트가 타설되어 일체가 되도록 한 것으로서, 초고층 구조물 하층부의 복합구조로 많이 채택되는 구조

[정답] 15
매입형 합성기둥
(Composite Column)

16 철골조에서의 칼럼 쇼트닝(Column Shortening)에 대하여 기술하시오. (3점)

정답 **16**

철골조의 초고층 건물축조시 발생되는 기둥의 축소, 변위현상을 말한다. 발생이유 : 내·외부 기둥 구조의 차이, 재질이나 응력의 차이, 하중의 차이 때문

17 강합성 데크플레이트 구조에 사용되는 쉬어 커넥터(Shear Connector)의 역할에 대하여 설명하시오. (3점)

• 쉬어 커넥터(Shear Connector) _____

정답 **17**

합성구조에서 양재간에 발생하는 전단력의 전달, 보강 및 일체성 확보를 위해 설치하는 연결재료

18 목공사에서 방충 및 방부처리된 목재를 사용해야 하는 경우를 2가지 쓰시오. (4점)

(1) _____

(2) _____

정답 **18**

(1) 외부의 버팀기둥을 구성하는 목재 부위면
(2) 급,배수시설에 인접한 목재로써 부식우려가 있는 부분
※ 납작마루틀의 멍에, 장선

19 미장재료 중 기경성(氣硬性)과 수경성(水硬性) 재료를 각각 2가지씩 쓰시오. (4점)

가. 기경성 미장재료

① _____ ② _____

나. 수경성 미장재료

① _____ ② _____

정답 **19**

가. ① 회반죽
② 돌로마이트 플라스터 (마그네시아 석회)
나. ① 석고플라스터
② 시멘트모르타르

20 시방서와 설계도의 내용이 서로 달라서 시공상 부적당하다고 판단될 때 현장 책임자는 공사감리자와 협의하고 즉시 알려야 한다. 다음 〔보기〕에서 건축물의 설계도서 작성기준에서 시방서와 설계도서의 우선순위를 중요도에 따라 나열하시오. (4점)

┌─── 〈 보 기 〉 ──────────────────────┐
① 공사(산출)내역서   ② 공사시방서   ③ 설계도면
④ 표준시방서   ⑤ 전문시방서
└──────────────────────────────────┘

정답 **20**

②-③-⑤-④-①

참고사항 건축물의 설계도서 작성기준
(국토부 고시 : 설계도서 해석의 우선순위)
① 공사시방서
② 설계도면
③ 전문시방서
④ 표준시방서
⑤ 산출내역서
⑥ 승인된 시공 상세도면
⑦ 관계법령의 유권해석
⑧ 감리자의 지시사항

21 다음이 설명하는 낙찰제도의 명칭을 쓰시오. (4점)

(1) 입찰에서 제시한 가격과 기술능력, 공사경험, 경영상태 등 계약수행능력을 종합평가하여 낙찰자를 결정하는 제도

(2) 사회적 책임점수를 포함한 공사수행 능력점수와 입찰금액 점수를 합산하여 가장 높은 점수를 획득한 입찰자를 낙찰시키는 제도

정답 **21**
(1) 적격낙찰제도(적격심사낙찰제도, 종합평가낙찰제도)
(2) 종합심사낙찰제도

22 다음 데이터를 이용하여 정상공기를 산출한 결과 지정공기보다 3일이 지연되는 결과이었다. 공기를 조정하여 3일의 공기를 단축한 네트워크공정표를 작성하고 아울러 총공사금액을 산출하시오. (10점)

작업명	선행작업	정상(Normal)		특급(Crash)		비 고
		공기(일)	공비(원)	공기(일)	공비(원)	
A	없음	3	7,000	3	7,000	(1) 단축된 공정표에서 CP는 굵은선으로 표시하고, 결합점에서는 다음과 같이 표시한다.
B	A	5	5,000	3	7,000	
C	A	6	9,000	4	12,000	
D	A	7	6,000	4	15,000	
E	B	4	8,000	3	8,500	
F	B	10	15,000	6	19,000	
G	C, E	8	6,000	5	12,000	
H	D	9	10,000	7	18,000	(2) 정상공기는 답지에 표기하지 않고 시험지 여백을 이용할 것
I	F, G, H	2	3,000	2	3,000	

비고란 그림:

EST LST / LFT EFT

$$(i) \xrightarrow[\text{소요일수}]{\text{작업명}} (j)$$

(1) 3일 단축한 Network 공정표

(2) 총공사금액 산정

정답 **22**

(1)

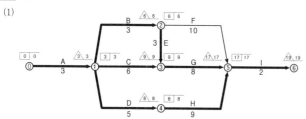

(2) 22일 표준공사비 + 3일 단축 시 추가공사비 = 69,000 + 8,500 = 77,500원

	단축대상	추가비용
21일	E	500
20일	B+D	4,000
19일	B+D	4,000

23 그림과 같은 단면의 x축에 대한 단면2차모멘트를 계산하시오. (3점)

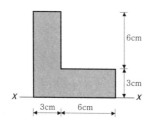

24 그림과 같은 비틀림모멘트(T)가 작용하는 원형 강관의 비틀림전단응력(τ_t)을 기호로 표현하시오. (3점)

정답 **23**

$$I_x = \left[\frac{(3)(9)^3}{12} + (3 \times 9)(4.5)^2\right] +$$

$$\left[\frac{(6)(3)^3}{12} + (6 \times 3)(1.5)^2\right] = 783cm^4$$

정답 **24**

$$\tau_t = \frac{T}{2t \cdot A_m} = \frac{T}{2t \cdot \pi r^2}$$

25 기둥의 재질과 단면 크기가 모두 같은 그림과 같은 4개의 장주의 지점조건에 따른 유효 좌굴길이를 구하시오. (4점)

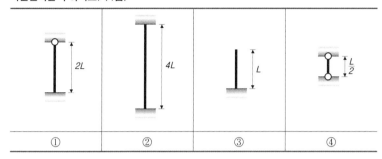

①	②	③	④

26 다세대주택의 필로티 구조에서 전이보(Transfer Girder)의 1층 구조와 2층 구조가 상이한 이유를 설명하시오. (4점)

정답 **25**

① $0.7 \times 2L = 1.4L$

② $0.5 \times 4L = 2L$

③ $2 \times L = 2L$

④ $1 \times \dfrac{L}{2} = 0.5L$

정답 **26**

건축계획상 상부층의 기둥(Column)이나 벽체(Wall)가 하부로 연속성을 유지하면서 내려가지 못하기 때문에 이들을 춤이 큰 보에 지지시켜 이들이 지지하는 하중을 다른 하부의 기둥이나 벽체에 전이시키기 때문이다.

2023년 3회 출제문제

1 다음 용어에 대하여 간단히 설명하시오. (4점)

   (1) 솟음(Camber) :

   (2) 토핑 콘크리트(Topping Concrete) :

2 지반의 허용응력도에 대해 빈칸에 알맞은 숫자를 기입하시오. (허용지내력 : 단위 kN/m², kPa) (4점)

지반		장기	단기
경암반	화성암 및 굳은 역암 등	(①)	통상 장기허용 지내력도의 2배로 본다. (법규규정은 1.5배)
연암반	판암, 편암 등의 수성암	(②)	
	혈암, 토단반 등의 암반	1000	
자갈		300	
자갈과 모래의 혼합물		(③)	
모래섞인 점토 또는 롬토		150	
모래, 점토		(④)	

3 콘크리트의 크리프(Creep) 현상에 대하여 쓰시오. (3점)

4 목재면 바니쉬칠 공정의 작업순서를 보기에서 골라 기호로 쓰시오. (4점)

   ── 〈보 기〉 ──
   (1) 색올림   (2) 왁스문지름   (3) 바탕처리   (4) 눈먹임

정 답

정답 1

   (1) 솟음(camber) : 처짐을 고려하여 보, 슬래브, 트러스 등에서 정상위치나 형상으로부터 미리 상향으로 구부려 올리는 것이나 구부려 올린 크기
   (2) Topping Concrete : 공장제작된 Half slab 콘크리트판 위에 현장에서 타설된 콘크리트를 말한다.

정답 2

   ① 4000
   ② 2000
   ③ 200
   ④ 100

정답 3

Creep 현상 : Concrete에 일정하중을 계속주면 하중의 증가없이도 시간의 경과에 따라 변형이 증가하는 소성변형 현상

정답 4

(3) - (4) - (1) - (2)

5 시공이 빠르고 이음이 없는 수밀한 콘크리트 구조물을 완성할 수 있는 벽체전용 system 거푸집의 종류를 3가지 쓰시오. (3점)

① _____ ② _____

③ _____

정답 **5**

① 갱폼(Gang Form)
② 클라이밍폼(Climbing Form)
③ 슬라이딩폼(Sliding Form)
④ 슬립폼(Slip Form)

6 한중콘크리트에 대한 내용 중 빈칸에 알맞은 숫자를 기입하시오. (3점)

> 한중콘크리트는 일평균 기온이 ( )℃ 이하 또는 콘크리트 타설 완료 후 24시간 동안 일 최저기온이 ( )℃ 이하가 예상되는 조건하에 타설되는 콘크리트를 말하며, 원칙적으로 물 결합재비는 ( )% 이하로 한다.

정답 **6**

4, 0, 60

7 슬러리 월(Slurry wall) 공사에서 사용되는 벤토나이트 용액의 사용목적에 대하여 2가지를 쓰시오. (4점)

① _____

② _____

정답 **7**

① 굴착공내의 붕괴 방지
② 지하수 유입방지(차수역할)
③ 굴착부의 마찰저항 감소
④ Slime 등의 부유물 배제, 방지 효과

8 숏 크리트(Shot Crete)를 설명하고, 장·단점을 1가지씩 쓰시오. (4점)

(가) 숏 크리트 : _____

(나) 장점 : _____

(다) 단점 : _____

정답 **8**

(가) 모르타르를 압축공기로 분사하여 바르는 것으로 Sprayed Concrete라고도 한다.
(나) 재료 표면의 강도, 수밀성, 내구성 증진
※ 밀폐된 좁은 공간에 시공성(충전성) 우수
(다) 다공질이고 외관이 거칠고 균열발생 우려
※ 건식공법은 분진발생과 재료낭비가 심함.

9 다음이 설명하는 용어를 쓰시오. (3점)

> 건축주와 시공자가 공사실비를 확인정산하고 정해진 보수율에 따라 시공자에게 지급하는 방식

정답 **9**

실비청산(정산) 보수 가산방식 혹은 실비청산(정산) 비율보수 가산방식

10 다음 용어에 대해 설명하시오. (4점)

(1) 물시멘트비 :

(2) 물-결합재비 :

11 다음이 설명하는 용어를 쓰시오. (3점)

> 영구배수공법의 일종으로 롤 형태의 보드를 옹벽 뒤에 부착하여 시공하는 배수 자재이며 세척하는 장소의 한쪽이나 양쪽에 설치하여 허드렛물이 잘 빠지도록 하는 판

12 매스콘크리트(Mass Concrete)에서 선행냉각방식과 해당 방식에 사용되는 재료에 대해 설명하시오. (4점)

(1) 선행냉각방식

(2) 사용재료

13 컨소시엄(Consortium)공사에 있어서 페이퍼조인트(paper joint)에 관하여 기술하시오. (3점)

14 다음이 설명하는 용어를 쓰시오. (3점)

> 강구조물에 있어서 필릿 용접이 서로 교차하는 경우 및 필릿 용접과 맞대기 용접이 교차하는 경우 용접선의 교차를 피하기 위해 종(從)필릿 용접 부재에 홈을 만들어 주(主)필릿 용접 또는 맞대기 용접이 통과하도록 하는 것

정답 **10**

(1) 모르타르 또는 콘크리트에 포함된 시멘트 페이스트 중의 시멘트에 대한 물의 질량 백분율
(2) 모르타르 또는 콘크리트에 포함된 시멘트 페이스트 중의 결합재에 대한 물의 질량 백분율
※ 결합재＝시멘트＋혼화재

정답 **11**

배수판(Drain board)

정답 **12**

(1) Pre-cooling 방법이라고도 하며 콘크리트 재료의 일부 또는 전부를 냉각시켜 콘크리트의 온도를 낮추는 방법이다.
(2) 냉각수, 얼음, 액체질소

정답 **13**

명목상(서류상)으로는 여러 회사의 공동도급 형태이지만 실제로는 한 회사가 공사를 진행하고 하도급 형태로 이루어지거나, 단순한 이익배당에만 관여하는 서류상으로만 공사에 참여하는 것을 말한다.

정답 **14**

스캘럽(scallop)

15 다음 물음에 답하시오. (3점)

(1) 다음이 설명하는 벽타일 붙이기 공법의 명칭을 쓰시오.

- 초벌바름을 하고 바탕면에 붙임모르타르를 발라 타일을 눌러 붙인 다음 충격 공구로 타일면에 충격을 가하는 공법:

- 평평하게 만든 바탕 모르타르 위에 붙임 모르타르를 바르고 타일 뒷면에 붙임 모르타르를 얇게 발라 두드려 누르거나 비벼 넣으면서 붙이는 방법:

(2) 다음이 설명하는 줄눈의 명칭을 쓰시오.

- 온도 변화에 따른 팽창, 수축, 부동침하, 진동 등에 의해 균열이 예상되는 위치에 설치하는 줄눈:

16 다음 용어를 설명하시오. (4점)

(1) 로이유리(Low-Emissivity Glass):

(2) 접합 유리(Laminated Glass):

17 시멘트 500포의 공사현장에서 필요한 시멘트 창고의 면적을 구하시오. (단, 쌓기 단수는 12단) (3점)

18 다음 평면도에서 평규준틀과 귀규준틀의 개수를 구하시오. (4점)

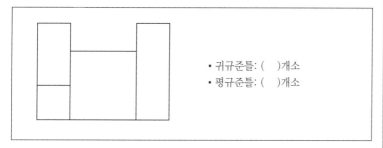

- 귀규준틀: ( )개소
- 평규준틀: ( )개소

정답 15

(1) 밀착공법(동시줄눈공법) 개량압착공법
(2) 신축줄눈

정답 16

(1) 유리의 한쪽 표면에 얇은 은막 (Ag)을 입힌 일종의 열선반사 유리를 말한다. 가시광선 투과율이 높고 열선의 투과율은 낮은 에너지절약형 유리이다.
(2) 합판유리, 합유리라고도 하며, 두 장 이상의 판유리 사이에 합성수지를 겹붙여 댄 것

정답 17

$$A = 0.4 \times \frac{500}{12} = 16.67 m^2$$

정답 18

- 귀규준틀: (6)개소
- 평규준틀: (6)개소

19 아래 그림은 철근콘크리트조 경비실 건물이다. 주어진 평면도 및 단면도를 보고 C_1, G_1, G_2, S_1 에 해당되는 부분의 1층과 2층 콘크리트량과 거푸집량을 산출하시오. (8점)

단, 1) 기둥 단면 (C_1) : 30cm×30cm
　　2) 보 단면 (G_1, G_2) : 30cm×60cm
　　3) 슬래브 두께 (S_1) : 13cm
　　4) 층고 : 단면도 참조
단, 단면도에 표기된 1층 바닥선 이하는 계산하지 않는다.

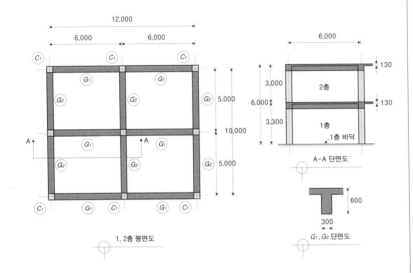

1, 2층 평면도

A-A 단면도

G_1, G_2 단면도

정답 19

(1) 콘크리트량
① 기둥(C_1) 1층 : $(0.3 \times 0.3 \times 3.17) \times 9$개 $= 2.567$
　　　　　　　2층 : $(0.3 \times 0.3 \times 2.87) \times 9$개 $= 2.324$
② 보(G_1) : 1층+2층 : $(0.3 \times 0.47 \times 5.7) \times 12$개 $= 9.644$
　　보(G_2) : 1층+2층 : $(0.3 \times 0.47 \times 4.7) \times 12$개 $= 7.952$
③ 슬래브(S_1) : 1층+2층 : $(12.3 \times 10.3 \times 0.13) \times 2$개 $= 32.939$
④ 합계 : $2.567 + 2.324 + 9.644 + 7.952 + 32.939 = 55.426$ → 55.43m^3

(2) 거푸집량
① 기둥(C_1) 1층 : $(0.3+0.3) \times 2 \times 3.17 \times 9$개 $= 34.236$
　　　　　　　2층 : $(0.3+0.3) \times 2 \times 2.87 \times 9$개 $= 30.996$
② 보(G_1) 1층+2층 : $(0.47 \times 5.7 \times 2) \times 12$개 $= 64.296$
　　보(G_2) 1층+2층 : $(0.47 \times 4.7 \times 2) \times 12$개 $= 53.016$
③ 슬래브(S_1) 1층+2층 : $[(12.3 \times 10.3) + (12.3+10.3) \times 2 \times 0.13] \times 2$개 $= 265.132$
④ 합계 : $34.236 + 30.996 + 64.296 + 53.016 + 265.132 = 447.676$ → 447.68m^2

20 TQC에 이용되는 다음 도구를 설명하시오. (4점)

(1) 파레토도:

(2) 특성요인도:

(3) 층별:

(4) 산점도:

정답 20
1) 데이터를 불량 크기순서대로 나열해 놓은 그림
2) 결과에 어떤 원인이 관계하는지를 알 수 있도록 작성한 그림
3) 층별: 집단을 구성하고 있는 데이터를 특징에 따라 몇 개의 부분집단으로 나누는 것
4) 산점도: 대응되는 두 개의 짝으로 된 데이터를 하나의 점으로 나타낸 그림

21 주어진 자료(DATA)에 의하여 다음 물음에 답하시오. (10점)

작업명	선행작업	정상(Normal)		특급(Crash)		비　고
		공기(일)	공비(원)	공기(일)	공비(원)	
A	없음	5	170,000	4	210,000	결합점에서의 일정은 다음과 같이 표시하고, 주공정선은 굵은선으로 표시한다.
B	없음	18	300,000	13	450,000	
C	없음	16	320,000	12	480,000	
D	A	8	200,000	6	260,000	
E	A	7	110,000	6	140,000	
F	A	6	120,000	4	200,000	
G	D, E, F	7	150,000	5	220,000	

(1) 표준(Normal) Network를 작성하시오.

(2) 표준공기 시 총공사비를 산출하시오.

(3) 4일 공기단축된 총공사비를 산출하시오.

정답 21

(1)

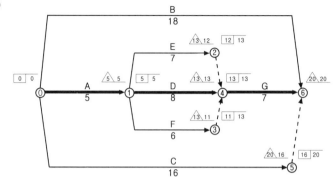

(2) 170,000+300,000+320,000+200,000+110,000+120,000+150,000 = 1,370,000원

(3) 20일 표준공사비 + 4일 단축시 추가공사비 = 1,370,000+200,000 = 1,570,000원

	단축대상	추가비용
19일	D	30,000
18일	G	35,000
17일	B+G	65,000
16일	A+B	70,000

22 다음 조건에서의 용접유효길이(L_e)를 산출하시오. (4점)

- 모재는 SM355($F_u = 490MPa$),
  용접재(KS D7004 연강용 피복아크 용접봉)의 인장강도 $F_{uw} = 420N/mm^2$
- 필릿치수 $S = 5mm$
- 하중: 고정하중 20kN, 활하중 30kN

정답 22

(1) $P_U = 1.2P_D + 1.6P_L = 1.2(20) + 1.6(30) = 72kN$

(2) $a = 0.7S = 0.7(5) = 3.5mm$

$A_w = a \times 1 = 3.5 \times 1 = 3.5mm^2$

$\phi R_n = \phi F_w \cdot A_w = \phi(0.6F_{uw}) \cdot A_w = (0.75)(0.6 \times 420)(3.5) = 661.5N/mm$

(3) $L_e = \dfrac{P_U}{\phi P_w} = \dfrac{(72 \times 10^3)}{(661.5)} = 108.844mm$

23 그림과 같은 철근콘크리트 단순보에서 계수집중하중(P_u)의 최대값(kN)을 구하시오.
(단, 보통중량콘크리트 $f_{ck} = 28MPa$, $f_y = 400MPa$, 인장철근 단면적 $A_s = 1,500mm^2$,
휨에 대한 강도감소계수 $\phi = 0.85$ 를 적용한다.) (4점)

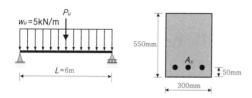

정답 **23**

(1) $a = \dfrac{A_s \cdot f_y}{\eta(0.85 f_{ck})b} = \dfrac{(1,500)(400)}{(1.00)(0.85 \times 28)(300)} = 84.03 mm$

(2) $\phi M_n = \phi A_s \cdot f_y \cdot \left(d - \dfrac{a}{2}\right) = (0.85)(1,500)(400)\left((500) - \dfrac{(84.03)}{2}\right)$

     $= 233,572,350 N \cdot mm = 233.572 kN \cdot m$

(3) $M_u = \dfrac{P_u \cdot L}{4} + \dfrac{w_u \cdot L^2}{8} = \dfrac{P_u(6)}{4} + \dfrac{(5)(6)^2}{8}$

(4) $M_u \leq \phi M_n$ 으로부터 $\dfrac{P_u(6)}{4} + \dfrac{(5)(6)^2}{8} \leq 233.572$ 이므로 $P_u \leq 140.715 kN$

24 그림과 같은 T형 단면의 x 축에 대한 단면2차모멘트를 계산하시오. (단, 그림상의 단
위는 cm이고 x 축은 도심축이다.) (3점)

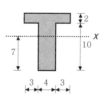

정답 **24**

$I_x = \left[\dfrac{(10)(2)^3}{12} + (10 \times 2)(4)^2\right] +$

$\qquad \left[\dfrac{(4)(10)^3}{12} + (4 \times 10)(2)^2\right] = 820 cm^4$

25 그림과 같은 구조물의 지점반력(H, V, M)을 구하시오. (3점)

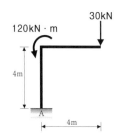

정답 **25**

(1) $\sum H = 0 : \quad H_A = 0$

(2) $\sum V = 0 : \quad +(V_A) - (30) = 0$

$\therefore V_A = +30 kN(\uparrow)$

(3) $\sum M = 0 : \quad +(M_A) + (30)(4) - (120) = 0$

$\therefore M_A = 0$

26 지지조건은 양단 힌지이고, 기둥의 길이 3m, 직경 100mm 원형 단면의 세장비를 구하시오. (3점)

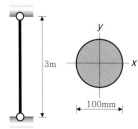

정답 **26**

$$\lambda = \frac{KL}{r_{min}} = \frac{KL}{\sqrt{\dfrac{I_{min}}{A}}} = \frac{(1)(L)}{\sqrt{\dfrac{\left(\dfrac{\pi D^4}{64}\right)}{\left(\dfrac{\pi D^2}{4}\right)}}} = \frac{4L}{D} = \frac{4(3\times10^3)}{(100)} = 120$$

건축기사실기
26개년 과년도 기출문제 (3권)

저 자 한규대 · 김형중
　　　　안광호 · 이병억

발행인 이　　종　　권

2001年 1月 12日 改訂版 3刷發行
2010年 1月 20日 10次改訂 1刷發行
2011年 1月 27日 11次改訂 1刷發行
2011年 6月 15日 11次改訂 2刷發行
2011年 8月 22日 11次改訂 3刷發行
2012年 2月 13日 12次改訂 1刷發行
2012年 4月 10日 12次改訂 2刷發行
2012年 5月 11日 12次改訂 3刷發行
2013年 2月 8日 13次改訂 1刷發行
2014年 2月 17日 14次改訂 1刷發行
2015年 1月 28日 15次改訂 1刷發行
2016年 2月 2日 16次改訂 1刷發行
2017年 2月 3日 17次改訂 1刷發行
2018年 1月 29日 18次改訂 1刷發行
2019年 1月 22日 19次改訂 1刷發行
2020年 1月 23日 20次改訂 1刷發行
2021年 1月 11日 21次改訂 1刷發行
2022年 1月 10日 22次改訂 1刷發行
2023年 1月 26日 23次改訂 1刷發行
2024年 1月 30日 24次改訂 1刷發行

發行處 (주)한솔아카데미

(우)06775 서울시 서초구 마방로10길 25 트윈타워 A동 2002호
TEL : (02)575-6144/5   FAX : (02)529-1130
〈1998. 2. 19 登錄 第16-1608號〉

※ 본 교재의 내용 중에서 오타, 오류 등은 발견되는 대로 한솔아
카데미 인터넷 홈페이지를 통해 공지하여 드리며 보다 완벽한
교재를 위해 끊임없이 최선의 노력을 다하겠습니다.

※ 파본은 구입하신 서점에서 교환해 드립니다.

www.inup.co.kr / www.bestbook.co.kr

ISBN 979-11-6654-455-2 14540
ISBN 979-11-6654-452-1 (세트)